# AMÉRICA DEL SUR

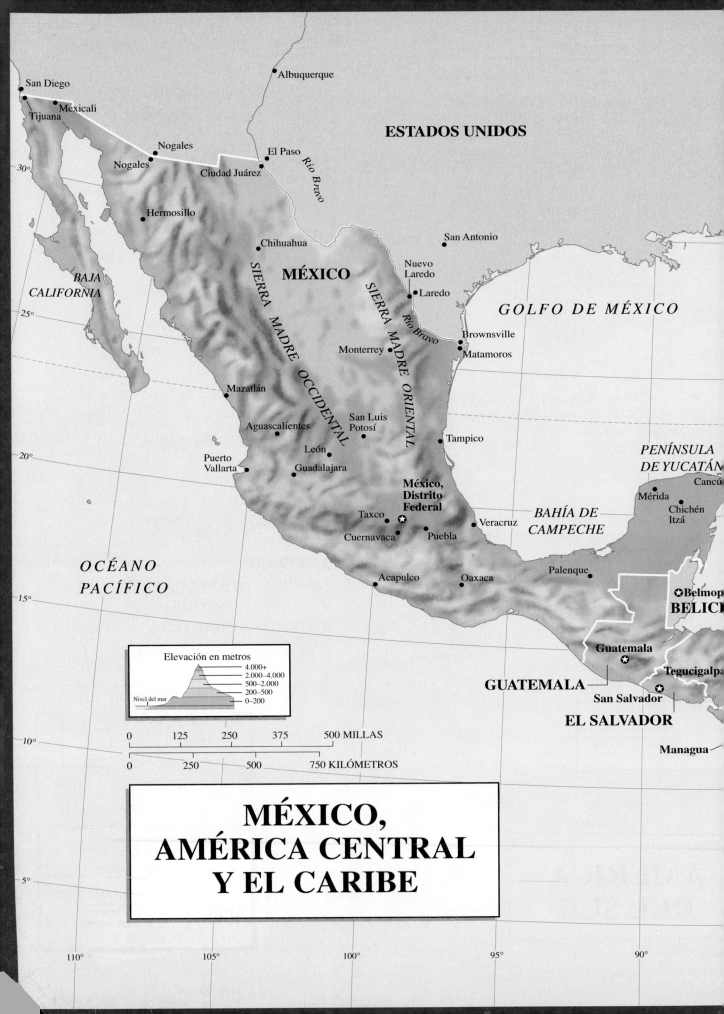

# MÉXICO, AMÉRICA CENTRAL Y EL CARIBE

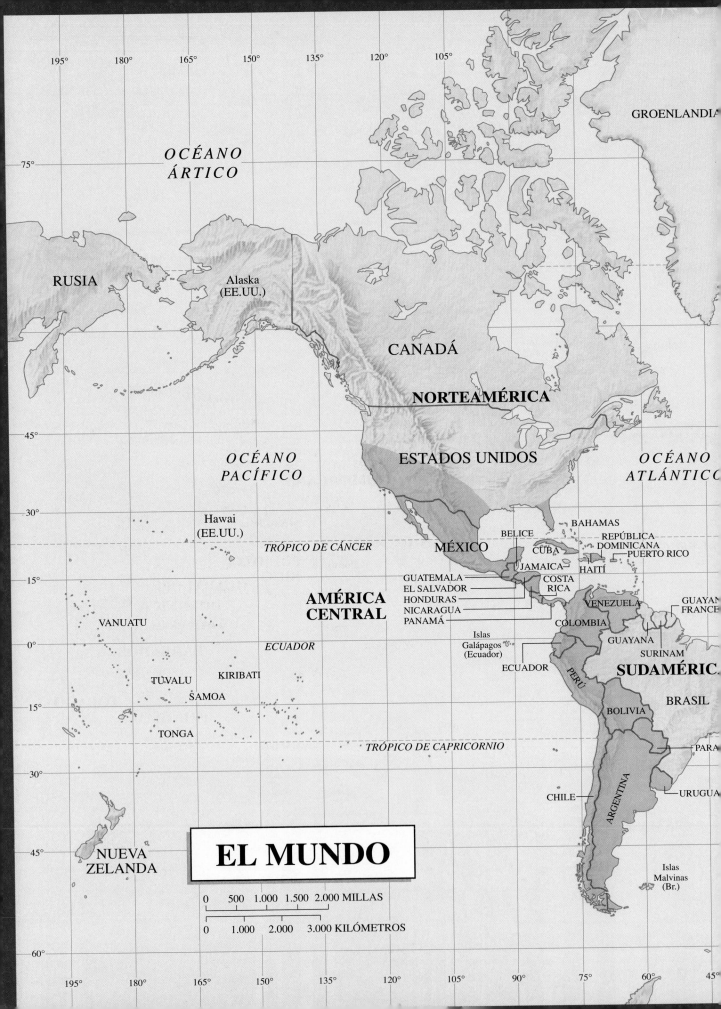

OCÉANO
ÁRTICO

RUSIA

Alaska
(EE.UU.)

GROENLANDIA

OCÉANO
PACÍFICO

CANADÁ

NORTEAMÉRICA

ESTADOS UNIDOS

OCÉANO
ATLÁNTICO

Hawai
(EE.UU.)

*TRÓPICO DE CÁNCER*

MÉXICO

BELICE

BAHAMAS

REPÚBLICA
DOMINICANA
PUERTO RICO

CUBA

JAMAICA

HAITÍ

AMÉRICA
CENTRAL

GUATEMALA
EL SALVADOR
HONDURAS
NICARAGUA
PANAMÁ

COSTA
RICA

VENEZUELA

GUAYAN
FRANCE

VANUATU

*ECUADOR*

Islas
Galápagos
(Ecuador)

COLOMBIA

GUAYANA

SURINAM

ECUADOR

PERÚ

SUDAMÉRIC

TUVALU

KIRIBATI

BRASIL

SAMOA

BOLIVIA

TONGA

*TRÓPICO DE CAPRICORNIO*

PARA

ARGENTINA

CHILE

URUGUA

NUEVA
ZELANDA

# EL MUNDO

Islas
Malvinas
(Br.)

| 0 | 500 | 1.000 | 1.500 | 2.000 MILLAS |

| 0 | 1.000 | 2.000 | 3.000 KILÓMETROS |

195°  180°  165°  150°  135°  120°  105°

75°

45°

30°

15°

0°

15°

30°

45°

60°

195°  180°  165°  150°  135°  120°  105°  90°  75°  60°  45°

# LOS HISPANOHABLANTES EN LOS ESTADOS UNIDOS

**CANADÁ**

Maine

Vermont

New Hampshire

Mass.

Nueva York

Conn.

Rhode Island

Pennsylvania

Nueva Jersey

Minnesota

Wisconsin

Michigan

Iowa

Illinois

Ohio

Indiana

Delaware

Virginia Occidental

Washington, D.C.

Misuri

Kentucky

Virginia

Maryland

Carolina del Norte

Tennessee

Carolina del Sur

Arkansas

OCÉANO ATLÁNTICO

Misisipí

Georgia

Alabama

Luisiana

Florida

GOLFO DE MÉXICO

### Porcentaje de población hispana

- 20 o más
- 10–19,9
- 3–9,9
- 0–2,9

### Países de origen

- México
- Cuba
- Puerto Rico
- Otros

### Total EE.UU. población hispana

# ESPAÑA

Elevación en metros

2.000+
500–2.000
200–500
0–200

Nivel del mar

OCÉANO
ATLÁNTICO

MAR CANTÁBRICO

FRANCIA

ANDORRA

200 MILLAS

300 KILÓMETROS

GALICIA

Santiago
de Compostela

PRINCIPADO
DE ASTURIAS

Santander

Bilbao

PAÍS VASCO

CANTABRIA

CORDILLERA CANTÁBRICA

CASTILLA-LEÓN

NAVARRA

Pamplona

LA RIOJA

Río Ebro

Zaragoza

PIRINEOS

CATALUÑA

Gerona

Barcelona

Lérida

Costa
Brava

MENORCA

MALLORCA

Palma

ISLAS
BALEARES

IBIZA

MAR MEDITERRÁNEO

Valladolid

Salamanca

Segovia

SIERRA DE
GUADARRAMA

Madrid

MADRID

Toledo

ARAGÓN

COMUNIDAD
VALENCIANA

Valencia

Alicante

MURCIA

Murcia

Cartagena

PORTUGAL

EXTREMADURA

Río Tajo

CASTILLA-LA MANCHA

Ciudad Real

Río Guadalquivir

ANDALUCÍA

Córdoba

Granada

SIERRA NEVADA

Costa del Sol

Lisboa

Sevilla

Cádiz

Málaga

GIBRALTAR (Br.)

CEUTA (Sp.)

MELILLA (Sp.)

Estrecho
de Gibraltar

Tánger

ISLAS CANARIAS

LA
PALMA

GOMERA

TENERIFE

HIERRO

LANZAROTE

FUERTEVENTURA

Las
Palmas

GRAN

ÁFRICA

MILLAS       100

0     KILÓMETROS     150

# ¡Dímelo tú!

The University of Arizona

Includes iLrn Student Guide and Spanish 101, 102, and 205 Journals

Francisco Rodríguez | Fabián A. Samaniego | Thomas J. Bloomers

With contributions from Eliud Chuffe

CENGAGE
Learning·

Australia • Brazil • Japan • Korea • Mexico • Singapore • Spain • United Kingdom • United States

**¡Dímelo tú! The University of Arizona 6th Edition Includes iLrn Student Guide and Spanish 101, 102, and 205 Journals**

¡Dímelo tú! 6th Edition
Francisco Rodríguez | Fabián A. Samaniego | Thomas J. Bloomers | Eliud Chuffe

© 2010, 2006 Cengage Learning. All rights reserved.

Senior Project Development Manager:
Linda deStefano

Market Development Manager:
Heather Kramer

Senior Production/Manufacturing Manager:
Donna M. Brown

Production Editorial Manager:
Kim Fry

Sr. Rights Acquisition Account Manager:
Todd Osborne

For product information and technology assistance, contact us at
**Cengage Learning Customer & Sales Support, 1-800-354-9706**

For permission to use material from this text or product,
submit all requests online at **cengage.com/permissions**
Further permissions questions can be emailed to
**permissionrequest@cengage.com**

This book contains select works from existing Cengage Learning resources and was produced by Cengage Learning Custom Solutions for collegiate use. As such, those adopting and/or contributing to this work are responsible for editorial content accuracy, continuity and completeness.

**Compilation © 2013 Cengage Learning**

ISBN-13: 978-1-285-91297-4

ISBN-10: 1-285-91297-7

**Cengage Learning**
5191 Natorp Boulevard
Mason, Ohio 45040
USA
Cengage Learning is a leading provider of customized learning solutions with office locations around the globe, including Singapore, the United Kingdom, Australia, Mexico, Brazil, and Japan. Locate your local office at:
**international.cengage.com/region.**

Cengage Learning products are represented in Canada by Nelson Education, Ltd.
For your lifelong learning solutions, visit **www.cengage.com/custom.**
Visit our corporate website at **www.cengage.com.**

Printed in the United States of America

# iLrn™ HEINLE LEARNING CENTER

## Table of Contents

# Getting Started

Congratulations on working with a Heinle book. *iLrn: Heinle Learning Center* gives you access to a wealth of data about your performance, thereby allowing you to learn more effectively. Moreover, you'll enjoy *iLrn: Heinle Learning Center* because it is fun to use and gives you instant feedback when you complete an exercise. *iLrn: Heinle Learning Center* simply requires you to set up your account with your book key and then to log in each time you use it.

# Registration

## Creating an Account

### To set up your account, follow these steps:

Step 1: Go to *http://ilrn.heinle.com*

Step 2: Click the *Login* button.

Step 3: Click *Create account*.

Step 4: Enter your user information and click *Submit*.

Step 5: You will be prompted to enter your book key printed inside the sleeve that came bundled with your book. Click *Go.* (You can also purchase an access code online from cengagebrain.com )

Step 6: Your book also requires an instructor's course code. You must get the course code from your instructor to gain access to your course. If you already have it, enter it when prompted. Otherwise, you can enter it the next time you login.

Figure 1: Student Workstation: Before entering course code

## Login Instructions

To access your book after you have added it to your account, follow these steps:

Step 1: Go to *http://ilrn.heinle.com*

Step 2: Click the *Login* button.

Step 3: Enter your username and password. You are taken to the Student Workstation.

Step 4: Click on the book cover to open the *iLrn: Heinle Learning Center*.

If you experience any problems with setting up your account, ask Quia for help. You can submit a request at http://hlc.quia.com/support.html, email Quia at bookhelp@quia.com or call them at 1-877-282-4400.

## Updating Your Profile

When you create your iLrn: *Heinle Learning Center* account, the information you enter, such as your name and email address, is saved in your profile.

## To update your profile:

1. Login to the *Student Workstation*.

2. Click *Profile* in the upper right corner of your screen.

3. Update the information and press *Save changes*.

Make sure your email address is current in your profile, as Quia uses this email address to respond to technical support questions and provide forgotten username/password information.

# Student Workstation

Once you have entered your book and course keys, the Student Workstation will appear like the screen below each time you login.

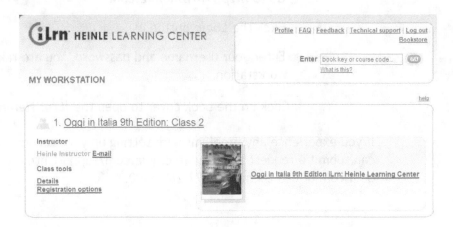

Figure 2: Student Workstation: After entering course code

In this view, you can choose one of the five options:

## 1) Open book

Click on the book title or cover. This brings you to the *Welcome page* for *iLrn: Heinle Learning Center*, where you have access to all the resources available for your course.

Figure 3: Student Workstation: Textbook Activities Welcome Screen

## From the Welcome page, you have access to these tabs:

▸ *eBook*—This page-for-page reproduction of the printed book features embedded audio, video, as well as note-taking and text highlighting capabilities. You can complete textbook activities directly from the eBook interface. You can also see whether it is assigned, completed or graded. Just look for the ⓐ icon to see what is assigned and when it is due. Hover the mouse over the ⓐ icon to see your grade for a completed assignment. The page view can be magnified and the content searched via the index, table of contents, or search functions.

- ▸ *Textbook Activities*— You can select a chapter and view all of the exercises for each chapter. Click on the title to open an activity.

- ▸ **Student Activities Manual**—An online version of the Student Activities Manual with audio allows you to get immediate feedback on your work—anytime, anywhere.

- ▸ *Video Library*— For every chapter, you can access accompanying video segments. You can can also turn closed captioning on and off as an aid to understanding. Video segments may be accompanied by pre and post-viewing exercises.

- ▸ *Diagnostics*— You may take an online diagnostic test before or after working through a textbook chapter to get an initial assessment of what you know and what you still need to master. Your results are graded automatically and displayed according to learning outcomes.

  A Personalized Study Plan, based on the automatically graded test, directs you to additional study aids that focus your efforts and study time on the areas where you need the most help. Please see the *Diagnostics and Personalized Learning* section for more information.

- ▸ *Enrichment*—Depending on the title, enrichment activities might include any or all of the following additional activities: vocabulary flashcards; grammar and pronunciation tutorials; additional self-graded quizzing; access to Heinle iRadio's MP3-ready cultural exploration activities; and access to Student Multimedia CD-ROM activities.

- ▸ *Online exams* - Your instructor may choose to make exams available online. If you are in a distance course, this may be the sole method of taking exams in your course. To access your exam, click the book cover from your Student Workstation. On the left-hand navigation bar, click on the ⊞ to expand a chapter. Click on the *Exam* for that chapter. Your instructor can assign times when the exams are available. If the exam is not yet available, you will not be able to access. If it is available, just click *Start* to begin.

## 2) Class details

In your Student Workstation you will find the details related to your course including:

- ▸ Course Information: Name (the title and section), Instructor (with a button to click for easy contact, Code (course number), School, Duration (dates of course)

- ▸ Book Information: Book title, Publisher, Book duration.

## 3) My results

Here you will see information about your performance, with a clear presentation of several categories viewable by book and chapter. The Book drop-down menu allows you to view your results for Student Activities Manual and Textbook activities or both.

**My scores**

The results below are based on activities that you have completed so far.
There are 42 possible total points.

Statistics (Zum Thema)

| Section | Points | Score |
|---|---|---|
| Kapitel 1 - Zum Thema | 0/42 | 0% |

Performance Summary

| | Exercise #<br>Expand all | Due Date | | Submitted | Time Completed | Time Elapsed | Points | Score |
|---|---|---|---|---|---|---|---|---|
| 🅰 | 1-2-1 | | | | | | | |
| 🅰 | 1-2-2A | 28-Aug-10 | | | | | | |
| 🅰 | 1-2-2B | | | | | | | |
| 🅰 | ▶ 1-2-3A [2] | 28-Aug-10 | | 23-Sep-10 | | | | late |
| | 1-2-3B | | | | | | | |
| | 1-2-3C | | | | | | | |
| | 1-2-3D | | | | | | | |
| | 1-2-4A | | | | | | | |
| | 1-2-4B | | | | | | | |
| 🅰 | 1-2-5 | 28-Aug-10 | | | | | | |

Figure 4: My Results Screen

▸ My scores (for Graded Activities)
▸ Statistics (broken down by chapter)
▸ Performance Summary (Exercise #, Due Date, Submitted, Time Completed, Time Elapsed, Points, Score)

Please see the **Calendar** section for another way to view results by week.

## Grading Status Indicators

Many of the exercises in your *iLrn: Heinle Learning Center* book are completely computer graded. As soon as you complete an exercise, *iLrn: Heinle Learning Center's* software immediately corrects your work, reports a score, and stores your results. Open-ended questions, like those requiring written paragraphs or essays, still require instructor review.

*Please note that for yellow and red activities, your results will display 0% until your instructor grades the assignment.

## 4) Announcements

You can consult this to see if the instructor has created any announcements.

## 5) Registration options

You can drop a course, transfer to a different class, or transfer to a different course or instructor.

To drop a course:

1. Login to the Student Workstation.

2. Click the *Registration options* button in the course you wish to drop.

3. Click *Drop course* to drop your enrollment in this course. Your instructor will be notified. After dropping this course, you will still be able to view your scores; however, you will no longer be able to access the books in this course.

To transfer to a different course or instructor:

1. Login to the Student Workstation.

2. Click the *Registration options* button in the course you wish to transfer from.

3. Click *Change course/instructor*.

4. Enter the new course code and click *Submit*.

To transfer to a different class:

1. Login to the Student Workstation.

2. Click the *Registration options* button in the course you wish to transfer from.

3. Click *Change class*.

4. Select the class you want to enroll in and click *Submit*.

# Calendar & Assignment List

## To access all of your assignments via the Calendar:

1. Login to the Student Workstation. Click on the book title or cover.

2. Click on the *Calendar* in the top navigation bar.

Figure 5: Calendar

3. You will see all Textbook and Student Activities Manual assignments due in the current week. Click an activity to complete it.

4. You can also check your grades on completed assignments. If you see the 📋• icon, your assignment needs to be graded by your instructor.

5. To see assignments for previous or future weeks, select a date during the week you wish to view.

## To access all of your assignments via the Assignment List:

Alternatively, you can view the assignments for each book.

1. From the Welcome page, click *Assignments List* in the top navigation bar.

2. Select a chapter from list to see all assignments for that chapter. A due date will appear under the Due Date column for all assigned activities. If an assignment has been completed, the date will be indicated.

3. Select an activity from the list to open and complete.

Figure 6: Assignment List

8

# Voice-enabled Activities

Voice-enabled activities can be completed alone, with a partner, or with a group. You can talk to your partner or team and write instant messages to work together on the activity, then record a conversation that your instructor will grade.

## Tips for setting up your computer

It is important that your computer is configured correctly to capture the voice-enabled activities. Here are some tips for ensuring you have the proper setup:

▸ *Microphone* — The latest browser versions and Adobe Flash works best with USB (Universal Serial Bus) connected microphones. Internal microphones, WebCam microphones and the older stereo-jack (male connection) microphones can be problematic.

▸ **Adobe Flash** — You should have the latest version of Adobe Flash installed. Also make sure your Flash settings are configured on your web browser for the program to recognize the microphone being used for Voiceboard. To this follow this steps:

    1. Open a voiceboard exercise and right-click on the *Record* button. Select *Settings*.

    2. At the bottom of the menu, click the second tab from the left (it looks like a monitor with an eye on it).Make sure the *Allow* option and the *Remember* check box are selected.

    3. Click the fourth tab (the one with a microphone on it). Make sure the record volume is up all the way and the correct microphone is selected from the drop-down list.

▸ *"Lab" environment*— In a "Lab" environment, your IT department needs to make sure that the network port "1935" is enabled for voice. If this port is disabled from the school's network voice will not transmit.

## Find a partner/team

    1. Click on *Voiceboard* at the top of your student Welcome page screen.

    2. From the *Voice activities*, select the activity you want to complete.

    3. If you need a partner, click the *Find a partner* link at the top of the *Partner Record and Chat box*. This will take you to the partner switchboard where you can invite someone online to partner with you.

Figure 7: Partner Switchboard

    4. If you are working with one partner, his or her name will appear at the top of the *Partner Record and Chat box*.

5. If the assignment requires you to work in teams, you will either need to join an existing team, or invite others to join you. To join an existing team, check the Partnership/Team column and find the name of a person whose team you would like to join. Click his/her name and send him/her a private chat to request an invitation.

6. To form your own team, find an available partner from the Partnership/Team column, click his/her name and the *Invite to partner* link. To add more team members, click their names and the *Invite to team* link. Note that if you have four teammates, you cannot invite more – teams are restricted to five members.

## Complete a voice-enabled activity

1. To send text messages to your partner or team, type in the text box and press Send or press the *Enter* key.

2. To talk to your partner or team before recording, press the *Talk to your partner* button. Make sure that you and your partner have microphones and a headset or speakers, and that the volume is turned on. Note: Your partner cannot speak to you or hear what you say until he or she presses *Talk to your partner* as well. Your conversation will not be recorded unless you click the *Record* button.

3. Coordinate with your partner or team on what you'd like to say. When you're ready to record the conversation, press the *Record* your conversation button. The computer will start to record your conversation ONLY after all partners or teammates have clicked the *Record* button. You will know it is recording because a message in red appears saying "recording..." until either one of the partners presses *Stop recording*.

Figure 8: Activity in recording mode

4. Press *Stop* when you want to stop recording. You can still talk with your partner or team when the recording stops.

5. To listen to your recording, press *Play*. You can pause the recording at any time by pressing *Pause*. If you are not satisfied with your recording, you may record again. Each recording is saved and you can choose which recording (from a drop-down list) you want to submit.

6. When you are satisfied with your recording, press *Submit answers* to send your recording to your instructor. Note: All partners and teammates must press *Submit* in order for the recording to be counted in all of your grades.

7. If you can't find a partner or team, you can record answers on your own; just press *Record* to record your voice, then stop the recording and submit it when you're done. Check with your instructor to see if an individual recording is acceptable, since these activities are designed to be done with a partner.

## Share it!

The new Share it! feature allows you to upload a file, image or video to the Share it! tab where your classmates can comment and rate your file. You can make comments on your classmates files as well.

Your instructor may assign Share it! activities. These will be prompts asking you to upload a file to complete the assignment. When you submit the activity, it will go to the gradebook for your instructor to assign a grade. It will also publish directly the the Share it! tab.

## Diagnostics and Personalized Learning

You may take an online diagnostic test before or after working through a text chapter to get an initial assessment of what you know and what you still need to master. Your results are graded automatically and displayed according to learning outcomes. A Personalized Study Plan, based on the automatically graded test, directs you to additional study aids available in *iLrn: Heinle Learning Center*, including Student Activities Manual activities and pages in the eBook, that focus your efforts and study time on the areas where you need the most help.

▶ Step 1 ...Pre-Test (or What Do I Know?) provides an evaluation of what you already know.

▶ Step 2 ... Personalized Study Plan (or What Do I Need to Learn?) provides a focus for your work. Chapter sections and additional study materials are chosen to cover concepts that you had problems with in the pre-test.

▶ Step 3 ... Post-Test (or What Have I Learned?) provides an evaluation of what you have learned after working through the personalized study plan.

# Using Personal Tutor

## What is Personal Tutor?

▶ Personal Tutor provides tutors exclusively from among experienced and qualified instructors. Tutors have achieved high grades in their degrees (many have a Master's degree and higher) and have real classroom teaching experience. All of Personal Tutor's tutors are located in Tampa, FL, and are monitored on-site by a director, who also holds a Ph.D.

## How does Personal Tutor work?

▶ Personal Tutor provides whiteboard technology for synchronous tutoring (Q&A sessions) that also includes video and audio capabilities (for those students who want these extra features).

## How many hours of tutoring do students get on Personal Tutor?

▶ Personal Tutor provides students with 5 hours of tutoring time.

▶ Students have 3-semesters to use the 5 hours of tutoring

## What if a student needs additional tutoring hours on Personal Tutor?

▶ Students have the option of purchasing additional tutoring directly from Personal Tutor if their hours/paper submissions are used up before the end of a semester. The cost is significantly less at $29.99 for an entire month of tutoring versus paying $35 per hour from other services.

## When will tutoring be available?

▶ Tutors are available for online tutoring seven days a week, and offline questions and papers can be submitted at any time, 24 hours a day. Online tutoring is available for languages at the times below. Responses to offline questions can take 24 to 48 hours to be returned, however, they are usually returned within one day.

|           | Spanish              | French  | Italian  | German       |
|-----------|----------------------|---------|----------|--------------|
| MONDAY    | 9AM-1PM<br>9PM-12AM  |         |          |              |
| TUESDAY   | 9AM-1PM              | 4-8PM   |          | 8PM-Midnight |
| WEDNESDAY | 9AM-1PM<br>9PM-12AM  |         | 6PM-10PM |              |
| THURSDAY  | 9AM-1PM              | 4-8PM   | 8PM-12PM |              |
| FRIDAY    | 9AM-1PM<br>5PM-9PM   | 4-8PM   |          |              |
| SATURDAY  | 12PM-4PM             | 4-8PM   |          |              |
| SUNDAY    |                      |         | 3PM-7PM  | 7PM-11PM     |

# Technical Support

▸ Visit *http://hlc.quia.com/support.html*

▸ View FAQs at *http://hlc.quia.com/help/books/faq.html* for immediate answers to common problems.

▸ Send an e-mail to *bookhelp@quia.com*

▸ Call Toll-free 1-877-282-4400

# System Requirements

## Microsoft® Windows 98, NT, 2000, ME, XP, VISTA, 7
Browsers: Internet Explorer 7.x or higher, or Firefox version 3.x or higher

## Macintosh OS X
Browsers: Firefox version 3.x or higher, or Safari 3.x or higher.

## Additional Requirements
▸ A high-speed connection with throughput of 256 Kbps or more is recommended to use audio and video components.

▸ Screen resolution: 1024 x 768 or higher

▸ CPU: 233MHz

▸ RAM: 128MB

▸ Flash Player 10 or higher

▸ You will need speakers or a headset to listen to audio and video components, and a microphone is necessary for recording activities.

# 101, 102, and 205 JOURNALS

Remember that the main purpose of these journals is to help you further develop your writing skills. You need to make sure you are able to communicate the idea(s) in a comprehensive manner. You are required to show evidence of understanding and be able to use many of the verb tenses and vocabulary words studied in each chapter of the textbook with ease. Your journal should be well organized, appropriate for the level, and relevant to each requested topic.

## Journal Grading Criteria
## for Spanish 101-202-205

| | COMMUNICATION AND CONTENT | GRADE |
|---|---|---|
| I. | Very little is comprehensible.<br>Little information conveyed.<br>Language is inadequate to express in writing anything but very elementary information. | 6 5 4<br>3 2 1 |
| II. | Generally comprehensible, but needs. considerable interpretation on the teacher's part.<br>Only basic information conveyed.<br>Ideas need some organization<br>There is evidence of use of words previously studied with little repetition.<br>Ideas are somewhat developed. | 7 |
| III. | Journal is comprehensible (without interpretation on teacher's part)<br>Demonstrates adequate use of connectors, logical sequence.<br>There is extensive use of words previously studied with no repetition.<br>Ideas are well developed<br>Most information is present | 8 |
| IV. | Journal is very comprehensible (without interpretation on the teacher's part).<br>Evidence of conscious organization.<br>Shows precision on the use of verb tenses for Spanish level.<br>There is excellent use of words previously studied with no repetition.<br>Ideas are appropriate, relevant to the topic and well developed. | 9<br><br>10 |

# 101 STUDENT JOURNALS

## *Journal #1,* Capítulo 1: Yo

Hola maestro/a,

Mi nombre es (Me llamo) _____
<br>(*your name*)

Mi nombre se deletrea (spells) _____
<br>(*spell out your name*)

Yo soy _____, _____, y _____.
<br>(*adjective*)      (*adjective*)      (*adjective*)

Tengo _____ años y estudio _____ aquí en la
<br>(*age*)                    (*subject*)

Universidad de _____.
<br>(*name of U.*)

Mi mejor (*best*) amigo/a se llama _____.
<br>(*name of friend*)

Él/Ella es _____,_____, y _____. ¡Ah!, y
<br>(*adjective*)     (*adjective*)      (*adjective*)

también es un poco _____.
<br>(*adjective*)

Nosotros hablamos por teléfono _____.También nosotros vamos al cine

_____
<br>                            (*how often?*)                                (*how often?*)

_____y estudiamos juntos (*together*) _____.
<br>                                (*how often?*)

Me gusta (I like to) _____,_____, _____,_____
<br>(*Verb/activity*)    (*Verb/activity*)     (*Verb/activity*)     (*Verb/activity*)

y _____.
<br>(*Verb/activity*)

Mi color favorito es el _____ También me gusta el

_____.
<br>                       (*color*)                               (*color*)

Esta semana yo estudio los siguientes verbos:

1._____ que significa (means)_____
<br>  (*verb*)                            (Equivalent in English)

2._____ que significa _____
<br>  (*verb*)                            (Equivalent in English)

3._____ que significa _____
<br>  (*verb*)                            (Equivalent in English)

4._____ que significa _____
<br>  (*verb*)                            (Equivalent in English)

5._____ que significa _____
<br>  (*verb*)                            (Equivalent in English)

Bueno, hasta pronto.

Su amigo/a _____
<br>                 (su nombre)

## *Journal #2,* **Capítulo 2: Puerto Rico**

Visit the following website and click on two links of the 78 municipalities. Read and answer the following questions about Puerto Rico:

http://welcome.topuertorico.org/exploring.shtml

*For this journal, please use your dictionary if you want to learn more adjectives in Spanish to describe the municipality you choose to write about.*

La municipalidad de _____ está en _____.
                 *(municipality)*               *(location)*

El lugar es _____, _____, _____ y

_____.
          *(adjective)(adjective)*          *(adjective)*          *(adjective)*

Algunas atracciones turísticas son: _____, _____ y

_____.

Algunas actividades que puedo hacer en estos lugares son:

_____, _____, _____ y _____.

Describe, in Spanish, what you have learned about Puerto Rico visiting this link to the municipality.

_____

_____

_____

_____

_____

_____

_____

# Journal #3, Capítulo 3: Un día en la universidad

Imagine que está en un lugar público, por ejemplo el centro estudiantil (Student Union), la biblioteca, o cualquier edificio dentro del campus y describa qué está haciendo la gente a su alrededor.

- ¿Quiénes son? ¿Cómo son? Describa dos o tres personas
- ¿Qué hacen en este (that) momento?
- ¿Estudian? ¿Trabajan? ¿De qué hablan?
- ¿Adónde piensa que van? (Si no lo sabe, trate de adivinar o inventar una actividad.)

Hola maestro/a,

Hoy es el _____ de _____ del 2011. En este momento, yo estoy en
      *(día)*        *(mes)*

_____. Hay _____ personas cerca de mí. Creo que estas
     *(lugar)*          *(número)*

personas son _____.
       *(profesión)*

La primera persona es _____ y es _____. Él/ella tiene
        *(un hombre/una mujer)*     *(un niño/una niña/un joven/ unajoven/una persona*
*mayor)*
cabello _____y ojos _____. Esta persona viste _____,
      *(color)*         *(color)*         *(sustantivos para ropas)*
_____ y lleva _____ color _____.
     *(zapatos/tenis/zapatillas/etc.)*

La segunda persona es _____ y es _____. Él/ella tiene
        *(un hombre/una mujer)*     *(un niño/una niña/un joven/ unajoven/una persona*
*mayor)*
cabello _____y ojos _____. Esta persona viste _____,
      *(color)*         *(color)*         *(sustantivos para ropas)*
_____ y lleva _____ color _____.
     *(zapatos/tenis/zapatillas/etc.)*

La tercera persona es _____ y es _____. Él/ella tiene
        *(un hombre/una mujer)*     *(un niño/una niña/un joven/ unajoven/una persona*
*mayor)*
cabello _____y ojos _____. Esta persona viste _____,
      *(color)*         *(color)*         *(sustantivos para ropas)*
_____ y lleva _____ color _____.
     *(zapatos/tenis/zapatillas/etc.)*

En este momento, algunas personas están_____ y creo que
                     *(actividad)*

están hablando de _____. Después, ellos van a _____.
        *(tema/tópico)*           *(lugar/actividad)*

Hasta luego,

_____
    *(su nombre)*

# Journal #4, Capítulo 4: De compras

Estás en una tienda de ropa con un/a amigo/a y están mirando la ropa, pero *no puedes* (can't) decidir qué comprar y haces una lista para *ayudarte* (help yourself) a decidir.

- ¿Cómo es tu estilo favorito de ropa?  (conservador, moderno, *hip*...)
- ¿Qué color(es) prefieres?
- ¿Cuánto dinero puedes gastar y cúanto quieres pagar por la ropa?
- ¿Cuánto cuesta la ropa que deseas?
- ¿Qué te recomienda tu amigo(a) que compres? (your friends is going to give you suggestions but you need to decide on what to buy).

Después (*after*) de ir de compras, ustedes deciden ir a comer.

- ¿Qué quieres comer? Y tu amigo, ¿qué quiere comer?
- ¿Qué tipo de restaurante es tu favorito? (casual, elegante, etc.)
  ¿Es caro o barato?
- ¿Qué tipo de comida es tu favorita?
- Finalmente, ¿qué comen tu amigo y tú?


# Journal #5, Capítulo 5: Mi casa/dormitorio

Describe tu casa, apartamento o cuarto en la residencia estudiantil/dormitorio (dorm), el cuarto o los cuatos, los muebles, la decoración.

- ¿Cómo es? (bonito, feo, sucio, limpio, grande, etc.)
- ¿Dónde está?
- ¿Está cerca o lejos de la universidad?
- ¿Qué lugares hay cerca de tu casa, apartamento o residencia estudiantil?
- ¿Cómo vas a la universidad *desde* (from) tu casa? (carro, bicicleta, caminando, etc.)
- En el futuro, ¿dónde quieres vivir?

# Journal #6, Capítulo 7: Mi vida en la universidad

*****Please review Capítulo 7, paso 2 y 3 before writing this journal*****

Va de vacaciones a su casa/ciudad y encuentra a un(a) amigo(a) de su escuela primaria. Describa a su amigo(a) cómo fue su vida en la Universidad de Arizona este semestre.

- ¿Dónde vivió?

- Describa, ¿cómo fue su apartamento, casa, cuarto de la residencia estudiantil?

- ¿Quiénes fueron sus amigos/as? ¿Cómo son ellos/as? Describa a sus amigos.

- ¿Trabajó durante el semestre? ¿Dónde?

- ¿Se divirtió en la universidad?

- ¿Cuántas y cuáles clases llevó durante el semestre?

## Journal #1, Capítulo 8

Describa un incidente interesante o divertido que tuvo en un restaurante recientemente (Ejemplo: comida, servicio, ambiente del lugar, decoración, etc.)

- ¿Dónde fue?
- ¿Cuándo fue?
- ¿Con quién estaba?
- ¿Cómo se llama el restaurante?
- ¿Qué fue lo que pasó?  Describa con detalles las circunstancias.
- ¿Por qué considera que fue particularmente interesante o divertido este evento?

## Journal #2, Capítulo 9

Describa la rutina diaria de una semana en tu reciente vida universitaria.

- ¿Qué hace todos los días?
- ¿Cómo es el orden de su rutina diaria?
- ¿A veces cambia su rutina?  ¿Por qué?  ¿Cuándo?
- ¿Qué cosas diferentes hace los fines de semana?

## Journal #3, Capítulo 10

¿Alguna vez tuvo un accidente de tráfico o ha sido testigo de alguno? Describa en detalle un accidente que haya tenido o alguno que haya visto alguna vez.

- ¿Dónde fue?
- ¿Cuándo pasó?
- ¿Qué tipo de accidente fue: automóvil, bicicleta, motocicleta, peatón, etc.?
- ¿Quiénes estuvieron involucrados en el accidente?
- ¿Cuáles fueron las consecuencias del accidente?
- ¿Qué acción se tomó para solucionar el accidente?

# Journal #4, Capítulo 11

Describa un día especial que recuerde de su niñez o adolescencia como el mejor cumpleaños, un día festivo como el mejor día de acción de gracias, el mejor 4 de julio, la mejor Navidad/ *Hannukah*/ boda/ graduación de la preparatoria/liceo, un día de campo, etc.

- ¿Qué día especial fue (cumpleaños, graduación, etc.)?
- ¿Dónde ocurrió?
- ¿Por qué ese día es especial para usted?
- ¿Qué edad tenía?
- ¿Quiénes celebraron ese día con usted?
- ¿Qué actividades hizo ese día?
- ¿Cómo fue el clima?
- ¿Cómo fue la comida y las bebidas?
- ¿Cuáles son sus recuerdos más agradables/desagradables de ese día?
- Ahora en su etapa universitaria, ¿disfruta de ese día festivo igual que cuando era niño/a/adolescente? Explique las diferencias.

# Journal #5, Capítulo 12

Hable de sus próximas vacaciones:

- ¿Qué va a hacer durante estas vacaciones?
- ¿Qué otros planes tiene?
- ¿Con quién va a pasar ese tiempo?
- ¿Piensa viajar? ¿Adónde piensa ir?
- ¿Qué va a hacer allá?
- ¿Tiene algunos planes?
- ¿Cuáles son? Explique.

# Journal #6, Capítulo 13

Su amigo(a) quiere celebrar de una manera especial *Hannukah*, Navidad/Año Nuevo con su familia y amigos y le pide algunos consejos:

- ¿Dónde, y a qué hora le aconseja que haga su celebración: casa, salón de baile, etc.?
- ¿Cómo le aconseja que invite a las personas: por teléfono, carta, e-mail, etc.?
- ¿Qué tipo de menú sugiere que sea para ese día? ¿Por qué?
- ¿Es necesario que tenga decoraciones especiales? ¿Cuáles?
- ¿Es aconsejable que haya intercambio de regalos, juegos, etc.?
- ¿Es importante que tenga una cámara de video o solamente una cámara de fotografías?
- ¿Hay algo más que necesite hacer para que su celebración sea inolvidable?

# Contenido

**Scope and Sequence**

Scope and Sequence

**Scope and Sequence**

**Scope and Sequence**

Scope and Sequence

**Scope and Sequence**

**Scope and Sequence**

**Scope and Sequence**

Scope and Sequence

**Scope and Sequence**

Scope and Sequence

# Preface to the Student Edition

## Developing Competency in Spanish

To develop competency in Spanish, you must learn to perform a wide variety of communicative language tasks (e.g., asking and answering questions, describing, narrating, making comparisons, expressing opinions, hypothesizing). You must learn to perform these tasks in a multiplicity of contexts that include, for example, at home, at school, in a department store, at a restaurant, at a travel agency, while traveling abroad, at a hotel, at a concert, at a lecture, in a movie theater, or at a night club. Finally, you must learn to perform these tasks within an appropriate range of accuracy. In *¡Dímelo tú!,* you will accomplish this by *interacting* in Spanish with your classmates and with your instructor on a daily basis.

## Organization of *¡Dímelo tú!,* Sixth Edition

*¡Dímelo tú!,* Sixth Edition, consists of an introductory lesson called **Para empezar** and fourteen regular chapters.

## Para empezar

In this short introductory lesson, you will learn how to greet people, make introductions, and say good-bye. You will also read about Latin America and the global importance of the Spanish language and culture and learn a number of very useful classroom expressions in Spanish, of course.

## Chapters 1–14

The fourteen chapters of *¡Dímelo tú!,* Sixth Edition, are each divided into three **Pasos,** or lessons, with the following components:

**¡Las fotos hablan!** *Photos talk!* This two-page photo spread opens every chapter of the text. The photos have been selected to introduce the chapter theme and the country of focus, while the activity that accompanies the photos is designed to familiarize you with new lesson vocabulary.

**Tarea** *Homework* These homework assignment instructions appear at the beginning of each **Paso.** They direct you to study the lesson's grammatical structures in **En preparación** and write out the answers to the corresponding exercises in **¡A practicar!** In addition, you are instructed to listen to the first part of the **Paso** dialogue or narrative and to answer specific questions before beginning the **Paso** in class.

**¿Eres buen observador?** *Are you a good observer?* This section introduces more of the **Paso**'s active vocabulary and new structures by having you look at specific photos or drawings, or at a variety of advertisements from all over the Spanish-speaking world, and answer questions using the new vocabulary.

**¿Qué se dice... ?** *What do you say…?* Built into the illustrated narratives and dialogues in this section are the new lesson functions, vocabulary, and structures. Your instructor will use the drawings to help you understand as he or she narrates each part of the story or dialogue. You are not expected to understand every word, but you should be able to grasp the main points. The narratives in every **Paso** are recorded on your Text Audio CDs so that you may listen to them again at home.

**Ahora, ¡a hablar!** *Now, let's talk!* In this section, you will be guided through your first productive efforts with the structures and vocabulary that you learned to understand in the previous section, **¿Qué se dice... ?**

**Y ahora, ¿por qué no conversamos?** *And now, why not converse?* In this section, you will do a variety of pair and group, cooperative activities, designed to encourage creativity with the language using the new active vocabulary and structures and to help you develop fluency in speaking. Here, you are expected to fully participate in a variety of interactive activities, which can include such items as look-alike pictures, interview grids, or cooperative activities. This section ends with **¡Luces! ¡Cámara! ¡Acción!,** a role-play activity which will allow you to see for yourself if you have mastered the communicative language tasks of the lesson. In addition, in **Paso 1** of every chapter, the **¡Nuestra comunidad!** activity is designed to get you out into your community to interview local Hispanics.

**Un paso atrás, dos adelante** *One step back, two forward* This section, which occurs only in **Paso 1,** is a vocabulary/structure review activity that systematically recycles the grammar and vocabulary from the previous chapter.

**Saber comprender** *Knowing how to understand* The first two **Pasos** in each chapter include this listening section. In **Paso 1,** you will listen to brief dialogues, short radio and television newscasts, weather reports, and the like. In **Paso 2,** you will view a cultural video on the Spanish-speaking country presented in the chapter. These sections always introduce specific listening strategies that are practiced extensively in pre-listening/pre-viewing activities.

**Noticiero cultural** *Cultural news* The first **Paso** of each chapter also includes a short cultural reading on the country being studied or on a specific location within that country. These readings are always illustrated with appropriate photos and charts.

**Por el ciberespacio** *Through cyberspace* In every **Noticiero cultural** there is a section that encourages you to travel through cyberspace to every Spanish-speaking country featured in this book.

**¡Escríbelo!** *Write it!* This section, which occurs at the end of **Paso 2,** allows you to develop your writing skills in Spanish in much the same way that you would develop your writing skills in English. Each writing task begins with initial planning and brainstorming. Then you write a first draft, which is shared, reviewed, and edited by your peers. Ultimately, you prepare and turn-in for grading a final draft, incorporating your peers' suggestions and corrections.

**El rincón de los lectores** *The reader's corner* This section, which occurs at the end of **Paso 3,** contains a reading selection preceded by specific reading strategies and pre-reading activities in a section called **Estrategias para leer.** The reading selections are taken from literary works and cultural essays authored by writers from the countries being featured.

**En preparación** *In preparation* All major grammatical explanations appear in this section, which is color-shaded, at the end of each chapter. For easy reference, grammatical points numerically correspond to each chapter of the text. In addition, the numerically-coded exercises in the sections titled **Ahora, ¡a hablar!** also coincide with these numbers. Finally, this same numbering system is used in the homework assignments that appear in the **Tarea** boxes that introduce each **Paso.** Before beginning each **Paso,** you need to study the corresponding grammatical sections at home and come to class prepared to ask questions about anything you did not understand.

**¿Sabías que... ?** *Did you know that. . . ?* These sections provide specific cultural information on many aspects of contemporary life in Latin America and Spain. You are always asked to make cross-cultural comparisons in the questions that follow these short readings.

**A propósito...** *By the way. . .* These sections have several functions: they present grammatical structures, as needed, to perform specific communicative tasks; they preview major grammatical structures explained in later chapters; and they present vocabulary clusters related to the **Paso** topic.

**Vocabulario** *Vocabulario* These thematically-organized Spanish-English Vocabulary lists at the end of each chapter include all words and expressions actively used in each **Paso.** You can practice your pronunciation as each of them is read on your Text Audio CDs.

## Reference section

**Appendices.** *Appendix A* contains information that a second student needs in order to complete the pair-work activities in the **Y ahora, ¿por qué no conversamos?** sections that require such materials as look-alike pictures or data for information-gap tasks. *Appendix B* includes information on accentuation; *Appendices C–F* provide extensive charts of regular, stem-changing, and irregular verbs; and *Appendix G* has brief explanations of supplemental grammar points not formally presented in **¡Dímelo tú!;** *Appendix H* is a Grammar Guide.

**Vocabularies.** Both the Spanish-English and English-Spanish end vocabularies include most of the words and expressions used in the text. Active vocabulary is followed by the number of the **Capítulo** and **Paso** where it is first introduced.

**Index.** This textbook contains three indexes, an *Index of Grammar,* an *Index of Culture* and an *Index of Functions and Contexts.*

### Visual icons used throughout the text

 The listening icon is used in the **¿Qué se dice... ?** sections to indicate that you must listen to the Student Audio CD before coming to class. This icon is also used in the **Saber comprender** section in **Paso 1** to indicate that you will be listening to an audio CD.

 The video icon is used in the **Saber comprender** section in **Paso 2** to indicate that you will be viewing and listening to a DVD.

 The writing icon is used in the **¡Escríbelo!** section to indicate that this is the major writing section of the chapter.

 The Internet icon occurs in each **Paso** to direct you to specific search engines as on the Internet or to the **¡Dímelo tú!** Website, where you can do the **Por el ciberespacio** activities.

## Workbook/Lab Manual: Cuaderno de actividades y Manual de laboratorio

This is an integral part of the **¡Dímelo tú!,** Sixth Edition, program. It provides you with the additional reading, writing, and listening comprehension practice necessary to attain competency in Spanish. The workbook provides numerous vocabulary-building exercises, writing activities, and cultural readings, all focusing on the specific structures and vocabulary being presented in each chapter.

In the audio program, you will listen to radio broadcasts and advertisements, public address announcements, phone conversations, and the like, and participate actively by doing such things as checking off the correct responses, taking notes, and identifying people, concepts and actions. These listening activities are specially designed to incorporate the structures and vocabulary presented in each chapter.

In the **Actividades con el video** section those of you looking for a greater challenge in understanding spoken Spanish, will get to know five people from different Spanish-speaking countries that have come together to live and learn from each other in "La Hacienda Vista Alegre" outside San Juan, Puerto Rico. Before watching each segment you'll review strategies that will help you to better comprehend what you see and hear. Then, you'll do activities in which you will demonstrate your understanding of the information.

## Companion Website

**academic.cengage.com/spanish/dimelotu**

The **¡Dímelo tú!** Website has a student section where you can access activities and information correlated to specific **Pasos.** You can travel throughout the Spanish-speaking world via cyberspace. The activities at this site allow you to participate in Spanish-speaking chat rooms; check what movies are showing this week in Buenos Aires, Guatemala City, or Mexico City; read today's headlines in newspapers in Madrid, Havana, or Lima; or visit Lake Titicaca in Bolivia, the Museo del Oro in Bogota, or the rain forests of Costa Rica.

# Acknowledgments

A revision of this magnitude cannot be completed without the help and participation of many individuals. The authors wish to express their sincere appreciation to all who supported us in preparing the Sixth Edition, in particular to the many users of the previous editions. Without their continued support and input, this Sixth Edition would not be possible.

We wish to express a very special thank you to our development editor, Karin Fajardo, for guidance in helping us prepare this edition. We also appreciate the support throughout the project of our Acquisitions Editor, Heather Bradley. We would like to thank Assistant Editor, Katie Latour, for her careful development of the ancillary program. We are grateful for the participation of the following contributors in the new edition: Eliud Chuffe, University of Arizona, for his insightful comments chapter-by-chapter and his revisions to the *Escríbelo* sections; AnChung Cheng, University of Toledo, for her revision of the Website; Peter Lindquist, San Diego State University, for his work on the interactive practice activities; Amanda Boomershine, University of North Carolina-Wilmington, for her revision of the Instructor Resource package; and Florencia Henshaw, University of Illinois-Urbana-Champaign, for her revision of the testing program. Our sincere thanks also go to Harold Swearingen, Managing Development Editor, for his "behind the scenes" work, to Morgen Murphy, Media Editor, for her assistance with the program's new technology offerings, to Jessica Chance, Editorial Assistant, for her expert coordination of the review campaign, and of course to Lindsey Richardson, Executive Marketing Manager, and Jill D'Urso, Marketing Assistant, for their creative and enthusiastic promotion of the new edition.

We extend a very special word of thanks and our gratitude to our production editor, Esther Marshall, for the support and hard work throughout the production of the book, and who so patiently made sure we met all our production deadlines. Our thanks also go to Peggy Hines, Karin Fajardo and María Elena Gonzales, proofreaders; Jill Engebretson, photo researcher; Glenna Collett, interior designer; Lisa Kuhn, cover designer; and to the great team at PrePress PMG for the composition and project management, and in particular to Melissa Sacco for her great coordination and management.

We also gratefully acknowledge the instructors who reviewed the Sixth Edition manuscript. Their insightful comments and constructive criticism were indispensable in the development of this edition. In particular, we thank:

Bruno Arzola
*Tacoma Community College*

Maria Asuncion-Gomez
*Florida International University*

Fleming Bell
*Harding University*

Amanda Boomershine
*University of North Carolina Wilmington*

Jana M. DeJong
*Hampden-Syndey College*

Juliet Falce-Robinson
*UCLA*

Erin Fernandez-Mommer
*Green River Community College*

Carol Fridley
*Messiah College*

Ana Gonzales
*George Mason University*

Sarah Granstrom
*Green River Community College*

Sue Griffin
*Boston University*

Dominque Hitchcock
*Riverside Community College*

Brittany Kennedy
*Tulane University*

Mark D. Larsen
*Utah State University*

Jeff Longwell
*New Mexico State University*

Andrew Lynch
*University of Miami*

John Markovich
*Messiah College*

Ivan Martinez
*Ball State University*

Markus Muller
*California State University-Long Beach*

Daniel Nappo
*University of Tennessee-Martin*

Beatriz Pariente
*University of Massachusetts-Amherst*

Teresa Perez-Gamboa
*University of Georgia*

Marian Quintana
*George Mason University*

Michelle Ramos-Pellicia
*George Mason University*

Cheryl Tano
*Emmanuel College*

Ivonne Vailakis
*University of Redlands*

Marcus Welsh
*Pacific University*

Helga Winkler
*Moorpark College*

Andrew S. Wiseman
*Cedarville University*

Finally we wish to express heartfelt thanks to Janet, Bryan and Noah Rodríguez and Junyi Lu, who through their patience and encouragement have supported us throughout this project.

# How Should I Study Spanish?

Learning Spanish, like learning to play the piano or tennis, requires daily practice. Your ability to understand and to communicate in Spanish will increase each day if you are willing to use the language. Take advantage of every minute you are in the classroom. Don't be afraid to make mistakes when speaking, as this is a normal part of the learning process.

Here is a list of recommendations for how to study Spanish.

1. **Practice every day.** In class, make every effort to use what you already know. Outside of class, practice what you are learning with classmates or find a student who speaks the language to practice with you. Repeated use of Spanish will help you internalize the language.

2. **Learn to make intelligent guesses.** This will be especially important when doing the Internet activities. Spanish has hundreds of cognates, words that look or sound the same as their English equivalents. Learn to recognize and use them. For example, what do the following words mean in English?

   clase  conversación  grupo  información  repite  universidad

3. **Find what works for you!** Experiment to find your own learning style and use what works best for you! Some possibilities are: Make vocabulary cards with Spanish on one side and the English equivalent or a picture on the other; write the answers to all textbook exercises; say words aloud as you study them; use the audio CD that goes with the text at home; look at pictures in magazines or newspapers and try to describe them in Spanish.

4. **Organize your study time.** When planning your schedule, decide on a certain time each day to study Spanish and stick to it. If you miss a day, make it up! It's much easier to learn a foreign language in small segments each day, rather than trying to study an entire chapter in a few hours.

5. **Participate!** Create learning opportunities for yourself. Don't wait to be called on or for someone else in class to take the initiative. Be aggressive.

6. **Don't be afraid.** Don't panic because you don't know a particular word. Listen to what you do understand and guess at the unknown.

7. **Draw on your own life experience.** Listen to the context and try to anticipate what you will hear each day. For example, if talking about McDonald's, what would you expect the following to mean?

   | | | | |
   |---|---|---|---|
   | hamburguesa | lechuga | salsa de tomate | cebolla |
   | mayonesa | tomate | mostaza | patatas fritas |

8. **Listen to Spanish-language radio and TV programs.** Learn the lyrics to songs in Spanish you like, and be daring—get involved with one of the many soap operas, called **telenovelas,** currently being shown on TV in the United States.

9. **Take advantage of the many Websites in Spanish.** Try to read what they print. Use visual images and cognates to help you understand. If they have an audio component available, listen to it several times if necessary and try to get the gist of what is being said.

10. **When reading, don't expect to understand every word you see.** You will often be asked to work with authentic materials that clearly have some language that you understand and some that you are not expected to know. Always focus on what you *do know* and use that information to make intelligent guesses about the words and expressions you do not know. All other information probably is not within reach for you at this time. That is perfectly OK. In the questions about a reading, you might be asked to consider the information that is within reach and try to guess at the rest. The questions are likely to guide you towards correct answers.

**Ahora, ¡manos a la obra! ¡Buena suerte!** *(Now, let's get to work! Good luck!)*

# ¡Hola! ¡Bienvenidos!

## In this chapter, you will learn how to . . .

- greet people and say good-bye at different times of the day.
- introduce yourself and others.
- address people in formal and informal situations.
- spell your name.

## Comunicación

### ¿QUÉ SE DICE… ?
- Al saludar/presentar a una persona/ despedirse de una persona

## Cultura

### ¿SABÍAS QUE… ?
Hispanic greetings: Handshake and kiss

### NOTICIERO CULTURAL
Las Américas: tierras de contrastes

### EL RINCÓN DE LOS LECTORES
Spanish as a Global Language
Spanish in the United States
Enhancing Your Career Opportunities

## En preparación

- PE.1 The Spanish alphabet and pronunciation: Vowels and diphthongs
- PE.2 **Saludos, presentaciones y despedidas**
- PE.3 **Tú** and **usted,** and titles of address

## Destrezas

### ¡A ESCUCHAR!
Getting the gist of what you hear

### ¡A LEER!
Why study Spanish?

### ¡A EMPEZAR!
Useful Classroom Expressions

*Search* Alhambra de Granada *in Google™ Images to see many more photos of this beautiful site.*

*Search* Machu Picchu *in Google™ Images to see more fascinating photos of this mysterious site.*

*Search* Iguazú Falls *in Google™ Images to see many more spectacular photos of the falls.*

# ¡Las fotos hablan!

**A que ya sabes…** Answer these questions in pairs first. Then compare your answers with those of the rest of the class.

1. Look at the photos. How many of the sites can you recognize? Tell the class what and where they are.

2. Which of these adjectives would you use to describe the sites?

☐ a. espectacular ☐ e. sofisticado ☐ i. sensacional

☐ b. impresionante ☐ f. monumental ☐ j. fabuloso

☐ c. fantástico ☐ g. exótico ☐ k. artístico

☐ d. exuberante ☐ h. mágico ☐ l. elegante

3. If you were asked to select three or four important sites to represent the United States, which would you choose?

# ¡Hola! ¡Mucho gusto! ¡Adiós!

**TAREA**

Before beginning this *Paso*, study the vocabulary list on page 15 and listen to the vocabulary on track 4 of your Text Audio CD1. Then study *En preparación*.

• PE.1: The Spanish alphabet and pronunciation, pages 16–18
• PE.2: **Saludos, presentaciones y despedidas,** pages 19–20
• PE.3: **Tú** and **usted** and titles of address, page 21

In this introductory chapter you will do the corresponding *¡A practicar!* activities in class.

## ¿Eres buen observador?

Un beso al saludarse en Costa Rica

Dos jóvenes se dan la mano en Cuzco, Perú

Dos amigos se abrazan en México

## Ahora, ¡a analizar!

1. How do people in the United States greet each other in formal and informal situations? How do the Spanish-speaking people in the photos greet each other? What similarities and differences do you observe?
2. The men in one photo are shaking hands. Why do you think that they do not extend their arms out, as men in the United States do when shaking hands?
3. Why do you think the men in the other photo are hugging? Is it customary for men to hug when greeting each other in the United States?

### ¿Sabías que...?

When shaking hands, men in the United States usually extend their arms way out, creating a greater distance between them. Hispanic men, on the other hand, tend to bend their arms at the elbow, creating a more intimate distance between them. Also, when Hispanics kiss while greeting, it is usually on one cheek. In some places, like Spain, a kiss is usually given on both cheeks.

**En tu opinión:** Why do you think Hispanic men prefer a more intimate distance than men in the United States when greeting? Is a kiss on the cheek used in the United States when women greet? When a man and a woman greet? When two men greet? Why do you think this is so?

# ¿Qué se dice...?  CD1, Track 2

## Al saludar/presentar a una persona/ despedirse de una persona

LUCÍA: ¡Hola!
ANA: ¡Hola!
LUCÍA: Me llamo Lucía. ¿Y tú? ¿Cómo te llamas?
ANA: ¿Yo? Me llamo Ana, Ana Valdez.

ELVIRA: Buenos días, Carlos. ¿Cómo estás?
CARLOS: Bastante bien. ¿Y tú?
ELVIRA: ¡Excelente! Carlos, te presento a mi amigo Andrés.
CARLOS: Mucho gusto, Andrés.
ANDRÉS: El gusto es mío, Carlos.

GABRIEL: Señor Gómez, le presento a mi amiga Teresa.
EL SR. GÓMEZ: Encantado, Teresa.
TERESA: Igualmente, Sr. Gómez.

---

**A propósito...**

Notice that when introducing a person to a friend or family member, you use **Te presento a...,** but when introducing someone to a person who is outside your circle of friends or family, such as your teacher, boss, or manager, you use **Le presento a...** When responding to a person who thanks you saying **¡Muchas gracias!,** you should respond **¡De nada!** When greeting a person in the morning, you say **buenos días;** in the afternoon, **buenas tardes;** and in the evening, **buenas noches.** All three are both a greeting and a good-bye.

How would you introduce your new friend Irene to your best friend? How would you greet your instructor at 10:30 A.M.?

🔼 **YouTube**™ Search: Spanish greetings

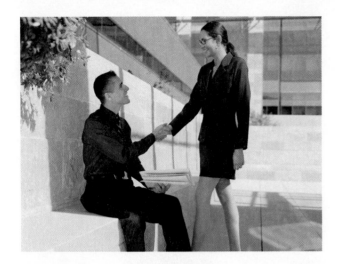

PROFESORA: Buenas tardes.
ESTUDIANTE: Buenas tardes, profesora.
PROFESORA: ¿Cómo se llama usted?
ESTUDIANTE: Matías Suárez. Y usted es la profesora
Torres, ¿no?
PROFESORA: Sí, soy Angélica Torres. Mucho gusto,
Matías.
ESTUDIANTE: El gusto es mío, profesora Torres.

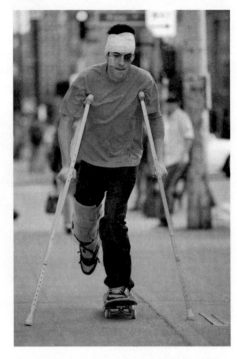

RAÚL: ¿Qué tal, Mario?
MARIO: Muy bien, gracias. ¿Y tú?
RAÚL: No muy bien. No... ¡terrible!

SAMUEL: Hasta luego, Lisa.
LISA: Hasta pronto, Samuel. Adiós, Pepe.
PEPE: Adiós. Hasta mañana.

HUGO: ¿Cómo te llamas?
ZORAIDA: Zoraida.
HUGO: ¿Cómo escribes tu nombre?
ZORAIDA: Zeta, o, erre, a, i, de, a.
HUGO: Muchas gracias.
ZORAIDA: De nada.

Working in pairs, prepare a list of all the **saludos** (*greetings*), **presentaciones** (*introductions*), and **despedidas** (*good-byes*) used in the seven dialogues. One is already listed in each category.

| **Saludos** | **Presentaciones** | **Despedidas** |
|---|---|---|
| ¡Hola! | Te presento a... | Hasta luego. |

# Ahora, ¡a hablar!

**A. Saludos y respuestas.** With a partner, take turns using a greeting from the left column and an appropriate response from the right column. Note that for some greetings there are several correct responses.

PE. 2

MODELO  TÚ: **¡Hola!**
COMPAÑERO(A): **Buenos días.**

| **Saludos** | **Respuestas** |
|---|---|
| ¿Qué tal? | Buenas noches. |
| ¿Cómo estás? | ¡Terrible! |
| ¡Hola! | Buenas tardes. |
| Buenas tardes. | Buenos días. |
| Buenos días. | Bastante bien. |
| Buenas noches. | No muy bien. |
| | Muy bien, gracias. |
| | Excelente. |
| | ¡Hola! |

**B. Nuevos amigos.** Ask three classmates how they spell their names. Write them down on a blank sheet of paper as they spell them for you. When finished, show them what you have written to see if you understood them correctly.

PE. 1

MODELO  TÚ: **¿Cómo escribes tu nombre?**
COMPAÑERA: **K-I-M-B-E-R-L-Y S-C-H-R-I-E-R (ka, i, eme, be, e, erre, ele, i griega; ese, che, erre, i, e, erre)**

**C. Presentaciones.** With a partner, take turns making introductions.

PE. 2, 3

MODELO  profesora / Enrique
**Profesora, le presento a Enrique.**
mamá / Juan
**Mamá, te presento a Juan.**

1. profesor Durán / Carlos
2. Carmen / doctora López
3. mamá / Rosita
4. papá / señora Guzmán
5. profesor Trujillo / José Antonio
6. señor Vegas / profesora Cárdenas

**D. Una tarde de domingo.** It is Sunday afternoon. Your mother, Mr. and Mrs. Ramírez, and your friends Luis, Julia, and Amalia are all out on the street. With a partner, write short dialogues, **en español por supuesto,** that may be taking place among them as they greet or introduce each other or say good-bye. Be prepared to read your dialogues to the class.

PE. 2, 3

## Y ahora, ¿por qué no conversamos?

**E. ¡Hola!** Identify four persons in the class that you do not know and introduce yourself. Ask how they spell their names and write them down as they tell you.

MODELO       Tú: **¡Hola! Soy** [your name]. **¿Cómo te llamas?**

Compañero(a): **Me llamo Andrea Chávez.**

Tú: **¿Cómo escribes tu nombre?**

Compañero(a): **A-N-D-R-E-A C-H-A-V-E-Z (a, ene, de, erre, e, a; che, a, ve corta, e, zeta)**

**F. ¡Encantado(a)!** Introduce two classmates who may have not met yet.

MODELO       Tú: **Carlos, te presento a mi amiga Susana.**

Carlos: **Mucho gusto, Susana.**

Susana: **Encantada.**

**G. ¡Luces! ¡Cámara! ¡Acción!** Your parents are having coffee with you in the campus café. When your Spanish professor walks in, you decide to impress him/her by introducing your parents in Spanish. Role-play this situation with three classmates. Be prepared to present your role play in front of the class.

**H. ¡Nuestra comunidad!** On campus or in your community, introduce yourself to a couple of Hispanic students, professors, or community members. Tell who you are, ask their names, and ask how they spell their names. Be sure to write down their answers. Be prepared to tell the class how successful you were or what problems you encountered.

# Saber comprender  CD1, Track 3

## Estrategias para escuchar: comprender lo esencial

*When listening to people speak, you don't need to understand every word spoken in order to comprehend the gist of what is being said. As you listen to these dialogues, don't worry if you do not understand every word. Simply try to understand enough to answer the following questions.*

## Ahora, ¡a escuchar!

Listen as your instructor plays two dialogues. Then complete the following sentences with the correct responses.

1. ...es más *(more)* formal.
    a. El diálogo 1
    b. El diálogo 2

2. ...es más *(more)* informal.
    a. El diálogo 1
    b. El diálogo 2

3. Julio presenta a...
    a. María.
    b. Lidia.

4. En el diálogo 1, las personas son...
    a. estudiantes.
    b. profesores.

5. En el diálogo 2, las personas son...
    a. estudiantes.
    b. profesores.

*¡Dímelo tú! Playlist* Listen to: **"Yo no soy esa mujer"** by Paulina Rubio

# Las Américas: tierras de contrastes

⚡ **Google™ Images:** Search keywords in reading: Cancún; desierto Atacama; South American volcanoes; mayas; mestizos

El continente americano se divide en tres secciones: Norteamérica, Centroamérica y Sudamérica. Este continente ofrece muchos contrastes naturales, como por ejemplo,...

hermosas costas y playas...

extensos desiertos...

e impresionantes lagos y volcanes.

También hay ruinas del glorioso pasado indígena y ciudades modernas...

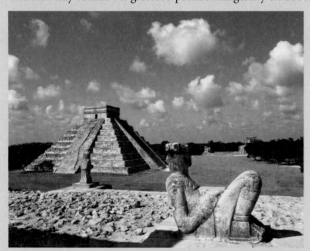

como las ruinas mayas en el sur de México y Centroamérica...

y la Ciudad de México.

Observamos muchos contrastes en la gente de las Américas, como...

los indígenas: mayas, taínos, quechuas,
mapuches, guaraníes y muchos más;

los de ascendencia africana;

los de ascendencia europea y
asiática;

y la nueva raza, los mestizos: la combinación de indígena y europeo(a).

## Y ahora, dime...

Cierto   Falso
(True)   (False)

☐ ☐ En las Américas hay muchos grupos indígenas.

☐ ☐ En las Américas hay ruinas mayas.

☐ ☐ No hay contrastes entre las personas del continente americano.

☐ ☐ Los mestizos tienen ascendencia indígena y europea.

🔼 **Por el ciberespacio... a las Américas**

Keywords to search:
*Las Américas*
*El mestizaje*
*Los indígenas de las Américas*
*La ruta maya*

To learn more about **las Américas,** go to the *¡Dímelo tú!* website at academic. cengage.com/spanish/dimelotu

# El rincón de los lectores

## ¡A leer!

### Why study Spanish?

This is what your friends say:

—Because I have friends who speak Spanish, and I want to speak with them in Spanish.
—My husband is Mexican, and I would like to understand his family when we visit Mexico.
—I would like to travel to Costa Rica this summer, and I want to be able to communicate in Spanish.
—Because my program requires two semesters of a foreign language.
—Because I live in California, and everybody speaks Spanish. I am sure I will use it!
—I need it for my work. We have a lot of Spanish-speaking patients.
—I think it is great to be able to learn about other people's culture and how they see life and enjoy it.

**¿Y tú?** Now, what do you say? Why do you study Spanish?

## Lectura: Spanish as a Global Language

Palacio de los Gobernadores en Santa Fe, Nuevo México

Did you know that . . .

- Spanish, with 425 million speakers, is the third most commonly spoken language on the planet.
- Spanish evolved from the Latin language spoken in the Iberian Peninsula during the Roman occupation.
- Spanish is the official language in 21 countries.

- The United States is currently the third largest Spanish-speaking country of the world.
- There is actually less difference in the Spanish spoken throughout the Americas and the Spanish spoken in Spain than there is between the English spoken in the United States and the English spoken in England.

## Spanish in the United States

You probably didn't know that . . .

- The first permanent European settlement in today's continental United States was founded by Spanish colonists at St. Augustine, Florida, in 1565, fifty years before the arrival of the Mayflower at Plymouth Rock.

- In Santa Fe, New Mexico, the Palace of the Governors, the oldest government building still in use in the continental United States, was built in 1610.

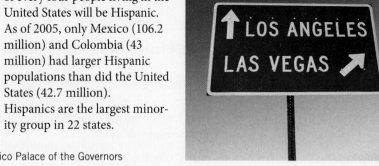

- Spanish is spoken by 44.3 million people in the United States. (2007 estimate)
- The number of Hispanics living in the United States is larger than the entire population of Canada.
- The projected Hispanic population of the United States for the year 2050 is 102.6 million, which means that one of every four people living in the United States will be Hispanic.
- As of 2005, only Mexico (106.2 million) and Colombia (43 million) had larger Hispanic populations than did the United States (42.7 million).
- Hispanics are the largest minority group in 22 states.

**Google**™ Search: Historic St. Augustine; New Mexico Palace of the Governors

## The Spanish language in the United States

You can probably answer these questions.

1. Name eight states that have Spanish names. Do you know what each name means?
2. How many major cities in the United States with Spanish names can you list?
3. Which of the following words have been borrowed from the Spanish language?

| | | |
|---|---|---|
| bronco | chocolate | patio |
| canasta | conquistador | potato |
| canoe | corral | ranch |
| canyon | hurricane | rodeo |
| chaparral | lasso | tobacco |
| chili | machete | tomato |

# Enhancing Your Career Opportunities

You definitely should know that . . .

- It is statistically proven that students of foreign languages score higher on standardized tests conducted in English.
- In its 1992 report, the College Entrance Examination Board reported that students with four or more years of foreign language study scored higher on the verbal section of the Scholastic Aptitude Test (SAT) than those with four or more years in any other subject area.
- The average SAT mathematics score for individuals who had taken four or more years of foreign language study was identical to the score of those who had studied the same number of years of mathematics.
- According to an article in *Changing Times Magazine*, "foreign language study is often looked upon as the best all-purpose cross-training."

Working with three other students, discuss how speaking Spanish can be instrumental in working in the fields below. Select a person from the group to report to the class on your discussion.

| | | |
|---|---|---|
| Business | Medical fields | Law and Criminal Justice |
| Newspaper | Government | Art |
| Translation/Interpretation | Teaching | Radio/Television |
| Social Services | Sales and Marketing | |

**Google**™ Search: Business Spanish; Hispanic business

**Por el ciberespacio... al mundo hispano**

Keywords to search:

*Spanish language*
*How to learn Spanish*
*Spanish for professionals*
*Latin American Spanish*
*Spanish in the United States*
*Heritage Spanish speakers*

To learn more about **el mundo hispano,** go to the *¡Dímelo tú!* website at academic.cengage. com/spanish/dimelotu

# Y ahora, ¡a empezar!

## Useful Classroom Expressions

### Cognates: The really obvious ones

Cognates are words in two languages that look similar and have the same meaning such as, for example, *professor* and **profesor.** Use cognates to guess the meaning of these expressions.

- Dramatiza esta situación.
- En tu opinión, ¿quién...?
- No comprendo.
- Prepara una lista por escrito.
- Selecciona una respuesta apropiada.
- En grupos pequeños...
- Repite, por favor.

### Cognates: The not so obvious ones

In groups of three or four, match each expression with its translation.

1. Comparte la información.
2. Contesta la(s) pregunta(s).
3. Escucha la conversación.
4. Lee este anuncio.
5. Describe el dibujo.
6. ¿Qué haces... ?
7. En parejas
8. ¿Cómo se dice... ?
9. ¿Qué quiere decir... ?

a. *Read this advertisement.*
b. *Describe the drawing.*
c. *What do you do . . . ?*
d. *In pairs*
e. *Answer the question(s).*
f. *Listen to the conversation.*
g. *Share the information.*
h. *What does . . . mean?*
i. *How do you say . . . ?*

### When there is only one cognate: compañero(a)

You already know the word **compañero(a)** that appears in these expressions. The verbs in these expressions mean *Interview, Ask,* and *Tell,* respectively. Can you guess what the complete expressions mean?

1. Entrevista a un(a) compañero(a)...
2. Pregúntale a un(a) compañero(a)...
3. Dile a un(a) compañero(a)...

Yes, now you are ready to begin the first chapter of *¡Dímelo tú!* If you haven't noticed already, there are some excellent suggestions on how to study a foreign language in the front of your textbook. If you follow that advice, you should truly enjoy taking these first steps into the fascinating Spanish-speaking world.

### Saludos *(Greetings)*

| | |
|---|---|
| **Buenas noches.** | *Good evening.* |
| | *Good night.* |
| **Buenas tardes.** | *Good afternoon.* |
| **Buenos días.** | *Good morning.* |
| **¡Hola!** | *Hello!* |
| **¿Cómo estás? (tú)** | *How are you?* |
| | *(familiar)* |
| **¿Cómo está?** | *How are you?* |
| **(usted)** | *(formal)* |
| **¿Qué tal?** | *How are you?* |

### Respuestas *(Answers/Responses)*

| | |
|---|---|
| **Bastante bien.** | *Quite well.* |
| **Bien, gracias.** | *Fine, thank you.* |
| **¿Y tú?** | *And you?* |
| **¡Excelente!** | *Excellent!* |
| **Muy bien, gracias.** | *Very well, thank you.* |
| **¿Y Ud.?** | *And you?* |
| **No muy bien.** | *Not very well.* |
| **¡Terrible!** | *Terrible!* |

### Presentaciones *(Introductions)*

| | |
|---|---|
| **¿Cómo se llama** | *What's your name?* |
| **usted?** | *(formal)* |

| | |
|---|---|
| **¿Cómo te llamas?** | *What's your name?* |
| | *(familiar)* |
| **Esta es...** | *This is . . . (f.)* |
| **Este es...** | *This is . . . (m.)* |
| **Le presento a...** | *I'd like you to meet . . .* |
| | *(formal)* |
| **Te presento a...** | *I'd like you to meet . . .* |
| | *(familiar)* |

### Respuestas a presentaciones

| | |
|---|---|
| **¿Cómo escribes** | *How do you* |
| **tu nombre?** | *spell your name?* |
| **El gusto es mío.** | *The pleasure is mine.* |
| **Encantado(a).** | *Delighted.* |
| **Igualmente.** | *Likewise.* |
| **Me llamo...** | *My name is . . .* |
| **Mucho gusto.** | *Pleased to meet you.* |
| **Yo soy ...** | *I am . . .* |

### Despedidas *(Farewells)*

| | |
|---|---|
| **Adiós.** | *Good-bye.* |
| **Hasta la vista.** | *Good-bye. See you.* |
| **Hasta luego.** | *See you later.* |
| **Hasta mañana.** | *See you tomorrow.* |
| **Hasta pronto.** | *See you soon.* |

### Personas *(People)*

| | |
|---|---|
| **amigo(a)** | *friend* |
| **clase** *(f.)* | *class* |
| **compañero(a)** | *companion,* |
| | *classmate, partner* |
| **estudiante** | *student* |
| **mamá** *(f.)* | *mom* |
| **papá** *(m.)* | *dad* |
| **profesor(a)** | *professor* |

### Palabras y expresiones útiles *(Useful words and expressions)*

| | |
|---|---|
| **¡Bienvenido(a)!** | *Welcome!* |
| **mi** | *my* |
| **no** | *no* |
| **presentar** | *to introduce someone* |
| | *or something* |
| **respuesta** *(f.)* | *answer* |
| **sí** | *yes* |
| **soy** | *I am* |

### Alfabeto *(Alphabet)*
*See page 16.*

# En preparación

## PE.1 The Spanish alphabet and pronunciation

**Spelling and forming vowel sounds**

CD1
Track 5

### The Spanish Alphabet

YouTube™
Search: Spanish
alphabet

| | | | | | |
|---|---|---|---|---|---|
| a | a | j | jota | r | erre |
| b | be, be larga | k | ka | s | ese |
| c | ce | l | ele | t | te |
| ch | che | ll | elle | u | u |
| d | de | m | eme | v | ve, ve corta, uve |
| e | e | n | ene | w | doble ve, uve doble |
| f | efe | ñ | eñe | x | equis |
| g | ge | o | o | y | i griega, ye |
| h | hache | p | pe | z | zeta |
| i | i | q | cu | | |

The Spanish alphabet includes three letters that are not part of the English alphabet: **ñ, ch,** and **ll.** A ruling by the *Real Academia* in 1994 established that the **ch** and **ll** are not to be considered separate letters when alphabetizing. This decision was made primarily to facilitate alphabetizing on the Web. The letters **k** and **w** appear only in words borrowed from other languages. There are no double consonants except **rr, cc,** and **nn.** The sound represented by *ph* in English is always written as **f** in Spanish. Vowels can be marked with an accent to indicate that they are to be stressed (**á, é, í, ó, ú**). For a complete reference to the Spanish accentuation, go to Appendix B. Learn the Spanish alphabet so that you can spell and read words in Spanish.

### ¡A practicar!

**A. El examen de la vista.** You are getting your driver's license renewed. Take the eye test for your license. What do you say? Your partner will let you know how well you did. Then you evaluate as your partner takes the test.

E

c n d

z m o p h

m r l y x v u w

a l j g s a ñ h rr f z b i

**B. Su nombre completo, por favor.** With a partner, role-play the following situation. You are on the phone with your local bank and want to know the current balance in your checking account. The bank teller (your partner) asks you to spell out your name, as it appears on your account, and your mother's maiden name. Spell them in Spanish while your partner writes them out. Then check to see that your partner wrote them correctly. Reverse roles.

**MODELO**     YOU SAY: **jota, o, e; ese, eme, i, te, hache; jota, o, ene, e, ese**
YOUR PARTNER WRITES: **J-O-E S-M-I-T-H J-O-N-E-S**

Always when translating, one translates not just words, but ideas. With these proverbs, your instructor will translate the words so that you can select the phrase that best conveys the idea expressed in the proverb.

> «Dura el **nombre** más que el hombre». (proverbio)
>
> ___ A man's name lives on forever.
>
> ___ When a man dies, so does his name.

## Pronunciation: Vowels

The Spanish vowels—**a, e, i, o, u**—are pronounced in a short, clear, and tense manner. Unlike English vowels, their sound is hardly influenced by their position in a word or sentence, nor by the stress they receive. English speakers must avoid the tendency to lengthen and change the sound of Spanish vowels. Note the difference in length and sound as you recite the vowels in English first and then repeat them in Spanish after your instructor.

Very few sounds are identical in Spanish and English. Therefore, the comparisons given here between English and Spanish vowels are to be used merely as a point of reference. To develop "native" pronunciation, you should listen carefully and imitate your instructor's pronunciation and that of the native speakers on the recordings.

**YouTube™**
Search: Spanish vowels

**Heinle Grammar Tutorial:** Spanish Pronunciation: Vowels

### ¡A practicar!

**A. Las vocales.** Repeat the following sounds after your instructor, being careful to keep the vowels short and tense.

| a = hop | e = hep | i = heap | o = hope | u = hoop |
|---------|---------|----------|----------|----------|
| ma | me | mi | mo | mu |
| na | ne | ni | no | nu |
| sa | se | si | so | su |
| fa | fe | fi | fo | fu |

**B. Vocales en palabras.** Escucha y repite. *(Listen and repeat.)*

| Ana | él | ir | otro | uno |
|-----|-----|-----|------|-----|
| llama | mente | infinito | como | gusto |
| mañana | excelente | dividir | ojo | Uruguay |

**C. Vocales en oraciones.** Lee en voz alta. *(Read aloud.)*

1. Ana llama a la mamá de Carmen mañana.
2. Elena es de Venezuela.
3. Gullón es otro crítico literario famoso.
4. La profesora Uribe es uruguaya.

> «**A E I O U** El burro sabe más que tú». (canción de niños)
>
> ___ A E I O U Everyone knows more than you.
>
> ___ A E I O U Pin the tail of the donkey on you.

## Pronunciation: Diphthongs

A diphthong is the union of two vowel sounds pronounced in a single syllable. In Spanish, diphthongs occur in syllables containing two weak vowels (**i, u**) or a combination of a strong vowel (**a, e, o**) with a weak vowel.

**YouTube™**
Search: Spanish pronunciation

**Heinle Grammar Tutorial:** Spanish Pronunciation; Diphthongs

## ¡A practicar!

**A. Diptongos.** In diphthongs consisting of a strong vowel and a weak vowel, the strong vowels are more fully enunciated.

Escucha y repite.

| ai | ei | oi | ia | ie |
|---|---|---|---|---|
| baile | ley | soy | gracias | bien |
| airoso | afeitar | oigo | especial | viejo |
| gaita | veinte | Goytisolo | Colombia | miedoso |

| io | ua | ue | au | eu |
|---|---|---|---|---|
| Mario | Paraguay | buenas | auto | Eugenia |
| diosa | Ecuador | cuentista | Paula | Europa |
| miope | lengua | abuelo | pausar | deuda |

**B. Dos vocales débiles.** When two weak vowels occur together in a word, the second vowel is more fully enunciated.

Escucha y repite.

| ui | iu |
|---|---|
| ruido | veintiuno |
| Luisa | viuda |
| cuidar | ciudad |

**C. Diptongos en oraciones.** Lee en voz alta.

1. Luisa baila muy bien.
2. Eugenio y Mario viajan a la ciudad.
3. Mi abuelo siempre viene a las cuatro.
4. Hay nueve estudiantes nuevos.

**D. Dos vocales fuertes.** When two strong vowels occur together, or when there is a written accent over the weak vowel in a syllable containing both a strong and a weak vowel, the vowels are pronounced as two separate syllables.

Escucha y repite.

| caos | idea | día | baúl |
|---|---|---|---|
| leal | crear | lío | paraíso |
| cacao | Rafael | comían | continúa |

**E. Separación de vocales.** Lee en voz alta.

1. La idea de Rafaela es puro caos.
2. Mi perra es fea pero leal.
3. Mi tía salía de día.
4. Raúl no conocía a tu tío.

Juan juega jugando,
Juanito jugando juega,
con juegos juega Juan,
juega con juegos Juanito;
Juntos juegan con juegos,
Juan y Juanito jugando.

## Saludos *(Greetings)*

▲ **YouTube**™
Search: Spanish greetings; Spanish good-bye

**Heinle Grammar Tutorial:** Travel Helper; Meeting People

Proper use of greetings, introductions, and saying good-bye is deeply ingrained into Hispanic people. Whether done informally with friends or family members or formally with adults, professionals, and people you don't know, you are expected to greet people when you first meet them and to say good-bye when you take your leave. It is also almost a requirement that when you see someone you know, you stop, shake hands or kiss, and talk to them for a few minutes. Following is a list of the more common greetings and the usual responses to those greetings.

| Saludos | Respuestas |
|---|---|
| **Buenas noches.** *Good evening. Good night.* | **Buenas noches.** *Good evening. Good night.* |
| **Buenas tardes.** *Good afternoon.* | **Buenas tardes.** *Good afternoon.* |
| **Buenos días.** *Good morning.* | **Buenos días.** *Good morning.* |
| **¡Hola!** *Hello!* | **¡Hola!** *Hello!* |
| **¿Cómo estás?** *How are you?* (fam.) | **Bastante bien.** *Quite well.* |
| **¿Cómo está (usted)?** *How are you?* (formal) | **Bien, gracias. ¿Y tú?** *Fine, thank you. And you?* (fam.) |
| **¿Qué tal?** *How are you?* | **Muy bien, gracias. ¿Y Ud.?** *Very well, thank you. And you?* (formal) |
| | **¡Excelente!** *Excellent!* |
| | **No muy bien.** *Not very well.* |
| | **¡Terrible!** *Terrible!* |

## Despedidas *(Good-byes)*

As in English, there are many ways to say good-bye. The other person can reply with the same expression or a different one.

**Despedidas**
**Adiós.** *Good-bye.*
**Hasta la vista.** *Good-bye. See you.*
**Hasta luego.** *See you later.*
**Hasta mañana.** *See you tomorrow.*
**Hasta pronto.** *See you soon.*

### ¡A practicar!

**¡Buenas tardes!** Practice greeting people and responding correctly when greeted in Spanish. Match each **saludo** with an appropriate **respuesta**. In class, use a variety of these **saludos** with a partner to see if your partner responds correctly and be sure to use correct **respuestas** when your partner greets you using a number of these **saludos**.

| Saludos | Respuestas |
|---|---|
| 1. Buenas noches. | a. Bastante bien. |
| 2. Buenos días. | b. Bien, gracias. ¿Y tú? |
| 3. ¡Hola! | c. ¡Excelente! |
| 4. ¿Cómo estás? | d. Muy bien, gracias. ¿Y Ud.? |
| 5. ¿Qué tal? | e. ¡Adiós! |
| 6. ¡Hasta la vista! | f. No muy bien. |
| | g. Buenas noches. |
| | h. Buenos días. |

> «Amigo no es el que te pregunta **cómo estás** sino el que se preocupa por la respuesta».
> (proverbio)
>
> \_\_\_ *A real friend will not only ask "how are you" but also be genuinely interested in your response.*
>
> \_\_\_ *Good friends always ask "How are you" even when they know that you are well.*

## Presentaciones (Introductions)

Introductions in Spanish are either formal or informal. Following are some of the more common formulas used and common responses to those introductions.

### Presentaciones formales

SEÑOR: **Perdón. ¿Cómo se llama Ud.?** *Pardon me. What's your name?*
SEÑORA: **Me llamo Amalia Gómez.** *My name is Amalia Gomez.*
SEÑOR: **Mucho gusto.** *Pleased to meet you.*
SEÑORA: **El gusto es mío.** *The pleasure is mine.*
EDUARDO: **Profesor, le presento a mi amiga Julia.** *Professor, I would like you to meet my friend Julia.*
PROFESOR: **Encantado, Julia.** *Delighted, Julia.*
JULIA: **Igualmente, Profesor.** *Likewise, Professor.*

### Presentaciones informales

IGOR: **¡Hola! Me llamo Igor. ¿Y tú? ¿Cómo te llamas?** *Hi! My name is Igor. And you? What's your name?*
RODRIGO: **Soy Rodrigo. Mucho gusto. Y esta es mi amiga Laura.** *I'm Rodrigo. Pleased to meet you. And this is my friend Laura.*
IGOR: **Mucho gusto, Laura.** *Pleased to meet you, Laura.*
LAURA: **Encantada.** *Delighted.*

YouTube™
Search: Spanish introductions

## ¡A practicar!

**A. ¡Te presento a mi amigo!** Practice making introductions by matching each **presentación** with the appropriate **respuesta**. In class, introduce several of your classmates to other classmates and use appropriate responses when you are introduced.

| Presentaciones | Respuestas |
|---|---|
| 1. José, esta es mi amiga María. | a. Mucho gusto, Sandra. |
| 2. Ricardo, te presento a Sandra. | b. Encantado, María. |
| 3. ¿Cómo te llamas? | c. El gusto es mío. |
| 4. Mucho gusto, Isabel. | d. Encantado, Manuel. |
| 5. Este es Manuel. | e. Me llamo Francisco. |

**B. Una recepción.** You and your new roommate are at a reception sponsored by the Dean of your college. As you mingle with the crowd, you each see several friends and professors that your partner does not know. In groups of four or five, role-play making the appropriate introductions.

> «Mirar y no tocar **se llama** respetar». (proverbio)
>
> ____ *Show a little respect; look but don't touch.*
>
> ____ *Don't handle the merchandise.*

## PE.3 *Tú* and *usted* and titles of address

### *Tú* and *usted*

Spanish has two ways of expressing *you*: **tú** and **usted**. **Tú** is a familiar form generally used among peers, acquaintances, or friends. **Usted** is a more polite, formal form used to show respect and to address anyone with a title such as *Mr., Mrs., Ms.,* or *Miss, Dr., Prof.,* or *Rev.* It is also used to address individuals you do not know well. Students generally use **tú** when speaking to each other and **usted** when addressing their teachers. Note that in the **¿Qué se dice... ?** section, **te llamas** and **estás** are in the familiar **tú** form, and **se llama** and **está** are in the more formal **usted** form.

## Formal and informal language

▶ YouTube™
Search: Spanish **tú, usted**

Besides the use of **tú** and **usted,** Spanish, like English, can be used formally, as often occurs in textbooks or professional journals, or informally, as is the case when people are talking casually. In *¡Dímelo tú!* both formal and informal Spanish are used throughout. The direction lines for the activities address the student informally but use mostly a formal Spanish, whereas the activities themselves may elicit formal or informal language depending on the situation being addressed.

## Titles of address

The most frequently used titles in Spanish are the following.

| | |
|---|---|
| **señor** | *Mr.* |
| **señora** | *Mrs.* |
| **señorita** | *Miss* |
| **profesor(a)** | *professor* |
| **doctor(a)** | *doctor* |

Note that titles in Spanish are not capitalized, only abbreviations of the titles. As in English, titles are frequently abbreviated in writing when used with a person's last name.

| | | |
|---|---|---|
| **señor** | **Sr.** | *Mr.* |
| **señora** | **Sra.** | *Mrs.* |
| **señorita** | **Srta.** | *Miss* |
| **señores** | **Sres.** | *Mr. and Mrs.* |
| **profesor** | **Prof.** | *Prof.* |
| **doctor(a)** | **Dr./Dra.** | *Dr.* |

The definite article **el** is used in front of titles for males and the definite article **la** is used in front of titles for females.

| | |
|---|---|
| Es **la** doctora Sánchez. | *She is Dr. Sánchez.* |
| **El** profesor Díaz es bueno. | *Professor Díaz is good.* |

### ¡A practicar!

**A. ¿Tú o usted?** With a partner, take turns indicating whether **tú** or **usted** should be used to address the following people.

1. your professor
2. your brother or sister
3. a stranger
4. your dog
5. a member of the clergy
6. your roommate
7. your doctor
8. your girlfriend/boyfriend
9. a bank clerk
10. a waitress

**B. ¿El o la?** Complete the following introductions by indicating if a definite article (**el, la**) should be used with each person's name as you introduce these people to your mother.

MODELO        Mamá, _____ señor Pérez y mi amigo José.
        **Mamá, el señor Pérez y mi amigo José.**

1. Mamá, mi amiga, _____ Rosa María.
2. Mamá, _____ profesor González.
3. Mamá, _____ señorita Perea. Ella es la directora del laboratorio.
4. Mamá, _____ mi mejor *(best)* amigo(a).
5. Mamá, _____ señor Padilla.
6. Mamá, _____ José Aguilar.

---

«**Usted** no sabe lo que se pierde». (dicho popular)

___ *You never find what you are looking for.*
___ *You don't know what you are missing.*

---

# ¡A la universidad... en las Américas!

## In this chapter, you will learn how to . . .

- describe yourself, your friends, and your professors.
- tell where people are from.
- name your favorite classes and activities.
- describe your classes.
- talk about your activities during the first week of the semester.
- describe future plans.

## Comunicación

### ¿QUÉ SE DICE... ?

- Al describir a nuevos amigos
- Al hablar de amigos, clases y profesores
- Al describir actividades

## Cultura

### ¿SABÍAS QUE... ?

Naming Latin American nationalities

Comparison of U.S. and Hispanic universities

Student activities: **La semana universitaria**

### NOTICIERO CULTURAL

Centroamérica... ¡impresionante!

### VIDEO CULTURAL

Latinoamérica, ¡al ritmo del siglo veintiuno!

### EL RINCÓN DE LOS LECTORES

Tesoros naturales de Sudamérica

## En preparación

### PASO 1

1.1 Subject pronouns and the verb **ser:** Singular forms

1.2 Adjectives: Singular forms

1.3 Gender and number: Articles and nouns

### PASO 2

1.4 Infinitives

1.5 Subject pronouns and the verb **ser:** Plural forms

1.6 Adjectives: Plural forms

### PASO 3

1.7 Present tense of -**ar** verbs

1.8 The verb **ir**

## Destrezas

### ¡A ESCUCHAR!

Making lists

### ¡A VER!

Recognizing cognates

### ¡A ESCRIBIR!

Understanding the main idea

### ¡A LEER!

Cognates

*Search* Universidad Mayor San Simón Cochabamba *in Google*™ *Images y YouTube*™ *to see more of this Bolivian university.*

*Search* Universidad de Buenos Aires *in Google*™ *Images to see additional photos of this Argentine campus.*

*Search* UNAM *in Google*™ *Images to see many more photos of the beautiful National Autonomous University of Mexico campus.*

# ¡Las fotos hablan!

**A que ya sabes...** En tu opinión, y basándote en los estudiantes de estas fotos, los estudiantes latinoamericanos son...

☐ interesantes ☐ atléticos ☐ estudiosos

☐ elegantes ☐ serios ☐ impacientes

☐ pasivos ☐ románticos ☐ inteligentes

☐ pacientes ☐ tímidos ☐ activos

# Mis compañeros... centroamericanos y caribeños

## ¿Eres buen observador?

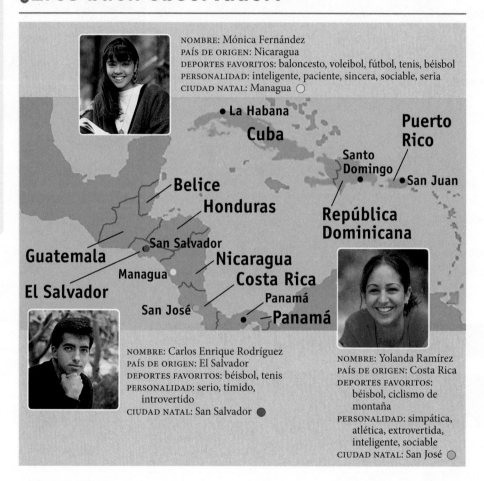

NOMBRE: Mónica Fernández
PAÍS DE ORIGEN: Nicaragua
DEPORTES FAVORITOS: baloncesto, voleibol, fútbol, tenis, béisbol
PERSONALIDAD: inteligente, paciente, sincera, sociable, seria
CIUDAD NATAL: Managua ◯

• La Habana
**Cuba**

**Puerto Rico**

Santo Domingo
•San Juan

**Belice**
**Honduras**

**República Dominicana**

San Salvador

**Guatemala**

Managua

**Nicaragua**
**Costa Rica**

**El Salvador**

San José

Panamá
**Panamá**

NOMBRE: Carlos Enrique Rodríguez
PAÍS DE ORIGEN: El Salvador
DEPORTES FAVORITOS: béisbol, tenis
PERSONALIDAD: serio, tímido, introvertido
CIUDAD NATAL: San Salvador ●

NOMBRE: Yolanda Ramírez
PAÍS DE ORIGEN: Costa Rica
DEPORTES FAVORITOS: béisbol, ciclismo de montaña
PERSONALIDAD: simpática, atlética, extrovertida, inteligente, sociable
CIUDAD NATAL: San José ◯

## Ahora, ¡a analizar!

**A.** **Yolanda, Mónica y Carlos Enrique.** Completa estas oraciones.

1. Yolanda es de (ciudad, país). Mónica es de (ciudad, país). Carlos Enrique es de (ciudad, país).
2. Los deportes de Yolanda, Mónica y Carlos Enrique son…
3. … es el deporte favorito de todos los tres *(all three)* estudiantes.

**B.** **Mis opiniones.** Completa estas oraciones.

1. Mi deporte favorito es…
2. En mi opinión, la persona con la personalidad más interesante es… porque…
3. Mi personalidad es similar a la de (Yolanda / Mónica / Carlos Enrique) porque yo soy…

# ¿Qué se dice...? 🎧

## Al describir a nuevos amigos

🎧 CD1, Track 6
Hola, soy Édgar Ricardo Arjona Morales, aunque todos me llaman Ricardo Arjona. Soy de Guatemala, de Jocotenango, un pueblo cerca de Antigua. Soy cantante profesional. Mi deporte favorito es el fútbol... y también el baloncesto. Soy graduado de la Escuela de Ciencias de la Comunicación de la Universidad de San Carlos de Guatemala (USAC). De 1983 a 1988 fui maestro en Antigua.

🎵 *¡Dímelo tú! Playlist* Escucha: «Ella y él» de Ricardo Arjona

⤴ Google™ Images y YouTube™
BUSCA: Ricardo Arjona

🎧 CD1, Track 7
Esta es América Ferrera. América es de Los Ángeles, California, pero sus padres son hondureños. América es actriz. Estudia teatro y relaciones internacionales. América es la famosa protagonista de la serie de televisión *Ugly Betty*. Pero América no es fea, ¿verdad? Por el personaje de *Ugly Betty* recibió el Premio Emmy a la mejor actriz de comedia en 2007.

⤴ Google™ Images y YouTube™
BUSCA: América Ferrera

🎧 CD1, Track 8

¿Y tú? ¿Cómo te llamas?
¿De dónde eres? ¿Eres de los Estados Unidos?
¿De dónde son tus padres?
¿Eres estudiante? ¿De qué universidad?
¿Eres inteligente y estudioso(a)?
¿Eres tímido(a) o extrovertido(a)?
¿Eres romántico(a)?
¿Tu deporte favorito es...?

> **A propósito...**
> Note that upside-down question and exclamation marks (¿ ¡) must be placed at the beginning of a question or exclamation. This allows a reader to apply the proper intonation at the beginning of the sentence.

Completa estas oraciones.

| | | | |
|---|---|---|---|
| Ricardo Arjona es... | ☐ mexicano | ☐ hondureño | ☐ guatemalteco |
| Ricardo Arjona es... | ☐ estudiante | ☐ cantante | ☐ actor |
| Su deporte favorito es... | ☐ el baloncesto | ☐ el golf | ☐ el fútbol |
| América Ferrera es... | ☐ talentosa | ☐ tímida | ☐ trabajadora |
| América Ferrera no es... | ☐ famosa | ☐ actriz | ☐ introvertida |

Yo soy _____, _____ y _____.

Mi deporte favorito es _____.

As in English, there are adjectives in Spanish used to indicate the country of origin of a person. Unlike English, these adjectives of nationality are not capitalized in Spanish.

| norteamericanos | centroamericanos y caribeños | sudamericanos |
|---|---|---|
| | bahameño(a) | |
| canadiense | barbadense | argentino(a) |
| estadounidense | beliceño(a) | boliviano(a) |
| mexicano(a) | costarricense | brasileño(a) |
| | cubano(a) | chileno(a) |
| | dominicano(a) | colombiano(a) |
| | guatemalteco(a) | ecuatoriano(a) |
| | haitiano(a) | paraguayo(a) |
| | hondureño(a) | peruano(a) |
| | jamaicano(a) | uruguayo(a) |
| | nicaragüense | venezolano(a) |
| | panameño(a) | |
| | puertorriqueño(a) | |
| | salvadoreño(a) | |

## Ahora, ¡a hablar!

EP 1.1, 1.2

**A.** **¿Quién es?** Identifica y describe a estas personas famosas con las características indicadas.

Shakira

Oprah Winfrey

Gloria Estefan

Arnold Schwarzenegger

Jerry Seinfeld

| MODELO | **Shakira es inteligente y atractiva.** |
|---|---|

1. activo(a)
2. inteligente y atractivo(a)
3. tímido(a)
4. muy serio(a)

5. muy atlético(a)
6. cómico(a)
7. divertido(a) y especial
8. fuerte

**B. ¿Quién es y de dónde es?** Con un(a) compañero(a), prepara una lista de cinco (5) o seis (6) latinos famosos. Luego informen a la clase quiénes son y de dónde son.

EP 1.1

MODELO     Javier Bardem

**Javier Bardem es de España.**

**C. Mi mejor amigo(a).** Describe a tu mejor amigo(a). Luego lee tu descripción a la clase.

EP 1.2, 1.3

Mi mejor amigo(a) se llama *(nombre)*.
Es *(adjetivo de nacionalidad)*.
Es *(2 adjetivos)*.
También es *(2 adjetivos más)*.
Es *(2 características positivas)* pero es un poco *(2 características negativas)*.
Ah, también es *(1 característica especial)*.

**D. Comparaciones.** Compara a tu compañero(a) con varias de estas personas. Luego tu compañero(a) va a compararte con otras personas. Repitan sus comparaciones a la clase.

EP 1.2, 1.3

MODELO     Tú:  **La chica es atlética y tímida. Su deporte favorito es el baloncesto. Tú eres estudiosa y fuerte. Tu deporte favorito es el tenis.**

Compañero(a):  **No, yo soy inteligente y estudiosa. Y sí, mi deporte favorito es el tenis.**

# Y ahora, ¿por qué no conversamos?

**E.** **¿Son los mismos?** Alicia, Carmen, José y Daniel son estudiantes de la clase de español de tu compañero(a) de cuarto. Tú también tienes unos amigos que se llaman Alicia, Carmen, José y Daniel. La descripción de tus amigos aparece *(appears)* aquí. La descripción de los amigos de tu compañero(a) aparece en el Apéndice A. ¿Son la misma *(same)* persona? *(To decide if they are the same person, ask your partner questions. Do not look at each other's descriptions.)*

**MODELO**      ¿Es Alicia de El Salvador?
                      **Sí, es salvadoreña.** o **No, no es salvadoreña.**

ALICIA: salvadoreña, introvertida, muy activa, seria y muy paciente

CARMEN: costarricense de San José, seria, no extrovertida, inteligente, muy estudiosa y algo conservadora

JOSÉ: hondureño, muy activo, muy simpático, sociable y chistoso

DANIEL: nicaragüense de la capital, muy extrovertido y un poco perezoso

**F.** **¿Viajamos juntos?** Tienes la oportunidad de hacer un intercambio *(student exchange)* en un país centroamericano. Habla con otro(a) estudiante de la clase de tu ciudad/país preferido, de tu perfil *(profile)* y de tus deportes favoritos. Luego tu compañero(a) va a hablar de sus preferencias. Decidan si pueden viajar juntos *(if you can travel together)* o no.

**Mi ciudad/país preferido(a) es…**
**Yo soy…**
**Mis deportes favoritos son…**

**G.** **¡Luces! ¡Cámara! ¡Acción!** Tú y tu compañero(a) son participantes en el programa de televisión «¿Novios o amigos?» *(Sweethearts or friends?)*. Habla con tu compañero(a) y describe tu personalidad y escucha a él (a ella) describir su personalidad. Decidan si sus personalidades son lo suficiente compatibles para ser novios o amigos. Informen a la clase de su decisión. La clase va a indicar si está de acuerdo *(if they agree)* o no. Dramatiza la situación con tu compañero(a) y con toda la clase como su público.

**H.** **¡Nuestra comunidad!** En tu universidad o comunidad, entrevista *(interview)* a tres (3) personas de origen latino. Determina de dónde son y de dónde son sus padres y sus abuelos *(grandparents)*. Comparte *(Share)* la información con la clase. Decidan de qué país son la mayoría de los latinos en su universidad o comunidad.

---

**A propósito…**

To negate in Spanish, we use the word **no** always before the verb, never after. If you respond to a yes/no question, and would like to add an explanation, you must repeat the no after a short pause, as in this activity. **No, no soy salvadoreña.**

## Para empezar

**Repasemos.** En *Para empezar* aprendiste *(you learned)* a saludar a otros. Repasa *(Review)*, completando los diálogos.

### Diálogo 1

| | |
|---|---|
| Tú: | ¡_____, profesora! [*formal morning greeting*] |
| La profesora: | ¡_____! [*informal greeting*] |

### Diálogo 2

| | |
|---|---|
| Tú: | Buenas tardes, profesora. _____ [*introducing your friend to your teacher*] a mi amigo Rafael. |
| La profesora: | ¡_____, Rafael! [*responding to the introduction*] |
| Rafael: | ¡_____, profesora! [*reponding to the greeting*] |

### Diálogo 3

| | |
|---|---|
| Lisa: | ¡_____! [*taking leave*] |
| Tú: | ¡_____! [*responding*] |

# Saber comprender  CD1, Track 9

## Estrategias para escuchar: extraer la idea principal

*A frequent first reaction when listening to spoken Spanish is to assume it is spoken "too fast" and that you "don't understand anything." In fact, it is probably being spoken at a normal rate of speech and you can understand much more than you think. Nevertheless, you won't understand every word you hear, and you are not expected to do so. Simply listen for the words that you do understand and don't worry about the others. In this section, you should understand enough to get the gist of what is being said.*

## ¡Ahora, a escuchar!

**Extraer la idea principal.** Now listen as your instructor plays a dialogue in which Carlos and Elena talk about Alberto Lozano, a new student in their chemistry class. Focus only on the words you do understand and don't worry about the others. Then answer the questions that follow.

¿Cómo es Alberto Lozano según *(according to)* Carlos? ¿Según Elena?

| Según Carlos | Según Elena |
|---|---|
| 1. | 1. |
| 2. | 2. |
| 3. | 3. |
| | 4. |

# Centroamérica... ¡impresionante!

Centroamérica se encuentra situada entre la frontera sur de México en Norteamérica y la frontera norte de Colombia en Sudamérica. Centroamérica consta de un país en donde el idioma oficial es el inglés y de seis (6) países de habla española:

## GUATEMALA

**Población**
12.728.111

**Capital**
Ciudad Guatemala; 951.000

**Moneda**
quetzal, dólar estadounidense

**Índice de longevidad**
69,7 años

**Alfabetismo**
69 por ciento

Tikal, uno de los centros culturales más importantes de la civilización maya ■ Google™ Images y YouTube™ BUSCA: indígenas de Guatemala; ciudades de Guatemala

- Más de la mitad de la población de Guatemala es de origen maya.
- En Guatemala se habla una gran variedad de lenguas: 21 distintos tipos de lenguas derivadas del maya, más el español, el xinca y el garífuna.

- Honduras es uno de los principales productores de banano del mundo.
- En 1998, el Huracán Mitch causa pérdidas de casi cuatro mil millones de dólares ($4.000.000.000) en la producción del café y banano.

El famoso altar maya en Copán, Honduras ■ Google™ Images y YouTube™ BUSCA: pueblos de Honduras; arte de Honduras

## HONDURAS

**Población**
7.639.327

**Capital**
Tegucigalpa; 1.007.000

**Moneda**
lempira

**Índice de longevidad**
69 años

**Alfabetismo**
80 por ciento

## EL SALVADOR

**Población**
7.066.403

**Capital**
San Salvador; 1.424.000

**Moneda**
colón, dólar estadounidense

**Índice de longevidad**
72 años

**Alfabetismo**
80 por ciento

Ilamatepec, el volcán más alto de El Salvador, hizo erupción en el año 2005. ■ Google™ Images y YouTube™ BUSCA: El Salvador; salvadoreños

- Después de casi 12 años de guerra civil, en 1972 se firman los Acuerdos de Paz Salvadoreños, que sirven de ejemplo para el mundo.
- El Aeropuerto Internacional de El Salvador es el más moderno y más grande de Centroamérica.

- Se dice que Nicaragua es una tierra de lagos, volcanes... y poetas.
- Nicaragua es el país más grande de Centroamérica pero tiene la densidad de población más baja del área, con excepción de Belice.

Isla de Ometepe en el Lago Nicaragua ▪ **Google**™ **Images** y **YouTube**™ BUSCA: Nicaragua; nicaragüense

## NICARAGUA

**Población**
5.785.846

**Capital**
Managua; 1.098.000

**Moneda**
córdoba oro

**Índice de longevidad**
71,2 años

**Alfabetismo**
67,5 por ciento

## COSTA RICA

**Población**
4.195.914

**Capital**
San José; 1.085.000

**Moneda**
colón

**Índice de longevidad**
77,4 años

**Alfabetismo**
96 por ciento

Tabacón, un exuberante jardín de aguas termales calentadas por el volcán Arenal ▪ **Google**™ **Images** y **YouTube**™ BUSCA: Costa Rica; biodiversidad

- La constitución de Costa Rica de 1949 disuelve el ejército y da prioridad a la educación.
- Costa Rica es más pequeño que el estado de West Virginia. Tiene treinta parques nacionales y varios refugios naturales y reservas biológicas.

**Por el ciberespacio... a Centroamérica**

Keywords to search:

*parques nacionales de Centro-américa*
*biodiversidad de Centroamérica*
*civilización maya*

To learn more about **Centroamérica,** go to the *¡Dímelo tú!* website at academic.cengage.com/spanish/dimelotu

- El Canal de Panamá, construido entre 1904 y 1914, es uno de los mayores logros de la ingeniería del siglo XX.
- En 1999, Mireya Moscoso Rodríguez fue proclamada presidenta de Panamá, la primera mujer que llega a la presidencia en ese país. Ese mismo año también los Estados Unidos entrega oficialmente el control del canal a Panamá.

El comercio y el turismo florecen en las aguas del canal de Panamá ▪ **Google**™ **Images** y **YouTube**™ BUSCA: Panamá; canal de Panamá; canal de Panamá Timelapse (**YouTube**™ only)

## PANAMÁ

**Población**
3.292.693

**Capital**
Ciudad de Panamá; 930.000

**Moneda**
balboa, dólar estadounidense

**Índice de longevidad**
75 años

**Alfabetismo**
91,9 por ciento

## Y ahora, dime...

1. Los países de habla española de Centroamérica son...
2. El país centroamericano más grande es...
3. El país centroamericano con más (+) población es...; el país con menos (–) población es...
4. El país centroamericano con el más alto *(highest)* índice de longevidad es...; el de menor *(lowest)* índice de longevidad es...

# ¡Los latinoamericanos son... estupendos!

## TAREA

Before beginning this *Paso,* study the vocabulary list on pages 46–47 and listen to the vocabulary on track 16 of your Text Audio CD1. Then study *En preparación.*

1er día    1.4 Infinitives, page 53

          1.5 Subject pronouns and the verb **ser:** Plural forms, pages 54–55

2do día    1.6 Adjectives: Plural forms, pages 55–56

Do the corresponding *¡A practicar!* activities.

⏀ Google™ Images BUSCA: Universidad Rafael Landívar

## ¿Eres buen observador?

Mensaje de la rectora

Proceso de admisión

Carreras de pregrado

Campus Central
Campus de Quetzaltenango
Campus de La Verapaz
Sede de Zacapa
Sede de Huehuetenango
Sede de Antigua Guatemala
Sede de Retalhuleu
Sede de Coatepeque

Guía y formulario de Admisión

Centro de Orientación Universitaria

Dirección de Asistencia Económica y Financiera

Guía Landivariana

Cuotas y tarifas vigentes

Preguntas frecuentes

**CAMPUS CENTRAL**

**Facultad de Arquitectura y Diseño**
- Lic. en Arquitectura
- Lic. en Diseño Gráfico
- Lic. en Diseño Industrial

**Facultad de Ciencias de la Salud**
- Lic. en Nutrición
- Lic. en Medicina

**Facultad de Ciencias Económicas y Empresariales**
- Lic. en Economía Empresarial
- Lic. en Contaduría Pública y Auditoría
- Lic. en Administración de Empresas
- Lic. en Administración de Hoteles y Restaurantes

**Facultad de Ciencias Políticas y Sociales**
- Lic. en Relaciones Internacionales
- Lic. en Ciencia Política

**Facultad de Humanidades**
- Lic. en Ciencias de la Comunicación
- Lic. en Psicología Clínica
- Lic. en Letras y Filosofía
- Lic. en Educación Inicial y Preprimaria

**Facultad de Ingeniería**
- Lic. en Ingeniería Química
- Lic. en Ingeniería Informática y Sistemas
- Lic. en Ingeniería Civil
- Lic. en Ingeniería Mecánica

## Ahora, ¡a analizar!

A. **Universidad Rafael Landívar.** En tu opinión, en esta universidad...

1. la facultad más (+) difícil es _____ y la menos (−) difícil es _____.
2. la facultad más interesante es _____.
3. los profesores de la Facultad de _____ probablemente son...
   a. los más pacientes.       c. los más divertidos.
   b. los más conservadores.       d. los más desorganizados.
4. las tres licenciaturas (*degrees*) más interesantes son _____.
5. las clases de la Facultad de _____ probablemente son...
   a. las más grandes.       c. las más organizadas.
   b. las más interesantes.       d. las más difíciles.

B. **Preferencias personales.** En tu opinión, indica en qué facultad de la Universidad Rafael Landívar se ofrecen los siguientes (*following*) cursos:

| | | | |
|---|---|---|---|
| arte | ciencias políticas | educación | literatura |
| biología | economía | ingeniería | química |

# ¿Qué se dice...? 🎧

## Al hablar de amigos, clases y profesores

CD1, ck 10 Esta es Tania García. Tania es una estudiante graduada muy formal, independiente, trabajadora, inteligente y muy amable.

Tania es nicaragüense. Sus pasatiempos favoritos son como los pasatiempos de todo el mundo: nadar, leer, bailar, ver películas, ir al gimnasio, ir de compras y chatear con sus amigos.

CD1, ck 11 Santiago es guatemalteco. Es estudiante graduado de la Universidad Rafael Landívar y también es profesor asistente de Ciencias de la Comunicación. Santiago es simpático, organizado, sociable y trabajador. Sus estudiantes dicen que sus clases son divertidas, interesantes, bien organizadas y muy populares.

Indica cuáles son actividades favoritas de Tania.

☐ bailar ☐ fumar ☐ comprar ☐ pasear
☐ ir al cine ☐ nadar ☐ leer ☐ esquiar

Indica las características opuestas (*opposite*) a las (*to those*) de las clases de Santiago.

☐ aburridas ☐ chistosas ☐ desorganizadas ☐ buenas

De esta lista, indica los rasgos de la personalidad de Tania (**T**) y los de Santiago (**S**).

__ informal      __ perezoso(a)      __ sociable
__ inteligente      __ trabajador(a)      __ simpático(a)
__ amable      __ independiente      __ antipático(a)

The oldest universities in the Americas are in Latin America. The oldest, **la Universidad de Santo Domingo,** was established in **la República Dominicana** in 1538, not even 50 years after Columbus's arrival. Shortly thereafter in 1551, **la Universidad Mayor de San Marcos** was established in **Lima, Perú,** and two years later, **la Universidad Autónoma de México** was founded in Mexico City. The oldest Spanish-speaking university still operating is **la Universidad de Salamanca** in Spain. It was founded in 1215. The oldest English-speaking university still in use is the University of Oxford, founded in 1249.

**En tu opinión:** Harvard (1636) is the oldest English-speaking university still in use in the Americas, founded just 16 years after the arrival of the first pilgrims (1620). Why do you think it was founded so soon after their arrival? Why do you think the Spanish colonists also founded universities so soon after arriving in the New World?

## Ahora, ¡a hablar!

EP 1.4

**A. ¡Somos muy activos!** ¿Cuál es el pasatiempo favorito (o la actividad favorita) de tus amigos?

> MODELO **El pasatiempo favorito de mis amigos... y... es bailar.**

1.

2.

3.

4.

5.

6.

7.

8.

EP 1.5, 1.6

**B. ¿Cómo son?** Con tu compañero(a), túrnense *(take turns)* para describir las clases, los profesores y los amigos.

> MODELO **En general, mis clases son fáciles y divertidas. Pero unas clases son difíciles y aburridas.**

**Vocabulario útil**

| | | | |
|---|---|---|---|
| aburrido | divertido | impaciente | perezoso |
| callado | fácil | inteligente | torpe |
| difícil | hablador | paciente | trabajador |

1. mis clases
2. los estudiantes
3. los profesores
4. unas profesoras
5. mis amigos y yo
6. mis amigas

**C. ¡Muchas opiniones!** ¿Qué opinas de *(What do you think of)* estas personas? Escribe *(Write)* tus opiniones en una hoja de papel. Luego compara tus opiniones con las de tres compañeros. Informa a la clase de sus *(your)* opiniones.

MODELO       **Keira Knightley es inteligente, divertida y muy liberal.**

**Vocabulario útil**

| | |
|---|---|
| bueno / malo | organizado / desorganizado |
| chistoso / aburrido | paciente / impaciente |
| divertido / serio | popular / tímido |
| grande / pequeño | trabajador / perezoso |
| inteligente / torpe | introvertido / extrovertido |
| liberal / conservador | simpático / antipático |
| listo / torpe | |

1. El (La) presidente(a) de los Estados Unidos...
2. Un actor (Una actriz) famoso(a)...
3. El (La) profesor(a) ...
4. Un(a) cantante famoso(a)...
5. Los compañeros de la clase de español...
6. Mi mejor amigo(a)...

**D. ¿Es como tu universidad?** ¿Es esta universidad como tu universidad? Con tu compañero(a) decidan qué diferencias hay e informen a la clase de sus conclusiones.

MODELO       **En esta universidad los profesores son muy divertidos. En la Universidad de..., los profesores son muy formales.**

## Y ahora, ¿por qué no conversamos?

**E. ¡Son estupendos!** En grupos de tres (3), describe lo siguiente *(the following)* con tres o cuatro características y escucha las descripciones de tus compañeros.

1. tu clase de español
2. tu compañero(a) de cuarto
3. tus mejores *(best)* amigos(as)
4. tus padres *(parents)*
5. tus profesores
6. tu trabajo *(work)*

**A propósito...**
**Mi, mis** and **tu, tus** are possessive adjectives, and they translate as *my* and *your* (familiar).

**F. Pasatiempos favoritos.** Escribe en una hoja de papel tus tres (3) pasatiempos favoritos. Luego pregúntale a varios compañeros de clase cuáles son sus pasatiempos favoritos. Busca a un(a) compañero(a) que tenga exactamente los tres pasatiempos favoritos que tienes tú. Informa a la clase de los resultados.

> **MODELO**     Los pasatiempos favoritos de... y... son...

**G. Profesores.** ¿Cómo son los profesores de tus compañeros de clase? Pregúntales a tus compañeros si sus profesores son... Cada vez que uno diga que sí, que escriba la materia del profesor o profesora en el cuadrado *(square)* apropiado. La idea es completar todos los cuadrados. **¡Ojo!** No se permite que una persona escriba más de un nombre.

> **MODELO**     TÚ: **¿Son tus profesores conservadores?**
> COMPAÑERO(A) #1: **No. Mis profesores son muy liberales.**
> COMPAÑERO(A) #2: **Sí. La profesora de biología es muy conservadora.**
> *(Escribe «Profesora de **biología**» en el cuadrado apropiado.)*

### Vocabulario útil

| | | |
|---|---|---|
| arte | economía | historia |
| biología | educación | informática |
| ciencias empresariales | educación física | ingeniería |
| ciencias políticas | enfermería | matemáticas |
| comunicación | física | química |

| | | | |
|---|---|---|---|
| desorganizado(a) <br><br> Profesor(a) de <br> _____ | paciente <br><br> Profesor(a) de <br> _____ | listo(a) <br><br> Profesor(a) de <br> _____ | simpático(a) <br><br> Profesor(a) de <br> _____ |
| divertido(a) <br><br> Profesor(a) de <br> _____ | conservador(a) <br><br> Profesor(a) de <br> _____ | tímido(a) <br><br> Profesor(a) de <br> _____ | serio(a) <br><br> Profesor(a) de <br> _____ |
| extrovertido(a) <br><br> Profesor(a) de <br> _____ | inteligente <br><br> Profesor(a) de <br> _____ | trabajador(a) <br><br> Profesor(a) de <br> _____ | impaciente <br><br> Profesor(a) de <br> _____ |
| liberal <br><br> Profesor(a) de <br> _____ | chistoso(a) <br><br> Profesor(a) de <br> _____ | organizado(a) <br><br> Profesor(a) de <br> _____ | popular <br><br> Profesor(a) de <br> _____ |

**H. ¡Luces! ¡Cámara! ¡Acción!** Tú y un(a) amigo(a) hablan en la cafetería y describen sus respectivas clases: los profesores, los amigos y las actividades. Dramaticen esta situación.

# ¡Escríbelo!

## Estrategias para escribir: usar listas para organizarte

*When asked to write in Spanish, reach for the vocabulary, structures, and cultural concepts that you have already acquired. Thinking of what you would like to write about in English, and then translating it into Spanish, is counterproductive. Inevitably, you will have to look up many words and structures that you probably have not yet studied. This results not only in lots of frustration but also in poor writing. The proper way to begin a writing assignment is to make a list of the words and structures you already know and expect to use. Practice this principle as you begin the writing task that follows.*

**Usar listas para organizarte.** If you were asked to describe the perfect student, you would be wise to begin by making a list of all the characteristics that you consider a perfect student should have. Prepare such a list now, in Spanish, of course.

## Ahora, ¡a escribir!

A. **En preparación.** El tema *(topic)* de esta composición es «El estudiante perfecto». ¿Eres tú un(a) estudiante perfecto(a)? Usa la lista de las características de un(a) estudiante perfecto(a) que preparaste en la sección anterior y prepara otra lista de las características de un(a) estudiante imperfecto(a). En cada lista, indica con una marca (✔) las características que tú tienes *(you have)*. Indica con un signo interrogativo (?) las características que no tienes. Finalmente, indica con un asterisco (*) todas las características que deseas desarrollar *(wish to develop)*.

**Vocabulary:** Personality; school; classroom: studies

**Grammar:** Adjective agreement; verbs: present; use of **ser**

**Phrases:** Describing people; comparing & contrasting

B. **Ahora, a compartir.** Compara tu lista con las listas de tres (3) compañeros. Usen sus listas para decidir cuál *(which)* de los cuatro (4) es «el estudiante perfecto». Informen a la clase de su decisión y expliquen cómo llegaron a su decisión.

C. **La versión final.** Prepara una versión final de tus listas (con marcas, signos interrogativos y asteriscos) y entrégala *(turn it in)* a tu instructor(a).

# Vida estudiantil en...
# ¡las Américas!

**TAREA**

Antes de empezar este *Paso*, estudia la lista de vocabulario de la página 47 y escucha el corte 17 de tu Text Audio CD1. Luego estudia *En preparación*.

1er día    1.7 Present tense of **-ar** verbs, páginas 57–58

2do día    1.8 The verb **ir,** páginas 58–59

Haz por escrito los ejercicios de *¡A practicar!* correspondientes.

⬀ **Google**™ **Images** BUSCA: la educación en Bolivia

## ¿Eres buen observador?

**Si eres maestro o maestra**

**... marcas la diferencia**

¿Consideras la posibilidad de compartir tu pasión por enseñar?

Estos son los beneficios: trabajar en un área que amas, con un trabajo muy importante, que inspira a los niños y que te da tremenda satisfacción.

Los niños de Bolivia te necesitan. Un 60 por ciento de los maestros bolivianos trabajan en las zonas urbanas. El campo boliviano te necesita.

Ser maestro o maestra es una carrera que te ofrece mucha variedad porque es interesante, desafiante y divertida.

How To Advertise | Order The Magazine | Privacy Policy | Terms of Use
Copyright © 2007 Trend Magazines Inc. All Rights Reserved

## Ahora, ¡a analizar!

👥 **Maestros.** Contesta con un(a) compañero(a) de clase.

1. Este anuncio *(ad)* es para promocionar sobre la carrera de maestros en escuelas...

   ☐ públicas.     ☐ privadas.     ☐ urbanas.     ☐ en el campo.

2. En Bolivia, un _____ de los maestros enseña en el campo.

   ☐ 30%     ☐ 40%     ☐ 50%     ☐ 60%

3. La carrera de maestro(a) es...

   ☐ monótona.     ☐ variada.     ☐ desafiante.     ☐ aburrida.

# ¿Qué se dice...?

## Al describir actividades

CD1,
Track 12

CAROLINA: Hola, Miguel. Soy yo.
MIGUEL: Hola, Carolina. ¿Qué tal?
CAROLINA: Bien, ¿y tú?
MIGUEL: Muy bien. ¿Trabajas?
CAROLINA: No, chateo con mi hermana Ana.

CD1,
track 13

¿Cuál es el pasatiempo favorito de otros estudiantes latinoamericanos?

¡La música! ¡Claro! Muchos escuchan la radio o CDs nuevos y bailan al son de sus ritmos favoritos. Otros tocan en bandas particulares y unos hasta en la banda de la universidad. Fernando y Carmen, por ejemplo, tocan la guitarra, su instrumento favorito. Y tú, ¿cuál es tu música favorita? ¿Tocas algún instrumento? ¿Cuál? O si no, ¿qué instrumento es tu favorito?

Uno de los pasatiempos de Carolina es…

☐ chatear. ☐ trabajar. ☐ hablar por teléfono.

El pasatiempo favorito de los estudiantes latinoamericanos es…

☐ la guitarra. ☐ la radio. ☐ la música.

Muchos estudiantes latinoamericanos…

☐ escuchan la radio. ☐ bailan. ☐ tocan un instrumento.

Fernando y Carmen tocan…

☐ la guitarra. ☐ en una banda. ☐ varios instrumentos.

CD1,
track 14

Este año, en el viaje con el programa de estudios en el extranjero, los estudiantes van a visitar Chile, un país de Latinoamérica. En la Universidad de Chile van a estudiar mucho y van a practicar algunas actividades extracurriculares, como actuar en la clase de teatro. También van a practicar el fútbol, el voleibol y la natación.

⊕ Google™ Images BUSCA: Universidad de Chile

Completa estas oraciones con la información correcta.

1. Los estudiantes van a visitar (Chile / Argentina).
2. Los estudiantes van a viajar (solos / con un programa).
3. Los estudiantes (no van / van) a practicar deportes.
4. Los estudiantes (van / no van) a estudiar.

## ¿Sabías que...?

Por lo general, los estudiantes en Latinoamérica no viven en residencias universitarias. Viven en apartamentos o en casas particulares. Muchas universidades latinoamericanas celebran la semana universitaria—la última semana del primer mes de clases. Durante esta semana hay distintas actividades para los estudiantes cada día. Un día se dedica a practicar deportes, otro a asistir al teatro o a un concierto, otro día se dedica a hacer actividades benévolas, como visitar a personas en hospitales y asilos de ancianos *(rest homes)*, otro a participar en actividades juveniles y el último día hay un baile en honor de la estudiante nombrada reina *(queen)* de la semana universitaria. El propósito (la razón) de todas estas actividades es recibir a los estudiantes nuevos e iniciarlos en la vida universitaria.

**En tu opinión:** ¿Por qué no viven los estudiantes latinoamericanos en residencias? ¿Hay en tu universidad una semana de actividades similar a la semana universitaria en Latinoamérica? Describe las actividades.

## Ahora, ¡a hablar!

EP 1.7

**A. ¿Qué hacen?** Indica, según el *¿Qué se dice… ?,* qué hacen estas personas.

_____ 1. Carolina

_____ 2. Fernando

_____ 3. Los estudiantes

_____ 4. Miguel

_____ 5. Los estudiantes latinoamericanos

_____ 6. El programa de estudios en el extranjero

_____ 7. Carmen

_____ 8. Ana

a. escuchan música y bailan

b. toca la guitarra con su amigo

c. habla en el celular con su amiga

d. chatea con su hermana Ana

e. es en Chile

f. toca su instrumento favorito

g. chatea

h. van a practicar varios deportes

EP 1.7

**B. ¡Al terminar las clases!** ¿Qué haces tú generalmente al terminar las clases cada día? Anota *(Jot down)* tres (3) o cuatro (4) cosas que haces. Luego compara tu lista con las de tus compañeros de clase hasta encontrar *(until you find)* a una persona que hace varias de las mismas cosas *(same things).*

MODELO **Chateo con mis padres en la computadora.**

**Vocabulario útil**

chatear con...

enviar mensaje de texto a...

escuchar la radio

estudiar

limpiar mi cuarto

mirar la tele

practicar mi español

preparar la cena

tomar café con...

tomar un refresco

**C. ¿Adónde vas?** Pregúntale a tu compañero(a) adónde *(where)* va a hacer estas cosas.

MODELO       comprar cuadernos
Tú:  **¿Adónde vas a comprar cuadernos?**
COMPAÑERO(A):  **Si necesito comprar cuadernos, voy a la librería.**

**Vocabulario útil**

| | | |
|---|---|---|
| biblioteca | cine | mi cuarto |
| café | laboratorio | patio |
| cafetería | librería | restaurante |

1. tomar un refresco
2. estudiar
3. ver una película
4. comer
5. comprar lápices
6. escribir correos electrónicos a tu profesor(a)
7. trabajar en mi tarea de español

**D. La familia Melgarejo.** ¿Es tu familia como *(like)* la familia Melgarejo? Tu compañero(a) va a describir las actividades de la familia Melgarejo y tú vas a describir las actividades de tu familia en un día de semana *(week day)* típico. ¿Qué diferencias hay?

## Y ahora, ¿por qué no conversamos?

**E. ¡Un sábado típico!** Mañana es sábado *(Saturday)* y tú y un(a) compañero(a) hablan de sus planes por la mañana, tarde y noche. ¿Qué dicen?

MODELO       **Por la mañana voy a tomar café con mis amigos. Luego voy a la librería para comprar…**

**Vocabulario útil**

| | | |
|---|---|---|
| bailar | estudiar en la biblioteca | practicar mi español con… |
| chatear con… | hablar con amigos(as) | tomar café |
| escribir una carta | hablar por teléfono | tomar un refresco |
| escuchar música | mirar la tele | |

**F.** **¿Cierto o falso?** Prepara diez oraciones, unas ciertas *(true)* y otras falsas, sobre estos dos (2) dibujos *(drawings)*. Luego pregúntale a tu compañero(a) si son ciertas o falsas. Si son falsas, debe corregirlas *(correct them)*.

> MODELO     Tú: **Un estudiante toma un refresco.**
> Compañero(a): **Cierto.**
>                 Tú: **Un estudiante habla por teléfono y baila.**
> Compañero(a): **Falso. Habla por teléfono, pero no baila.**

**G.** **¿Son diferentes?** El dibujo a la derecha y el dibujo del Apéndice A, son similares pero tienen cinco (5) diferencias. Descríbele este dibujo a tu compañero(a) y él/ella va a describirte el otro dibujo hasta encontrar las diferencias. No se permite ver el dibujo de tu compañero(a) hasta completar esta actividad.

**Vocabulario útil**

bailar
escribir una carta
escuchar música
estudiar
hablar con amigos(as)
hablar por teléfono
mirar la tele
tomar café
tomar un refresco

**A propósito...**

In Spanish, the floors of an apartment building are not numbered as it is done in English. The first floor in English is the ground floor (**planta baja,** in Spanish). The second floor in English is the first floor (**primer piso,** in Spanish); the third floor is the second floor (**segundo piso**), and the fourth floor is the third floor (**tercer piso**).

**H.** **¡Luces! ¡Cámara! ¡Acción!** Ahora hablas por teléfono con un(a) amigo(a) de tu escuela secundaria *(high school)*. Él (Ella) te pregunta sobre tus compañeros(as) de cuarto, tus clases y sobre las actividades que hacen tú y tus nuevos amigos. Dramatiza la situación con un(a) compañero(a) de clase. Mencionen:

- sus nombres
- sus personalidades
- sus clases
- sus pasatiempos favoritos
- sus actividades cuando no hay clases

# Saber comprender

## Estrategias para ver y escuchar: reconocer «cognados»

*In the previous **Paso** you learned that, when listening to spoken Spanish, students often assume it is being spoken "too fast" and claim they "don't understand anything," when, in fact, they understand much more than they think. The same reactions occur with video. Frequently, students just stop listening as soon as they hear the first word they don't understand. It is very important for you not to develop that habit; you should continue to listen for the words that you do understand and not worry about the others. There are many words that you may have never heard in Spanish before, but that you will understand because they are cognates, that is, they look and sound very much like their English equivalents.*

**Reconocer cognados.** Practice recognizing cognates. As you listen to your instructor read this list of words taken from the video, write down their English equivalent.

| | | | |
|---|---|---|---|
| biodiversidad | _____ | música | _____ |
| civilización | _____ | naturaleza | _____ |
| costumbre | _____ | número | _____ |
| cultura | _____ | ritmo | _____ |
| diversidad | _____ | situado | _____ |
| elevación | _____ | tradición | _____ |
| europeo | _____ | zona | _____ |

# Latinoamérica, ¡al ritmo del siglo veintiuno!

## Al ver el video

As you watch the video for the first time, mark any of the following cognates that you hear in Spanish. Compare the ones you checked with the lists of other students. How many did all of you mark?

- ☐ the Andes
- ☐ telephones
- ☐ African
- ☐ indigenous
- ☐ religion
- ☐ Latino
- ☐ automobiles
- ☐ contributions
- ☐ the United States
- ☐ continent
- ☐ music
- ☐ vibrant

## Después de ver el video

Selecciona ahora la palabra o frase que mejor completa cada oración.

1. La mayoría de países latinoamericanos están situados en...
   a. zonas tropicales.
   b. impresionantes elevaciones.
2. Una característica muy importante de Latinoamérica es...
   a. la biodiversidad.
   b. la desertización.
3. El encuentro de europeos, africanos e indígenas en Latinoamérica crea...
   a. nuevas culturas.
   b. la patata.
4. Mucho de las civilizaciones de los mayas, aztecas e incas se preserva en...
   a. el Machu Picchu.
   b. todos los países latinoamericanos.

# El rincón de los lectores

## Estrategias para leer: cognados

*Cognates are words that look alike in both languages and have the same meaning. The ability to recognize cognates can help expand your reading vocabulary and comprehension very rapidly.*

**Cognados.** Scan the first line of the reading beginning with the sentence "**Los Andes…**" and write six cognates you recognize.

|   | Español | Inglés |
|---|---------|--------|
| 1. | _____ | _____ |
| 2. | _____ | _____ |
| 3. | _____ | _____ |
| 4. | _____ | _____ |
| 5. | _____ | _____ |
| 6. | _____ | _____ |

**Reconocer cognados.** Now scan the remainder of the reading and find another ten cognates. Write them down in two side-by-side columns, one in Spanish, the other in English.

# Tesoros naturales de Sudamérica

- Los Andes, uno de los sistemas montañosos más grandes del mundo, se extienden desde el sur de Chile hasta las proximidades de Panamá.

- Las islas Galápagos en el Ecuador (unas 13 islas grandes, 6 islas pequeñas y 107 isletas muy pequeñas) tienen entre otros animales, especies únicas de iguanas, tortugas, pingüinos, leones marinos y más.

- El Salto Ángel en Venezuela es la catarata interrumpida (o escalonada) más alta del mundo. Tiene cerca de 3.207 pies (977,4 metros) de altura.

- El lago Titicaca, que comparten Bolivia y Perú, es el lago navegable más alto del mundo.

- El desierto de Atacama en Chile es el desierto más árido del mundo, con períodos de hasta 400 años sin lluvias.

- La montaña Aconcagua en Argentina es el pico más alto de las Américas. Tiene unos 22.841 pies (6.962 metros) de altura sobre el nivel del mar.

## Las grandes civilizaciones andinas

Años de existencia

| Chavín | Tiwanaku | Huari | Inca |
| Nazca | Chimú | Moche |

📷 **Google**™ **Images** BUSCA: tesoros naturales Sudamérica; civilizaciones andinas

## A ver si comprendiste

Indica en este diagrama Venn cuáles de las siguientes características naturales se identifican con Sudamérica, cuáles con los EE.UU. y cuáles con ambos.

cataratas impresionantes
grandes lagos
islas con especies de animales únicos
picos altísimos

desiertos áridos
grandes sistemas de montañas
lagos altos y navegables
selvas amazónicas

📷 Por el ciberespacio... a Sudamérica
Keywords to search:
  Tiwanaku
  Incas
  Nazca

Sudamérica    S.A. y EE.UU.    Estados Unidos

# Vocabulario

## Paso 1  CD1, Track 15

### Descripción de personas

| | |
|---|---|
| activo(a) | active |
| alto(a) | tall |
| atlético(a) | athletic |
| atractivo(a) | attractive |
| chistoso(a) | funny |
| conservador(a) | conservative |
| divertido(a) | funny, amusing |
| elegante | elegant |
| especial | special |
| estudioso(a) | studious |
| estupendo(a) | stupendous, great, terrific |
| extrovertido(a) | extroverted, outgoing |
| famoso(a) | famous |
| feo(a) | ugly |
| fuerte | strong |
| grande | big |
| impaciente | impatient |
| inteligente | intelligent |
| interesante | interesting |
| introvertido(a) | introverted, shy |
| liberal | liberal |
| paciente | patient |
| perezoso(a) | lazy |
| romántico(a) | romantic |
| serio(a) | serious |
| simpático(a) | nice, pleasant, likable |
| sincero(a) | sincere |
| sociable | outgoing, friendly |
| talentoso(a) | talented |
| tímido(a) | shy |
| trabajador(a) | hardworking |

### Personas

| | |
|---|---|
| cantante (m. f.) | singer |
| compañero(a) | companion, partner |
| compañero(a) de cuarto | roommate |
| doctor(a) | doctor |
| señor (Sr.) | Mr. |
| señora (Sra.) | Mrs. |
| señorita (Srta.) | Miss |
| todo el mundo | everyone |

### Adjetivos de nacionalidad
See page 26.

### Pasatiempos, actividades

| | |
|---|---|
| baloncesto | basketball |
| béisbol (m.) | baseball |
| ciclismo | bike racing |
| ciclismo de montaña | mountain biking |
| deporte (m.) | sport |
| fútbol (m.) | soccer |
| golf (m.) | golf |
| tenis (m.) | tennis |
| voleibol (m.) | volleyball |

### Datos personales

| | |
|---|---|
| ciudad (f.) | city |
| ciudad natal | birthplace |
| nombre (m.) | name |
| país (m.) | country |
| país de origen | country of origin |
| personalidad (f.) | personality |

### En la librería

| | |
|---|---|
| bolígrafo | pen |
| librería | bookstore |
| lápiz (m.) | pencil |
| libro | book |
| mochila | backpack |
| papel (m.) | paper |

### Artículos definidos e indefinidos
See **1.3 Gender and number: Articles and nouns**

### Pronombres sujetos singulares

| | |
|---|---|
| yo | I |
| tú | you (fam.) |
| usted | you (formal) |
| él | he, it (m.) |
| ella | she, it (f.) |

### El verbo *ser*
See page 48.

### Palabras y expresiones útiles

| | |
|---|---|
| actividad (f.) | activity |
| algo | somewhat |
| ¿no? | isn't it? |
| perdón | pardon, sorry |
| pero | but |
| preferido(a) | preferred |
| también | also |
| y | and |

## Paso 2  CD1, Track 16

### En la universidad

| | |
|---|---|
| arte (m.) | art |
| biología | biology |
| ciencias empresariales | business management |
| ciencias políticas | political science |
| comunicación (f.) | communication |
| contabilidad (f.) | accounting |
| economía | economics |
| educación (f.) | education |
| educación física | physical education |
| enfermería | nursing |
| facultad (f.) | college |
| física | physics |
| historia | history |
| informática | computer science |
| ingeniería | engineering |
| matemáticas | mathematics |
| química | chemistry |
| universidad (f.) | university |

### Descripción de personalidad

| | |
|---|---|
| aburrido(a) | boring |
| amable | kind, nice |
| antipático(a) | unpleasant |
| bueno(a) | good |
| callado(a) | quiet |
| desorganizado(a) | disorganized |
| difícil | difficult |
| estupendo(a) | stupendous, great, terrific |
| egoísta | selfish, egotistical |
| fácil | easy |
| formal | formal |
| grande | big, large |
| hablador(a) | talkative |
| independiente | independent, self-reliant |
| informal | informal |
| listo(a) | smart, clever |
| malo(a) | bad |
| organizado(a) | organized |
| pequeño(a) | small, short, little |
| popular | popular |
| torpe | clumsy |

**Diversiones**

| | |
|---|---|
| **cine** *(m.)* | *movie theater* |
| **gimnasio** | *gym* |
| **radio** *(f.)* | *radio* |
| **restaurante** *(m.)* | *restaurant* |
| **teléfono** | *telephone* |
| **televisión** *(f.)* | *television* |

**Actividades y pasatiempos**

| | |
|---|---|
| **bailar** | *to dance* |
| **chatear** | *to chat on the Internet* |
| **comer** | *to eat* |
| **comprar** | *to buy* |
| **describir** | *to describe* |
| **enviar** | *to send* |
| **escribir** | *to write* |
| **escuchar** | *to listen to* |
| **estudiar** | *to study* |
| **esquiar** | *to ski* |
| **fumar** | *to smoke* |
| **hablar** | *to talk, to speak* |
| **ir** | *to go* |
| **leer** | *to read* |
| **llamar** | *to call* |
| **mirar** | *to look at, to watch* |
| **nadar** | *to swim* |
| **necesitar** | *to need* |
| **pagar** | *to pay* |
| **pasatiempo** | *pastime, amusement* |
| **pasear** | *to go for a walk or ride* |
| **poder** | *to be able* |
| **preparar** | *to prepare* |
| **saber** | *to know* |
| **tomar** | *to drink, to take* |
| **trabajar** | *to work* |
| **usar** | *to use* |

**Pronombres sujetos plurales**

| | |
|---|---|
| **ellos(as)** | *they* |
| **nosotros(as)** | *we* |
| **ustedes** | *you (pl.)* |

**Palabras y expresiones útiles**

| | |
|---|---|
| **cena** | *dinner* |
| **en general** | *in general, generally speaking* |
| **leche** *(f.)* | *milk* |
| **más** | *more* |
| **menos** | *less* |
| **mucho(a)** | *much, a lot* |

## Paso 3 CD1, Track 17

**Lugares**

| | |
|---|---|
| **banco** | *bank* |
| **biblioteca** | *library* |
| **café** *(m.)* | *coffee house* |
| **cafetería** | *cafeteria* |
| **campo** | *countryside; field* |
| **casa** | *house* |
| **cuarto** | *room* |
| **discoteca** | *discotheque* |
| **fiesta** | *party* |
| **fraternidad** *(f.)* | *fraternity* |
| **laboratorio** | *laboratory* |
| **patio** | *patio* |
| **película** | *movie* |
| **piscina** | *swimming pool* |
| **planta baja** | *lower level; lower floor* |
| **primer piso** | *first floor* |
| **segundo piso** | *second floor* |
| **supermercado** | *supermarket* |
| **teatro** | *theater* |

**Cosas de estudiantes**

| | |
|---|---|
| **carrera** | *degree; career* |
| **carta** | *letter* |
| **celular** | *cellular phone* |
| **cerveza** | *beer* |
| **comida** | *food, meal* |
| **correo electrónico** | *e-mail* |
| **cuaderno** | *notebook* |
| **cuenta** | *bill* |
| **maestro(a)** | *teacher* |
| **plato** | *plate* |
| **refresco** | *soft drink* |
| **ropa** | *clothes* |
| **tarea** | *homework; job; task* |
| **tele** *(m.)* | *television* (slang) |

**Música**

| | |
|---|---|
| **banda** | *music band* |
| **concierto** | *concert* |
| **guitarra** | *guitar* |
| **instrumento** | *instrument* |
| **programa** *(m.)* | *program* |

**Palabras descriptivas**

| | |
|---|---|
| **desafiante** | *challenging* |
| **monótono(a)** | *monotonous* |
| **privado(a)** | *private* |
| **público(a)** | *public* |
| **urbano(a)** | *urban* |
| **variado(a)** | *varied, assorted* |
| **varios(as)** | *various, several* |

**Verbos**

| | |
|---|---|
| **bailar** | *to dance* |
| **buscar** | *to look for* |
| **comprar** | *to buy* |
| **escuchar** | *to listen to* |
| **hablar** | *to speak* |
| **ir** | *to go* |
| **lavar** | *to wash* |
| **limpiar** | *to clean* |
| **llamar** | *to call* |
| **llevar** | *to carry, to take; to wear* |
| **mirar** | *to look at, to watch* |
| **nadar** | *to swim* |
| **necesitar** | *to need* |
| **pagar** | *to pay* |
| **practicar** | *to practice* |
| **preguntar** | *to ask (a question)* |
| **preparar** | *to prepare* |
| **tocar** | *to play (an instrument); to touch* |
| **tomar** | *to drink, to take* |

**Palabras y expresiones útiles**

| | |
|---|---|
| **adónde** | *where (to)* |
| **al** | *to the* |
| **del** | *from the* |
| **generalmente** | *generally* |
| **si...** | *if . . .* |

---

**EL ESPAÑOL... Variaciones**

| | |
|---|---|
| **futbol** *(m.)* | *soccer* |
| **volibol** *(m.)* | *volleyball* |

# En preparación **1**

## 1.1 Subject pronouns and the verb *ser*: Singular forms
### Clarifying, emphasizing, contrasting, and stating origin

| Subject pronouns | |
|---|---|
| **Singular** | |
| *I* | **yo** |
| *you* (familiar) | **tú** |
| *you* (formal) | **usted** |
| *he* | **él** |
| *she* | **ella** |

■ Subject pronouns are usually omitted in Spanish because the verb endings indicate the person doing the action. Subject pronouns are used for clarity, emphasis, or contrast.

| clarity: | —**Usted** es de México, ¿no? |
|---|---|
| emphasis: | —No, **yo** soy de Panamá. |
| contrast: | —Ah, **tú** eres panameña y **ella** es mexicana. |
| BUT: | —Sí, soy panameña. |

■ The subject pronoun *it* in English is *never* expressed in Spanish.

Es muy importante.    *It is very important.*
No es hoy, es mañana.    *It is not today, it's tomorrow.*

### The verb *ser*

| ser | |
|---|---|
| **Singular** | |
| *I am* | yo **soy** |
| *you are* | tú **eres** |
| *you are* | usted **es** |
| *he is* | él **es** |
| *she is* | ella **es** |

■ In Spanish, there are two verbs that mean *to be*: **ser** and **estar.** These two verbs differ greatly in usage. In this chapter, you will learn various uses of **ser.**

■ **Ser** is used to define or identify. It tells who or what the subject of the sentence is. It acts as an equal sign (=) between the subject and the noun that follows. In this context, it is used to express nationality or profession or to give a description.

**Soy** estadounidense.          Yo  = estadounidense
Ella **es** estudiante.          Ella = estudiante
Tú **eres** inteligente.          Tú  = inteligente

Google™
BUSCA: Spanish
Subject Pronouns

**Heinle Grammar
Tutorial:** Subject
Pronouns

Google™
BUSCA: Spanish
verb **ser**

**Heinle Grammar
Tutorial:** Uses of **ser**

■ Just as **ser** is used to express nationality, a form of **ser + de** is used to express origin.

García Márquez **es de** Colombia. **Es** colombiano.  *García Márquez is from Colombia. He is Colombian.*

El Sr. Acuña **es de** México. **Es** mexicano.  *Mr. Acuña is from Mexico. He is Mexican.*

Remember that it is not necessary to use subject pronouns unless clarity, emphasis, or contrast is desired.

## ¡A practicar!

**A. ¿Quién es?** Indicate which subject pronoun(s) in the column on the right can be either added to each sentence or used in place of the existing subject.

MODELO  Es el profesor de español.  **él**

1. Es estadounidense.  yo
2. Me llamo Matías.  tú
3. La profesora se llama Elena.  usted
4. Perdón, señor, ¿cómo se llama?  él
5. ¿Cómo te llamas?  ella

**B. ¿Tú? ¿Usted?** Tell what subject pronouns the Spanish department receptionist would use when speaking directly to the following people.

1. el Sr. Ríos Menéndez, the department chairperson
2. el Sr. Gaitán Rojas, a professor
3. Pedro, a good friend
4. Ana, a roommate
5. la Sra. López Ríos, your advisor

Now tell what subject pronouns the receptionist would use when speaking *about* the following people.

6. el Sr. Ríos Menéndez
7. el Sr. Gaitán Rojas
8. herself
9. Ana
10. Pedro
11. la Sra. López Ríos

**C. Venimos de todas partes.** Students come to your campus from North America (*Norteamérica*), Central America (*Centroamérica*), the Caribbean (*el Caribe*), and South America (*Sudamérica*). Ask your partner where these students come from. Use the list from **¿Sabías que... ?** on page 26.

MODELO  Mario / Uruguay
Tú: **Mario es uruguayo, ¿no?**
Compañero(a): **Sí, es de Sudamérica.**

1. José / El Salvador
2. Teresa / Ecuador
3. el profesor Meza / Bolivia
4. tu compañero de cuarto / la República Dominicana
5. yo / Puerto Rico
6. ¿Y tú?

---

«La crítica **es** fácil, el arte difícil». (proverbio)

____ *An artist is his own best critic.*

____ *It's easy to criticize, more difficult to create.*

---

## 1.2 Adjectives: Singular forms

### Describing people, places, and things

Adjectives are words that tell something about the nature of the noun they describe (color, size, nationality, affiliations, condition, and so on). Spanish adjectives usually follow the noun they describe and always agree in gender and number with it.

■ Adjectives may be masculine or feminine. Masculine singular adjectives that end in **-o** have a feminine equivalent that ends in **-a**.

| Singular | |
|---|---|
| **Masculine** | **Feminine** |
| alt**o** | alt**a** |
| simpátic**o** | simpátic**a** |

⬛ **Google**™ y **YouTube**™ BUSCA: Spanish adjectives

**Heinle Grammar Tutorial:** Adjectives

■ Adjectives that end in **-e,** and most adjectives that end in a consonant (except those denoting nationality or that end in **-dor**), do not have separate masculine/feminine forms.

el país **grande**
la ciudad **grande**
BUT:
un doctor **trabajador**
una profesora **trabajadora**

el libro **especial**
la librería **especial**

un libro **español**
una novela **española**

### ¡A practicar!

**A. Los amigos de María y Mario.** María and Mario are studying at a private school in Buenos Aires. Tell how they describe their new friends.

Amigos de María: **Angélica**
Javier — — **Horacio**

Amigos de Mario:
José — — **Raimundo**

#### Vocabulario útil

| | | |
|---|---|---|
| atlético | elegante | simpático |
| conservador | estudioso | tímido |
| divertido | inteligente | trabajador |

**B. ¡Es mi familia!** You and your roommate are recalling what you did during your first show-and-tell report at school. Tell what you said as you showed a family picture and your partner will tell what he/she said.

MODELO    Tú: mi hermana; tu compañero(a): mi hermano
          Tú: **Ella es mi hermana. Es activa y atlética.**
Compañero(a): **Él es mi hermano. Es impaciente y perezoso.**

#### Vocabulario útil

| | | | | |
|---|---|---|---|---|
| activo | bueno | elegante | impaciente | simpático |
| alto | conservador | especial | inteligente | tímido |
| atlético | divertido | estudioso | perezoso | trabajador |

1. tú: mi papá; tu compañero(a): mi mamá
2. tú: mi hermano *(brother)*; tu compañero(a): mi hermana *(sister)*

3. tú: mi tía (aunt); tu compañero(a): mi tío (uncle)
4. tú: mi mamá; tu compañero(a): mi papá
5. tú: mi abuela (grandmother); tu compañero(a): mi abuelo (grandfather)
6. tú: mi perro (dog); tu compañero(a): mi perra (dog)

---

«Más vale **feo** y **bueno** que **guapo** y **perverso**». (proverbio)

___ You cannot judge a book by its cover.

___ Good looks are deceiving.

---

## 1.3 Gender and number: Articles and nouns

### Indicating specific and nonspecific people and things

■ There are two kinds of articles: definite and indefinite. Both the definite article (*the* in English) and the indefinite articles (*a, an* [singular] and *some* [plural] in English) have four forms in Spanish.

⬀ Google™ **Images** y **YouTube**™ BUSCA: Spanish articles

| | Singular | | | Plural | |
|---|---|---|---|---|---|
| | **Masculine** | **Feminine** | | **Masculine** | **Feminine** |
| *the* | **el** | **la** | *the* | **los** | **las** |
| *a, an* | **un** | **una** | *some* | **unos** | **unas** |

1. Definite and indefinite articles must agree in number (singular/plural) and gender (masculine/feminine) with the nouns they accompany.

| | |
|---|---|
| Necesito **un** bolígrafo y **una** calculadora. | *I need a ballpoint pen and a calculator.* |
| **Los** cuadernos y **las** mochilas están en el escritorio. | *The notebooks and the backpacks are on the desk.* |

2. The definite article is frequently used before the name of certain countries and not with others. Following is a list of countries that usually use the definite article. However, the Spanish language, like all spoken languages, is alive and constantly changing. In spoken Spanish, the trend is to not use the definite article with the names of countries. You will note this practice in *¡Dímelo tú!*

| | | | |
|---|---|---|---|
| la Argentina | la China | la India | el Perú |
| el Brasil | el Ecuador | el Japón | la República Dominicana |
| el Canadá | los Estados Unidos | el Paraguay | el Uruguay |

■ A noun is the name of a person, place, or thing. In Spanish, all nouns are either masculine or feminine, even when they refer to inanimate objects. The following rules will help you predict the gender of many nouns; however, the gender of nouns is not always predictable. You should always learn the gender with every new noun.

⬀ Google™ y **YouTube**™ BUSCA: Spanish nouns

1. Nouns that refer to males are masculine, and nouns that refer to females are feminine. Many nouns referring to people and animals have identical forms except for the masculine **-o** or feminine **-a** endings.

| | | | |
|---|---|---|---|
| el herman**o** | *the brother* | la herman**a** | *the sister* |
| el gat**o** | *the male cat* | la gat**a** | *the female cat* |

A few nouns that refer to people and animals have completely different masculine and feminine forms.

| | | | |
|---|---|---|---|
| el hombre | *the man* | la mujer | *the woman* |
| el padre | *the father* | la madre | *the mother* |

2. Generally, nouns that end in **-o** are masculine and those that end in **-a, -dad, -tad,** and **-ción** or **-sión** are feminine.

| | | |
|---|---|---|
| el libr**o** | la activi**dad** | la liber**tad** |
| el bolígraf**o** | la universi**dad** | la amis**tad** |
| la mochil**a** | la educa**ción** | la televi**sión** |
| la sill**a** | la emo**ción** | la explo**sión** |

Some important exceptions to this rule are:

la mano *(the hand)*     el día     el mapa *(the map)*

Other exceptions are words of Greek origin ending in **-ma**. Most have English cognates.

| | | |
|---|---|---|
| **el** dra**ma** | **el** proble**ma** | **el** siste**ma** |
| **el** poe**ma** | **el** progra**ma** | **el** te**ma** |

3. Sometimes the same noun is used for both genders as in words that end in **-ista.** In these cases, gender is indicated by the article that precedes the noun.

| | |
|---|---|
| el/la artista | el/la periodista *(the newspaper reporter)* |
| el/la dentista | el/la turista |

4. Many nouns, especially those ending in **-e** or a consonant, do not have predictable genders and must be memorized.

el café *the coffee*     la clase *the class*     la tarde *the afternoon*

⊿ Google™ y YouTube™ BUSCA: Spanish plural nouns

**Heinle Grammar Tutorial:** Nouns and Articles

■ All plural nouns end in **-s** or **-es.** The plural forms of nouns are derived in the following manner.

1. Singular nouns that end in a vowel form their plural by adding **-s.**

| | |
|---|---|
| el diccionario *the dictionary* | los diccionarios *the dictionaries* |
| una silla *a chair* | unas sillas *some chairs* |

2. Singular nouns that end in a consonant form their plural by adding **-es.**

| | |
|---|---|
| el papel *the paper* | los papeles *the papers* |
| una universidad *a university* | unas universidades *some universities* |

3. A final **-z** always changes to **-c** before adding **-es.**

| | |
|---|---|
| el lápi**z** *the pencil* | los lápi**c**es *the pencils* |
| una ve**z** *one time* | unas ve**c**es *a few times* |

## ¡A practicar!

**A. ¿Qué buscan Micaela y Rodrigo?** Indicate what Micaela and Rodrigo are looking for in the bookstore.

MODELO     **Micaela busca unos libros.**

libro     lápiz     cuaderno     bolígrafo     papel     mochila

**B. Es de...** There are several items students checked in at the entrance to the bookstore. Tell to whom they belong.

**MODELO**     mochila (3) / Luis
                    **Las mochilas son de Luis.**

1. papel (5) / Andrés
2. cuaderno (2) / Julia
3. bolígrafo (4) / Raúl
4. lápiz (7) / Rodrigo
5. libro (14) / Micaela
6. mochila (1) / Carlos

---

«**El problema** es del arquero, no de la flecha». (proverbio)

\_\_\_\_ *Archers that don't know how to make arrows will have problems.*

\_\_\_\_ *Don't blame your problems on your tools.*

---

## Paso 2

## 1.4 Infinitives

### Naming activities

Spanish verbs fall into three categories according to their endings: **-ar, -er,** and **-ir.** The verb form that ends in **-ar, -er,** or **-ir** is called an infinitive. **Necesitar** *(to need),* **ser** *(to be),* and **vivir** *(to live)* are three examples of Spanish infinitives. Notice that English infinitives are formed by *to + verb.*

Some frequently used **-ar, -er,** and **-ir** verbs are as follows:

🔘 Google™
BUSCA: Spanish infinitives

**Heinle Grammar Tutorial:** Regular Verbs

| | | | |
|---|---|---|---|
| bailar | *to dance* | necesitar | *to need* |
| buscar | *to look for* | pagar | *to pay* |
| comprar | *to buy* | preparar | *to prepare* |
| escribir | *to write* | tomar | *to drink, to take* |
| escuchar | *to listen to* | trabajar | *to work* |
| estudiar | *to study* | comer | *to eat* |
| hablar | *to talk, to speak* | leer | *to read* |
| llamar | *to call* | poder | *to be able* |
| mirar | *to look at, to watch* | saber | *to know* |
| nadar | *to swim* | ir | *to go* |

### ¡A practicar!

**¿Con qué frecuencia?** Indicate by checking the appropriate column if you do these activities often (**a menudo**) or seldom (**raramente**). In class, compare your results with those of several classmates to find who in the class is most like you.

| | a menudo | raramente |
|---|---|---|
| 1. tomar leche *(milk)* | \_\_\_\_\_ | \_\_\_\_\_ |
| 2. hablar por teléfono | \_\_\_\_\_ | \_\_\_\_\_ |
| 3. ir a conciertos | \_\_\_\_\_ | \_\_\_\_\_ |
| 4. estudiar | \_\_\_\_\_ | \_\_\_\_\_ |
| 5. mirar la televisión | \_\_\_\_\_ | \_\_\_\_\_ |
| 6. leer libros | \_\_\_\_\_ | \_\_\_\_\_ |
| 7. preparar la cena *(dinner)* | \_\_\_\_\_ | \_\_\_\_\_ |
| 8. llamar a tus padres | \_\_\_\_\_ | \_\_\_\_\_ |
| 9. comer en restaurantes | \_\_\_\_\_ | \_\_\_\_\_ |
| 10. escuchar la radio | \_\_\_\_\_ | \_\_\_\_\_ |

---

«**Saber** es **poder**». (proverbio)

\_\_\_\_ *Knowledge is power.*

\_\_\_\_ *To know is to be able to grow.*

---

## 1.5 Subject pronouns and the verb *ser*: Plural forms
### Stating origin of several people

| Subject pronouns | |
|---|---|
| **Plural** | |
| *we* | **nosotros, nosotras** |
| *you* (familiar) | **vosotros, vosotras** |
| *you* (formal) | **ustedes** |
| *they* | **ellos, ellas** |

In **Para empezar,** you learned that **tú** is a familiar form generally used when speaking to a friend, and **usted** is a more polite, formal form used to show respect or to address an individual you do not know well. **Vosotros(as)** (the plural of **tú**) and **ustedes** (the plural of **usted**) are used in the same way when speaking directly to more than one person. However, in the Americas, **ustedes** is used in place of **vosotros(as).** In your class, you should ask your instructor if both will be used or if preference will be given to **ustedes.**

🔗 Google™
BUSCA: Spanish verb **ser**

**Heinle Grammar Tutorial:** Uses of **ser**

| The verb *ser* | | | |
|---|---|---|---|
| **Singular** | | **Plural** | |
| yo | **soy** | nosotros(as) | **somos** |
| tú | **eres** | vosotros(as) | **sois** |
| usted | **es** | ustedes | **son** |
| él, ella | **es** | ellos, ellas | **son** |

### ¡A practicar!

**A.** **¿De todas partes?** Classes begin next week and foreign students are starting to arrive on campus. Tell what countries they are from and give their nationality. You may want to refer to the **¿Sabías que...?** section on page 26 to complete activities A and B.

**MODELO**      Roberto Rojas y José Antonio Méndez / Colombia
                      **Roberto Rojas y José Antonio Méndez son de Colombia.**
                      **Son colombianos.**

1. Isabel y Julia Martínez / Venezuela
2. José Trujillo y Marta Cabezas / Cuba
3. Cecilia y Pilar Correa / Paraguay
4. Carlos Barros y tú / Costa Rica
5. Sonia Urrutia y Tomás Arias / Perú
6. tú y yo / Uruguay

**B. Presentaciones.** What do you say when your partner introduces these new friends to you?

MODELO    Víctor y Daniel / Nuevo México.
COMPAÑERO(A):  **Víctor y Daniel son de Nuevo México.**
       TÚ:  **¡Ah, son norteamericanos!**

1. mis amigos Rafael y Lalo / Cuba
2. Teresa / Bolivia
3. Ángela y Manuel / Guatemala
4. Jaime y yo / México
5. Eduardo / Nicaragua
6. mi amiga Ángela / Argentina

---

«A veces **somos** clavito y a veces martillito». (proverbio)

____ Sometimes we are victims, sometimes aggressors.

____ A hammer always hits the nail on the head.

---

## 1.6 Adjectives: Plural forms

### Describing people, places and things

You have learned that adjectives are words that describe a person, place, or thing and that, in Spanish, they usually follow the noun they describe.

■ The plural of adjectives that end in a vowel is formed by adding **-s**.

| Singular | | Plural | |
|----------|---------|-----------|----------|
| Masculine | Feminine | Masculine | Feminine |
| alt**o** | alt**a** | alt**os** | alt**as** |
| grand**e** | grand**e** | grand**es** | grand**es** |

■ The plural of adjectives that end in a consonant is formed by adding **-es**. As noted in **1.2,** exceptions to this rule are adjectives of nationality and those ending in **-dor.**

| Singular | Plural |
|----------|--------|
| especial | especial**es** |
| liberal | liberal**es** |
| BUT: | |
| español | español**es** |
| español**a** | español**as** |
| trabajador | trabajador**es** |
| trabajador**a** | trabajador**as** |

■ Adjectives of nationality that end in a consonant add **-a** to form the feminine singular, **-es** to form the masculine plural, and **-as** to form the feminine plural.

| Singular | | Plural | |
|----------|----------|----------|----------|
| Masculine | Feminine | Masculine | Feminine |
| alemán *(German)* | alemana | alemanes | alemanas |
| inglés | inglesa | ingleses | inglesas |
| español | española | españoles | españolas |

Google™ y
YouTube™ BUSCA:
Spanish adjectives
gender and number

**Heinle Grammar
Tutorial:** Adjectives

■ When one adjective describes two or more nouns, one of which is masculine, the masculine plural form of the adjective is used.

Ana y José son muy ser**os**.

Gloria, Isabel y Pepe son muy
  desorganizad**os**.

*Ana and José are very serious.*

*Gloria, Isabel, and Pepe are very
  disorganized.*

■ Nouns that refer to a group of people, called collective nouns, are usually singular: **la gente, la clase, todo el mundo, la familia, la policía, la mayoría,** etc. Adjectives modifying these nouns match them in gender and number.

Esta gente es muy trabajador**a**.

Todo el mundo está aburrid**o**.

*These people are very hardworking.*

*Everybody is bored.*

## ¡A practicar!

**A. ¿Cómo son?** People usually select friends who are similar to themselves. How would you describe the following pairs?

1. Julio es divertido. (Julio y José)
2. Paco es impaciente. (Paco y yo)
3. Lupita es liberal. (Lupita y Jorge)
4. Eduardo es muy atlético. (Eduardo y tú)
5. Marcelo es simpático. (Marcelo y Andrés)
6. Teresa es inteligente. (Teresa y Carmen)
7. Tú eres... (Tú y yo)

**B. Hispanos famosos.** Individually, describe these famous people. Write your descriptions on separate sheets of paper. Then compare your descriptions with those of your partner. Tell the class if you agreed on any.

**MODELO**     **Penélope Cruz es inteligente y estupenda.**

**Vocabulario útil**

| | | |
|---|---|---|
| activo | divertido | inteligente |
| alto | elegante | serio |
| atlético | especial | simpático |
| bueno | estudioso | tímido |
| conservador | estupendo | trabajador |

1. Jennifer López
2. Antonio Banderas
3. Shakira
4. Andy García
5. Frida Kahlo
6. Carlos Arroyo

---

«A palabras **necias** oídos **sordos**». (proverbio)

___ *Don't listen to foolish talk.*

___ *You say silly words when you are hard of hearing.*

---

# 1.7 Present tense of -ar verbs

## Stating what people do

■ Spanish verbs are conjugated, that is, their forms are changed to reflect the person doing the action, the time of the action, and the attitude of the speaker. To conjugate a Spanish verb, the **-ar, -er,** or **-ir** ending of the infinitive is substituted with an appropriate ending.

🔼 **Google**™ y **YouTube**™ BUSCA: Spanish grammar -ar verbs

**Heinle Grammar Tutorial:** The Present Indicative Tense

| Present-tense verb endings: *-ar* verbs | | |
|---|---|---|
| **Singular** | | **Plural** |
| (yo) | necesit **-o** | (nosotros/as) necesit **-amos** |
| (tú) | necesit **-as** | (vosotros/as) necesit **-áis** |
| (usted) | necesit **-a** | (ustedes) necesit **-an** |
| (él, ella) | necesit **-a** | (ellos, ellas) necesit **-an** |

■ Since the conjugated endings of Spanish verbs indicate the subject, the use of personal pronouns (**yo, tú, nosotros**) is unnecessary.

■ The present tense of any Spanish verb has three possible equivalents in English statements and questions.

**Compro** ropa nueva.
$\begin{cases} \textit{I buy new clothes.} \\ \textit{I am buying new clothes.} \\ \textit{I do buy new clothes.} \end{cases}$

**¿Compras** ropa nueva?
$\begin{cases} \textit{Do you buy new clothes?} \\ \textit{Are you buying new clothes?} \\ \textit{You buy new clothes?} \end{cases}$

Note in the examples above that **ser** is never used in combination with another present-tense verb to express that someone is doing something. Also, the English auxiliary verb forms *do* and *does* do not exist in Spanish. When asking questions, the conjugated verb by itself communicates the idea of *do* or *does.* If the subject pronoun is stated in a question, it can follow or precede the verb.

**¿Compra** usted ropa nueva?
¿Usted **compra** ropa nueva?
$\begin{cases} \textit{Do you buy new clothes?} \\ \textit{Are you buying new clothes?} \end{cases}$

■ As in English, a Spanish present-tense verb may have a future meaning.

Mañana **pago** las cuentas.      *Tomorrow I will pay (I'm paying) the bills.*
¿Cuándo **lavamos** el coche?      *When will we (do we) wash the car?*

■ Some frequently used **-ar** verbs are the following.

| | | | |
|---|---|---|---|
| bailar | *to dance* | llevar | *to carry, to take, to wear* |
| buscar | *to look for* | mirar | *to look at, to watch* |
| comprar | *to buy* | nadar | *to swim* |
| escuchar | *to listen to* | necesitar | *to need* |
| hablar | *to speak* | pagar | *to pay* |
| lavar | *to wash* | preguntar | *to ask (a question)* |
| limpiar | *to clean* | preparar | *to prepare* |
| llamar | *to call* | tomar | *to drink, to take* |

## ¡A practicar!

**A. El fin de semana.** What do you and your friends do on a typical Saturday?

MODELO　　　**Mi amigo Bryce habla por teléfono.**

**Vocabulario útil**

| | |
|---|---|
| bailar en una discoteca | limpiar la casa |
| comprar refrescos | mirar la tele |
| escuchar la radio | nadar en la piscina *(swimming pool)* |
| hablar por teléfono | pagar las cuentas *(bills)* |
| lavar ropa *(clothes)* | preparar la comida |

1. Yo
2. Mis amigas... y ...
3. Mi amigo...
4. ... y ...
5. Mi amiga...
6. Mis amigos..., ... y ...

**B. ¡Los domingos siempre son especiales!** Why are Sundays so special for you and your friends? Tell your partner what you and your friends do on Sundays, then listen as your partner tells you what he/she and his/her friends do. Inform the class if you do any of the same activites. Feel free to use the **Vocabulario útil** in the previous activity. You may want to begin with:

Por la mañana, yo...

---

«**Baila** y bebe, que la vida es breve». (proverbio)

____ *Drink and make merry while you can.*

____ *Life is too short to spend it drinking and dancing.*

---

## 1.8　The verb *ir*

### Stating destination and what you are going to do

⊡ **Google**™ y **YouTube**™ BUSCA: Spanish grammar verb **ir**

Some Spanish verbs, such as the verb **ir** *(to go)*, are irregular. These verbs may have irregularities in the stem of the verb or in the verb endings. The verb **ir** has both.

| ir *(to go)* | | | |
|---|---|---|---|
| (yo) | voy | (nosotros/as) | vamos |
| (tú) | vas | (vosotros/as) | vais |
| (usted) | va | (ustedes) | van |
| (él, ella) | va | (ellos, ellas) | van |

When a destination is mentioned, **a** is always used.

**Voy a** la librería.　　　　　　　*I'm going to the bookstore.*
Ella **va a** un banco.　　　　　　*She is going to a bank.*

### *Ir a* + infinitive

The combination **ir a** + *infinitive* is used to express immediate future actions.

**Vamos a estudiar** esta noche　　　*We're going to study tonight in the library.*
　en la biblioteca.

**Van a llamar** mañana.　　　　　　*They're going to call tomorrow.*

# Contractions in Spanish: *al, del*

Whenever the definite article **el** is preceded by **a** or **de**, it contracts and becomes **al** or **del**. These are the only contractions in the Spanish language. In this lesson you will practice **al**.

| | |
|---|---|
| Vamos **al** teatro. | *We're going to the theater.* |
| La profesora va **al** laboratorio. | *The professor is going to the laboratory.* |
| Es Pepe. Llama **del** banco. | *It's Pepe. He's calling from the bank.* |

## ¡A practicar!

**A. ¿Adónde van todos?** Where does your roommate say your friends are going when you try to guess what plans they have?

> **MODELO**  ¿Adónde *(Where)* va Marta? ¿A la cafetería? (Café Bistro)
> **No, Marta no va a la cafetería, va al Café Bistro.**

1. ¿Adónde va Ángela? ¿A la discoteca? (teatro)
2. ¿Adónde van Rodrigo y José? ¿Al laboratorio? (biblioteca)
3. ¿Adónde va el profesor Castillo? ¿A la librería? (banco)
4. ¿Adónde van tú y Alicia? ¿Al teatro? (fiesta)
5. ¿Adónde van Julio y Raquel? ¿A Miami? (San Francisco)
6. ¿Adónde van tú y Paco? ¿Al laboratorio? (gimnasio)

**B. ¿Qué van a hacer?** You want to know what your friends are going to do tomorrow. Ask your partner.

> **MODELO**  Tú: **¿Qué van a hacer... y...?**
> Compañero(a): **Van a estudiar en la biblioteca.**

**Vocabulario útil**

comer en el café/la cafetería/el restaurante
comprar libros/refrescos/ropa en la librería/el supermercado/Macy's
comprar refrescos/comida/cerveza para la fiesta
llamar a sus padres/amigos/tíos/abuelos
lavar ropa/platos
limpiar su cuarto/casa
mirar tele/DVD
nadar en la piscina de la universidad/fraternidad
pagar cuentas
preparar la lección de español/biología/matemáticas

| | | |
|---|---|---|
| 1. tú | 3. ... y ... | 5. ..., ... y ... |
| 2. ... | 4. tú y ... | 6. tú, ... y ... |

---

«**Vamos** de Guatemala a Guatepeor». (dicho popular)

____ *We're going from bad to worse.*

____ *We're going on the worst road to Guatemala City.*

---

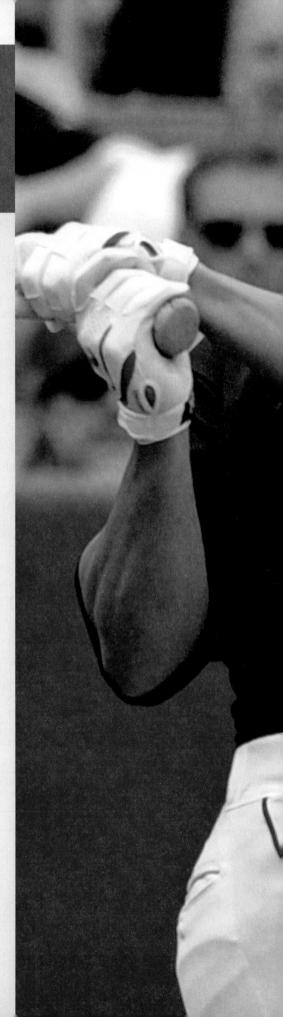

### CAPÍTULO 2

# Hay tanto que hacer... ¡en Puerto Rico!

## In this chapter, you will learn how to . . .

- name and describe various jobs.
- ask and answer job-related questions and more.
- talk about what people are doing.
- talk about what you do and when you do it.

## Comunicación

### ¿QUÉ SE DICE... ?
- Al hablar del trabajo
- Al hacer preguntas
- Al describir en el presente

## Cultura

### ¿SABÍAS QUE... ?
Los puertorriqueños en Nueva York
La industrialización en Puerto Rico
El Viejo San Juan, El Morro y El Yunque

### NOTICIERO CULTURAL
Puerto Rico: la isla del encanto

### VIDEO CULTURAL
Puerto Rico, ¡destino de turistas!

### EL RINCÓN DE LOS LECTORES
Los caribeños: fusión de tres razas

## En preparación

**PASO 1**
2.1   Present tense of **-er** and **-ir** verbs
2.2   Three irregular verbs: **tener, salir, venir**

**PASO 2**
2.3   Interrogative words
2.4   Numbers 0–199
2.5   Possessive adjectives

**PASO 3**
2.6   Telling time
2.7   Days of the week, months, and seasons

## Destrezas

### ¡A ESCUCHAR!
Anticipating what you will hear

### ¡A VER!
Anticipating what you will see and hear

### ¡A ESCRIBIR!
Brainstorming and listing

### ¡A LEER!
Using titles and visual images to predict content

*Search* Puerto Rican food *in YouTube*™ *to see some culinary delights from the island.*

*Search* Puerto Rican medicine *in YouTube*™ *to get an idea of how advanced this field is on the island.*

## ¡Las fotos hablan!

**A que ya sabes...** Selecciona las profesiones y actividades de cada una de las personas de las fotos.

☐ médica
☐ habla con pacientes
☐ jugador de béisbol

☐ prepara comida
☐ jugador de baloncesto
☐ selecciona el menú

☐ cocinero
☐ practica el béisbol
☐ visita enfermos en el hospital

*Search* Puerto Rican baseball players *in YouTube*™ *to see other Puerto Rican baseball players in action.*

# ¿Vienes a trabajar en... San Juan?

## ¿Eres buen observador?

### TAREA

Antes de empezar este *Paso*, estudia la lista de vocabulario de la página 82 y escucha el corte 28 de tu Text Audio CD1. Luego estudia *En preparación*.

1er día   2.1  Present tense of **-er** and **-ir** verbs, páginas 84–85

2do día   2.2  Three irregular verbs: **tener, salir, venir,** página 86

Haz por escrito los ejercicios de *¡A practicar!* correspondientes.

⚐ **Google™ Images** BUSCA: Clasificados

---

Solicitamos para área de Carolina. Director(a) de escuela primaria, Bibliotecario(a) o Asistente, Maestros(as) Bilingües. Español Superior, Física, Inglés, Economía Doméstica.

Enviar Resumé: P.O. Box 41957, Minillas Sta., San Juan, PR 01940–1177. Compañía con Igualdad de Oportunidad en el Empleo.

---

Se solicita: Empleado(a) con Bachillerato en Administración de Empresas con concentración en recursos humanos para puesto de Gerente. Debe ser completamente bilingüe, con excelente conocimiento en computadoras y tener experiencia previa. Interesados favor enviar currículum vitae al fax 723-708-2280.

---

### Se solicita: Farmacéutico(a) con licencia

Horarios de lunes a viernes diurnos o nocturnos. Buenas prestaciones. Salario más de $65.000 anuales. Estacionamiento exclusivo. Para más información llamar al: 723-708-2239 o enviar currículum vitae por fax al 723-708-2250.

---

Mesero(a). Cocineros(as). Lavaplatos. Restaurantes de: San Patricio 787-778-7557 y Caguas 787-765-0923. Requisitos: mayores de 18 años. Disponibilidad para trabajar fines de semana y días feriados. Orientado(a) al servicio al cliente. Oportunidades de crecimiento profesional. Si te interesa ven a hablar con nosotros en el restaurante de lunes a jueves de 2:30 P.M. a 5:00 P.M.

## Ahora, ¡a analizar!

**A. En los clasificados.** Completa estas oraciones con la información correcta, según la información de los clasificados. Usa las palabras: gerente, farmacéutico(a), maestro(a), cocinero(a).

1. Necesitan un(a)... bilingüe para trabajar con niños.
2. Necesitan un(a)... para vender medicinas durante el día o por la noche.
3. Necesitan un(a)... para trabajar en la cocina de un restaurante.
4. Buscan un(a)... para entrevistar a los nuevos empleados.
5. Necesitan un(a)... en restaurante para trabajar los fines de semana.

**B. Combinaciones.** Indica la actividad de la columna B que mejor combina con cada palabra de la columna A.

| A | B |
|---|---|
| maestra | vender medicinas |
| director de escuela | servir comidas |
| bibliotecario | enseñar |
| mesero | dirigir una escuela |
| cocinera | administrar una biblioteca |
| farmacéutico | cuidar la salud de los animales |
| veterinaria | preparar comida |

# ¿Qué se dice...? 🎧

## Al hablar del trabajo

🎧 **Esmeralda Santiago** es una famosa escritora puertorriqueña que vive en los Estados
CD1,
ck 18 Unidos. Ella narra su experiencia que tiene como inmigrante puertorriqueña en los
Estados Unidos tanto en inglés como en español. Los estudiantes de muchas universidades norteamericanas leen las memorias de Esmeralda Santiago para estudiar la
conciencia emocional y la identidad cultural. Graduada de la Universidad de Harvard
con honores de magna cum laude, Esmeralda después continúa una maestría en Sarah
Lawrence College. En su primer libro, *Cuando era puertorriqueña/When I Was Puerto
Rican*, Esmeralda Santiago narra su niñez y explica su infancia en Puerto Rico, donde
pasa los días muy feliz con su familia. (¡Ella es la mayor de once hermanos!)

⤢ **Google**™ **Images** y **YouTube**™
BUSCA: Esmeralda Santiago

⤢ **Google**™ **Images** y **YouTube**™
BUSCA: Rosie Pérez

🎧 **Rosie Pérez** es una actriz puertorriqueña que actúa
CD1,
ck 19 en muchas películas importantes. Para llegar a
ser actriz, Rosie abandona la idea de ser bióloga
marina y estudiar la vida de los animales y plantas
marítimos. Rosie es también una dedicada activista
que sale con frecuencia a la calle a luchar contra la
epidemia del SIDA en el mundo. Como activista
también contribuye a otras causas importantes: la
paz y los derechos de la mujer.

🎧 **William Rodríguez**, el portero puertorriqueño de la Torre Norte del World Trade
CD1,
ack 20 Center, es un héroe de fama mundial. Ese día, el 11 de septiembre de 2001, William
viene como siempre a su trabajo, pero ese día ayuda a más de 15 personas gravemente
heridas por las primeras explosiones a salir del edificio. Además, con su llave maestra,
William abre rápidamente las puertas a los bomberos y los ayuda a rescatar a muchas
personas que gracias a él salen con vida.

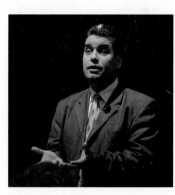

⤢ **Google**™ **Images** y **YouTube**™
BUSCA: William Rodríguez

Indica quién de estas personas puede decir las siguientes oraciones, según la información de arriba: Esmeralda Santiago (**ES**), Rosie Pérez (**RP**) o William Rodríguez
(**WR**).

_____ Tengo 10 (diez) hermanos.
_____ Salgo a la calle a defender los derechos de la mujer.
_____ Vengo de Puerto Rico con mi mamá.
_____ Tengo acceso a todas las zonas de la Torre Norte.
_____ La profesión que tengo es de actriz.
_____ Vengo todos los días a trabajar a una de las torres del World Trade Center.

Casi una tercera parte (1/3) de todos los puertorriqueños vive en Nueva York. En efecto, hay más puertorriqueños en Nueva York que en San Juan, la capital de la isla. Cada año, a principios de junio, se celebra la Semana Puertorriqueña de Nueva York, la cual termina con el Desfile Puertorriqueño, el más grande de todos los desfiles de la ciudad.

**En tu opinión:** ¿Por qué hay más puertorriqueños en Nueva York que en San Juan? Si consideramos el clima tan agradable de Puerto Rico, ¿cuál es la atracción de ir a Nueva York para ellos? ¿Por qué participa tanta gente en el Desfile Puertorriqueño?

## Ahora, ¡a hablar!

EP 2.1

**A. ¿Qué es?** Lee estas descripciones para que tu compañero(a) identifique qué profesión se describe: maestro(a), secretario(a), cocinero(a), portero(a), arquitecto(a), médico(a), juez, mesero(a), abogado(a), dependiente(a).

**Empleos para estudiantes**

1. Vende libros y otros artículos en una librería. También recibe el dinero de los clientes y tiene control de la caja *(cash register).*

2. Trabaja en el restaurante Borinquén de Ponce. Toma la orden cuando los clientes deciden qué van a comer o beber.

3. Trabaja en un edificio del Viejo San Juan. No llega al trabajo hasta la medianoche pero no sale hasta las 9:00 de la mañana. Es responsable de algunas zonas y aspectos del edificio, especialmente la seguridad.

4. Trabaja en la oficina del vice presidente de la universidad. Recibe a visitas y escribe varias comunicaciones en la computadora.

5. Trabaja en el restaurante Los Chavales en San Juan. Generalmente llega al restaurante muy temprano por la mañana y prepara comida para mucha gente. No sale del restaurante hasta casi la medianoche. Decide el menú.

**Empleos para graduados**

6. Tiene oficina, pero también visita a las personas en los hospitales. Receta medicamentos y recomienda dietas y ejercicio.

7. Trabaja generalmente con niños y adolescentes. Tiene que preparar muchas clases y es muy dedicado y muy trabajador. Con frecuencia viene al trabajo por la noche y se reúne con los padres de los niños y adolescentes.

8. Trabaja con diseños de casas y otros edificios: fábricas, centros comerciales, hospitales...

9. Es especialista en cuestiones legales. Representa a las personas a veces ante los tribunales.

10. Persona con mucha autoridad que juzga y decide las sentencias de los casos que se presentan en su corte.

**B. ¿Qué hacen?** Con tu compañero(a), describan las profesiones y actividades de estos puertorriqueños. Usen las palabras a continuación u otras palabras.

EP 2.1

Jugador de béisbol puertorriqueño Carlos Beltrán

Cocinero puertorriqueño Roberto Alegría

Médica puertorriqueña Isabel Romero

Escritora puertorriqueña Esmeralda Santiago

Actriz puertorriqueña Rosie Pérez

Héroe puertorriqueño William Rodríguez

**MODELO**  **Esmeralda Santiago escribe libros.**

**Vocabulario útil**

| | | |
|---|---|---|
| practicar | pacientes | salir |
| examinar | hablar | películas |
| venir | la comida | ayudar |
| deportes | libros | trabajar |
| enfermos | escribir | a la gente |
| preparar | hacer | abrir |

**C. ¿Qué es y qué hace?** Con tu compañero(a), túrnense para decir qué trabajo o profesión tienen estas personas y describir lo que hacen. La idea es ver quién puede describir más puestos correctamente.

EP 2.1, 2.2

**MODELO**  Carlos Lagunas: arquitecto
**Carlos Lagunas es arquitecto. Él diseña casas y edificios.**

1. la Sra. Julia Mendieta: arquitecta
2. Juvenal Ortiz y Teresa Lozada: abogados
3. Ramona Méndez: cocinera
4. la Sra. Kitty Durán y el Sr. Oswaldo Almendarez: maestros
5. la Srta. Josefina Valle: juez
6. el Dr. Ricardo Castillo: médico
7. la Dra. Carmen Alemán: veterinaria
8. Jennifer López
9. tú y tus mejores amigos(as)
10. Francisco Rodríguez, Fabián Samaniego y Thomas Blommers

**D. ¡Hacen varias cosas!** Describe lo que hace una de estas personas. Luego tu compañero(a) va a añadir *(add)* a la lista de responsabilidades y describir lo que hace otra persona. Tú debes añadir a su lista y continuar con otra persona hasta describir a todas las personas.

**MODELO**  Tú: **El periodista escribe artículos y lee el periódico.**
Compañero(a): **Tiene otras responsabilidades. Busca errores en sus artículos y entrevista a personas. Ahora, la secretaria...**

EP 2.1, 2.2

## Y ahora, ¿por qué no conversamos?

**E. ¿A quién describe?** Selecciona tres (3) de estos empleos y, sin decir cuáles son, describe cada uno para ver si tu compañero(a) adivina *(guesses)* cuál describes.

| | | | | |
|---|---|---|---|---|
| profesor(a) | escritor(a) | cantante | soldado | pintor(a) |
| dependiente(a) | periodista | cocinero(a) | médico(a) | mesero(a) |
| gerente | secretario(a) | veterinario(a) | enfermero(a) | actor/actriz |

**F. ¡Luces! ¡Cámara! ¡Acción!** Es el año 2015 y estás en una reunión con varios de tus compañeros de clase en la universidad. Ahora todos describen su profesión. Claro *(Of course)*, todos tratan de *(try to)* impresionar a los otros. Dramatiza la situación con tres compañeros.

**G. ¡Nuestra comunidad!** En tu universidad o comunidad, entrevista a un(a) profesional hispano(a). Determina dónde trabaja, qué hace, si considera que es un buen puesto o no y por qué. Ven a clase preparado(a) para compartir los datos de tu entrevista.

---

### Un paso atrás, dos adelante

#### Capítulo 1

**Repasemos.** En el Capítulo 1 aprendiste a hablar de ti y de otras personas. Aprendiste a hablar de tus clases y de tus actividades, así como de tus planes en un futuro inmediato. Repasa lo que sabes, completando el siguiente texto con las palabras necesarias.

¡Hola! Me llamo _____ [tu nombre] y soy de _____ [el nombre de tu ciudad]. Yo _____ [verbo] en _____ [lugar *(place)*] y también _____ [verbo] en _____ [lugar]. Mis amigos opinan que yo soy _____ [tu personalidad] y _____ [tu personalidad] pero yo opino que soy _____ [tu personalidad] y _____ [tu personalidad].

Mis actividades favoritas son _____ [un deporte], _____ [un pasatiempo] y _____ [otra actividad]. Mi clase favorita es _____ [nombre de la clase].

Este año, para las vacaciones, voy a ir a _____ [país en Latinoamérica] porque los _____ [nacionalidad del mismo país] son muy _____ [característica] y _____ [característica].

¡_____! [despedida]

# Saber comprender  CD1, Track 21

## Estrategias para escuchar: predecir

*Anticipating or predicting what people are likely to talk about makes it much easier to understand spoken Spanish. When listening to spoken Spanish, it always helps to consciously anticipate or predict what the conversation could be about before you listen.*

**Predecir.** In this recorded dialogue you will hear Estela and Julio, two working students, talk about their part-time jobs. Write down three things that you think they might say, and then, after you listen to the recording, check to see if you anticipated correctly.

1. _____

2. _____

3. _____

## Ahora, ¡a escuchar!

Now listen as your instructor plays the dialogue between Julio and Estela and, working in pairs, answer the questions that follow.

1. ¿Qué hacen Julio y Estela? Indica si Estela (**E**) o Julio (**J**) hacen las siguientes actividades.

   _____ a. Tiene muchos clientes.

   _____ b. Necesita mirar los anuncios clasificados en el periódico.

   _____ c. Está aburrido.

   _____ d. Escribe en la computadora todo el día.

   _____ e. Vende ropa.

   _____ f. Es dependienta.

   _____ g. Dice que su trabajo es interesante.

   _____ h. Trabaja en una clínica.

2. ¿Cómo es el trabajo de Julio?

   ☐ divertido

   ☐ aburrido

   ☐ muy interesante

3. ¿Qué prefiere hacer Estela?

   ☐ mirar los anuncios clasificados

   ☐ buscar empleo

   ☐ estar en contacto con los clientes

# Puerto Rico:
# la isla del encanto

San Juan

**PUERTO
RICO**

La hermosa isla de Puerto Rico, llamada
«Borinquén» por los indígenas, está situada
en el mar Caribe. Con una extensión de
tres mil cuatrocientas treinta y cinco millas
cuadradas (3.435 mi$^2$), es más pequeña
que Cuba, Haití, la República Dominicana
y Jamaica y un poquito más grande que el
estado de Delaware.

La relación entre los Estados Unidos y Puerto
Rico está marcada por la cuestión de la
independencia, la estadidad (convertirse en
un estado más de los EE.UU.) o simplemente
seguir como Estado Libre Asociado (como lo
es desde 1952). Los puertorriqueños debaten
desde hace muchos años si deben convertirse en
el estado número cincuenta y uno (51), o bien
convertirse en un país independiente. Sin embargo, mantenerse como Estado Libre Asociado
es la opción más popular hasta ahora.

Campaña por la estadidad
■ **Google**™ **Images** y **YouTube**™
BUSCA: Borinquén; Puerto Rico

**PUERTO RICO**

**Nombre oficial**
Estado Libre
Asociado de
Puerto Rico

**Capital**
San Juan

**Población**
4.000.000 aprox. otros
3.000.000 en los
EE.UU. continentales

**Unidad monetaria**
dólar estadounidense

**Índice de longevidad**
78,5 años

**Alfabetismo**
94,1 por ciento

**Los puertorriqueños...**

- son ciudadanos de los EE.UU. desde 1917
- no necesitan pasaporte para entrar en los
  EE.UU.
- que viven en los EE.UU. votan en las elecciones
  presidenciales de los EE.UU.
- que viven en la isla no pagan impuestos federales
- aprobaron en 1991 tener dos lenguas oficiales,
  el español y el inglés
- tienen grandes industrias textiles, farmacéuticas,
  petroquímicas y electrónicas

■ Google™ **Images** y **YouTube**™ BUSCA: Rita Moreno, Héctor Elizondo, Raúl Juliá ...

Los embajadores culturales puertorriqueños siguen impactando el campo del cine, del teatro, del arte, de la literatura, de la música y de los deportes en los Estados Unidos y el mundo. A continuación nombramos a solo unos cuantos de los muchos multitalentosos escritores, pintores, actores, cantantes, músicos y deportistas puertorriqueños: Rita Moreno, Héctor Elizondo, Raúl Juliá, Rosie Pérez, Freddie Prinze, Jennifer López, Jimmy Smits, Ricky Martin, Esmeralda Santiago, Pirí Thomas, Miguel Piñero, Rosario Ferré, Pablo Casals, Marc Anthony, José Feliciano, Tito Puente, los Alomar, Héctor "Macho" Camacho, Juan "Chi-Chi" Rodríguez y muchos más.

⟋ **Por el ciberespacio... a Puerto Rico**

Keywords to search:

*Estadidad*
*Vieques*
*Puerto Rican Hall of Fame*

To learn more about Puerto Rico, go to the *¡Dímelo tú!* website at academic.cengage.com/spanish/dimelotu

## Y ahora, dime...

Contesta estas preguntas con un(a) compañero(a) de clase.

1. ¿Cómo se compara Puerto Rico con tu estado? En tu comparación considera la población, el tamaño *(size)* y la historia.
2. En tu opinión, ¿se beneficia Puerto Rico al convertirse en el estado 51 de los Estados Unidos? Y los Estados Unidos, ¿se benefician al tener 51 estados en lugar de 50? ¿Por qué sí o por qué no?
3. ¿Qué puertorriqueños famosos conoces *(do you know)*? ¿Cuál te gusta más *(do you like the most)*? ¿Por qué?
4. ¿Tiene Puerto Rico una relación especial con los Estados Unidos? Da cuatro o cinco ejemplos para apoyar *(support)* tu opinión.

# ¿Qué tal va tu vida... en Puerto Rico?

## TAREA

Antes de empezar este *Paso*, estudia la lista de vocabulario de las páginas 82–83 y escucha el corte 29 de tu Text Audio CD1. Luego estudia *En preparación*.

1er día     2.3 Interrogative words, páginas 87–88

           2.4 Numbers 0–199, páginas 89–90

2do día   2.5 Possessive adjectives, páginas 90–91

Haz por escrito los ejercicios de *¡A practicar!* correspondientes.

🔍 **Google™ Images** y **YouTube™**
BUSCA: Ricky Martin

## ¿Eres buen observador?

## Ahora, ¡a analizar!

**Livin' la vida loca.** Mira la carátula de este CD, y luego responde a estas preguntas.

1. ¿Qué tipo de disco es?
2. ¿Cómo se llama el disco?
3. ¿Cuántas canciones tiene?
4. ¿De qué cantante son las canciones?
5. ¿Cuánto crees que puede costar, más o menos?
6. ¿En qué ocasión (ocasiones) se usa este disco?
7. ¿Cuál es tu canción favorita del disco?
8. Según tu opinión, ¿cuál es la canción más famosa de este cantante?

# ¿Qué se dice...? 🎧

## 🎧 Al hacer preguntas

CD1,
ack 22

—Hola, buenos días, señorita Pérez. Soy Janet Rodríguez y escribo para el diario *El Nuevo Día* de Puerto Rico. ¿Cómo está usted hoy?

—Muy bien.

—Muchas gracias por su tiempo. Comprendo que usted es una persona muy ocupada. Estas son mis preguntas, ¿me las puede responder?

¿Cuándo?
¿Cómo?
¿Dónde?
¿Por qué?
En su opinión...

- ¿Cómo describe usted su infancia?
- En su infancia, ¿cuántas personas hay en su familia?
- ¿Quién es la persona que descubre a Rosie Pérez en su carrera como actriz?
- ¿Qué opina usted del Desfile Puertorriqueño de Nueva York? ¿Es importante para nuestra identidad?

Janet Rodríguez

🎧 En su entrevista con Esmeralda Santiago, Janet Rodríguez pregunta lo siguiente.

CD1,
ack 23

- ¿Qué cree que la gente va a recordar de su vida y su carrera?
- ¿Cuándo viaja por primera vez desde Puerto Rico a los Estados Unidos?
- ¿Cuál de los tres libros de sus memorias es más famoso?
- ¿Dónde vive usted ahora?
- ¿En qué idioma escribe normalmente, en inglés o en español? ¿Por qué?

🎧 En su entrevista con William Rodríguez, Janet Rodríguez pregunta lo siguiente.

CD1,
ack 24

- La mañana del 11 de septiembre, ¿dónde está usted?
- ¿Cuántas personas viven hoy gracias a su heroísmo?
- ¿Cómo vive usted hoy la tragedia del 11 de septiembre?
- ¿Qué lecciones podemos y debemos aprender del 11 de septiembre?
- La muerte de más de 3.000 personas es especialmente terrible para sus familias. ¿Hay entre esas víctimas algún amigo de usted?

↗ **YouTube**™ BUSCA: Interview with Rosie Pérez

↗ **Google**™ **Images** BUSCA: Interview with Esmeralda Santiago

↗ **Google**™ **Images** y **YouTube**™ BUSCA: Interview with William Rodríguez

Marca las palabras interrogativas que la reportera Janet Rodríguez usa con Rosie Pérez (**1**), Esmeralda Santiago (**2**) o William Rodríguez (**3**). Es posible usar las mismas palabras con varias personas.

| _____ ¿Cómo? | _____ ¿Cuándo? | _____ ¿Por qué? | _____ ¿Qué? |
| _____ ¿Cuál? | _____ ¿Dónde? | _____ ¿Cuántos(as)? | _____ ¿Quién? |

### ¿Sabías que...?

Desde 1980, la economía de Puerto Rico se basa principalmente en el sector industrial. En particular, un cuarenta por ciento (40%) de la producción anual incluye la industria biotecnológica, la farmacéutica, la petroquímica y la electrónica. Muchos de los graduados universitarios puertorriqueños trabajan en estas industrias.

**En tu opinión:** ¿Por qué crees que estas industrias se establecen en Puerto Rico? ¿En qué industrias trabaja la mayoría de graduados en los Estados Unidos continentales?

## Ahora, ¡a hablar!

EP 2.3

**A.** **Es muy interesante.** Hay un(a) nuevo(a) empleado(a) muy interesante donde tú trabajas. Hazle *(Ask him/her)* estas preguntas. Tu compañero(a) va a hacer el papel *(play the role)* del empleado y contestar tus preguntas.

**MODELO**          Hola. ¿_____ te llamas?
TÚ: **Hola. ¿Cómo te llamas?**
COMPAÑERO(A): **Hola, soy [nombre].** o
**Me llamo [nombre].**

1. ¿_____ estás hoy?
2. ¿_____ eres?
3. ¿_____ vives ahora *(now)*?
4. ¿_____ tipo de trabajo haces aquí?
5. ¿_____ horas trabajas?
6. ¿_____ es tu jefe(a)?
7. ¿_____ tomas un descanso?
8. ¿_____ no tomamos un café? Yo invito.

EP 2.4

**A propósito…**

The verb **hay** is both singular and plural and means *there is* and *there are*. The question **¿Hay…?** means *Is there…?* or *Are there…?*

**B.** **¡Es increíble!** En un control de seguridad en el acceso *(entrance)* a la universidad, la policía encontró una gran cantidad y variedad de objetos. Ahora unos estudiantes preguntan por sus objetos. ¿Qué preguntan los estudiantes y qué contesta la policía? Tu compañero(a) hace el papel de la policía.

**MODELO**          libros de biología (18)
TÚ: **¿Hay un libro de biología?**
COMPAÑERO(A): **¿Uno? ¡Hay dieciocho libros de biología!**

1. iPods (26)
2. libros de español (73)
3. lápices y bolígrafos (152)
4. computadoras portátiles (15)
5. diccionarios español-inglés (10)
6. botellas de agua (19)
7. tarjetas de crédito (197)
8. hojas de papel (174)
9. teléfonos celulares (21)
10. discos compactos (113)

EP 2.5

**C.** **¿De quién es?** Después del control de la policía muchos objetos todavía están sin dueño *(without an owner)*. Es la hora de reclamarlos, por turnos. (Cada estudiante en la clase debe poner algo suyo en la mesa: un lápiz, una mochila, un libro, … Luego su instructor(a) va a pedirles a varios estudiantes que pasen al frente *(front)* de la clase y pregunten de quién es cada objeto. Los dueños van a reclamarlos).

**MODELO**
ESTUDIANTE 1: **Hay unos bolígrafos. ¿Es tu bolígrafo?**
ESTUDIANTE 2: **Sí, es mi bolígrafo.** o
DUEÑO(A): **No es su bolígrafo. Son mis bolígrafos.**

EP 2.3, 2.5

**D.** **¿Tú también?** Tú estás muy entusiasmado(a) porque acabas de conseguir *(just got)* empleo de tiempo parcial. Llamas a tu mejor amigo(a) para darle las noticias *(news)* y descubres que tu mejor amigo(a) también acaba de conseguir empleo de tiempo parcial. Pregúntale acerca de su nuevo puesto y cuéntale *(tell him/her)* cómo es tu puesto, basándote en los dibujos en la página 73. Hablen de estos temas… y otros.

MODELO    TÚ:  **¿Qué tipo de empleo es?**
COMPAÑERO(A):  **Trabajo de dependienta en la tienda de ropa del padre de mi amigo. Y tú, ¿qué haces?**
          TÚ:  **Trabajo de cocinero(a) en el restaurante de mi padre.**

1. tipo de trabajo
2. horas
3. jefe(a)
4. compañeros(as) de empleo
5. salario
6. ¿...?

# Y ahora, ¿por qué no conversamos?

**E.** **¡Aló!** Escribe un número de teléfono en un papelito y en tu cuaderno para recordarlo *(remember it)*. Tu instructor(a) va a recoger *(pick up)* los números y redistribuirlos. Ahora lee el número que tienes en el papelito. La persona que reconoce *(recognizes)* el número que escribió debe decir *¡Aló!* Luego los dos deben conversar al hacerse cuatro preguntas o más.

**F.** **¡Luces! ¡Cámara! ¡Acción!** El departamento de mercadotecnia *(marketing research)* de tu universidad te contrata para entrevistar a varios estudiantes sobre sus empleos, con el objetivo de mostrar *(show)* a futuros estudiantes cómo trabajan. Con tres compañeros(as), dramaticen la entrevista.

- Saludos
- Presentaciones
- Preguntas generales sobre su empleo
- Preguntas sobre las actividades que hacen en ese empleo
- Preguntas sobre si disfrutan *(enjoy)* el trabajo o no
- Otras cosas de tu interés

# ¡Escríbelo!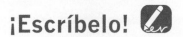

## Estrategias para escribir: concebir ideas

*When preparing to write, it always helps to brainstorm first, that is, to list as many thoughts as possible about what you are going to write. When brainstorming, it is important to write down as many ideas as come to mind on a given topic. Always try to think in Spanish when brainstorming. This will help you to stay focused on the vocabulary and concepts that you have already acquired. Thinking in English first and then translating into Spanish will inevitably lead you to use structures and vocabulary that you may not have acquired yet.*

**Concebir ideas.** Prepare to interview a fellow classmate by taking a moment to brainstorm a list of questions you might ask a new student you just met. For example, you might begin with:

¿Cómo te llamas?
¿De dónde eres?
¿Qué estudias?
¿Cuál es tu especialización *(major)?*

## Ahora, ¡a escribir!

A. **En preparación.** Prepárate para hacer las preguntas y entrevistar a un(a) compañero(a) usando la lista de preguntas que concebiste durante tu lluvia de ideas *(brainstorming).*

B. **Ahora, a compartir.** Comparte tu lista de preguntas con dos compañeros(as) de clase. Toma notas de las preguntas que tienen ellos. Haz comentarios sobre las preguntas que han concebido tus compañeros(as) y escucha los comentarios de ellos(as) sobre tus preguntas. Si hay errores de ortografía *(spelling)* o de gramática, corrígelos.

C. **El primer borrador.** Decide qué compañero(a) deseas entrevistar y usa las ideas que concebiste en las partes **A** y **B** para escribir la lista de preguntas que vas a hacerle a ese(a) estudiante. Haz por lo menos ocho preguntas y escribe las respuestas de tu compañero(a). Puedes hacer preguntas adicionales sobre algún tema que encuentres interesante.

D. **La versión final.** Decide si es necesario hacer cambios en tu escritura en base a las respuestas de tu compañero(a). Prepara una versión final de tu entrevista con preguntas y respuestas y entrégala al (a la) instructor(a).

# Puerto Rico...
# ¡esto es vida!

## ¿Eres buen observador?

### TAREA

Antes de empezar este *Paso*, estudia la lista de vocabulario de la página 83 y escucha el corte 30 de tu Text Audio CD1. Luego estudia *En preparación*.

1er día    2.6 Telling time, páginas 92–93

2do día    2.7 Days of the week, months, and seasons, páginas 94–95

Haz los ejercicios de *¡A practicar!* correspondientes.

XVIII *Cinemafest* Puerto Rico

16 al 22 de noviembre
San Patricio Plaza . San Juan . Ponce . Caguas . Vieques . Aguadilla

**SAN PATRICIO PLAZA CINEMAS**    **MIÉRCOLES 22**

**Sala 1**

**Viva Cuba**
(Cuba-Drama/Com.) 80 min.
1:00 p.m.
3:00 p.m.
5:00 p.m.
7:00 p.m.
**Snowcake**
(Canadá-Drama) 112 min.
9:00 p.m.

**Sala 2**

**Lorca: el mar deja de moverse**
(España-Documental)
93 min.
1:00 p.m.
3:00 p.m.
5:00 p.m.
7:00 p.m.
9:00 p.m.

**Sala 4**

**Vida y color**
(España-Drama) 97 min.
12:30 p.m.
3:00 p.m.
5:30 p.m.
**Meteoro**
(Brasil-Comedia) 115 min.
8:30 p.m.

**Sala 5**

**Gabrielle**
(Francia-Drama) 90 min.
1:00 p.m.
3:00 p.m.
5:00 p.m.
7:00 p.m.
9:00 p.m.

**Sala 6**

**Cine Joven**
1:00 p.m. / 4:00 p.m.
5:00 p.m.  / 8:00 p.m.
Cine Joven libre de costo.
**Premio Cine Joven José García**
8:00 p.m.
**Cortos Dirigidos por Mujeres**
9:00 p.m.

**CENTRO DE USOS MÚLTIPLES - VIEQUES**
**15 AL 22 DE NOVIEMBRE - 8:00 P.M.**
**Vida y color** (España-Drama) / **Camarón** (España-Drama)
**Inconscientes** (España-Comedia) **Parejas** (Méjico-Comedia) / **El Clown** (Puerto Rico) /
**Meteoro** (Brasil-Comedia) Entrada libre de costo.

**SAN PATRICIO PLAZA CINEMA**
Entrada General $7.50 - Estudiantes / Mayores de 60 Años $5.50 -
Abono para 10 Funciones $50.00 - Abono para 5 Funciones $30.00 **Cartelera sujeta a cambios.**

Para más información: • www.sanjuancinemafest.com

## Ahora, ¡a analizar!

**Mucho cine.** Selecciona la mejor respuesta según la información del programa.

1. Este horario de Cinemafest es para...
   a. una semana.    b. un día.    c. un mes.

2. Las películas de estos días se proyectan en...
   a. una sala.    b. varias salas.    c. varias ciudades.

3. Si estás libre solo a las cuatro de la tarde del miércoles y no tienes dinero, puedes ver...
   a. *Vida y color.*
   b. *Gabrielle.*
   c. *Cine joven.*

# ¿Qué se dice...?

## Al describir en el presente

 **You Tube**™ BUSCA: William Rodríguez Ignoring 9–11

CD1, Track 25

El martes 11 de septiembre de 2001, el puertorriqueño William Rodríguez viene a su trabajo en una mañana ordinaria de sus 19 años en las torres del World Trade Center. Ese día tiene la terrible experiencia de perder a más de doscientos amigos. Esa mañana de otoño en Nueva York, William es el último civil que sale con vida de la Torre Norte, después de ayudar a cientos de personas. Hoy, William se dedica a trabajar para las víctimas hispanas del 11 de septiembre, y ha reunido más de 122 millones de dólares de ayuda para las víctimas. Su percepción sobre los hechos del 11 de septiembre es también muy interesante.

CD1, Track 26

En la película *Te puede pasar a ti* (también llamada *La lotería del amor*), Charlie Lang (Nicolas Cage), un policía de Nueva York, entra en una cafetería un día en el mes de julio y conoce a Yvonne (Bridget Fonda), una mesera. Como no tiene dinero para la propina, Charlie decide compartir un boleto de lotería y promete volver para compartir el premio con ella en caso de ganar. Sorprendentemente, el boleto resulta ganador con cuatro millones de dólares y Charlie mantiene su promesa. Su esposa Muriel (Rosie Pérez) tiene otros planes para el dinero, y Charlie ignora los problemas que su decisión va a traer.

 **Google**™ **Images** BUSCA: *It could happen to you*

CD1, Track 27

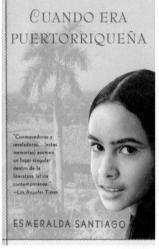

La mamá de Esmeralda decide salir de Puerto Rico con tres de sus hijos un mes de agosto. En un viaje que dura algunas horas, Esmeralda pasa de ser puertorriqueña en Macún a hispana en Brooklyn. Para el mes de octubre, y ya en los Estados Unidos, van a comprar ropa para el invierno. Los puertorriqueños temen el invierno de Nueva York, especialmente el primer año, porque no están acostumbrados al frío. El 7 de octubre de 1961, Esmeralda y su mamá van al aeropuerto a buscar a los cuatro hermanos que llegan desde Puerto Rico, y así finalmente juntos, la familia Santiago inicia una nueva vida en los Estados Unidos.

 **Google**™ **Images** BUSCA: Esmeralda Santiago

Indica en qué mes del año y en qué estación ocurre lo siguiente: el desastre de las torres del World Trade Center (**WT**), Charlie Lang comparte su boleto de lotería (**CL**) y la familia Santiago (**FS**) decide salir de Puerto Rico.

| | | | |
|---|---|---|---|
| _____ enero | _____ verano | _____ noviembre | _____ septiembre |
| _____ abril | _____ febrero | _____ otoño | _____ diciembre |
| _____ julio | _____ mayo | _____ marzo | _____ invierno |
| _____ octubre | _____ agosto | _____ junio | _____ primavera |

El Viejo San Juan es la ciudad original fundada en 1508. De la misma época se puede visitar San Felipe del Morro ("El Morro"). A unas veinte millas de San Juan está El Yunque, una selva tropical *(rainforest)*. El Yunque tiene una gran variedad de flora y fauna, con hermosas orquídeas y el coquí, la ranita *(little frog)* que ha llegado a ser un símbolo de Puerto Rico.

**En tu opinión:** ¿Hay ciudades en los Estados Unidos que son tan antiguas como San Juan? ¿En qué estado o región están? ¿Cuál es el símbolo de los Estados Unidos? ¿Cómo se selecciona el símbolo de un país?

## Ahora, ¡a hablar!

**A. La línea ecuatorial.** Las estaciones del año son totalmente opuestas al norte y al sur de la línea ecuatorial. Por eso, con excepción de Venezuela y Colombia, las estaciones en toda Sudamérica son exactamente opuestas a las de Norteamérica y Centroamérica. ¿Qué estación corresponde al mes indicado en estos países?

EP 2.7

**MODELO**  julio en Uruguay
**En julio es invierno en Uruguay.**

1. abril en Chile
2. enero en Costa Rica
3. octubre en Argentina
4. mayo en Venezuela
5. noviembre en Puerto Rico
6. agosto en Perú

**B. ¿Cuándo?** Entrevista a tu compañero(a) usando estas preguntas.

EP 2.6, 2.7

**MODELO**  Tú: **¿A qué hora sales para la universidad por las mañanas?**
Compañero(a): **Salgo a las diez menos cuarto de la mañana.**

1. ¿A qué hora sales de tu última clase?
2. ¿Qué días tienes clase?
3. ¿Qué días no tienes clase?
4. ¿Cuándo comes con tu familia?
5. ¿Qué meses del año hace más frío en esta ciudad?
6. ¿Qué meses del año hace más calor en esta ciudad?

**C. ¡Se van de vacaciones!** Con tus compañeros(as), determinen qué hacen estas personas durante sus vacaciones. Mencionen en qué estación viajan, qué día de la semana y mes salen, qué fecha regresan y algunas actividades que hacen durante sus vacaciones. Usen la información de los calendarios.

EP 2.7

**D. ¿Y tu compañero(a)?** Pregúntale a tu compañero(a) cuándo hace las siguientes actividades en una semana típica. Luego tu compañero(a) te va a hacer preguntas a ti.

**Vocabulario útil**

| | |
|---|---|
| aprender | enseñar |
| beber | escribir |
| chatear | pagar |
| cocinar | salir |
| comer | trabajar |
| comer fuera | viajar |

## Y ahora, ¿por qué no conversamos?

**E. Entrevista.** Esmeralda Santiago va a visitar su universidad la semana próxima. Tú y tu compañero(a) son reporteros para el periódico de su universidad y tienen la responsabilidad de entrevistar a Esmeralda. Preparen las preguntas que van a hacerle a Esmeralda y también las posibles respuestas de Esmeralda. Usen la imaginación.

**F. Los fines de semana.** Pregúntales a tus compañeros de clase si hacen las actividades de estos cuadrados *(squares)*. Cada vez que uno diga que sí, pídele que firme (escriba su nombre) en el cuadrado apropiado. La idea es tener una firma en cada cuadrado. **¡Ojo!** No se permite que una persona firme más de un cuadrado.

| Correr en el invierno | Lavar la ropa los lunes | Ir a la universidad en el verano | Comer en la cafetería todos los días |
|---|---|---|---|
| _____ *Firma* | _____ *Firma* | _____ *Firma* | _____ *Firma* |
| Beber muchos refrescos | Leer el periódico todas las mañanas | Estudiar los sábados en la biblioteca | Chatear con sus padres los fines de semana |
| _____ *Firma* | _____ *Firma* | _____ *Firma* | _____ *Firma* |
| Hablar por teléfono a larga distancia | Venir a clases 5 días a la semana | Escuchar CDs con frecuencia | Tener más de 100 CDs y/o DVDs |
| _____ *Firma* | _____ *Firma* | _____ *Firma* | _____ *Firma* |
| Escribir en la computadora | Limpiar su cuarto los sábados | Escuchar música clásica los domingos | Salir a restaurantes con su familia |
| _____ *Firma* | _____ *Firma* | _____ *Firma* | _____ *Firma* |

**G. ¡Luces! ¡Cámara! ¡Acción!** Tres de ustedes representan a Esmeralda Santiago, William Rodríguez y Rosie Pérez mientras *(while)* esperan un avión en el aeropuerto JFK. Uno de ustedes inicia la conversación, y poco a poco se presentan y hablan de su vida, de dónde son, qué hacen, adónde van y qué van a hacer. También se hacen muchas preguntas el uno al otro. En grupos de tres, preparen el diálogo y represéntenlo delante de la clase.

# Saber comprender

## Estrategias para ver y escuchar: predecir

*In the previous **Paso** you learned that anticipating what is going to be heard makes it much easier to understand a foreign language. This certainly is true when viewing and listening to a video in Spanish. In this case, for example, you are going to be viewing a video about Puerto Rico.*

**Predecir.** Based on what you already know about this place, which of the following topics would you expect to be included in a brief travelogue about the island? In the first column put an X by the topics you feel quite certain will be included.

| Antes de ver el video | Después de ver el video | |
|---|---|---|
| _____ | _____ | a. el Viejo San Juan |
| _____ | _____ | b. la industria farmacéutica |
| _____ | _____ | c. Jennifer López, Rosie Pérez, Esmeralda Santiago |
| _____ | _____ | d. una ciudad española antigua |
| _____ | _____ | e. un parque nacional |
| _____ | _____ | f. el beisbolista Carlos Beltrán |
| _____ | _____ | g. la música puertorriqueña |
| _____ | _____ | h. la comida puertorriqueña |
| _____ | _____ | i. monumentos históricos |

Vista del Viejo San Juan desde El Morro

# Puerto Rico, ¡destino de turistas!

## Al ver el video

**¿Comprendes lo que se dice?** As you watch the video for the first time, go back and in the second column in the activity above, mark the items that are actually mentioned. Compare the items you marked with the ones you anticipated. How many did you anticipate correctly? Compare your results with those of others in the class.

## Después de ver el video

Indica ahora si esta *(this)* información aparece en el video.

| | | |
|---|---|---|
| Sí | No | a. San Juan es la capital de Puerto Rico. |
| Sí | No | b. El castillo del Morro está en la Florida. |
| Sí | No | c. Hay hermosas playas en San Juan. |
| Sí | No | d. El Yunque es un bosque espectacular. |
| Sí | No | e. No hay animales en El Yunque. |
| Sí | No | f. Ponce es la segunda ciudad más grande de Puerto Rico. |
| Sí | No | g. Hay flores de muchos colores en Ponce. |
| Sí | No | h. Los ponceños llaman su ciudad la «Perla del Sur». |
| Sí | No | i. Puerto Rico es la «Isla del encanto». |

# El rincón de los lectores

## Estrategias para leer: predecir a partir del título y las imágenes visuales

*The title of a reading and the visual images that accompany it often help give you a very clear idea about the reading's content. Make it a habit to always examine them carefully to help you correctly anticipate the content of the reading.*

**Predecir al partir del título.** Lee los títulos de las lecturas a continuación y marca con una equis (X) lo que anticipas va a ser el contenido del poema y del párrafo.

| | |
|---|---|
| _____ colores | _____ cubanos / dominicanos / puertorriqueños |
| _____ diversidad | _____ 1.000 personas |
| _____ números | _____ Ricky Martin |

**Predecir a partir de las imágenes visuales.** Mira las fotos que acompañan estas lecturas y escribe tres temas que crees que se van a mencionar en estas lecturas.

1. _____
2. _____
3. _____

## Lectura

# Los caribeños: fusión de tres razas

El escritor cubano Alejo Carpentier afirma que el Caribe es, en la historia, el lugar donde se encuentran por primera vez tres razas (la blanca de Europa, la indígena de América y la africana), produciendo una simbiosis monumental que crea una civilización completamente original.

En la misma línea, el antropólogo brasileño Darcy Ribeiro dice que existen muchos rasgos que unen a los distintos pueblos caribeños como son: un clima tropical con paisajes verdes y temperaturas moderadas, la fauna con animales pequeños y el mar rico en recursos marinos, sobre todo la pesca. La sociabilidad, el sentido del humor y del ritmo, la pasión por los juegos, la danza, las fiestas, la música, la religión, la superstición y la curiosidad por todo lo nuevo son características que percibimos en la mentalidad común del hombre y la mujer caribeños.

## A ver si comprendiste

1. ¿Quién es Alejo Carpentier?
2. Según Carpentier, ¿cuáles son las tres razas del Caribe que forman una civilización completamente original?
3. ¿Quién es Darcy Ribeiro?
4. Según Ribeiro, ¿cuáles son tres de las características que los pueblos caribeños tienen en común?
5. ¿Cuáles son algunas características de la mentalidad común de los caribeños?

**Artista:** Ricky Martin
**Álbum:** *Almas del silencio*

# Razas de mil° colores     *a thousand*

Fragmento

Son los ecos de mi tierra°     *land*
El sonido de mi tambor°     *drum*
El sonido de mi tambor
Lo que corre por mis venas
Y que sale del corazón°     *heart*
Y que sale del corazón

[...]

Y del blanco tengo el alma°     *soul*
Y del negro los sabores°     *taste, flavors*
Y del indio la nobleza
Soy raza de mil colores
Soy raza de mil colores
[...]

🎵 *¡Dímelo tú! Playlist* Escucha: «Razas de mil colores» de Ricky Martin

6. El sonido del tambor es...
   a. el palpitar del corazón.
   b. el ritmo de la canción.

7. La mención de «mi tierra» se refiere a...
   a. una propiedad del cantante.
   b. Puerto Rico.

8. Los «ecos» se refieren...
   a. a la música.
   b. al palpitar del corazón.

9. El blanco, el negro y el indígena son...
   a. las razas de Puerto Rico.
   b. los colores de Puerto Rico.

10. «Soy raza de mil colores» significa que los puertorriqueños
    tienen sangre *(blood)*...
    a. mixta.
    b. pura.

# Vocabulario

## Paso 1  CD1, Track 28

**Empleos y profesiones**

| | |
|---|---|
| abogado(a) | lawyer |
| arquitecto(a) | architect |
| activista | activist |
| actor (m.) | actor |
| actriz (f.) | actress |
| bibliotecario(a) | librarian |
| cantante | singer |
| cocinero(a) | cook |
| dependiente(a) | salesperson |
| director(a) de escuela | school principal |
| empleado(a) | employee |
| empleo | job, employment |
| escritor(a) | writer, author |
| farmacéutico(a) | farmacist |
| gerente | manager |
| juez | judge |
| jugador(a) de béisbol | baseball player |
| maestro(a) | teacher |
| médico(a) | doctor |
| mesero(a) | waiter |
| periodista | journalist |
| policía | police officer |
| portero(a) | janitor |
| profesión (f.) | profession |
| puesto | position, job |
| secretario(a) | secretary |
| veterinario(a) | veterinarian |

**Lugares**

| | |
|---|---|
| calle (f.) | street |
| clínica | clinic |
| edificio | building |
| fábrica | factory |
| hospital (m.) | hospital |
| oficina | office |
| sala de los profesores | teachers' lounge |

**Objetos**

| | |
|---|---|
| artículo | article |
| dinero | money |
| menú (m.) | menu |
| periódico | newspaper |
| reporte (m.) | report |
| puerta | door |

**Personas y animales**

| | |
|---|---|
| adolescente | adolescent |
| animal (m.) | animal |
| cliente | client |
| especialista | specialist |
| gente (f.) | people |
| persona | person |
| voluntario(a) | volunteer |

**Causas**

| | |
|---|---|
| autoridad (f.) | authority |
| corte (f.) | court |
| error (m.) | error |
| héroe | hero |
| legal | legal |
| responsabilidad (f.) | responsibility |
| sentencia | sentence |
| tribunal (m.) | court, tribunal |

**Verbos**

| | |
|---|---|
| abrir | to open |
| beber | to drink |
| contestar | to answer |
| correr | to run |
| decidir | to decide |
| diseñar | to design |
| enseñar | to teach; to show |
| entrevistar | to interview |
| examinar | to examine |
| explicar | to explain |
| juzgar | to judge |
| mover | to move |
| recetar | to prescribe |
| recibir | to receive |
| recorrer | to travel; to look around |
| representar | to represent |
| salir | to leave; to go out |
| tener | to have |
|   tener que | to have to, to be obligated to |
| tomar la orden | to take an order (at a restaurnat) |
| vender | to sell |
| venir | to come |
| visitar | to visit |
| vivir | to live |

**Palabras y expresiones útiles**

| | |
|---|---|
| ¡les encanta! | they love it! |
| responsable | responsible |
| seguridad (f.) | security |
| tanto(a) | so much |

## Paso 2  CD1, Track 29

**Entrevistas**

| | |
|---|---|
| compañero(a) de empleo | co-worker |
| entrevista | interview |
| hacer | to do, to make |
| jefe(a) | boss |
| pregunta | question |
| salario | salary |
| trabajo | work |

**En un café**

| | |
|---|---|
| botella de agua | bottle of water |
| café (m.) | coffee |
| canción (f.) | song |
| costar | to cost |
| descanso | rest, break |
| teléfono celular | cellular phone |

**Herramientas escolares (School tools)**

| | |
|---|---|
| computadora portátil | portable computer |
| diccionario | diccionary |
| disco compacto | compact disc, CD |
| hoja de papel | sheet of paper |
| tarjeta de crédito | credit card |

**Palabras interrogativas**

| | |
|---|---|
| ¿Adónde? | Where to? |
| ¿Cómo? | How? |
| ¿Cuál(es)? | Which one(s)? What? Which? |
| ¿Cuándo? | When? |
| ¿Cuánto(a)? | How much? |
| ¿Cuántos(as)? | How many? |
| ¿Dónde? | Where? |
| ¿Por qué? | Why? |
| ¿Qué? | What? |
| ¿Quién(es)? | Who? |

**Adjetivos posesivos**

| | |
|---|---|
| mi / mis | my |
| tu / tus | your (fam./s.) |
| su / sus | your (formal); his/her/their |
| nuestro(a) / nuestros(as) | our |

**Números 0–199**
*See page 89*

**Frases y expresiones útiles**

| | |
|---|---|
| ¡Aló! | Hello! (when answering the telephone) |
| infancia | infancy |
| hay | there is / there are |
| ¿hay...? | is there...? / are there...? |
| más o menos | more or less |
| número | number |
| reportero | reporter |

| ropa | clothing |
|---|---|
| tienda de ropa | clothing store |
| tipo | type |

## Paso 3 CD1, Track 30

**Cinemafest**

| durar | to last |
|---|---|
| calendario | calendar |
| fecha | date |
| festival de cine (m.) | film festival |
| libre | free |
| puedes ver | you can see |
| tiene lugar | it takes place |

**Estaciones**

| primavera | spring |
|---|---|
| verano | summer |
| otoño | fall |
| invierno | winter |

**Meses del año**

| año | year |
|---|---|
| mes (m.) | month |
| enero | January |
| febrero | February |
| marzo | March |
| abril | April |
| mayo | May |

| junio | June |
|---|---|
| julio | July |
| agosto | August |
| septiembre | September |
| octubre | October |
| noviembre | November |
| diciembre | December |

**Días**

| día de la semana (m.) | day of the week |
|---|---|
| fin de semana (m.) | weekend |
| domingo | Sunday |
| lunes (m.) | Monday |
| martes (m.) | Tuesday |
| miércoles (m.) | Wednesday |
| jueves (m.) | Thursday |
| viernes (m.) | Friday |
| sábado (m.) | Saturday |

**Dar la hora**

| a la(s)... | at ... |
|---|---|
| ¿A qué hora? | ¿At what time? |
| cuarto | quarter, 15-minute fraction of the hour |
| hora | hour, time |
| mañana / tarde / noche (f.) | morning / afternoon / evening |

| de la/en la/por la mañana/tarde/ noche | in the morning/ afternoon/evening |
|---|---|
| medianoche (f.) | midnight |
| mediodía (m.) | noon |
| menos | minus, less |
| ¿Qué hora es? | What time is it? |
| y | plus (minutes) |

**Verbos**

| aprender | to learn |
|---|---|
| cocinar | to cook |
| comer fuera | to eat out |
| llegar | to arrive |
| regresar | to return |
| viajar | to travel |

**Palabras y expresiones útiles**

| con frecuencia | frequently |
|---|---|
| frío | cold |
| hace calor | it's hot |
| larga distancia | long distance |
| último(a) | last, final |

# En preparación 2

## 2.1 Present tense of *-er* and *-ir* verbs

### Stating what people do

The personal endings of **-er** and **-ir** verbs are identical, except for the **nosotros** and **vosotros** forms. As with **-ar** verbs, the personal endings of **-er** and **-ir** verbs always reflect the subject of the sentence.

| Verb endings: *-er, -ir* verbs | | | |
|---|---|---|---|
| **Subject pronouns** | **Singular endings** | **Subject pronouns** | **Plural endings** |
| | *-er/-ir* | | *-er/-ir* |
| (yo) | **-o** | (nosotros/as) | **-emos, -imos** |
| (tú) | **-es** | (vosotros/as) | **-éis, -ís** |
| (usted) | **-e** | (ustedes) | **-en** |
| (él, ella) | **-e** | (ellos, ellas) | **-en** |

| Sample *-er* verb: comer | | | |
|---|---|---|---|
| (yo) | com**o** | (nosotros/as) | com**emos** |
| (tú) | com**es** | (vosotros/as) | com**éis** |
| (usted) | com**e** | (ustedes) | com**en** |
| (él, ella) | com**e** | (ellos, ellas) | com**en** |

| Sample *-ir* verb: escribir | | | |
|---|---|---|---|
| (yo) | escrib**o** | (nosotros/as) | escrib**imos** |
| (tú) | escrib**es** | (vosotros/as) | escrib**ís** |
| (usted) | escrib**e** | (ustedes) | escrib**en** |
| (él, ella) | escrib**e** | (ellos, ellas) | escrib**en** |

Remember that the present indicative in Spanish has three possible equivalents in English.

Los niños **comen** chocolate.

> *The children **eat** chocolate.*
> *The children **do eat** chocolate.*
> *The children **are eating** chocolate.*

Some frequently used **-er** and **-ir** verbs are:

| | |
|---|---|
| beber | *to drink* |
| comer | *to eat* |
| correr | *to run* |
| decidir | *to decide* |
| escribir | *to write* |
| leer | *to read* |
| recibir | *to receive* |
| vender | *to sell* |
| vivir | *to live* |

☝ Google™
BUSCA: Spanish conjugation / Spanish verbs

**Heinle Grammar Tutorial:** The Present Indicative Tense

## ¡A practicar!

**A. ¡Mucha actividad!** It is 11:00 A.M. on a typical Wednesday and there's a lot of activity going on at the Antonio Badillo School in Puerto Rico. What is going on?

**Vocabulario útil**

| | | |
|---|---|---|
| abrir | correr | leer |
| beber | decidir | recibir |
| comer | escribir | vivir |

1. La directora / un café en la sala de los profesores.
2. Tú y Sandra / unos reportes en el laboratorio de computadoras.
3. Ustedes / en la cafetería de la escuela.
4. El maestro / las puertas de la clase.
5. Yo / el libro de Esmeralda Santiago, *El amante turco*.

**B. ¡Qué día!** It is 11:00 A.M. on a typical Wednesday at your university and there's a lot of activity going on. What is going on? Use the **Vocabulario útil** in the previous activity as you tell what you, your teacher, and your friends are doing.

1. Mi profesor(a) de español...
2. Mis amigos... y ...
3. Mi mejor amiga...
4. Yo...
5. Tú y tus compañeros(as) de cuarto...

**C. Tu y tu compañero(a).** To help make ends meet, you and your roommate have part-time jobs. You work at a fast food place and your roommate at the university bookstore. Because this is just the first week of work for both of you, you are each very interested in what the other does. Question each other about what you do in your jobs. Ask at least four yes/no questions.

**Vocabulario útil**

| | | |
|---|---|---|
| beber | escuchar | llamar |
| buscar | explicar | llevar |
| comer | ir | mover |
| contestar | lavar | organizar |
| decidir | leer | recibir |
| escribir | limpiar | vender |

**MODELO**   TÚ: **¿Contestas el teléfono?**
COMPAÑERO(A): **No, no contesto el teléfono.**

> **«Comer** para **vivir**, no **vivir** para **comer».** (proverbio)
>
> ___ *To eat in order to live is not the same as to live in order to eat.*
>
> ___ *One should give priority to the really important things in life.*

## 2.2 Three irregular verbs: *tener, salir, venir*

### Expressing obligations, departures, and arrivals

|  | tener |  |  | salir |  | venir |  |
|---|---|---|---|---|---|---|---|
|  | *to have* |  |  | *to leave* |  | *to come* |  |
| (yo) | tengo | (nosotros/as) | tenemos | salgo | salimos | vengo | venimos |
| (tú) | tienes | (vosotros/as) | tenéis | sales | salís | vienes | venís |
| (usted) | tiene | (ustedes) | tienen | sale | salen | viene | vienen |
| (él, ella) | tiene | (ellos, ellas) | tienen | sale | salen | viene | vienen |

■ When you want to express obligation, you use the expression **tener que** followed by an infinitive.

**Tengo que** organizar mi apartamento.     *I have to organize my apartment.*
**Tenemos que** comprar muchas cosas.     *We have to (must) buy many things.*

🔲 Google™
BUSCA: Spanish irregular conjugation/ Spanish irregular verbs

**Heinle Grammar Tutorial: Tener, venir**

■ When you want to say that you leave to go do something, you say **salir a** + infinitive. Similarly, to say to come to do something, you use the expression **venir a** + infinitive.

**Salgo a** correr a las 10:00.     *I go running at 10:00.*
Yo **vengo a** estudiar, y Eva **viene a**     *I come to study, and Eva comes*
  ayudarme.     *to help me.*

### ¡A practicar!

**A. Muy ocupados.** Many of the participants of the Puerto Rican documentary *Yo soy boricua, pa' que tú lo sepas* have interesting roles. What do these people do?

1. Sixto Ramos (tener) recorrer las calles de Nueva York como policía.
2. Muy temprano por la mañana, Rosie Pérez (salir) hacer el casting y dirigir el documental.
3. Pedro Pietri (venir) hablar con mucha gente como activista social.
4. Ramón Rodríguez y Rafael Tufiño (venir) trabajar con la producción como voluntarios.
5. Sí, todos los actores (tener) trabajar mucho pero, ¡les encanta!

👥 **B. Responsabilidades.** Ask your partner if he/she has as many responsibilities as you do.

MODELO       preparar tu comida
          Tú: **¿Tienes que preparar tu comida?**
COMPAÑERO(A): **Sí, yo preparo mi comida.** o
               **No, no preparo mi comida.**

1. limpiar tu cuarto
2. salir a comer con tus padres
3. venir a casa antes de las 10:00 (diez)
4. correr con tu padre
5. lavar el coche *(car)* de tu padre
6. trabajar los veranos *(summers)*

---

«Al que mucho **tiene**, más le **viene**». (proverbio)

___ *The more you have, the more you get.*

___ *He that earns the most, has the most.*

---

## 2.3 Interrogative words

### Asking questions

In previous chapters you have seen, heard, and used several interrogative words. The following chart summarizes all of them.

| | | | |
|---|---|---|---|
| ¿Cómo? | How? What? | ¿Cuánto(a)? | How much? |
| ¿Cuál(es)? | Which one(s)? What? | ¿Cuántos(as)? | How many? |
| ¿Cuándo? | When? | ¿Qué? | What? Which? |
| ¿Dónde? | Where? | ¿Quién(es)? | Who? |
| ¿Por qué? | Why? | ¿Adónde? | Where to? |
| ¿De dónde? | Where from? | ¿A qué hora? | At what time? |

- All interrogative words require a written accent, even when used in a statement rather than a question.

  No sabemos **dónde** vive.  *We don't know where she lives.*
  Ella va a decirnos **qué** es.  *She is going to tell us what it is.*

- When these words do not have a written accent, they lose their interrogative meaning.

  Siempre escucho música **cuando** estudio.  *I always listen to music when I study.*
  Yo creo **que** vive en Toledo.  *I believe that he lives in Toledo.*
  **Donde** yo vivo hay más gente joven.  *Where I live there are more young people.*

- **¿Cuál(es)?** meaning *What?* (as in *Which one?*) is used instead of **¿Qué?** before the verb **ser,** except when a definition of a word is being requested.

  **¿Cuál** es tu dirección?  *What's your address?*
  **¿Cuál** es tu especialización?  *What's your major?*
  **¿Qué** es la filosofía?  *What's philosophy?*

- In English, when asking someone to repeat a question, one frequently says *What?* In Spanish, one would never say **¿Qué?** but rather **¿Cómo?** when making a one-word response. **¿Qué?** is used only in a complete-sentence response.

  **¿Cómo?** No te oigo.  *What? I can't hear you.*
  **¿Qué** dices?  *What are you saying?*
  **¿Qué** me preguntas?  *What are you asking me?*

  ⊿ Google™
  BUSCA: Spanish interrogatives

- The interrogative word **cuánto** always agrees in number and gender with the noun that follows.

  **¿Cuánto** dinero tienes?  *How much money do you have?*
  **¿Cuántas** oficinas tiene el médico?  *How many offices does the doctor have?*

  **Heinle Grammar Tutorial:**
  Interrogative Words

## ¡A practicar!

**A. ¡Qué interesante!** You have just met a new and really interesting student at your university. What do you ask him/her to help break the ice? Match the words in the two columns to formulate your questions. Then put the questions in the order you would ask them.

| A | B |
|---|---|
| | tal? |
| ¿Con quién | te llamas? |
| ¿Qué | estudias? |
| ¿Cuál | clases tomas? |
| ¿Dónde | son tus profesores? |
| ¿Cómo | vives? |
| | es tu número de teléfono? |

**B. El Desfile Puertorriqueño.** It is mid-June and you are visiting friends in New York City. Of course they invite you to the Puerto Rican Parade. Since you had never heard anything about the parade, you ask the following questions.

| Tú | Tus amigos |
|---|---|
| 1. ¿ _____ es el desfile? | Es el sábado, 16 de junio. |
| 2. ¿ _____ es? | A las 11:30. |
| 3. ¿ _____ es? | En la Quinta Avenida. |
| 4. ¿ _____ celebra el desfile? | La identidad puertorriqueña. |
| 5. ¿ _____ personas van con nosotros? | Veinte (20), más o menos. |
| 6. ¿ _____ son tus amigos? | Son todos puertorriqueños. |

**C. Y después... ¡las fiestas!** Of course there are all sorts of parties after the parade. Your friends have planned to take you to a couple of them. You, being the curious person you are, ask a lot of questions about what, where, what time, how many, who, why, ... You ask the questions and your partner will answer them creatively.

> «Dime con **quién** andas y te diré **quién** eres». (dicho popular)
>
> ____ *Tell me who your friends are and I will tell you who you are.*
>
> ____ *Who you run around with will determine your future.*

## 2.4 Numbers 0–199  CD1, Track 31

### Counting, solving math problems, and expressing cost

| | | | | | |
|---|---|---|---|---|---|
| **0** | cero | **16** | dieciséis | **40** | cuarenta |
| **1** | uno | **17** | diecisiete | **42** | cuarenta y dos |
| **2** | dos | **18** | dieciocho | **50** | cincuenta |
| **3** | tres | **19** | diecinueve | **53** | cincuenta y tres |
| **4** | cuatro | **20** | veinte | **60** | sesenta |
| **5** | cinco | **21** | veintiuno | **64** | sesenta y cuatro |
| **6** | seis | **22** | veintidós | **70** | setenta |
| **7** | siete | **23** | veintitrés | **75** | setenta y cinco |
| **8** | ocho | **24** | veinticuatro | **80** | ochenta |
| **9** | nueve | **25** | veinticinco | **86** | ochenta y seis |
| **10** | diez | **26** | veintiséis | **90** | noventa |
| **11** | once | **27** | veintisiete | **97** | noventa y siete |
| **12** | doce | **28** | veintiocho | **100** | cien |
| **13** | trece | **29** | veintinueve | **101** | ciento uno |
| **14** | catorce | **30** | treinta | **178** | ciento setenta y ocho |
| **15** | quince | **31** | treinta y uno | **199** | ciento noventa y nueve |

■ The number **uno (veintiuno, treinta y uno...)** changes to **un** before masculine nouns and **una** before feminine nouns.

Tengo solo **un** dólar.  *I just have one dollar.*
Hay cincuenta y **una** camas dobles  *There are fifty-one double beds in the hotel.*
  en el hotel.
La reservación es para **una** persona.  *The reservation is for one person.*

■ The numbers 16 to 29 are usually written as one word: **dieciséis, dieciocho, veintidós, veintinueve**. They may, however, be written as three words: **diez y seis**, **diez y ocho**, **veinte y dos, veinte y tres**, **veinte y nueve**, and so on.

■ Numbers from 31 to 99 must be written as three words.

Tengo **cuarenta y cuatro** DVDs y  *I have forty-four DVDs and*
  **sesenta y nueve** CDs.  *sixty-nine CDs.*

■ **Cien** is an even hundred. Any number between 101 and 199 is expressed as **ciento** and the remaining number. Note that **y** never occurs directly after the number **ciento**.

**101** ciento uno  **149** ciento cuarenta y nueve
**110** ciento diez  **199** ciento noventa y nueve

▲ Google™ y
YouTube™ BUSCA:
Spanish numbers

■ Use the following expressions for solving math problems.

y *or* más (+)  menos (–)  es / son (=)
(multiplicado) por (×)  dividido entre (÷)

**Heinle Grammar
Tutorial:** Numbers

## ¡A practicar!

**A. ¿Cuánto es?** Because Puerto Rico is a U.S. territory, prices in Puerto Rico are very similar to those in the continental United States. What would you guess the following items would cost on the island? Write out your estimates, **en español, por favor** *(please)*. Make intelligent guesses.

**MODELO**   una hamburguesa
**Cuesta tres dólares, noventa y nueve centavos.**

1. un iPod
2. una comida para dos personas en un restaurante italiano
3. un café
4. un boleto *(ticket)* para ver una película
5. una pizza extra grande

**B. Matemáticas.** Solve these math problems with a partner. You read each problem aloud, in Spanish of course, and your partner will give the correct answer. If necessary, correct your partner.

1. $4 + 9 = ?$
2. $90 + 10 = ?$
3. $28 - 12 = ?$
4. $17 + 50 = ?$
5. $42 \div 6 = ?$
6. $11 + 152 = ?$
7. $3 * 5 = ?$
8. $175 - 30 = ?$

---

«**Una** hora duerme el gallo, **dos** el caballo, **tres** el santo, **cuatro** el que no es tanto, **cinco** el capuchino, **seis** el peregrino, **siete** el caminante, **ocho** el estudiante, **nueve** el caballero, **diez** el pordiosero, **once** el muchacho y **doce** el borracho». (dicho popular)

___ *Do you agree that animals sleep less than humans, that religious people (monks and nuns) sleep less than travelers, that students sleep less than kids, and that drunkards sleep more than anybody?*

---

## 2.5 Possessive adjectives
### Indicating ownership

■ Unlike English, possessive adjectives in Spanish must agree in number with the person, place, or thing possessed. **Nuestro** and **vuestro** must also agree in gender.

| Possessive adjectives | | | | | |
|---|---|---|---|---|---|
| Singular possessor | 1 Thing possessed | 2+ Things possessed | Plural possessor | 1 Thing possessed | 2+ Things possessed |
| yo | **mi** | **mis** | nosotros(as) | **nuestro(a)** | **nuestros(as)** |
| tú | **tu** | **tus** | vosotros(as) | **vuestro(a)** | **vuestros(as)** |
| usted | **su** | **sus** | ustedes | **su** | **sus** |
| él, ella | **su** | **sus** | ellos, ellas | **su** | **sus** |

| | |
|---|---|
| **Tu** apartamento es estupendo y **tus** amigos son muy simpáticos. | *Your apartment is fantastic and your friends are very nice.* |
| **Nuestra** casa es nueva. | *Our house is new.* |
| **Nuestras** habitaciones son muy grandes. | *Our rooms are very big.* |

Note that these possessive adjectives are always placed *before* the noun they modify.

■ Usually the context will clarify any ambiguity that may result with **su/sus** (*your, his, her, their, its*). However, when ambiguity does occur, one of the following combinations of **de** + *pronoun* is used in place of **su/sus**.

su libro = el libro
$$\begin{cases} \text{de usted} & your \\ \text{de él} & his \\ \text{de ella} & her \\ \text{de ustedes} & your \\ \text{de ellos} & their \\ \text{de ellas} & their \end{cases}$$

sus libros = los libros
$$\begin{cases} \text{de usted} & your \\ \text{de él} & his \\ \text{de ella} & her \\ \text{de ustedes} & your \\ \text{de ellos} & their \\ \text{de ellas} & their \end{cases}$$

—¿Es más grande el apartamento **de ustedes**? *Is your apartment bigger?*
—Sí, pero la casa **de ellos** es más elegante. *Yes, but their house is more elegant.*

⤢ Google™
BUSCA: Spanish possessive adjectives

**Heinle Grammar Tutorial:** Possessive Adjectives and Pronouns

## ¡A practicar!

**A. Compañeros de cuarto.** Complete this letter with the appropriate possessive adjectives to find out how your friend Julio describes his roommates to his friend Andrea.

Querida Andrea:

_____ compañeros de cuarto, Carlos y Toni, son muy simpáticos. Carlos es puertorriqueño. _____ familia vive en Ponce. Toni también es puertorriqueño. _____ padres viven en el Viejo San Juan con _____ abuelos (*grandparents*). ¿Y yo? _____ papás son de San Antonio, Texas. ¿Y tú? ¿Dónde viven _____ padres?

**B. ¡Robo en el dormitorio!** There was a robbery in your dorm but fortunately the robber was caught and all stolen items were recovered. As floor supervisor, ask your partner if these items are his/hers. Your partner will tell you to whom they really belong.

MODELO      la computadora portátil: de ella
                Tú: **¿Es tu computadora?**
COMPAÑERO(A): **No, no es mi computadora. Es su computadora.**

1. los tres diccionarios: de ellas
2. el iPod: de él
3. los CDs de Shakira: de ella
4. la computadora: de nosotros
5. los DVDs: de ustedes
6. la impresora: de ellos

---

«Envejecemos cuando **nuestros** recuerdos superan **nuestros** proyectos». (refrán)

____ *We know we are getting old when our memories are greater than our projects.*

____ *Our memories become old when we lose our projects.*

---

## 2.6 Telling time
### Stating at what time things occur

- The Spanish word for *time* (referring to clock time) is **hora**, which is always feminine. To tell the hour, **es la** is used only with **una**; otherwise, **son las** followed by the hour is used.

| | |
|---|---|
| ¿Qué hora es? | *What time is it?* |
| **Es la** una. | *It's one o'clock.* |
| **Son las** doce en punto. | *It's twelve sharp.* |

- Minutes from the hour to the half hour are added to the hour and connected with **y**. Between the half hour and the next hour, minutes are subtracted from the next hour and connected with **menos**.

| | |
|---|---|
| 1:24 | Es la una **y** veinticuatro. |
| 6:10 | Son las seis **y** diez. |
| 1:40 | Son las dos **menos** veinte. |
| 12:42 | Es la una **menos** dieciocho. |

Digital clocks have changed this more traditional way of stating time. Now, one also hears **Son las doce y cuarenta y dos** instead of **Es la una menos dieciocho.**

- In addition to **quince** and **treinta,** you can use **cuarto,** which means *quarter,* and **media,** which means *half past the hour.*

| | |
|---|---|
| Vienen a la una y **cuarto** (quince). | *They are coming at a quarter past one.* |
| Mañana salen a las siete y **media** (treinta). | *Tomorrow they leave at 7:30.* |

- To ask at what time something takes place, Spanish uses **¿A qué hora...?** To state that something happens at a particular time, Spanish uses **a las...** This should not be confused with **son las...,** which means *It is* a specific clock time.

| | |
|---|---|
| **¿A qué hora** es el concierto? | *At what time is the concert?* |
| El concierto es **a las** nueve. | *The concert is at nine.* |
| ¡Apúrese! **Son las** siete menos cuarto y él llega **a las** siete en punto. | *Hurry up! It's a quarter to seven and he arrives at seven sharp.* |

Note that **a las...** means *at* only when speaking about specific clock time. In most other instances, *at* is translated as **en (el concierto es *en* el teatro).**

- **Mediodía** and **medianoche** are used to express *noon* and *midnight.*

| | |
|---|---|
| Tengo una cita al **mediodía**. | *I have an appointment at noon.* |
| El autobús sale a (la) **medianoche**. | *The bus leaves at midnight.* |

- The phrase **de la mañana/tarde/noche** is used only when a *specific* time in the morning/afternoon/evening is being stated.

| | |
|---|---|
| El avión llega a **las dos de la mañana**. | *The plane arrives at 2:00 A.M.* |
| Salgo a **la una y diez de la tarde**. | *I leave at 1:10 in the afternoon.* |
| Son **las once de la noche**. | *It's 11:00 P.M.* |

The phrases **en** or **por la mañana/tarde/noche** are used to express a general time (not a specific clock time).

| | |
|---|---|
| **En la mañana** tengo que cancelar mi reservación. | *In the morning I have to cancel my reservation.* |
| Llegamos **por la tarde**. | *We arrive in the afternoon.* |

**Google**™ y **YouTube**™ BUSCA: Spanish telling time

Tomás abre su restaurante a las seis de la mañana.

## ¡A practicar!

**A. ¿A qué hora?** Tell what time you do the following activities.

MODELO    llamar a tus padres: 11:45 P.M.
          **Llamo a mis padres a las doce menos cuarto de la noche.**

1. salir a correr: 6:00 A.M.
2. tomar un café: 11:15 A.M.
3. comer: 12:00 noon
4. ir al laboratorio de computadoras: 1:22 P.M.

5. salir de la clase de química: 2:45 P.M.
6. venir a la cafetería: 1:05 P.M.
7. salir de la biblioteca: 9:40 P.M.
8. venir a casa a dormir *(sleep)*: 12:50 A.M.

**B. Rutina diaria.** Find out what your partner's daily routine is like by asking these questions. Then describe your daily routine when your partner asks you the same questions.

1. ¿A qué hora sales para la universidad por la mañana?
2. ¿A qué hora comienza tu clase de español? ¿A qué hora termina *(does it end)?*
3. ¿Qué clases tienes por la mañana? ¿Por la tarde? ¿Por la noche?
4. ¿A qué hora es tu primera clase del día? ¿Y tu última *(last)* clase del día?
5. ¿A qué hora tomas el almuerzo *(lunch)?* ¿Al mediodía o más tarde?
6. ¿Vas a bares a la medianoche?

---

«Ninguno ganó fama dándole **las doce** en cama». (proverbio)

____ *You cannot be successful if you are not early to rise.*

____ *The rich and famous get up late every day.*

---

## 2.7 Days of the week, months, and seasons

### Giving dates and stating when events take place

■ The days of the week are *not* capitalized in Spanish, and they are all masculine.

**Los días de la semana**

| | |
|---|---|
| lunes | *Monday* |
| martes | *Tuesday* |
| miércoles | *Wednesday* |
| jueves | *Thursday* |
| viernes | *Friday* |
| sábado | *Saturday* |
| domingo | *Sunday* |
| El lunes trabajo medio día. | *This Monday I (will) work half day.* |
| El viernes por la noche salgo con mis amigos. | *On Friday evening I go out with my friends.* |

■ The months of the year are also *not* capitalized in Spanish and are also masculine.

**Los meses del año**

| | | |
|---|---|---|
| enero | mayo | septiembre |
| febrero | junio | octubre |
| marzo | julio | noviembre |
| abril | agosto | diciembre |

■ As in English, the four seasons also are not capitalized.

**Las estaciones**

| | | | |
|---|---|---|---|
| el otoño | *fall* | la primavera | *spring* |
| el invierno | *winter* | el verano | *summer* |

■ To indicate that something happens on a particular day, Spanish always uses the definite article, never the preposition **en.**

| | |
|---|---|
| Hay una fiesta **el** lunes. | *There's a party on Monday.* |
| No hay clases **los** sábados ni **los** domingos. | *There are no classes on Saturdays or Sundays.* |

■ Note that the singular and plural forms of **lunes, martes, miércoles, jueves,** and **viernes** are identical, except for the article.

■ The preposition **en** is used to indicate that something happens in a particular month or season.

| | |
|---|---|
| No hay vuelos **en** enero. | *There are no flights in January.* |
| **En** verano hay dos excursiones. | *In the summer there are two excursions.* |

■ Dates (**las fechas**) in Spanish are given using the formula **el** + (**número**) + **de** + (**mes**) + **de** + (**año**). To ask for the date, in Spanish use **¿Qué fecha es...?**

| | |
|---|---|
| **¿Qué fecha es** el concierto? | *What's the date of the concert?* |
| El concierto es **el 7 de julio de 2009.** | *The concert is on July 7, 2009.* |

⎘ Google™ y
YouTube™ BUSCA:
Spanish seasons

**Heinle Grammar
Tutorial:**
Months and seasons

En abril, aguas mil.

## ¡A practicar!

**A. Días, meses y estaciones.** Contesta las preguntas.

1. ¿Cuántos meses hay en un año? ¿Cuántos días hay en cada mes?
2. ¿En qué meses hay clases? ¿En qué meses no hay clases?
3. ¿Qué días hay clases de español? ¿Qué días no hay clases?
4. ¿Cuál es tu estación favorita? ¿En qué estación naciste *(were you born)*?
5. ¿Cuántos días hay en una semana?
6. ¿Cuántas semanas hay en un año?

**B. Fechas.** In Spanish, find out your partner's birth date, high school graduation date, and see if he/she knows either his/her mother's or father's birth date. Of course your partner will ask you for the same information.

**Vocabulario útil**

| | |
|---|---|
| fecha de nacimiento | *birth date* |
| fecha de graduación | *graduation date* |
| fecha de cumpleaños | *birthday date* |

> «Si en **septiembre** ves llover, el **invierno** seguro es». (dicho popular)
>
> ___ *If you see rain in September, then you know that winter is around the corner.*
>
> ___ *September rains are a sure sign that it will be a cold winter.*

### CAPÍTULO 3

# Estamos pasándolo en grande en... ¡España!

## In this chapter, you will learn how to . . .

- describe how people are feeling emotionally.
- tell where people are.
- describe what is happening around you.
- tell what you like and what you don't like.

**Pasarlo en grande** is a popular expression in Spain that means "to have a great time."

## Comunicación

**¿QUÉ SE DICE...?**
- Al describir emociones e indicar ubicación
- Al describir lo que está pasando
- Al hablar de nuestros gustos

## Cultura

**¿SABÍAS QUE...?**
La Tomatina
Tapas y tortillas españolas
Cante y baile flamenco

**NOTICIERO CULTURAL**
España, siglo XXI

**VIDEO CULTURAL**
Enrique Iglesias
Andalucía, ¡región fascinante!

**EL RINCÓN DE LOS LECTORES**
«A Margarita» de Federico García Lorca

## En preparación

**PASO 1**
3.1  The verb **estar**

**PASO 2**
3.2  Present progressive tense

**PASO 3**
3.3  **Ser** and **estar** with adjectives
3.4  The verb **gustar**

## Destrezas

**¡A ESCUCHAR!**
Recognizing specific information

**¡A VER!**
Predicting based on comprehension questions

**¡A ESCRIBIR!**
Brainstorming and using clusters

**¡A LEER!**
Recognizing verses, stanzas, and sentences

*Busca* **La Tomatina** *en Google*™ *Images para ver fotos divertidísimas del festival.*

*Busca* **San Fermín** *en Google*™ *Images para ver fotos espectaculares del encierro.*

*Busca* sardana *en Google*™ *Images para ver más fotos de gente bailando la sardana.*

## ¡Las fotos hablan!

**A que ya sabes...** Según las fotos, estos jóvenes universitarios...

- ☐ están furiosos
- ☐ están muy aburridos
- ☐ están preocupados
- ☐ están divirtiéndose

- ☐ están corriendo
- ☐ están bailando en las calles
- ☐ están contentos
- ☐ están entusiasmados

# De vacaciones en... ¡España!

## ¿Eres buen observador?

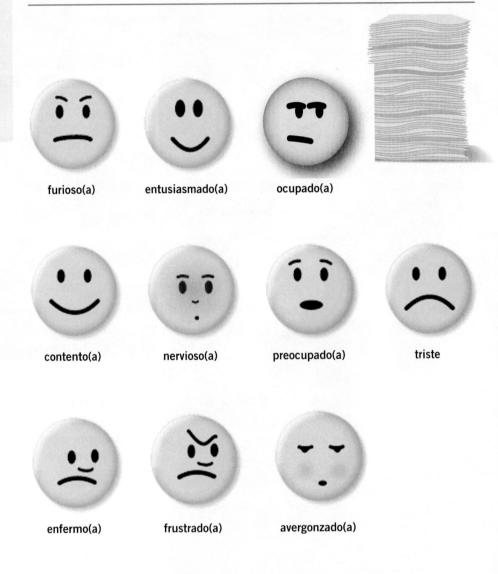

furioso(a)    entusiasmado(a)    ocupado(a)

contento(a)    nervioso(a)    preocupado(a)    triste

enfermo(a)    frustrado(a)    avergonzado(a)

## Ahora, ¡a analizar!

1. ¿Cuáles de estas emociones crees que son más típicas de los españoles cuando están en fiestas?
2. ¿Cuáles emociones sientes tú durante un día normal?
3. ¿Cuáles emociones sientes tú durante la semana de exámenes?

# ¿Qué se dice...?  CD1, Track 32

## Al describir emociones e indicar ubicación

Queridos mamá y papá: Estamos en Sevilla. Estas fotos son de la Feria de abril, que los sevillanos celebran ahora. Es una fiesta muy alegre, que dura siete días. En esta foto, la gente baila «sevillanas», un tipo de baile flamenco. Todos estamos contentos y felices porque es feria y porque la vida es bella en Sevilla en primavera.

Las Fallas de Valencia (*Falles* en valenciano) son las fiestas en las que queman fallas, grandes figuras satíricas de cartón y madera, en honor a San José. En estas emocionantes fiestas la gente siempre está muy entusiasmada toda la semana de celebración. Pero el último día, el 19 de marzo, cuando queman todas las fallas, los bomberos de Valencia están atentos y preocupados por los fuegos. Al final, la gente está un poco triste porque queman en un día todo el trabajo de un año.

Y esta foto es de los carnavales de Tenerife, que está en las Islas Canarias. Los chicharreros (la gente de Tenerife) están todo el día en la calle y celebran unos días muy bonitos. Estos carnavales son diferentes porque participa todo el mundo y el ambiente de fiesta está por todos los barrios.

[↗] Google™ Images y YouTube™ BUSCA: Feria de abril

[↗] Google™ Images y YouTube™ BUSCA: Fallas de Valencia

[↗] Google™ Images y YouTube™ BUSCA: Carnaval de Tenerife

España es emocionante en todos los sentidos... y los españoles también. ¿Cómo te imaginas que están las personas en estas fiestas? Indica cómo crees que están.

| | | |
|---|---|---|
| _____ furiosas | _____ entusiasmadas | _____ enfermas |
| _____ contentas | _____ nerviosas | _____ frustradas |
| _____ preocupadas | _____ aterrorizadas | _____ avergonzadas |
| _____ ocupadas | _____ tristes | _____ interesadas |

La Tomatina es una fiesta que se celebra en el municipio valenciano de Buñol, en la que los participantes se arrojan tomates los unos a los otros. Se celebra el último miércoles del mes de agosto, dentro de la semana de fiestas de Buñol. El origen de la fiesta no está bien definido, pero parece que unos jóvenes comenzaron a tirarse tomates en 1944, y poco a poco establecieron esta costumbre. Desde el año 1980 el ayuntamiento de Buñol ofrece más y más toneladas de tomates.

**En tu opinión:** ¿Por qué crees que el ayuntamiento de Buñol sigue apoyando esta fiesta? ¿Hay alguna fiesta en los Estados Unidos parecida a la Tomatina? Si no la hay, ¿qué impide tenerla? Explica tu respuesta.

## Ahora, ¡a hablar!

EP 3.1

**A. ¡Fiestas españolas!** Según la información de *¿Qué se dice...?*, ¿cómo son estas fiestas españolas y cómo reacciona la gente? Combina estas frases y palabras para formar seis oraciones.

| | | |
|---|---|---|
| La Feria de abril | | un tipo de baile flamenco. |
| En los carnavales, la gente | | un poco triste. |
| Las sevillanas | es/está/son/están | contenta. |
| Los bomberos | | una fiesta muy alegre. |
| Al final de las Fallas, la gente | | en honor a San José. |
| Las Fallas | | preocupados durante las Fallas. |

EP 3.1

**B. Situaciones y reacciones.** Con tu compañero(a), túrnense para decir cómo reaccionan estas personas en las situaciones indicadas. Usen estas palabras u otras del vocabulario de la página 120.

| | |
|---|---|
| aburrido | frustrado |
| avergonzado | interesado |
| cansado | nervioso |
| contento | preocupado |
| enfermo | triste |

MODELO  Javier está en el examen final de química y no está bien preparado.
Tú: **Está nervioso y muy preocupado.**
Mónica está en el examen final de química y está bien preparada.
Compañero(a): **Está tranquila y no está preocupada.**

1. La esposa *(wife)* de un amigo está en el hospital, para tener un bebé.
2. María está en una fiesta en Sevilla con todas sus amigas.
3. Tus amigos están en la clase de español y hoy es especialmente interesante. La profesora es muy inteligente.
4. Tenemos un examen muy difícil esta tarde y no estamos preparados.
5. Voy al doctor porque no estoy bien.
6. Trabajas todo el día sin descansar *(without resting)*.

**C.** **¿Dónde es y cuándo es?** Este mapa indica el nombre de algunas ciudades españolas donde hay grandes festivales. El mapa del Apéndice A indica el nombre y la fecha de esos festivales. Pregunta a tu compañero(a) qué fiestas hay en las ciudades del mapa y cuáles son las fechas. Antes de contestar, tu compañero(a) te va a preguntar dónde está cada ciudad. Escriban la nueva información en el mapa. Al final, compara con el mapa de tu compañero(a) para ver si todas las ciudades y fiestas corresponden. No se permite comparar mapas hasta terminar esta actividad.

| MODELO | TÚ: | **¿Qué fiesta hay en Barcelona?** |
|---|---|---|
| | COMPAÑERO(A): | **¿Dónde está Barcelona?** |
| | TÚ: | **Está en el noreste de España.** |
| | COMPAÑERO(A): | **La fiesta de Sant Jordi.** |
| | TÚ: | **¿Y cuándo es?** |
| | COMPAÑERO(A): | **Es el 23 de abril.** |

*Tú escribes junto a Barcelona:* **Sant Jordi, 23 de abril**
*Tu compañero(a) escribe junto a Sant Jordi, 23 de abril:*
**Barcelona**

**D.** **¡Domingo en el parque!** Hoy es domingo y tú y tu compañero(a) deciden pasar *(spend)* el día en el parque. Todo el mundo está allí. Túrnense para describir a las personas que ven. ¿Qué hacen? ¿Cómo están? Comparen sus descripciones con las de sus compañeros de clase para ver si coinciden en algunas.

## Y ahora, ¿por qué no conversamos?

**E.** **¡Charada!** En grupos pequeños, dramaticen —sin decir una sola palabra— la situación que su instructor(a) les va a dar. Sus compañeros tienen que adivinar *(guess)* la situación.

> **MODELO**  Tú:  *(Act worried, but don't say anything. Open and close your Spanish book pretending to be studying/memorizing certain vocabulary and grammar, and so on.)*
>
> COMPAÑEROS:  **Estás muy preocupado(a). Hay un examen en la clase de español mañana.**

**F.** **¡Luces! ¡Cámara! ¡Acción!** Estás en una fiesta fantástica con tu mejor amigo(a) cuando ven a una persona del sexo opuesto increíblemente atractiva. Uds. deciden que tienen que conocer a esa persona pero primero hablan de cómo se sienten *(how you feel)* y de qué táctica van a usar para impresionar a la persona. Dramatiza la situación con dos compañeros(as). Usen saludos apropiados al presentarse y pregunten sobre el origen de la persona, sus clases, profesores, actividades favoritas, etcétera.

**G.** **¡Nuestra comunidad!** En tu universidad o comunidad, entrevista a una persona hispana, de origen español si es posible. Pídele que describa el carácter de su gente: cómo son los españoles (o mexicanos, cubanos, etcétera) en general. Pregúntale también sobre las fiestas en su país: cómo son, quiénes participan, qué hacen. Ven a clase preparado(a) para comparar a los estadounidenses con la gente del país de la persona que entrevistaste.

## Un paso atrás, dos adelante

### Capítulo 2

**Repasemos.** En el Capítulo 2 aprendiste a hablar de los empleos. También aprendiste a hacer preguntas, a trabajar con números (0–199), a hablar de las cosas que te pertenecen *(belong)* a ti y a otros, a decir la hora y a hablar de los días de la semana, del mes y de las estaciones. Repasa lo que sabes, completando el siguiente texto con las palabras necesarias.

**En una entrevista para trabajar en un restaurante.**

GERENTE:  ¿ _____ [palabra interrogativa] se llama usted?

Tú:  Me llamo _____ [tu nombre].

GERENTE:  ¿De _____ [palabra interrogativa] es y _____ [palabra interrogativa] vive?

Tú:  Soy de _____ [tu ciudad de origen] y vivo en _____ [ciudad donde vives].

GERENTE:  ¿Cuál es _____ [adjetivo posesivo] experiencia de trabajo en restaurantes?

Tú:  La verdad es que no _____ [verbo **tener**] mucha experiencia. Bueno sí, _____ [adjetivo posesivo] amigos y yo _____ [verbo **salir**] a comer todos los _____ de _____ [sábados y domingos].

GERENTE:  Está bien. _____ [adjetivo posesivo] trabajo _____ [**ir a**] consistir en trabajar en la cocina los _____ _____ [fines de semana]. El salario es de _____ __ _____ [75] dólares por día. ¿ _____ [**Tener**] usted alguna pregunta?

Tú:  No, está todo claro. Gracias.

# Saber comprender  CD1, Track 33

## Estrategias para escuchar: reconocer y deducir información específica

*In Chapter 2 you learned that knowing what people are talking about and anticipating what they are going to say makes it easier to understand a foreign language. Knowing what to look for when listening also aids comprehension. In these recorded sections and on the listening comprehension questions of your exams, you can always get a good idea of what to listen for if you read the questions before you listen to the recording. You should also try to anticipate the content of the dialogue by following the clues given in the questions and answers.*

**Reconocer y deducir información específica.** Read the questions and answer choices in **Ahora, ¡a escuchar!** carefully, and try to extract some clues from them. Then, write down four things that you know you need to listen for in order to answer the questions correctly.

1. _____
2. _____
3. _____
4. _____

## Ahora, ¡a escuchar!

Now listen as your instructor plays a dialogue between Cristina and Victoria, two guests at a party, and answer the questions that follow. Use the information you wrote down that you anticipated you would need to answer these questions.

1. Cristina está...
   a. contenta.
   b. preocupada.
   c. enferma.

2. ¿Qué hora es?
   a. Son las seis de la mañana.
   b. Son las doce del mediodía.
   c. Son las once de la noche.

3. Jorge...
   a. no está todavía en la fiesta.
   b. está en otra fiesta.
   c. tiene problemas con el teléfono.

4. Los sábados por la noche en Madrid...
   a. hay mucho tráfico.
   b. hay poco tráfico.
   c. no permiten tráfico en el centro de la ciudad.

5. Victoria y Cristina...
   a. salen a buscar a Jorge.
   b. van a bailar y tomar sangría.
   c. van a llamar a la policía.

# España: intensa
# como la vida

### España, siglo XXI

Con más de cuarenta millones de habitantes, España es un país de personas trabajadoras, orgullosas de sus tradiciones y directas y expresivas en su habla. La gente pasa la mayor parte de su tiempo libre en la calle: en los bares, las terrazas, las plazas, los patios, los cafés, los mercados...

**ESPAÑA**

**Nombre oficial**
Reino de España

**Capital**
Madrid

**Población**
40.491.051 (est. 2008)

**Unidad monetaria**
euro

**Índice de longevidad**
79,9 años

**Alfabetismo**
97,9 por ciento

Plaza Mayor, Madrid

### Contraste: vida en España y en los EE.UU.

- El desayuno español es muy ligero (café y un dulce o una tostada).
- El almuerzo es entre la 1 y las 3 de la tarde.
- La cena es entre las 9 y las 11 de la noche.
- Las oficinas y tiendas cierran tradicionalmente de las 2 a las 4 de la tarde para descansar.
- Es común ver a los niños en las calles con sus padres o abuelos hasta las dos o las tres de la mañana.

La familia unida

La selección nacional de baloncesto, campeona del mundo en Japón 2006

- Los deportes más populares de España son el fútbol y el baloncesto. También se practica tenis, atletismo, ciclismo, motociclismo, automovilismo, deportes acuáticos y otros. El béisbol y el fútbol americano se practican muy poco.

- La corrida de toros es la llamada «fiesta nacional», una tradición muy antigua con la que no todos los españoles están de acuerdo.

- Los españoles visten elegantemente, en especial para salir por las noches, para las fiestas o para las celebraciones.

- En España los jóvenes con frecuencia viven en casa de sus padres muchos años, hasta los 30 ó 40 o más.

En Madrid, de noche

La España del siglo XXI es muy diferente a la España de hace cuarenta o cincuenta años. Es un país plenamente integrado en la Comunidad Europea, moderno, con mucho turismo, trenes de alta velocidad y grandes autopistas. Pero hay cosas que no cambian: España sigue siendo un país hospitalario, simpático y muy festivo.

⌖ Por el ciberespacio... a España
Keywords to search:
  *costumbres de España*
  *vida nocturna en España*
  *la movida en España*
To learn more about **España,** go to the *¡Dímelo tú!* website at academic. cengage.com/spanish/dimelotu

## Y ahora, dime...

**Contrastes.** Usa este diagrama Venn para hacer los siguientes contrastes y comparaciones del estilo de vida que son comunes en España y en los Estados Unidos y lo que es exclusivo en cada uno de ellos.

| | España | España y los EE.UU. | los EE.UU. |
|---|---|---|---|
| 1. gente | 1. | 1. | 1. |
| 2. horas de comer | 2. | 2. | 2. |
| 3. vida nocturna | 3. | 3. | 3. |
| 4. deportes | 4. | 4. | 4. |
| 5. vestir | 5. | 5. | 5. |

# Tu casa en... ¡España!

**TAREA**

Antes de empezar este *Paso*, estudia la lista de vocabulario de la página 120 y escucha el corte 37 de tu Text Audio CD1. Luego estudia *En preparación*.

1<sup>er</sup> día   3.2   Present progressive tense, páginas 123–124

Haz por escrito los ejercicios de *¡A practicar!* correspondientes.

## ¿Eres buen observador?

**ARMILLA**

Piso de 3 dormitorios. Cocina amueblada.
Completamente exterior.
**¡Tan solo 139.891€! REF.00253**

**MARACENA**

Gran piso de 4 dormitorios y 2 baños.
Calefacción. Garaje. Piscina.
¡Zona Camino de Albolote!
**REF.00221**

**HUETOR VEGA**

"Oportunidad" adosada en zona tranquila,
3 dormitorios, baño y aseo, cocina
amueblada, aire acondicionado, plaza de
garaje, buenas calidades **REF.00269**

**GABIAS**

Patio 70 m2. Calefacción. 2 Chimeneas.
Dormitorios abuhardillados.
El mejor precio de la zona **REF.00248**

## Ahora, ¡a analizar!

**Tu casa en Granada.** Indica si las siguientes afirmaciones son ciertas (C) o falsas (F) basándote en la información de estos anuncios de bienes raíces. Compara tus respuestas con las de tu compañero(a).

C   F   1. En Maracena están vendiendo un piso de cuatro dormitorios y un baño.

C   F   2. El piso de Armilla tiene ventanas en todas las habitaciones.

C   F   3. La casa adosada de Huetor Vega está situada en el distrito financiero del pueblo.

C   F   4. El piso de las Gabias tiene un solo dormitorio.

# ¿Qué se dice...? 🎧 CD1, Track 34

## Al describir lo que está pasando

Queridos mamá y papá:

Esta es nuestra casa en España. No es muy grande. Tiene dos dormitorios, la cocina, un baño y una terraza. El comedor no es grande, pero la cocina está bien. El garaje es suficiente para mi bicicleta y el coche de Isabel.

🔎 Google™ Images BUSCA: casas España

Hoy estamos de fiesta en nuestra casa. Están aquí nuestros amigos españoles Miguel y María, Pedro y Juanita con sus hijos y otros nuevos amigos. Aquí estamos todos en el salón, bailando y tomando sangría. Todos menos los niños, claro. Ellos están comiendo tapas: una sabrosa tortilla española y aceitunas. José y Paco están tocando la guitarra y cantando unos boleros y unos pasodobles maravillosos. Sara está en este momento en la cocina.

Indica qué están haciendo todos los adultos (**A**), los niños (**N**) y José y Paco (**JyP**). Luego marca (✔) dónde hay gente en la casa.

| | |
|---|---|
| _____ están comiendo tapas | _____ están comiendo tortilla |
| _____ están tocando la guitarra | _____ están comiendo aceitunas |
| _____ están conversando | _____ están bailando |
| _____ están tomando sangría | _____ están cantando boleros y pasodobles |
| _____ en el salón | _____ en la cocina |
| _____ en el comedor | _____ en el dormitorio |

🔎 Google™ Images BUSCA Y PREPARA: tortilla española recipe; sangría recipe

Las **tapas,** los platitos de todo tipo de comida española, representan un estilo de vida en España. Hay de todo: chorizo, jamón serrano, queso manchego, patatas, gambas (camarones)... Son una tradición en los bares españoles, donde se comen con una copita de vino o una cerveza antes del almuerzo (entre la una y las dos de la tarde) y antes de la cena (entre las siete y las nueve de la noche). La **torti-lla española** es una tapa favorita de todos. No es como la tortilla mexicana, sino como un *omelette* de patatas. Y como ocurre con todas las tapas, ¡hay una gran variedad de tortillas españolas!

**En tu opinión:** ¿Crees que en los bares españoles es necesario pagar por las tapas o son gratis? ¿Por qué crees eso? ¿Existe un equivalente a las tapas en los EE.UU.? ¿Qué comen en los bares norteamericanos? ¿Es gratis esa comida?

## Ahora, ¡a hablar!

EP 3.2

📲 **Google™ Images** y **YouTube™**
BUSCA: Spanish tapas

**A.** **¡Una fiesta española!** Tú y tus compañeros de la clase de español van a tener una fiesta española esta noche en la casa de su profesor(a). Ahora todos están muy ocupados con los preparativos. ¿Qué están haciendo?

MODELO     **Mi amiga Paula está decorando las tapas.**

| | | |
|---|---|---|
| Mi amiga... | | preparar / tortilla |
| Yo | | hacer / sangría |
| Mis amigos... y... | estar | decorar / tapas |
| El profesor(a)... | | comprar / refrescos |
| Tú... | | decidir / qué música tocar |
| ..., ... y yo | | hablar / con... |

EP 3.2

**B.** **¡Qué fiesta más rica!** Tú y tus compañeros de clase están pasándolo en grande en su fiesta española. Desafortunadamente, tu mejor amigo(a) no está en la fiesta porque está enfermo(a). ¿Qué pregunta cuando llamas por teléfono?

MODELO     Carmen: bailar sevillanas
Tu AMIGO(A):   **¿Qué está haciendo Carmen?**
Tú:   **Está bailando sevillanas.**

1. Luisa: comer unas tapas
2. Ricardo: fumar en el garaje
3. Marta y María: tomar sangía
4. tú: leer un periódico español
5. Francisco: tocar la guitarra en el patio
6. tú y Victoria: pasarlo en grande

EP 3.2

**C.** **¡¿Están dónde?!** La casa de su profesor(a) es grande y ahora ustedes, los invitados, están haciendo cosas muy interesantes en lugares muy interesantes. ¿Qué contestas cuando tu compañero(a) te pregunta dónde están estas personas y qué están haciendo?

**MODELO**        Janet: comedor

COMPAÑERO(A): **¿Dónde está Janet? ¿En el comedor?**

       TÚ: **Sí, está en el comedor. Está tomando sangría y comiendo unas tapas.**

1. Bryce y Drew: garaje
2. Marta: cocina
3. Andrea y Sumner: dormitorio
4. Richi y Cristina: patio
5. Isabel y Larry: sala
6. Robbie: terraza

**D. ¡La fiesta más loca!** Esta es la fiesta de la clase de otro(a) profesor(a) en tu universidad. Tu compañero(a) está en esta fiesta. Ahora tu compañero(a) va a describir lo que están haciendo en su fiesta y tú vas a decirle lo que están haciendo en tu fiesta. (Usa tu imaginación.) Finalmente, ustedes van a decidir cuál es la fiesta más loca. Informen a la clase de su decisión y expliquen por qué llegaron a esa conclusión.

EP 3.2

## Y ahora, ¿por qué no conversamos?

**E. Excusas.** Tú tienes un(a) amigo(a) que constantemente te está invitando a hacer cosas con él (ella) y tú simplemente quieres descansar por un tiempo. ¿Qué excusas inventas para no aceptar cuando tu amigo(a) te llama por teléfono para invitarte a hacer lo siguiente? Tu compañero(a) va a hacer el papel de ese(a) amigo(a). Al final, tu compañero(a) va a informar a la clase de las mejores excusas usadas.

**MODELO**       para hablar por teléfono

TU AMIGO(A): **Aló. Estoy muy triste ahora y necesito hablar contigo.**

  TU EXCUSA: **Lo siento, pero estoy comiendo.**

1. para invitarte al cine
2. para pedirte ayuda con la tarea para la clase de español
3. para invitarte a cenar
4. para invitarte a jugar al fútbol
5. para pedirte una receta
6. para pedirte dinero

F. **¿Cuántas diferencias hay?** ¿Cuántas diferencias hay entre este dibujo y el de tu compañero(a) en el Apéndice A? Describe tu dibujo para ver cuántas diferencias puedes encontrar con el dibujo de tu compañero(a). Recuerda que no se permite mirar el dibujo de tu compañero(a) hasta terminar esta actividad.

MODELO        **Cuatro personas están bailando.**

G. **¡Luces! ¡Cámara! ¡Acción!** Este es el fin de semana de *Homecoming* en tu universidad. Ahora estás en una de muchas fiestas y tu mejor amigo(a) está en otra fiesta. Tu amigo(a) te llama en su celular para preguntarte sobre tu fiesta. Tú contestas sus preguntas explicando qué están haciendo en tu fiesta y tu amigo(a) te explica lo que están haciendo en su fiesta. Finalmente ustedes deciden a cuál fiesta van a asistir los dos. Dramatiza esta conversación con un(a) compañero(a).

# ¡Escríbelo! ✎

## Estrategias para escribir: agrupación de ideas

*In **Capítulo 2** you learned the importance of brainstorming to gather ideas for writing on a specific topic. Taking the idea one step forward, it is helpful to organize those ideas into various groups called clusters. Brainstorming clusters are listings of closely related ideas.*

**Agrupación de ideas.** Prepare to write about your life at the university by creating a cluster similar to the one that follows.

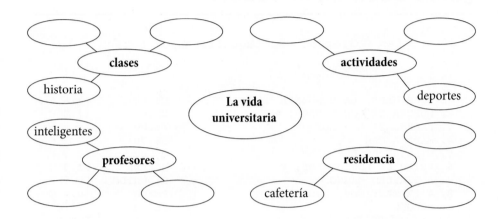

Take a moment to think about how you would fill in the blank bubbles and add more bubbles to the cluster until you have all the elements that you consider necessary to write a letter about your life at the university.

## Ahora, ¡a escribir!

Universidad de Salamanca

A. **En preparación.** Prepara una lista de ideas para escribir una carta a tus amigos sobre tu vida universitaria. Incluye ideas para escribir sobre tus clases, tu trabajo y tus actividades, entre otras cosas. Organiza tu lista en grupos de ideas similares, por ejemplo, todas las ideas relacionadas con las clases en un grupo, las relacionadas con los profesores en otro grupo, etcétera.

B. **El primer borrador.** Usa tu **agrupación de ideas** para escribir el primer borrador de tu carta. Escribe toda la información que tienes de un grupo en un párrafo. Tu carta probablemente va a ser de tres o cuatro párrafos.

C. **Ahora, a compartir.** Comparte tu primer borrador con dos o tres compañeros(as). Haz comentarios sobre el contenido y el estilo de la carta de tus compañeros(as) y escucha sus comentarios sobre tu carta. Indiquen los errores de ortografía o gramática que detecten.

D. **La versión final.** Prepara una versión final de tu carta en la computadora y entrégala.

# Me gusta España, «me gustas tú»

**TAREA**

Antes de empezar este *Paso*, estudia la lista de vocabulario de las páginas 120–121 y escucha el corte 38 de tu Text Audio CD1. Luego estudia *En preparación*.

1er día    3.3 **Ser** and **estar** with adjectives, páginas 125–126

2do día    3.5 The verb **gustar**, páginas 126–127

Haz por escrito los ejercicios de *¡A practicar!* correspondientes.

🎵 *¡Dímelo tú! Playlist* Escucha: «Me gustas tú» de Manu Chao

## ¿Eres buen observador?

### Las películas más taquilleras de España

| | Título | País | Millones de € |
|---|---|---|---|
| 1. | STAR WARS, LA VENGANZA DE LOS SITH | EE.UU | 17.6 € |
| 2. | GUERRA DE LOS MUNDOS, LA | EE.UU | 14.8 € |
| 3. | PADRES DE EL, LOS | EE.UU | 13.4 € |
| 4. | MADAGASCAR | EE.UU | 12.2 € |
| 5. | MILLION DOLLAR BABY | EE.UU | 12.1 € |
| 6. | **REINO DE LOS CIELOS, EL** | **ESPAÑA** | **11.2 €** |
| 7. | ALEJANDRO MAGNO | R. UNIDC | 10.9 € |
| 8. | 4 FANTASTICOS, LOS | EE.UU | 10.6 € |
| 9. | ROBOTS | EE.UU | 7.1 € |
| 10. | BATMAN BEGINS | R. UNIDC | 6.5 € |
| 11. | HITCH: ESPECIALISTA EN LIGUES | EE.UU | 6.5 € |
| 12. | AVIADOR, EL | EE.UU | 6.1 € |
| 13. | INTERPRETE, LA | EE.UU | 5.9 € |
| 14. | DESCUBRUENDO NUNCA JAMAS | R. UNIDC | 5.6 € |
| 15. | BLADE TRINITY | EE.UU | 5.5 € |
| 16. | CONSTANTINE | EE.UU | 5.4 € |
| 17. | ESCONDITE, EL | EE.UU | 5.1 € |
| 18. | RING 2 (LA SEÑAL 2), THE | EE.UU | 5.0 € |
| 19. | CHICOS DEL CORO, LOS | FRANCIA | 5.0 € |
| 20. | CLOSER | EE.UU | 4.8 € |
| 21. | **PENALTI MAS LARGO DEL MUNDO, EL** | **ESPAÑA** | **4.7 €** |
| 22. | UN CANGURO SUPERDURO (THE PACIFIER) | EE.UU | 4.6 € |
| 23. | OCEAN'S TWELVE | EE.UU | 4.6 € |
| 24. | ISLA, LA | EE.UU | 4.3 € |
| 25. | ENTRE COPAS | EE.UU | 4.0 € |

## Ahora, ¡a analizar!

**El cine en España.** Contesta las siguientes preguntas basándote en la información de esta lista de películas taquilleras. Compara tus respuestas con las de tu compañero(a).

1. Las películas que más gustan en España son...
   - ☐ de aventura.
   - ☐ de ciencia ficción.
   - ☐ de terror.
   - ☐ de aventura y ciencia ficción.

2. A los españoles les gusta el cine...
   - ☐ español.
   - ☐ de los EE.UU.
   - ☐ de Inglaterra.
   - ☐ de España y de Inglaterra.

3. ¿Por qué crees que a los españoles les gustan tanto las películas estadounidenses?

4. ¿Cuál de estas películas te gusta más? ¿Cuál te gusta menos?

5. ¿Cuántos títulos que están en español puedes reconocer? ¿Cuáles son? Compáralos con los que tu compañero(a) reconoce.

# ¿Qué se dice...?  CD1, Track 35

## Al hablar de nuestros gustos

JUAN: Y a ustedes, ¿qué es lo que más les gusta de España?

LUISA: A mí lo que más me gusta es la gente. Me encanta ver a los niños y sus padres de paseo con los abuelos y abuelas.

ANDRÉS: Pues a mí me gusta el horario, la siesta y salir hasta bien tarde por las noches.

ISABEL: Sí, es muy divertido estar de fiesta en la calle hasta las cuatro o las cinco de la mañana.

Paseo con la familia

Atasco en Madrid

LUISA: Las cosas que menos me gustan son las corridas de toros, el humo del tabaco en los bares es horroroso y los atascos de algunas ciudades son insoportables. Las corridas son crueles y deben estar prohibidas.

ISABEL: Pues a mí sí me gustan los toros, sobre todo las corridas profesionales. Y el flamenco. Me encanta escuchar y ver bailar el flamenco.

JUAN: Y de la comida, ¿qué les gusta más?

ANDRÉS: Me encanta el aceite de oliva. Es muy sano y es delicioso.

ISABEL: A mí me gusta mucho el marisco, sobre todo las gambas, que son exquisitas.

Gambas

Indica qué le gusta a Andrés (**A**), a Luisa (**L**) y a Isabel (**I**).

| | | |
|---|---|---|
| _____ las gambas | _____ el flamenco | _____ el aceite de oliva |
| _____ el horario | _____ la gente | _____ salir tarde |
| _____ las corridas de toros | _____ los mariscos | _____ la siesta |
| _____ los padres y niños | _____ la calle por la noche | _____ los abuelos y abuelas |

Marca con una X lo que no le gusta a Luisa.

☐ los bares          ☐ la siesta          ☐ las corridas de toros
☐ el tráfico         ☐ los niños          ☐ los cigarillos

📎 **Google™ Images** y **YouTube™**
BUSCA: corrida de toros; tapas; Madrid de marcha; Barcelona de noche; la familia en España; día sin coche

El baile y el canto son importantes manifestaciones artísticas de la cultura española. El flamenco es, hoy día, una de las músicas más características y fácilmente identificables de Europa. Esta música, cante y baile se identifica con los gitanos *(gypsies)* de Andalucía, en el sur de España. Hay diferentes variedades (palos) de flamenco. Los palos más populares son las soleares, tonás, siguiriyas, tangos y fandangos. Los temas son diversos: religión, amor, humor, etcétera. El cante y baile flamencos pueden ir acompañados de guitarristas; entre los más populares guitarristas destacan Paco de Lucía, Ramón Montoya y Manolo Sanlúcar.

**En tu opinión:** ¿Cómo es posible tener temas tan variados como la religión, el amor y el humor en el flamenco? ¿Hay algunas importantes manifestaciones artísticas que han existido desde el siglo XIX en los EE.UU.? Explica tu respuesta.

## Ahora, ¡a hablar!

EP 3.3

**A. ¿Cómo es?** ¿Cómo describen Luisa, Isabel y Andrés lo siguiente, según el *¿Qué se dice...?* de este *Paso?*

| | | |
|---|---|---|
| El aceite de oliva | | prohibidas |
| Estar en la calle tarde | | crueles |
| Las gambas | | insoportables |
| Las corridas de toros | ser/estar | divertido |
| El humo en los bares | | deliciosos |
| Las corridas deben | | exquisitas |
| Los atascos | | horroroso |
| Los mariscos | | sano |

EP 3.4

**B. ¿Qué tenemos en común?** Estás hablando con Soledad Torreblanca, una estudiante española en tu universidad. ¿Qué te pregunta Soledad y qué le contestas? Tu compañero(a) va a hacer el papel de Soledad.

**MODELO** ver bailar flamenco
SOLEDAD: **Me gusta ver bailar flamenco. ¿Y a ustedes, los estadounidenses?**
TÚ: **También nos gusta ver bailar flamenco.** o
**No nos gusta ver bailar flamenco.**

1. las corridas de toros
2. los mariscos
3. la política
4. el aceite de oliva
5. escuchar música flamenca
6. salir de noche

EP 3.4

**C. ¡Qué fiestas!** Soledad, la estudiante española, es muy popular porque siempre organiza fiestas muy buenas. Toma turnos con tu compañero(a) para explicar por qué les gustan a ustedes y a sus amigos las fiestas de Soledad.

**MODELO** a mi amiga...
**A mi amiga Carmen le gusta la música flamenca en las fiestas de Soledad.**

**Vocabulario útil**

| | | |
|---|---|---|
| amigos latinos | música | tortilla española |
| gambas | sangría | vino |
| guitarra | tapas | |

1. a mí
2. a todos nosotros
3. a mis amigos... y...
4. a ti y a mí
5. a mi mejor amigo(a)
6. a mi amigo...

**D. Después de la fiesta.** Acaba de terminar una fiesta de Soledad. Con tu compañero(a), describan a sus amigos que participaron en la fiesta. Mencionen cómo son normalmente y cómo están ahora al terminar la fiesta de Soledad.

## Y ahora, ¿por qué no conversamos?

**E. ¡Qué cambiados están!** Estos son Daniel y Gloria antes de estudiar un año en la Universidad de Salamanca. En el Apéndice A, tu compañero(a) tiene un dibujo de Daniel y Gloria después de regresar de España. Describan a las personas que aparecen en sus dibujos para saber cómo son los cambios *(changes)*. No se permite mirar el dibujo de tu compañero(a) hasta terminar esta actividad.

**Vocabulario útil**

| | |
|---|---|
| cambiado(a) | honesto(a) |
| corto(a) | informal |
| delgado(a) | lacio(a) |
| diferente | limpio(a) |
| formal | rizado(a) |
| guapo(a) | rubio(a) |
| hermoso(a) | sucio(a) |

**MODELO**      **Daniel es alto y algo hippie.**

**F. ¡Encuesta!** Usa este cuadro para entrevistar a tres compañeros(as) de clase. Escribe sus respuestas en los cuadrados apropiados.

**MODELO**      TÚ: **¿Tocas el piano?**
COMPAÑERO(A): **No, no toco el piano.**
     You Write: *[Nombre]* **no toca el piano.**

| | Compañero(a) 1 | Compañero(a) 2 | Compañero(a) 3 |
|---|---|---|---|
| No le gusta bailar. | | | |
| Le encantan las tapas. | | | |
| Le fascinan las películas de terror. | | | |
| Baila muy bien. | | | |
| Le gusta salir de noche. | | | |
| Le gusta la música latina. | | | |
| Habla cuatro idiomas. | | | |

**G. ¡Luces! ¡Cámara! ¡Acción!** Imaginen que están en una fiesta en casa de su profesor(a) de español y que están hablando de los invitados. Trabajando en grupos de tres o cuatro, preparen su diálogo por escrito *(in writing)*. Luego léanlo *(read it)* delante de la clase.

**MODELO**      **—Nuestro(a) profesor(a) está muy elegante esta noche.**
                 **—Sí, pero, ¿quién es la persona que está bailando con...?**
                 **—Es su novio(a). Es muy guapo(a), ¿no?...**

# Saber comprender

## Estrategias para ver y escuchar: predecir a partir de las preguntas de comprensión

*In **Paso 1**, you learned that knowing what to listen for or listening for specific information aids listening comprehension considerably. This holds true when listening to and viewing a video. As in the recorded sections and on the tests, you can always get a good idea of what you can expect to see and hear on the video if you read the questions before you view the video.*

**Predecir a partir de preguntas de comprensión.** Read the comprehension check questions in **Después de ver el video,** and try to extract some clues from them. Then write down one or two things for each question that you know you need to listen for in order to answer the questions correctly.

### Información que necesito

1. _____
2. _____
3. _____
4. _____
5. _____
6. _____

# Enrique Iglesias

## Al ver el video

**¿Comprendes lo que se dice?** Mientras *(While)* ves el video por primera vez *(first time)*, escribe la información que predijiste *(predicted)* que necesitas para contestar cada pregunta.

### Información en el video

1. _____
2. _____
3. _____
4. _____
5. _____
6. _____

## Después de ver el video

Ahora, usa la información que predijiste para contestar las preguntas. ¿Predijiste las respuestas a todas las preguntas? Compara tus resultados con los de dos compañeros(as).

1. ¿Dónde nació Enrique Iglesias? ¿Cuándo es su cumpleaños?
2. ¿Dónde vive ahora? ¿De dónde es su pasaporte?
3. ¿De dónde son la madre y el padre de Enrique?
4. Frente a su público, ¿cómo está Enrique, nervioso o alegre?
5. ¿Qué opina Enrique Iglesias del bilingüismo?
6. ¿Qué opina Enrique Iglesias del español?

**Predecir a partir de las preguntas de comprensión.** Use the same strategy as you prepare to view the second part of the video, which focuses on Andalusia. Read the sentences to be completed in **Después de ver el video,** and try to extract some clues from them. Then write down one or two things for each question that you know you need to listen for in order to answer the questions correctly.

# Andalucía, ¡región fascinante!

## Al ver el video

**¿Comprendes lo que se dice?** Mientras ves el video por primera vez, escribe la
información que predijiste vas a necesitar para completar cada oración.

1. _____
2. _____
3. _____
4. _____
5. _____
6. _____

## Después de ver el video

Ahora, usa la información que coleccionaste para completar estas oraciones. ¿Predijiste la respuesta correcta de cada oración? Compara tus resultados con los de dos compañeros(as).

1. La región de Andalucía fue habitada por los griegos, los romanos y los...
   ☐ franceses.  ☐ africanos.  ☐ árabes.

2. El espíritu de Andalucía viene de...
   ☐ las Américas.  ☐ los árabes.  ☐ los romanos.

3. La mezquita *(mosque)* más grande del occidente está en...
   ☐ Córdoba.  ☐ Granada.  ☐ Sevilla.

4. La Costa del Sol se conoce por sus excelentes...
   ☐ caballos.  ☐ mezquitas.  ☐ playas.

5. Un estilo de baile y canto que nace en Andalucía es...
   ☐ el pasodoble.  ☐ las sevillanas.  ☐ el flamenco.

6. La ciudad más grande en Andalucía es...
   ☐ Córdoba.  ☐ Sevilla.  ☐ Granada.

# El rincón de los lectores

## Estrategias para leer: reconocer versos, estrofas y oraciones

*Un **verso** es una línea de un poema. Una **estrofa** es una agrupación de dos o más líneas de un poema. Una **oración** es un pensamiento o una idea completa presentada en una frase con su propio sujeto y verbo.*

**A reconocer versos, estrofas y oraciones.** Contesta estas preguntas para mostrar que entiendes la diferencia entre **versos, estrofas** y **oraciones.**

1. ¿Cuántos versos tiene el poema «A Margarita (Xirgu)»?
2. ¿Cuántas estrofas tiene?
3. ¿Es cada verso una oración? ¿Cómo lo sabes? ¿Cuántas oraciones hay en el poema?
4. Basándote en el título del poema y el dibujo, ¿cuál predices que es el tema del poema: la casa, el jardín, el amor o los problemas entre dos personas?

## El autor

**Federico García Lorca (1898–1936)** es el poeta y dramaturgo de mayor influencia y popularidad de la literatura española del siglo XX. Murió *(He died)* ejecutado durante la guerra civil española por su ideología política y, sobre todo, por ser abiertamente homosexual. La actriz Margarita Xirgu, a quien Lorca escribió el siguiente poema, intentó convencer a García Lorca de escapar con ella a Cuba para evitar la represión política y la muerte. Ella sí escapó y pasó gran parte de su vida representando las obras de Lorca en América Latina. En el año 2003, el compositor argentino Osvaldo Golijov estrenó la ópera *Ainadamar*, que significa «fuente de lágrimas» *(tears)* en árabe y está basada en la vida de Margarita Xirgu y su asociación con Lorca. Una grabación de esta ópera consiguió en 2007 dos Grammys, uno a la mejor composición clásica contemporánea y otro a la mejor grabación de ópera.

### Citas *(Quotes)* fascinantes de Federico García Lorca

- «Poesía es la unión de dos palabras que uno nunca supuso que pudieran juntarse, y que forman algo así como un misterio».
- «Quiero llorar porque me da la gana».
- «El más terrible de los sentimientos es el sentimiento de tener la esperanza perdida».
- «La poesía no quiere adeptos, quiere amantes».
- «Como no me he preocupado de nacer, no me preocupo de morir».
- «En la bandera de la libertad bordé el amor más grande de mi vida».
- «Dejaría en este libro toda mi alma».

## Lectura

# A Margarita (Xirgu) ♥ ♥ ♥

Si me voy, te quiero° más,    *I love you*
Si me quedo,° igual te quiero.    no me voy

Tu corazón° es mi casa    *heart*
y mi corazón tu huerto.°    jardín

Yo tengo cuatro palomas,°    ♥ *doves*
cuatro palomitas tengo. ♥ ♥ ♥

Mi corazón es tu casa
¡y tu corazón mi huerto!

## A ver si comprendiste

1. En el poema, el autor dice que ama a Margarita.

   ☐ cierto        ☐ falso

2. El corazón del autor es... de Margarita.

   ☐ el huerto        ☐ la casa

3. El corazón de Margarita es... del autor.

   ☐ el huerto        ☐ la casa

4. Si se va, el autor dice que la ama...

   ☐ más.        ☐ menos.

> **⊿ Por el ciberespacio... el arte en España**
>
> Keywords to search:
> *Antonio Gaudí*
> *Diego Velázquez*
> *Pablo Picasso*
> *Francisco de Goya*

# Vocabulario

## Paso 1 CD1, Track 36

### Emociones y condiciones

| | |
|---|---|
| alegre | *happy, lively* |
| aterrorizado(a) | *terrified* |
| avergonzado(a) | *embarrassed, ashamed* |
| cansado(a) | *tired* |
| contento(a) | *happy, pleased* |
| enfermo(a) | *sick* |
| entusiasmado(a) | *enthused* |
| feliz | *happy, joyful* |
| fenomenal | *phenomenal* |
| frustrado(a) | *frustrated* |
| furioso(a) | *furious* |
| interesado(a) | *interested* |
| nervioso(a) | *nervous* |
| ocupado(a) | *busy, occupied* |
| preocupado(a) | *preoccupied, worried* |
| tranquilo(a) | *quiet, calm* |
| triste | *sad* |

### Fiestas

| | |
|---|---|
| bombero(a) | *firefighter* |
| chico(a) | *boy/girl* |
| feria | *fair* |
| invitado(a) | *guest* |
| torero(a) | *bullfighter* |
| toro | *bull* |

### Puntos cardinales

| | |
|---|---|
| este *(m.)* | *east* |
| norte *(m.)* | *north* |
| oeste *(m.)* | *west* |
| sur *(m.)* | *south* |
| noreste *(m.)* | *northeast* |
| noroeste *(m.)* | *northwest* |
| sureste *(m.)* | *southeast* |
| suroeste *(m.)* | *southwest* |

### Frases y palabras útiles

| | |
|---|---|
| bebé *(m. f.)* | *baby* |
| especialmente | *especially* |
| examen *(m.)* | *exam* |
| fin *(m.)* | *end, conclusion* |
| principio | *beginning* |
| todos(as) | *everyone, everybody, all* |

## Paso 2 CD1, Track 37

### Fiestas

| | |
|---|---|
| aceituna | *olive* |
| chorizo | *sausage* |
| jamón *(m.)* | *ham* |
| música | *music* |
| pasarlo en grande | *to have a great time* |
| pizza | *pizza* |
| platito | *small plate or dish* |
| queso | *cheeze* |
| vino | *wine* |

### En la casa

| | |
|---|---|
| baño | *toilet, restroom* |
| cocina | *kitchen* |
| comedor *(m.)* | *dining room* |
| dormitorio | *bedroom* |
| garaje *(m.)* | *garage* |
| habitación *(f.)* | *room, bedroom* |
| jardín *(m.)* | *garden* |
| patio | *courtyard, patio* |
| piso | *apartment* |
| sala | *living room* |
| salón *(m.)* | *lounge, living room* |
| terraza | *flat roof, terrace* |
| ventana | *window* |

### Verbos y actividades

| | |
|---|---|
| asistir | *to attend, be present* |
| cantar | *to sing* |
| cenar | *to eat dinner* |
| conversar | *to chat, to converse* |
| decorar | *to decorate* |
| estar | *to be* |
| invitar | *to invite* |
| organizar | *to organize* |
| pedir | *to ask for* |
| saludar | *to greet* |
| seleccionar | *to select* |

### Palabras y expresiones útiles

| | |
|---|---|
| ayuda | *help* |
| excusa | *excuse* |
| loco(a) | *crazy* |
| lo siento | *I'm sorry* |
| contigo | *with you* |
| receta | *recipe* |
| un poco | *a little, a small amount* |

## Paso 3 CD1, Track 38

### Películas

| | |
|---|---|
| película de aventura | *action and adventure film* |
| película de ciencia ficción | *science fiction film* |
| película de terror | *horror film* |
| taquillera | *box office hit* |
| título | *title* |

**Comidas**

| | |
|---|---|
| **marisco** | *seafood* |
| **aceite de oliva** (*m.*) | *olive oil* |

**Bares**

| | |
|---|---|
| **alcohólico(a)** | *with alcohol, alcoholic* |
| **bar** (*m.*) | *bar* |
| **cigarrillo** | *cigarette* |
| **gaseosa** | *carbonated water* |
| **humo** | *smoke* |
| **tinto** | *red wine* |

**Descripción**

| | |
|---|---|
| **alto(a)** | *tall* |
| **corto(a)** | *short (length)* |
| **cruel** | *cruel* |
| **delgado(a)** | *slim, thin* |
| **delicioso(a)** | *delicious* |
| **diferente** | *different* |
| **exquisito(a)** | *exquisite* |
| **guapo(a)** | *good-looking, cute* |
| **hermoso(a)** | *beautiful, lovely* |
| **honesto(a)** | *honest* |
| **horroroso(a)** | *horrifying, awful* |
| **insoportable** | *unbearable* |

| | |
|---|---|
| **lacio(a)** | *straight (hair)* |
| **limpio(a)** | *clean* |
| **prohibido(a)** | *banned, prohibited* |
| **rico(a)** | *rich; delicious* |
| **rizado(a)** | *curly* |
| **rubio(a)** | *blond(e)* |
| **sano(a)** | *healthy* |
| **sucio(a)** | *dirty* |

**Pronombres del complemento indirecto**

| | |
|---|---|
| **me** | *to/for me* |
| **te** | *to/for you* (s. fam.) |
| **le** | *to/for you* (s. formal); *to/for him, her, it* |
| **nos** | *to us* |
| **les** | *to/for you* (pl. formal); *to/ for them* |

**Verbos y actividades**

| | |
|---|---|
| **encantar** | *to charm, to please highly* |
| **fascinar** | *to love, to really like* |
| **gustar** | *to like* |
| **ver** | *to see* |

**Palabras útiles**

| | |
|---|---|
| **atasco** | *traffic jam* |
| **corrida de toros** | *bullfight* |
| **horario** | *schedule* |
| **idioma** (*m.*) | *language* |
| **mí** | *me (obj. of prep.)* |
| **muy** | *very* |
| **novio(a)** | *boyfriend/girlfriend* |
| **niño(a)** | *child* |
| **playa** | *beach* |
| **política** | *politics* |
| **siesta** | *afternoon nap* |
| **tráfico** | *traffic* |

## EL ESPAÑOL... de España

**Comidas**

| | |
|---|---|
| **gambas** | *prawns* |
| **jamón serrano** | *Spanish smoked ham* |
| **patata** | *potato* |
| **queso manchego** | *cheese (from La Mancha region)* |
| **sangría** | *a fruity Spanish wine drink* |
| **tapas** | *appetizers, hors d'oeuvres* |
| **tortilla española** | *Spanish potato omelette* |

**Fiestas**

| | |
|---|---|
| **Fallas** | *popular festival in Valencia, Spain; group of large cardboard and wood figures that are burned on March 19* |
| **flamenco** | *Spanish gypsy dance, music, and songs* |
| **pasodoble** (*m.*) | *Spanish dance; march step* |
| **sevillanas** | *flamenco dance* |

**Actividad nocturna**

| | |
|---|---|
| **el botellón** | *gathering of 16–24-year-olds to listen to music and share drinks in a plaza or public space* |
| **la marcha** | *nightlife, amusement, fun gathering* |
| **la movida** | *nightlife in Madrid* |
| **pasarlo en grande** | *to have a great time* |

# En preparación 3

### 3.1 The verb *estar*

**Giving location and indicating change**

| The verb *estar* | | | |
|---|---|---|---|
| **Singular** | | **Plural** | |
| yo | **estoy** | nosotros(as) | **estamos** |
| tú | **estás** | vosotros(as) | **estáis** |
| usted | **está** | ustedes | **están** |
| él, ella | **está** | ellos, ellas | **están** |

The verb **estar** is used to tell where someone or something is located and to describe how one is feeling or one's condition. It is also used with the present participle to form the present progressive tense. (See **En preparación 3.2.**)

■ **Location**

| Los niños **están** en el parque. | *The children are in the park.* |
|---|---|
| ¿Dónde **están** las tapas? | *Where are the appetizers?* |
| ¿No **está** tu papá? | *Isn't your father here?* |
| No. **Está** en Barcelona. | *No. He's in Barcelona.* |

BUT, to indicate where an event takes place, the verb **ser** is used.

| ¿Dónde es la reunión? | *Where is the meeting?* |
|---|---|
| La fiesta es en mi casa. | *The party is at my house.* |

**Google**™
BUSCA: Using **estar**

■ **Conditions and feelings**

| La fiesta **está** muy aburrida. | *The party is very boring.* |
|---|---|
| Roberto **está** enfermo otra vez. | *Roberto is sick again.* |
| Natalia **está** muy preocupada (triste, nerviosa, contenta). | *Natalia is very worried (sad, nervous, happy).* |

**Heinle Grammar
Tutorial:** *Ser* and
*Estar* III

### ¡A practicar!

**A. ¡Fiesta tras fiesta!** It seems that every time you call your ex-roommate, who is spending the year abroad studying in Spain, he and his friends are attending some major festival or other. Where does he say they are when you call on the following dates?

> **MODELO**    Es el 12/10. Mis amigos...
> **Es el doce de octubre. Mis amigos están en Zaragoza para la Fiesta del Pilar.**

| febrero: | Carnaval en Tenerife | julio: | Encierro de San Fermín en Pamplona |
|---|---|---|---|
| marzo: | Fallas en Valencia | agosto: | Tomatina en Buñol |
| abril: | Semana Santa en Sevilla | octubre: | Fiesta del Pilar en Zaragoza |
| junio: | Fiesta de San Juan en Barcelona | | |

1. Es el 23/6. Mi amigo Daniel y yo...

2. Es fines de agosto. Todos mis amigos...

3. Es el 7/7. Yo...

4. Es el 19/3. Mi familia española...

5. Es principios de febrero. Cuatro amigos y yo...

6. Es abril. Yo...

**B.** **¿Cómo están?** All your classmates have shown up at your Spanish teacher's house for a Spanish evening of flamenco dancing, tapas, and sangría. Tell how you and your classmates are feeling at this moment.

MODELO         mi compañera de clase...
               **Mi compañera de clase Ángela está muy contenta y entusiasmada.**

**Vocabulario útil**

| | | | |
|---|---|---|---|
| aburrido | enfermo | furioso | preocupado |
| cansado | entusiasmado | interesado | tranquilo |
| contento | fenomenal | nervioso | triste |

1. mis compañeras de clase... y...       4. mi amigo...
2. yo                                     5. tú
3. mi profesor(a) y...                    6. todos los chicos

**C.** **¡Fiesta!** With a partner, complete the following letter, that Roberto wrote his high school buddy who is attending another university, with the proper form of **estar**. Then together, use this letter as a model to write an old buddy of yours and tell him what you are doing on Friday night.

Hay una fiesta en mi casa esta noche porque mis padres _____ en Chicago. Yo _____ muy contento porque todos mis amigos _____ aquí. También _____ muy ocupado con los invitados. Mi amigo Gonzalo _____ muy nervioso porque su ex novia _____ aquí en la fiesta también. Mi amiga Amalia _____ furiosa porque Juan Carlos, su novio, no baila con ella. Los otros invitados _____ contentos porque hay mucha comida y la música _____ buena.

> «Más vale **estar** solo que (**estar**) mal acompañado». (proverbio)
> ____ You are better off alone than in bad company.
> ____ It is better to be in someone's company than risk becoming a loner.

## Paso 2

### 3.2 Present progressive tense
#### Describing what is happening now

- In English, the present progressive is formed with the verb *to be* and an *-ing* verb form: *I am eating; he is driving.* In Spanish, the present progressive is formed with the verb **estar** and a present participle.

| | |
|---|---|
| ¿Qué **están haciendo?** | *What are they doing?* |
| Todos **están bailando.** | *Everyone is dancing.* |
| **Estamos comiendo** paella. | *We're eating paella (a chicken, rice, and seafood dish).* |

In English, the present participle is the verb + *-ing*: *talking, walking, buying*. In Spanish, the present participle is formed by dropping the infinitive ending and adding **-ando** to **-ar** verbs, and **-iendo** to **-er** and **-ir** verbs.

| Present participles | | | |
|---|---|---|---|
| ***-ar* verbs: *-ando*** | | ***-er, -ir* verbs: *-iendo*** | |
| trabajar: | trabaj**ando**   *working* | poner: | pon**iendo**   *putting* |
| bailar: | bail**ando**   *dancing* | escribir: | escrib**iendo**   *writing* |

Some present participles are irregular. For example, the **-iendo** ending becomes **-yendo** whenever the stem of the infinitive ends in a vowel.

| le-er: | le**yendo** | *reading* |
|---|---|---|
| tra-er: | tra**yendo** | *bringing* |

▲ YouTube™
BUSCA: Spanish present progressive

In Spanish, the present progressive tense is used only to describe or emphasize an action that is taking place right at the moment.

**Heinle Grammar Tutorial:** Present Progressive Tenses

| **Estoy escribiendo** una carta. | *I'm writing a letter.* |
|---|---|
| Pablo y Ana **están leyendo** el periódico. | *Pablo and Ana are reading the newspaper.* |
| BUT: Llegan mañana a las diez. | *They are arriving tomorrow at ten.* |

## ¡A practicar!

**A. ¿Qué están haciendo?** You and your housemates are planning to throw a party this evening. Now everyone is rushing around getting ready. Tell who is doing the following things.

MODELO        preparar la comida
              **Mi amigo Ernesto está preparando la comida.**

1. organizar la música
2. abrir los refrescos
3. seleccionar la música
4. comprar la pizza
5. beber una cerveza
6. descansar un poco

**B. ¿Y ahora?** Everyone is having a great time at your house party, but you, being the worrywart that you are, are checking to make sure no one is left out. What do you ask and how does your housemate respond? Your partner will play the role of your housemate.

MODELO              mi amiga...
              TÚ: **¿Qué está haciendo Patricia?**
COMPAÑERO(A): **Está bailando con el profesor.**

1. mis amigos... y...
2. mi compañero de cuarto...
3. el profesor...
4. ... y...
5. tú
6. tus amigas... y...

> «El que hace trampas **jugando**, al infierno se va **caminando**». (proverbio)
>
> ___ *He who cheats at cards, slowly condemns himself.*
>
> ___ *He who walks with the devil, plays with his own fate.*

## 3.3 *Ser* and *estar* with adjectives

### Describing attributes, location of an event, and indicating changes

■ **Ser** is used with adjectives to describe attributes such as the following:

1. physical characteristics, essential traits, and qualities

| | |
|---|---|
| Nicolás **es** muy guapo. | *Nicolás is very handsome.* |
| Cecilia **es** delgada. | *Cecilia is thin.* |
| Las tortillas españolas **son** deliciosas. | *Spanish omelettes are delicious.* |

2. personality

| | |
|---|---|
| Eva **es** muy simpática. | *Eva is very nice.* |
| Teresa **es** inteligente. | *Teresa is intelligent.* |
| Héctor **es** perezoso. | *Héctor is lazy.* |

3. inherent characteristics

| | |
|---|---|
| La nieve **es** blanca. | *Snow is white.* |
| El cielo **es** azul. | *The sky is blue.* |
| El edificio **es** muy alto. | *The building is very tall.* |

■ **Estar** is used with adjectives to indicate a more subjective, temporal evaluation of any of the following:

1. appearance, taste, and physical state of being

| | |
|---|---|
| Esta paella **está** deliciosa. | *This paella is (tastes) delicious.* |
| Carlos **está** delgado. | *Carlos is (looks) thin.* |
| Teresa, ¡**estás** hermosa! | *Teresa, you are (look) lovely (today)!* |

2. behavior that varies from what is normally expected

| | |
|---|---|
| **Estás** muy antipático hoy. | *You are (being) very disagreeable today.* |
| Estela, **estás** perezosa. | *Estela, you are (being) lazy.* |

3. conditions

| | |
|---|---|
| Víctor **está** cansado. | *Victor is tired.* |
| Todos **están** contentos. | *Everyone is happy.* |
| La nieve **está** sucia. | *The snow is dirty.* |

⏹ Google™
BUSCA: **Estar**
feelings and
conditions

**Heinle Grammar**
**Tutorial: *Ser*** and
***Estar*** IV

### ¡A practicar!

**A. ¿Mis amigos?** Focus on yourself and your friends. Who fits these descriptions?

> MODELO   honesta y muy guapa
> **Mi amiga Beverly es honesta y muy guapa.**

1. tímido e inteligente
2. divertidas y muy simpáticas
3. un poco perezoso
4. muy sociables
5. sinceros y muy guapos
6. romántica pero muy estudiosa

**B. ¡Están muy cambiados!** You have just returned home after spending time as an exchange student in Barcelona. You find that everybody has changed considerably. What do you say to the following people?

1. ¡Mamá, tú _____ muy diferente!
2. Tío, _____ más grande.
3. Chicas, _____ más trabajadoras.
4. Abuelos, _____ muy activos.
5. Papá, _____ más paciente.
6. Todos ustedes _____ muy bien.

**C. ¡Rin-rin!** Your cell phone rings and it is your roommate who is having a wonderful time at a fraternity **¡Viva España!** party. Complete the conversaton you have with the appropriate form of **ser** or **estar** to see what your roommate has to say about the party.

¿Bueno?

¡Hola, amigo(a)! ¿Dónde _____? Todo el mundo _____ aquí. Todos _____ bailando. En este momento, Carlos y yo _____ preparando más sangría. Sí, _____ una bebida alcohólica. _____ de vino tinto, gaseosa y frutas y _____ deliciosa. ¿Conoces a Luis? Él _____ el amigo de Marcelo. Él _____ muy guapo y muy rico... y no tiene novia. ¿Por qué no vienes? Todos nosotros te _____ esperando aquí.

**D. En una boda.** You and your friend are talking about the guests at your friend's sister's wedding. Working with a partner, complete the conversaton with the appropriate form of **ser** or **estar**.

Tú:  La señora Davis _____ hermosa hoy.
Amigo(a):  Sí, y el señor Davis _____ muy delgado, ¿verdad?
Tú:  Tienes razón. Creo que _____ enfermo.
Amigo(a):  Pobre. Y en tu opinión, ¿cómo _____ el novio de tu hermana?
Tú:  _____ muy simpático. También _____ muy inteligente ¡y _____ rico!
Amigo(a):  Sí, pero ahora _____ nervioso y _____ muy cansado.

> «Para muchos el cielo **es** California: allí **están** Los Ángeles, San José, San Clemente, San Leandro, Santa Mónica, Santa Bárbara...». (refrán)
>
> ___ *How many additional, appropriate city names can you add?*

## 3.4 The verb *gustar*

### Talking about what you like or dislike

The verb **gustar** means *to be pleasing to* and is the Spanish equivalent of *to like.* When talking about one thing or an activity people like or dislike, **gusta,** the singular form of **gustar,** is used. When talking about more than one thing people like or dislike, **gustan,** the plural form of **gustar,** is used. This verb is *always preceded* by an indirect-object pronoun: **me, te, le, nos, os,** or **les.***

**gusta** *(liking one thing)*

| | | |
|---|---|---|
| me gusta | nos gusta | |
| te gusta | os gusta | la casa |
| le gusta | les gusta | bailar |

**gustan** *(liking more than one thing)*

| | | |
|---|---|---|
| me gustan | nos gustan | |
| te gustan | os gustan | las tapas |
| le gustan | les gustan | las playas mediterráneas |

**Me gusta** bailar salsa.      *I like to dance salsa. (Dancing salsa is pleasing to me.)*

■ Note that with the verb **gustar,** the subject of the sentence is always *what* or *who* is liked.

---

* You will learn more about these pronouns in **Capítulo 8.**

■ The verbs **encantar** and **fascinar** (*to love, to enchant, to fascinate*) are used just like **gustar**.

| | |
|---|---|
| **Les encanta** la sangría. | *They love sangria.* |
| **¡Me encantan** las tortillas españolas! | *I love Spanish omelettes!* |
| **Me fascina** bailar. | *I love to dance.* (*To dance fascinates me*). |

The object pronouns **le** and **les** may refer to a varied number of people.

|  **Singular** | | **Plural** | |
|---|---|---|---|
| **le** = | a él (a Ricardo)<br>a ella (a Alicia)<br>a usted | **les** = | a ellos (a Tomás, Jaime,...)<br>a ellas (a Marta, Lupe,...)<br>a ustedes |

To avoid confusion, the phrase **a** + *(noun or pronoun)* is often used with **le** and **les** to clarify who is doing the liking.

| | |
|---|---|
| **A Yolanda** le gusta servir tapas. | *Yolanda likes to serve tapas.* (*Serving tapas is pleasing to Yolanda.*) |
| **A ellas** no les gusta cocinar. | *They do not like to cook.* |

The phrase **a** + *(noun or pronoun)* can also be used for emphasis or to establish a distinction. This phrase does not translate literally into English.

| | |
|---|---|
| —Me gusta el café. | —*I like coffee.* |
| —Pues **a mí** me gusta el té. | —*Well, I like tea.* |

⊿ **Google**™ y **YouTube**™ BUSCA: the verb **gustar**

**Heinle Grammar Tutorial:** *Gustar* and similar verbs

## ¡A practicar!

**A. Nuestras clases favoritas.** ¿Qué clases les gustan a ti y a tus amigos?

> MODELO    a mí y a mi mejor amigo / español
> **A mí y a Skyler nos gusta la clase de español.**

1. a mi mejor amiga...
2. a... y...
3. a mi amigo...
4. a ti y a...
5. a... y a mí
6. a ti

**B. Gustos.** Con un(a) compañero(a), túrnense para decir qué actividades les gusta o no les gusta hacer a sus amigos. Cada uno(a) menciona a por lo menos tres amigos.

> MODELO    **A mi amiga Paula le gusta leer. No le gusta mirar la tele.**

**Vocabulario útil**

| | |
|---|---|
| bailar | lavar los platos |
| chatear en la computadora | limpiar la casa |
| correr | preparar la cena |
| escribir cartas | regresar a clases en el otoño |
| hablar por teléfono | salir de vacaciones |
| invitar a amigos a comer | tocar la guitarra |

---

«A cada pajarillo **le gusta** su nidillo». (proverbio)

\_\_\_ *All birds like to nest.*

\_\_\_ *A man's home is his castle.*

---

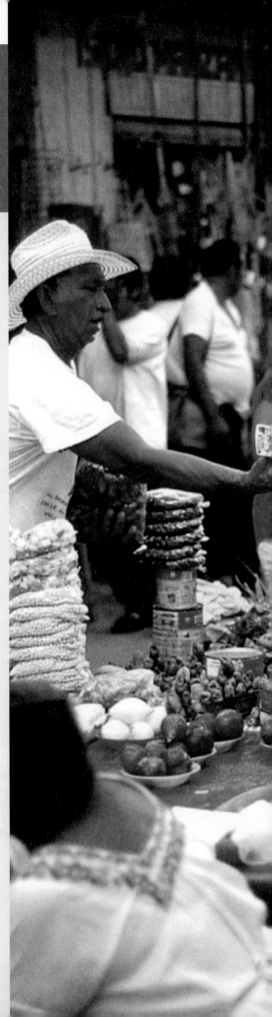

### CAPÍTULO 4

# ¡De visita en... México, D.F.!

## In this chapter, you will learn how to...

- describe art works and express preferences.
- describe what people are wearing.
- make comparisons and discuss prices.
- shop in the clothing section of a department store.
- discuss what you and others did.

*Busca* Zona Rosa México *en Google*™ *Images para ver más fotos de las elegantes tiendas de categoría de la zona.*

*Busca* Chichén Itzá *en Google*™ *Images para ver fascinantes fotos de esta ciudad maya del siglo IV antes de Cristo.*

*Busca* mercados México *en Google*™ *Images para ver otras fotos interesantísimas de los mercados mexicanos.*

# ¡Las fotos hablan!

**A. De visita.** Durante mi visita a México quiero...

☐ subir las pirámides.

☐ ir de compras a un mercado al aire libre.

☐ ir al Museo Nacional de Antropología.

☐ visitar el Zócalo.

☐ ir de compras a la Zona Rosa.

☐ ver el calendario azteca.

**B. ¿La Zona Rosa o un mercado al aire libre?** Para comprar..., ¿prefieres ir a la Zona Rosa o a un mercado al aire libre?

☐ una blusa

☐ un agua de limón

☐ un suéter

☐ jeans

☐ botas

☐ un sombrero

☐ libros usados

☐ una corbata

☐ un café expreso

# La magia de...
# México, D.F.

## ¿Eres buen observador?

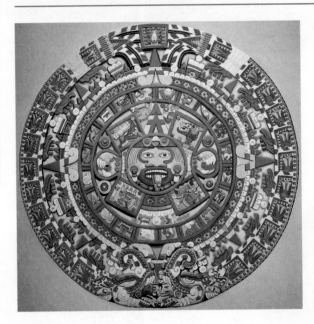

LA ROCA: monolito volcánico
DIÁMETRO: 3.60 metros (12 pies)
PESO: 25 toneladas
FECHA DE CREACIÓN: 1479
REDESCUBIERTO EN: 1790
APORTACIÓN CIENTÍFICA: La Piedra del Sol comúnmente se conoce como el «Calendario Azteca». Es un libro pictográfico que relata la cosmovisión del mundo nahua.

## Ahora, ¡a analizar!

**A. La Piedra del Sol.** Esta réplica de la Piedra del Sol, también conocida como Calendario Azteca, muestra los colores auténticos del calendario azteca. ¿Cuántos de estos colores aparecen en el calendario?

☐ azul   ☐ verde   ☐ blanco   ☐ anaranjado   ☐ gris

☐ rojo   ☐ rosado   ☐ negro   ☐ amarillo   ☐ crema

**B. Iconos aztecas.** Calcula los días e identifica los distintos iconos aztecas representados en el calendario azteca.

1. El calendario azteca tiene dieciocho meses de veinte días cada uno más cinco días religiosos al final de cada año. A cada mes se le da un nombre propio. ¿Cuántos días hay en el año azteca?
2. Los veinte días de un mes aparecen en el calendario en un círculo con veinte símbolos distintos. Encuéntralos.
3. Identifica a las dos personas que salen de la boca de dos serpientes. Se llaman los Cuates *(twins)* y representan el día y la noche.
4. ¿Dónde crees que está el símbolo del sol que representa el centro del universo azteca y al que llaman Tonatiuh?

# ¿Qué se dice...? 🎧

## Al describir obras de arte y expresar preferencias

En este retrato de Frida Kahlo vemos a la artista y a su esposo Diego Rivera. Como pueden ver, la camisa azul de Diego contrasta bien con su traje y pantalón grises, y el rebozo rojo de Frida contrasta con su vestido verde. ¡Qué elegantes están! Él con ese traje oscuro y ella con ese vestido largo.

⬆ **Google™ Images** BUSCA:
Diego Rivera y Frida Kahlo

En este cuadro de Frida Kahlo, titulado *Las dos Fridas*, el cielo oscuro y gris contrasta bien con la blusa blanca de una Frida y la blusa azul y amarilla de la otra Frida. La falda blanca y roja también contrasta con el marrón claro de la otra falda. No obstante, lo más llamativo son los corazones, rojos, rosados y palpitantes, que conectan a las dos Fridas.

⬆ **Google™ Images** y **YouTube™**
BUSCA: Frida Kahlo

Este cuadro de Diego Rivera se titula *Dos mujeres y un niño*. Las figuras de esas dos mujeres representan a dos mujeres indígenas. Una lleva un vestido rosado, la otra una blusa blanca y una falda azul claro. La figura de las dos mujeres es tan impresionante que el niño casi desaparece en el cuadro.

⬆ **Google™ Images** y **YouTube™**
BUSCA: Diego Rivera

Indica lo que las personas en los tres cuadros llevan.

____ 1. Diego Rivera
____ 2. Frida Kahlo
____ 3. una de las dos Fridas
____ 4. la otra de las dos Fridas
____ 5. una señora
____ 6. la otra señora
____ 7. el niño

a. una falda azul claro
b. un vestido rosado
c. una camiseta azul
d. una falda blanca y roja
e. un traje gris
f. una blusa azul y amarilla
g. un vestido verde

## ¿Sabías que...?

La Ciudad de México es la ciudad capital más antigua de las Américas. Originalmente fue fundada en el año 1325 como Tenochtitlan, ciudad capital de los aztecas. En las ruinas de esa gran ciudad, los españoles empezaron la construcción de la ciudad moderna en 1521. Hoy día, la población del Distrito Federal es de más de diez millones, veinte millones si se incluyen los alrededores, haciéndola la segunda ciudad capital más grande del mundo.

**En tu opinión:** ¿Por qué crees que los españoles construyeron la moderna Ciudad de México en las ruinas de Tenochtitlan? ¿Qué motiva a tanta gente a vivir en zonas urbanas tan congestionadas como la Ciudad de México, Nueva York o Tokio? En tu opinión, ¿qué ventajas y desventajas tiene el vivir en una de las ciudades más grandes del mundo?

## Ahora, ¡a hablar!

EP 4.1

**A. Retratos.** Según *¿Qué se dice...?*, indica a qué cuadro, *Frida y Diego Rivera* (**FD**), *Las dos Fridas* (**DF**) o *Dos mujeres y un niño* (**DM**), corresponden estas oraciones.

| FD | DF | DM | |
|----|----|----|----|
| ☐ | ☐ | ☐ | 1. La falda de esa mujer es clara. |
| ☐ | ☐ | ☐ | 2. Ese traje gris contrasta bien con esa camisa azul. |
| ☐ | ☐ | ☐ | 3. Esos corazones son rojos y palpitantes. |
| ☐ | ☐ | ☐ | 4. Este cuadro no es un autorretrato. |
| ☐ | ☐ | ☐ | 5. Ese rebozo rojo es muy elegante. |
| ☐ | ☐ | ☐ | 6. El niño no es el centro de este cuadro. |
| ☐ | ☐ | ☐ | 7. Esta blusa es azul y amarilla. |
| ☐ | ☐ | ☐ | 8. Ese vestido verde contrasta muy bien con el rebozo. |

EP 4.1

**B. ¿De quién son...?** Cada estudiante va a poner un objeto personal (un libro, un lápiz, una calculadora, un iPod, un bolígrafo, etcétera) en la mesa de su profesor(a). Luego su profesor(a) va a pedir a voluntarios que pasen al frente de la clase y pregunten de quién es cada objeto. Cualquier *(Any)* persona en la clase o el (la) dueño(a) de los objetos puede reclamarlos.

MODELO      —¿De quién es este bolígrafo?    —¿De quiénes son estos libros?
                   —Ese bolígrafo es de Dolores. o    —Esos libros son de ... y ... o
                   —Ese es mi bolígrafo.            —Esos son nuestros libros.

EP 4.2

**C. Dos familias... ¡imposibles!** Estás en México, D.F., con tu familia. Hoy tu familia y una familia italiana van a visitar la ciudad juntas con un guía. El guía quiere saber qué prefieren hacer. Di lo que tú y los miembros de tu familia quieren hacer y tu compañero(a) va a decir lo que los miembros de su familia prefieren.

MODELO      yo / querer ver
                   **Yo quiero ver la Piedra del Sol.**

Piedra del Sol

el Zócalo y la Catedral

Museo Nacional de Antropología

Palacio de Bellas Artes

Bosque de Chapultepec

Casa de los Azulejos

**Tu familia**

1. nosotros / querer ver
2. mis hermanas / preferir ir de compras
3. mi familia / pensar visitar
4. mi padre / preferir comer

**Familia italiana**

5. mi esposa y yo / preferir pasar la tarde
6. mi padre / querer visitar
7. mi esposa / entender que todos poder escuchar música
8. yo / preferir visitar

**D. Su familia en México.** Esta es una foto de la familia de tu compañero(a) en México. Pregúntale a tu compañero(a) quiénes son las distintas personas.

EP 4.1

MODELO     TÚ: **¿Quién es esa señora de blusa blanca y falda anaranjada?**
COMPAÑERO(A): **Esta señora es mi madre.**

## Y ahora, ¿por qué no conversamos?

**E. Encuesta.** Pregúntales a tus compañeros de clase si hacen las cosas indicadas en este cuadro. Si contestan afirmativamente, pídeles que firmen el cuadrado apropiado. Recuerda que no se permite que la misma persona firme más de un cuadrado.

MODELO          ¿Entiendes dos idiomas?

| | | | |
|---|---|---|---|
| entender dos idiomas<br>*Firma:*_____ | querer visitar Latinoamérica<br>*Firma:*_____ | querer ir a otra universidad<br>*Firma:*_____ | encontrar el español fácil<br>*Firma:*_____ |
| preferir llevar ropa elegante<br><br>*Firma:*_____ | pensar ir a México este verano<br><br>*Firma:*_____ | poder hablar tres idiomas<br><br>*Firma:*_____ | querer visitar el Museo de Antropología<br>*Firma:*_____ |
| volver a casa tres veces al día<br><br>*Firma:*_____ | dormir en una clase<br><br>*Firma:*_____ | entender español muy bien<br><br>*Firma:*_____ | empezar las clases a las ocho de la mañana<br>*Firma:*_____ |
| encontrar el español difícil<br>*Firma:*_____ | tener cuatro clases en un día<br>*Firma:*_____ | almorzar a las 11:30 todos los días<br>*Firma:*_____ | querer ir a bailar esta noche<br>*Firma:*_____ |

**F. ¡Luces! ¡Cámara! ¡Acción!** Tú y tu mejor amigo(a) están en el aeropuerto. Para pasar el tiempo, decides seleccionar en secreto a una persona en el aeropuerto y describir **en detalle** lo que lleva: blusa, falda, pantalones, zapatos... para ver si tu amigo(a) puede identificar a la persona que describes. Dramatiza la situación con un(a) compañero(a). Describe a personas en la clase para ver si tu compañero(a) puede identificar a quién describes. Tomen varios turnos describiendo a diferentes personas. Pueden usar el verbo **llevar** y el vocabulario del Paso 1 de la página 152.

**G. ¡Nuestra comunidad!** En tu universidad o comunidad, entrevista al menos a dos personas de origen mexicano, y pregúntales sobre su vida en los Estados Unidos, sobre las cosas que les gustan y las que no les gustan de la vida en este país. Hagan una lista de cosas y luego, con su clase, traten de encontrar las cosas que tienen en común las distintas personas a las que entrevistaron.

## Un paso atrás, dos adelante

### Capítulo 3

**Repasemos.** En el Capítulo 3 aprendiste a describir lo que ocurre en una fiesta, a hablar con desconocidos, a mantener una conversación y a describir a alguien que te gusta de verdad. Con tu compañero(a) repasa lo que saben, completando el siguiente texto.

**Hablando en una fiesta**

Tú: Hola, yo me llamo _____. ¿Y _____[pronombre personal]?

SARA: Me llamo Sara. Encantada.

Tú: Encantado(a), Sara. [**Ser/Estar**] _____ una fiesta aburrida ¿no?

SARA: A mí _____ [**gustar**] la música. Las tapas también _____ [**ser/estar**] bien, ¿no?

Tú: La música sí _____[**ser/estar**] bien, y las tapas. Pero la gente está aburrida.

SARA: No, hay algunos que están _____ [**bailar**] salsa en el patio. Otros están _____ [**hablar**] de cosas interesantes en la sala.

Tú: Y a ti, ¿ _____ [**gustar**] bailar?

SARA: Sí, pero _____ [presente progresivo: **esperar**] el merengue. La salsa no _____ [**gustar**] mucho.

# Saber comprender  CD2, Track 5

## Estrategias para escuchar: identificar cognados

*In Chapter 1 you learned that identifying cognates when reading helps you understand better what you read. Recognizing cognates can also help you understand when listening. However, even cognates that are spelled similarly in Spanish and English are frequently not pronounced the same. This is often because accentuation (the emphasis or stress) in Spanish is different from that of English. For example, the word "total" in English is stressed on the first syllable (TO-tal) while in Spanish it is stressed on the last syllable (to-TAL).*

**Identificar cognados.** Now listen as your instructor reads the list of cognates below. Note how they are pronounced in Spanish, and draw a circle around the stressed syllable. Then go back and write the English equivalent and underline the syllable that is stressed in the English word. Note how both the spelling and pronunciation may vary.

| Spanish | English | Spanish | English |
|---|---|---|---|
| na-cio-nal | _____ | ar-qui-tec-to | _____ |
| co-lec-ción | _____ | cir-cu-la-ción | _____ |
| an-tro-po-lo-gí-a | _____ | con-tem-po-rá-ne-o | _____ |

▶ **YouTube**™ BUSCA: Museo Nacional de Antropología México

## Ahora, ¡a escuchar!

Listen now to a guide in a tour bus talking about the **Museo Nacional de Antropología** as the bus arrives at the museum. As you listen, check all the facts and places that you hear being mentioned by the guide.

- ☐ año de construcción
- ☐ nombre del arquitecto
- ☐ libros de guía
- ☐ salida del museo
- ☐ patio central
- ☐ restaurante del museo
- ☐ arte sudamericano
- ☐ edificio contemporáneo
- ☐ Bosque de Chapultepec
- ☐ enorme colección
- ☐ fuente *(fountain)*
- ☐ salas precolombinas

# El Zócalo: centro de la ciudad por más de 500 años

La Ciudad de México, con su población de más de veinte millones de habitantes, es ahora la segunda ciudad más grande del mundo. Como los otros grandes centros urbanos (Tokio, Londres, Buenos Aires, Nueva York, Moscú y Shanghai), la Ciudad de México ofrece de todo: hoteles elegantes, excelentes museos, cines y teatros innovadores, una tremenda variedad de restaurantes, centros de estudio, establecimientos industriales, tráfico y... contaminación.

Google™ **Images** y **YouTube**™
BUSCA: Ciudad de México

Google™ **Images** y **YouTube**™ BUSCA: el Zócalo México

En el centro de la ciudad está el Zócalo, una grande e impresionante plaza cuadrada con la bandera de México en el centro. Todos los edificios que rodean esta plaza están en contacto con la rica historia mexicana: la catedral y los edificios de gobierno de los tiempos coloniales de la Nueva España como también las ruinas del Templo Mayor, un centro religioso azteca de Tenochtitlan descubierto el 28 de febrero de 1978.

Antes de llegar los españoles en el siglo XV (quince), Tenochtitlan ya era una gran ciudad muy poblada y el Zócalo, que se remonta a 1390, cuando se empezó a construir el Templo Mayor, era su centro ceremonial rodeado de pirámides, templos y palacios. Los españoles destruyeron las construcciones aztecas y en el mismo sitio construyeron su catedral y edificios de gobierno. Después de varias transformaciones, el Zócalo es ahora una plaza abierta que permite una vista directa de la Catedral Metropolitana, del Palacio Presidencial y de varios edificios coloniales. Es también el sitio de festivales, reuniones políticas y manifestaciones.

Google™ **Images** y **YouTube**™ BUSCA: Catedral Metropolitana

## Las grandes civilizaciones mesoamericanas

Años de existencia

- Olmecas
- Mayas
- Teotihuacanas
- Zapotecas
- Totonacas
- Toltecas
- Mixtecas
- Aztecas

 GoogleTM Images y YouTubeTM BUSCA: Mesoamérica

| olmecas | 1200 a.C. — 600 a.C. |
| mayas | 250 a.C — 1000 d.C. |
| teotihuacanas | 150 a.C. — 750 d.C. |
| zapotecas | 400 d.C. — 800 d.C. |
| totonacas | 500 d.C. — 1521 d.C. |
| toltecas | 900 d.C. — 1200 d.C. |
| mixtecas | 1200 d.C. — 1525 d.C. |
| aztecas | 1350 d.C. — 1521 d.C. |

## Y ahora, dime...

**Contrastes.** Compara el Zócalo de la Ciudad de México con el centro ceremonial de Tenochtitlan en tiempos de los aztecas.

Cd. de México
1.
2.
3.

Cd. de México y Tenochtitlan
1.
2.
3.

Tenochtitlan
1.
2.
3.

⊿ **Por el ciberespacio... a México**
Keywords to search:
 *Tenochtitlan*
 *Templo Mayor de México*
 *Historia Ciudad de México*
To learn more about **México**, go to the **¡Dímelo tú!** website at academic. cengage.com/spanish/dimelotu.

# ¡De compras en el... D.F.!

## ¿Eres buen observador?

**TAREA**

Antes de empezar este *Paso*, estudia la lista de vocabulario de las páginas 152–153 y escucha el corte 9 de tu Text Audio CD2. Luego estudia *En preparación*.

1er día    4.3 Numbers above 200, páginas 157–159

2do día    4.4 Comparisons of equality and inequality, páginas 159–160

Haz por escrito los ejercicios de *¡A practicar!* correspondientes.

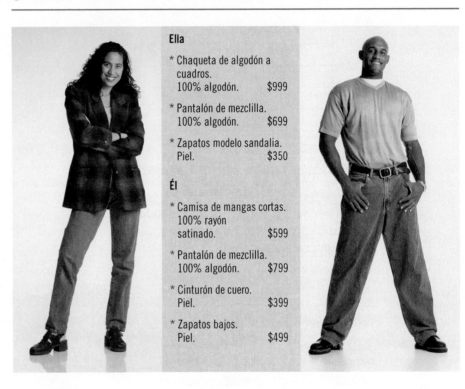

**Ella**

* Chaqueta de algodón a cuadros.
  100% algodón.          $999

* Pantalón de mezclilla.
  100% algodón.          $699

* Zapatos modelo sandalia.
  Piel.                  $350

**Él**

* Camisa de mangas cortas.
  100% rayón
  satinado.              $599

* Pantalón de mezclilla.
  100% algodón.          $799

* Cinturón de cuero.
  Piel.                  $399

* Zapatos bajos.
  Piel.                  $499

## Ahora, ¡a analizar!

1. ¿Qué lleva él? ¿Qué lleva ella?

   ☐ camisa de mangas cortas          ☐ zapatos bajos
   ☐ pantalón de mezclilla            ☐ zapatos modelo sandalia
   ☐ chaqueta de algodón              ☐ cinturón de cuero

2. ¿Cuánto cuesta la chaqueta? ¿El cinturón? ¿Los pantalones de él?

   ☐ novecientos noventa y nueve pesos*     ☐ doscientos setenta y nueve pesos
   ☐ seiscientos noventa y nueve pesos      ☐ trescientos noventa y nueve pesos

*At the time this ad came out, one dollar was equal to ten Mexican pesos. Therefore to get the dollar value of $999 pesos, divide by 10 and get $99.90.

# ¿Qué se dice...?  CD2, Track 6

## Al hablar de precios y hacer comparaciones

En México el precio de muchos productos varía según la ciudad o la región. Por ejemplo, el estado de Guanajuato es muy famoso por su industria del calzado donde se utilizan pieles de muy buena calidad para hacer zapatos tanto de hombre como de mujer. León, Guanajuato, ocupa el cuarto lugar a nivel mundial en la producción de calzado de piel. Los precios de los productos de la piel en esta región (bolsos, zapatos, chamarras, etcétera) son más baratos que en otras ciudades del país.

En Taxco, el precio de los objetos hechos de plata (pendientes o aretes, pulseras, collares) es más bajo que en otras partes del país, y son mucho más baratos que en los Estados Unidos, por ejemplo. Las joyas, además, son preciosas.

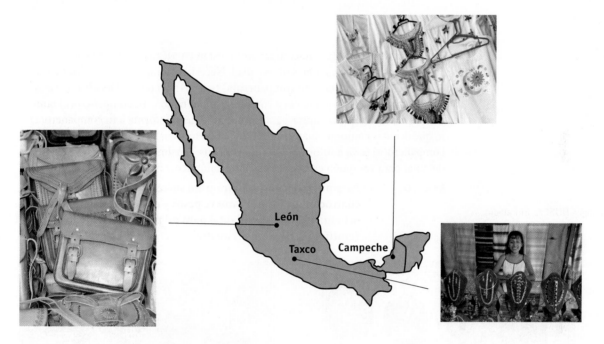

Y en el estado de Campeche, en la península de Yucatán, se pueden comprar textiles bordados a un mejor precio y de una mejor calidad que en otras partes del país. Las blusas bordadas, los rebozos, las faldas o sayas, son muy elegantes y vistosas. Y para comprarlas debemos emplear un tiempo menor que en otras partes del país, porque es posible encontrar unas auténticas bellezas en casi todos los municipios de Campeche.

**Google™ Images** BUSCA: exportaciones mexicanas

Indica dónde en México se pueden comprar estos objetos a mejor precio.

___ 1. zapatos
___ 2. pulseras de plata
___ 3. chamarras de piel
___ 4. blusas bordadas      a. Taxco
___ 5. aretes de plata      b. Campeche
___ 6. faldas bordadas      c. León, Guanajuato
___ 7. bolsos de piel
___ 8. pendientes
___ 9. collares

Cuando los españoles llegan a las Américas, una de las primeras cosas que descubren, probablemente de más valor que todo el oro que sacan de la región, es la gran variedad de frutas y vegetales desconocidos en Europa. En México encuentran el maíz, los frijoles, el aguacate, el tomate, las calabazas, el chayote y muchas más. Imagínate a los exploradores españoles comiendo por primera vez deliciosas frutas como las chirimoyas, mameyes, guanábanas, tunas, guayabas y jícamas. La cocina europea sin duda cambia totalmente con esta fantástica contribución.

**En tu opinión:** ¿Por qué dicen que la cocina europea cambia totalmente? ¿Puedes pensar en algunos ejemplos? ¿Qué efecto tienen estas frutas y vegetales en la cocina estadounidense?

## Ahora, ¡a hablar!

EP 4.3

**A. El Palacio de Hierro.** Tú y tu compañero(a) están en México en El Palacio de Hierro durante las vacaciones de Navidad. Necesitan comprar regalos. Tú tienes $3.000 pesos para gastar y tu compañero(a) tiene $1.500 pesos. Decide qué vas a comprar para tu papá y qué vas a comprar para tu mamá. Tu compañero(a) también va a decidir qué comprar para sus padres. Luego informa a tu compañero(a) lo que decides comprar, cuánto cuesta cada objeto y cuál es el total. Tu compañero(a) te va a informar a ti de sus gastos. Finalmente informen a la clase del total para ver quién en la clase es más económico y quién es más gastador.

**MODELO** **Para mi padre voy a comprar un suéter de hombre por cuatrocientos treinta y nueve pesos y una corbata por ciento ochenta y dos pesos. El total para mi padre es seiscientos veintiún pesos. Para mi madre...**

🔍 Google™ Images BUSCA: El Palacio de Hierro

EP 4.4

**B. Yo soy...** Escribe una descripción de ti mismo(a) *(of yourself)*, comparándote con tres compañeros(as) de clase. Tu compañero(a) también va a escribir una descripción comparándose con tres compañeros(as) de clase. Cuando terminen, léele tu descripción a tu compañero(a) y escucha a tu compañero(a) leer su descripción. Indica si estás de acuerdo *(agree)* o no con su descripción y explica por qué. Finalmente, muéstrenle *(show)* sus descripciones a las personas con quienes se compararon *(you compared yourselves to)*.

**MODELO** **Soy tan inteligente y trabajador como la profesora, pero no soy tan elegante como ella.**

**Posibles categorías de comparación**

| | | | |
|---|---|---|---|
| alto | interesante | perezoso | tímido |
| atlético | listo | serio | trabajador |
| elegante | motivado | simpático | ¿...? |

**C. Comparaciones.** Tú y tu compañero(a) están comparando los precios del Palacio de Hierro con los de una tienda de ropa de mujer muy popular, Liverpool. ¿Cómo son los precios? Túrnense para hacer las comparaciones. Finalmente, decidan qué van a comprar para sí mismos (*yourselves*) y calculen el total para ver cuál de los dos es más económico.

EP 4.4

Google™ Images BUSCA: Liverpool México

MODELO    **Las botas en Liverpool son tan caras como en El Palacio de Hierro.** o **Las botas en Liverpool son más caras que en El Palacio de Hierro.** o **Las botas en Liverpool son menos caras que en El Palacio de Hierro.**

|  | Liverpool | Palacio de Hierro |
|---|---|---|
| 1. impermeable | $1.099 | $1.059 |
| 2. suéteres | $475 | $389 |
| 3. pantalones | $427 | $466 |
| 4. faldas | $289 | $289 |
| 5. blusas | $455 | $454 |
| 6. aretes, pulsera y collar de plata | $1.569 | $1.569 |

**D. A la moda.** Xochitl y Diego están de compras por la Zona Rosa, en México, D.F. Selecciona uno de los tres intercambios y con tu compañero(a), escribe el diálogo que tiene lugar. Mencionen los colores y la tela o el material de las varias prendas de ropa que están considerando comprar. Finalmente, en grupos de cuatro o seis, dramaticen sus diálogos.

EP 4.3, 4.4

a.

b.

c.

## Y ahora, ¿por qué no conversamos?

**E. En el escaparate.** Tú estás de compras en la Ciudad de México y quieres comprar todas las prendas de esta lista. Por desgracia, muchas prendas no tienen etiqueta (*price tag*). Pregúntale a tu compañero(a) los precios que quieres saber y dale los precios que él o ella necesita basándote en este dibujo. El escaparate de tu compañero(a) está en el Apéndice A. No se permite mirar el escaparate de tu compañero(a) hasta terminar esta actividad.

**Tú quieres comprar:**

1. una blusa para tu mamá
2. una corbata para tu papá
3. zapatos para ti
4. una camisa para tu hermano
5. un sombrero para tu hermana

**F. ¡Luces! ¡Cámara! ¡Acción!** El Día de las Madres es dentro de una semana y tú tienes que comprar un regalo para tu madre. Vas al almacén y hablas con el (la) dependiente(a) de la sección de ropa de señoras. El (La) dependiente(a) te recomienda varias prendas de ropa de diferentes colores y precios. Tú preguntas acerca de los precios, distintos colores y telas y haces comparaciones para decidir qué comprar. Dramatiza la situación con un(a) compañero(a).

# ¡Escríbelo!

## Estrategias para escribir: palabras y frases clave

*When writing advertisements, it is necessary to have a list of key words and phrases (**palabras y frases clave**) that must be worked into the advertisement. These key words or phrases usually contain the essence of the message to be conveyed.*

**Palabras y frases clave.** Esta es la lista de palabras clave que los autores hicieron antes de preparar el anuncio de la página 138 para **Ella** y **Él**. ¿Usaron todas las palabras clave en el anuncio? Si no, ¿cuáles no usaron?

| | | | |
|---|---|---|---|
| pantalón | camiseta | mezclilla | mangas cortas/largas |
| sandalias | blusa | algodón | rayón |
| cinturón | chaqueta | cuero | seda |

## Ahora, ¡a escribir!

**A. En preparación.** Imagina que trabajas en una compañía de promociones y que necesitas preparar un anuncio para una tienda de ropa muy famosa en México. Prepara una lista de palabras clave que crees que vas a usar en tu anuncio. Tal vez quieras agrupar las palabras en tu lista en dos categorías: ropa para hombres y ropa para mujeres.

**B. El primer borrador.** Usando tu lista de palabras relacionadas con ropa y frases clave, diseña el primer borrador de tu anuncio para la tienda en México que vas a promocionar.

**C. Ahora, a compartir.** Comparte tu primer borrador con dos o tres compañeros(as). Comenta la manera en que se promueve el producto de tus compañeros y el estilo del anuncio. Escucha los comentarios y sugerencias *(suggestions)* que tus compañeros hacen sobre tu anuncio. Si hay errores de ortografía o gramática, menciónalos.

**D. La versión final.** Si necesitas hacer cambios basados en los comentarios de tus compañeros(as), hazlos ahora. Si quieres, puedes usar colores, fotos y dibujos para hacer tu anuncio más atractivo.

# Ayer fuimos al... ¡D.F.!

## ¿Eres buen observador?

**TAREA**

Antes de empezar este *Paso*, estudia la lista de vocabulario de la página 153 y escucha el corte 10 de tu Text Audio CD2. Luego estudia *En preparación*.

1er día   4.5 Idioms with **tener,** páginas 161–162

2do día   4.6 Preterite of **ir, ser, poder,** and **tener,** páginas 162–163

Haz por escrito los ejercicios de *¡A practicar!* correspondientes.

## Ahora, ¡a analizar!

1. Si tu amigo(a) y tú tienen mucha hambre y prisa, ¿qué opciones les ofrece México, D.F.?
2. Si tú y tu amigo(a) tienen ganas de comer comida mexicana de origen precolombino, ¿adónde pueden ir?
3. Si tienen ganas de pizza, ¿qué zona de la ciudad les conviene visitar?
4. Si no tienen mucho dinero, o no quieren comer en un lugar formal, ¿cuáles son sus opciones?

# ¿Qué se dice...?

## Al hablar de dónde fuimos de vacaciones

Los primeros días en México fueron fenomenales. El domingo fuimos a Teotihuacán, las ruinas de la ciudad precolombina más grande de las Américas. Fue una experiencia irrepetible. Allí pudimos subir a la Pirámide del Sol y disfrutar de unas vistas increíbles... y de una sed increíble. Tiene razón Miguel cuando opina que Teotihuacán es la ciudad en ruinas más hermosa de la tierra.

Al regresar a la ciudad, fuimos a almorzar a Tus Enchiladas Favoritas, un restaurante muy mexicano. Fue de lo más interesante porque allí pudimos seleccionar entre 200 distintas enchiladas. Como Miguel siempre tiene mucha hambre, creo que tuvo la oportunidad de probar al menos 190 tipos. Fue una experiencia única. Yo pude probar el agua de tamarindo. Fue una bebida muy refrescante.

El lunes fuimos al Bosque de Chapultepec, un enorme parque desde donde tuvimos unas vistas preciosas de la ciudad. Por la tarde visitamos el Museo Nacional de Antropología, con la colección de arte precolombino más grande del planeta.

El día siguiente fuimos a Coyoacán, un hermoso barrio a las afueras de la ciudad. Allí pudimos visitar la casa de Frida Kahlo que ahora es un museo. Fue muy interesante ver el auténtico diario de Frida ilustrado por ella misma. Tuvimos suerte porque fue el primer día abierto al público después de unos meses de restauración. Como yo siempre tengo frío por las tardes, tuvimos prisa por visitar el museo y regresar al hotel.

La casa de Frida Kahlo

Indica dónde ocurrió esto.

____ 1. Pudimos ver arte precolombino.
____ 2. Pudimos subir la Pirámide del Sol.
____ 3. Tuvimos preciosas vistas de la ciudad.
____ 4. Tuve mucha sed.
____ 5. Fuimos a un hermoso barrio.
____ 6. Vimos un diario auténtico.
____ 7. Tuvimos prisa.
____ 8. Fuimos a almorzar enchiladas.

a. casa de Frida Kahlo
b. Bosque de Chapultepec
c. Teotihuacán
d. Tus Enchiladas Favoritas
e. Museo Nacional de Antropología
f. Coyoacán

**Los grandes artistas mexicanos**

- José María Velasco (1840–1912))
- José Clemente Orozco (1883–1949)
- Diego Rivera (1886–1957)
- David Alfaro Siqueiros (1896–1974)
- Rufino Tamayo (1899–1991)
- María Izquierdo (1902–1955)
- Frida Kahlo (1907–1954)
- Rocío Heredia (n. 1963)
- Juan Soriano (1920–2006)
- José Luis Cuevas (n. 1934)

Google™ Images y YouTube™
BUSCA: Cualquier de estos artistas

## ¿Sabías que...?

La Guelaguetza es una de las fiestas más conocidas de México. Se celebra en Oaxaca las últimas dos semanas de julio. Es una versión moderna de la costumbre prehispánica de hacer la ofrenda a los dioses, especialmente a la diosa del maíz (Centeotl), para solicitar una cosecha (*harvest*) abundante. Hoy día, cada pueblo o región del estado de Oaxaca manda una delegación para hacer una petición pública del gobernador del estado. Pero antes de hacer su petición (que puede ser pedir la construcción de un puente, o una carretera, o un parque,...) los líderes del pueblo le ofrecen al gobernador una «guelaguetza» («regalo» en zapoteca) que siempre consiste en los mejores productos de la región. Luego algunos jóvenes presentan los bailes tradicionales de la región. Los bailadores siempre llevan los hermosos trajes tradicionales de las distintas regiones de Oaxaca. Miles de turistas, no solo de México sino de todo el mundo, asisten para disfrutar del colorido, la música y esta rica tradición mexicana de gran sabor indígena.

**En tu opinión:** ¿Por qué crees que en México existen esta y otras muchas tradiciones claramente prehispánicas? ¿Existen estos tipos de fiestas en tu ciudad o región? ¿Por qué crees que sí los hay o no los hay?

## Ahora, ¡a hablar!

EP 4.5

**A.** **¿Cuándo?** ¿Cuándo tomas estas bebidas o comes estas comidas en un café o restaurante?

MODELO       **Tomo agua cuando tengo sed.**

1. refresco bien frío          a. tener sed
2. café                        b. tener hambre
3. té caliente                 c. tener calor
4. leche                       d. tener frío
5. torta                       e. tener prisa
6. agua mineral                f. tener que tomar una aspirina
7. hamburguesa                 g. tener sueño

EP 4.5

**B.** **Sí, popular, pero...** Lo bueno es que el restaurante Mi Casa, Tu Casa es sumamente popular; lo malo es que todo el mundo tiene que esperar *(to wait)* y esperar y esperar. Para pasar el tiempo, mientras tú y tu amigo(a) esperan que el mesero les traiga *(bring you)* su comida, deciden tratar de adivinar lo que *(guess what)* cada persona de la familia sentada frente a ustedes va a pedir. Túrnense para expresar sus opiniones.

MODELO   Tú:   **El papá probablemente va a pedir una taza de café.**
Tu amigo(a):   **¿Por qué dices eso?**
         Tú:   **Porque parece que** *(it appears that)* **tiene mucho sueño.**

EP 4.6

**C.** **¡Qué día!** Hazle preguntas a tu compañero(a) para saber cómo fue el día de ayer *(yesterday)*. Luego prepárate para presentar un breve resumen oral de lo que te dijo *(what he told you)*.

MODELO       ir a la biblioteca
         Tú:   **¿Fuiste a la biblioteca?**
Compañero(a):   **Sí, fui a la biblioteca.** o
              **No, no fui a la biblioteca. Fui al cine.**

1. ir a un restaurante          5. poder hacer toda la tarea
2. tener un examen              6. ir al cine
3. poder hablar con tus padres  7. tener que trabajar mucho
4. ir a todas tus clases        8. poder estudiar mucho

**D. Un día memorable.** Ayer en el Bosque de Chapultepec todos tuvieron una experiencia distinta. Con tu compañero(a), expliquen qué experiencia tuvieron, cómo fue, qué pudieron hacer y adónde fueron después.

## Y ahora, ¿por qué no conversamos?

**E. Un fin de semana muy productivo.** ¿Cómo fue el fin de semana de tus compañeros de clase? Hazles preguntas para saberlo. Cada vez que respondan afirmativamente, pídeles que firmen en el cuadrado apropiado. Recuerda que no se permite que una persona firme más de un cuadrado.

MODELO      ir al gimnasio

TÚ:  **¿Fuiste al gimnasio durante el fin de semana?**

COMPAÑERO(A):  **No, no fui al gimnasio.** (No firma.) o

      **Sí, fui al gimnasio el sábado por la noche.** (Firma.)

| Ir al gimnasio | Tener que estudiar mucho | Tener ganas de bailar | Tener mucho sueño todo el fin de semana |
|---|---|---|---|
| _____ *Firma* | _____ *Firma* | _____ *Firma* | _____ *Firma* |
| Tener una fiesta en casa | Ir de compras para toda la semana | Ir a comprar ropa | Tener que limpiar su cuarto |
| _____ *Firma* | _____ *Firma* | _____ *Firma* | _____ *Firma* |
| Tener un fin de semana divertido | Tener un fin de semana productivo | Poder descansar mucho | Tener alguna experiencia interesante |
| _____ *Firma* | _____ *Firma* | _____ *Firma* | _____ *Firma* |
| Ser afortunado(a) | Tener un momento difícil | Ser paciente en su trabajo | Ir a un concierto o a un recital |
| _____ *Firma* | _____ *Firma* | _____ *Firma* | _____ *Firma* |

**F. ¡Luces! ¡Cámara! ¡Acción!** Tú y dos amigos(as) andan de compras en la Zona Rosa del D.F. Deciden entrar a un café porque tienen sed, calor y mucha hambre. Hablan un poco de su día (adónde fueron, qué compraron, qué pudieron o tuvieron que hacer) y cuando el mesero viene, cada uno pide algo de beber y de comer. En grupos de cuatro dramaticen la situación. El(La) cuarto(a) compañero(a) hace el papel de mesero(a).

## Saber comprender 📖

### Estrategias para ver y escuchar: reconocer cognados

*In the first **Paso** of this **Capítulo** you learned to recognize cognates by listening for changes in accentuation. But not all cognates are different. It is important to determine how cognates are pronounced in Spanish and compare them with the way they are pronounced in English. This helps in memorizing known cognates and recognizing new ones.*

**Para reconocer cognados.** Mira los siguientes cognados que se usan en la narración y nota cómo la sílaba en negrita *(boldface)* en cada palabra se pronuncia con más énfasis. Escribe el equivalente de estas palabras en inglés y nota cómo algunas palabras tienen el énfasis sobre la misma sílaba, mientras otras lo tienen sobre una sílaba diferente.

En la misma sílaba:

**cen**tro _____

ins**pi**ra _____

eco**nó**mico _____

di**ná**mica _____

En una sílaba diferente:

cultu**ral** _____

restau**ran**tes _____

socie**dad** _____

his**to**ria _____

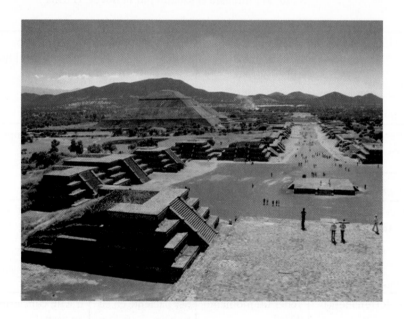

# México, ¡centro del mundo cultural!

## Al ver el video

**¿Comprendes lo que se dice?** Ahora mira el video. Escucha con cuidado la narración. Mientras escuchas escribe en español todos los cognados que reconoces y subraya *(underline)* la sílaba enfatizada. Fíjate *(Pay attention)* si hay variación entre el inglés y el español o no. Aquí aparecen los primeros tres cognados que vas a escuchar.

| Español | Inglés |
|---------|--------|
| _____ | valley |
| _____ | center |
| _____ | cultural |

## Después de ver el video

Marca todos los sitios que se mencionan en el video.

- ☐ el Valle de México
- ☐ la ciudad más grande del mundo
- ☐ las casas indígenas
- ☐ una ciudad cosmopolita
- ☐ el Valle del Sol
- ☐ el centro del mundo
- ☐ una ciudad interesantísima
- ☐ las ruinas de Tenochtitlan
- ☐ museos, mercados, teatros y restaurantes
- ☐ las ruinas de Teotihuacán
- ☐ los edificios modernos
- ☐ el valle de los aztecas

# El rincón de los lectores

## Estrategias para leer: ojo a la puntuación

*In the **A propósito...** of **Capítulo 1, Paso 1**, you learned that Spanish requires upside-down question and exclamation marks in order to make the reader aware when a question or exclamation begins. Think of these marks as a courtesy of the writer to the reader. In addition, commas, colons, semicolons, parentheses, and periods help us read smoothly and obtain the maximum comprehension of the reading. They act as traffic signs that warn us of curves and obstacles, of the need to speed up, slow down or stop, or simply to not change lanes, so that our reading produces a safe and fruitful journey. The following list describes the role of some of the main punctuation marks in Spanish.*

### Signos de puntuación

| | |
|---|---|
| Dash (—) **(guión largo)** | Used to indicate the beginning of a dialogue, much as quotation marks are used in English. |
| Colon (:) **(dos puntos)** | Used to introduce a word, a sentence, a phrase, a quotation, or a list. You should always pause after a colon when reading. |
| Comma (,) **(coma)** | Used primarily to indicate a short pause or to itemize. |
| Semicolon (;) **(punto y coma)** | Used to connect two ideas or sentences that are relatively close in content. It signals a pause, longer than a comma but shorter than a period. |
| Period (.) **(punto)** | Used as a stop sign to signal a much longer pause before starting with a new idea. |

**Ojo a la puntuación.** Con dos compañeros(as) de clase, preparen una lectura dramática de este fragmento. Uno(a) lee la parte de Tita, otro(a) la de Mamá Elena y el (la) tercero(a) la del narrador. Presten mucha atención a los signos de puntuación para saber cómo y cuándo pausar.

## La autora

**Laura Esquivel** (México D.F., 1950) estudió educación, teatro y creación dramática, especializándose en teatro infantil. Durante la década de los 80 escribió programas infantiles para la cadena cultural de la televisión mexicana y guiones cinematográficos. En 1987 su obra de teatro infantil *Viaje a la isla de Kolitas* obtuvo una acogida muy favorable, manteniéndose en cartel durante un año en la capital mexicana. En 1989 obtuvo un gran éxito con la novela *Como agua para chocolate*, que obtuvo en 1994 el Premio American Bookseller Book of the Year en los Estados Unidos.

## Lectura

*Como agua para chocolate* (1992) fue llevada a la pantalla por el director mexicano Alfonso Arau. Es la historia de Tita, una joven que es forzada por su madre a abandonar a su novio y aceptar que él se case con la hermana mayor de Tita. Esquivel toma el título de su novela de una típica expresión mexicana: «estar como agua para chocolate» que significa «estar furioso(a)».

*In the fragment that follows, Tita has just told her mother that her boyfriend wants to come talk to her. Her mother responds that if he is coming to ask for Tita's hand in marriage, he is wasting his time (because tradition dictates that Tita, the youngest daughter, remain single to care for her mother until her death).*

# Como agua para chocolate (fragmento)

## por Laura Esquivel

—¿Y de qué me tiene que venir a hablar ese señor?

Dijo Mamá Elena luego de un silencio interminable que encogió el alma de Tita. Con voz apenas perceptible respondió:

—Yo no sé.

Mamá Elena le lanzó una mirada que para Tita encerraba todos los años de represión que habían flotado sobre la familia y dijo:

—Pues más vale que le informes que si es para pedir tu mano, no lo haga. Perdería su tiempo y me haría perder el mío. Sabes muy bien que por ser la más chica de las mujeres a ti te corresponde cuidarme hasta el día de mi muerte.

## A ver si comprendiste

1. ¿Quién viene a hablar con Mamá Elena?
2. ¿De qué quiere hablar con ella?
3. ¿Por qué dice Mamá Elena que si viene perdería su tiempo?
4. En tu opinión, ¿es probable que todavía exista esta tradición en México? Explica.
5. ¿Hay tradiciones similares en otras culturas? ¿En los Estados Unidos? Explica. ¿Qué opinas tú de tradiciones culturales? ¿Cuándo crees que deben respetarse y cuándo no? Explica.

### La Pedida de Mano

Esta escena de *Como agua para chocolate* se refiere a otra costumbre todavía muy extendida en los países de tradición hispana. Según esta costumbre, el novio tiene el deber de hablar formalmente con los padres de la novia, y solicitarle «la mano» de su hija. Es un momento de nervios, sobre todo para el novio, y de expectación para la novia. Tan común es esta costumbre que en varios sitios de Internet se encuentran consejos sobre el proceso para novios.

Antes de leer esta guía para novios, responde con tu compañero(a) a las siguientes preguntas.

1. ¿Existe esta costumbre en tu cultura? Si así es, descríbela. Si no, ¿cómo se incluye a los padres de la novia?
2. Lee ahora los consejos que siguen. ¿Crees que son buenos consejos? ¿Por qué?
3. Imaginen que son novios «virtuales» y que van a solicitar la mano de alguien por e-mail. Con tu compañero(a) escriban un breve e-mail solicitando la mano de su novia(o).

**⚡ Por el ciberespacio... al cine mexicano**

Keywords to search:

*cine mexicano*
*Alfonso Cuarón*
*Alejandro González Iñárritu*
*Gael García Bernal*

To learn more about **cine mexicano,** go to the *¡Dímelo tú!* website at academic.cengage.com/spanish/dimelotu

---

### Ayuda... ¡para los novios!

En realidad el momento no tiene por qué generar tensión. A continuación algunos consejos:

- Evita la improvisación, ensaya frente al espejo.
- Es importante hablar naturalmente. No escribas en un papel lo que vas a decir.
- No hables mucho. Sé breve: di que te quieres casar en la primera o segunda oración y explica, brevemente, por qué.
- Tú no eres el único nevioso. Probablemente el padre de tu novia va a estar tan o más nervioso que tú.
- Es preferible hablar sentado— ayuda calmar los nervios.
- Habla con respeto, directamente con el padre de tu novia.
- En la forma clásica de Pedida de Mano, el novio debe decir al padre que quiere su consentimiento para casarse con su hija.
- En los tiempos modernos con frecuencia solo se informa que los novios han decidido casarse y que quieren compartir su decisión con sus padres.
- Es importante mantener cierta dignidad. No digas bromas.
- Cuando termines de hablar, espera que el padre de tu novia exprese su consentimiento.
- Cierra la Pedida de Mano con un brindis de champán.

Finalmente, recuerda que no hay palabras mal dichas cuando se dicen con el corazón.

---

# Vocabulario

## Paso 1  CD2, Track 8

### Colores
| | |
|---|---|
| amarillo(a) | yellow |
| anaranjado(a) | orange |
| azul | blue |
| beige | beige |
| blanco(a) | white |
| claro(a) | light |
| color crema | light brown |
| gris | gray |
| negro(a) | black |
| oscuro(a) | dark |
| rojo(a) | red |
| rosado | pink |
| verde | green |

### Ropa
| | |
|---|---|
| blusa | blouse |
| camisa | shirt |
| camiseta | T-shirt |
| falda | skirt |
| rebozo | Mexican shawl |
| traje *(m.)* | suit |
| vestido | dress |

### Personas
| | |
|---|---|
| esposo(a) | husband/wife |
| hombre *(m.)* | man |
| muchacho(a) | boy/girl |
| mujer *(f.)* | woman |

### Cultura
| | |
|---|---|
| autorretrato | self-portrait |
| catedral *(f.)* | cathedral |
| Calendario Azteca *(m.)* | Aztec Calendar |
| corazón *(m.)* | heart |
| cuadro | painting |
| guía *(m. f.)* | guide |
| mercado | market |
| museo | museum |
| palacio | palace |
| parque *(m.)* | park |
| plaza | plaza, town square |
| retrato | portrait |

### Transporte
| | |
|---|---|
| auto | car |
| autobús *(m.)* | bus |
| bicicleta | bicycle |
| estacionamiento | parking |

### Descripción
| | |
|---|---|
| caro(a) | expensive |
| cómodo(a) | comfortable |
| moderno(a) | modern |
| original | original |
| palpitante | palpitating, throbbing |
| terrible | terrible |

### Demostrativos
| | |
|---|---|
| aquel (aquella) | that over there |
| aquellos(as) | those over there |
| ese(a) | that |
| eso (neuter) | that |
| esos(as) | those |
| este(a) | this |
| esto (neuter) | this |
| estos(as) | these |

### Actividades y verbos
| | |
|---|---|
| almorzar (ue) | to eat lunch |
| cerrar (ie) | to close |
| contar (ue) | to count |
| contrastar | to contrast |
| desaparecer | to disappear |
| dormir (ue) | to sleep |
| empezar (ie) | to begin |
| encontrar (ue) | to find |
| entender (ie) | to understand |
| ir de compras | to go shopping |
| pensar (ie) | to think |
| perder (ie) | to lose |
| poder (ue) | to be able, can |
| preferir (ie) | to prefer |
| querer (ie) | to want |
| volar (ue) | to fly |
| volver (ue) | to return |

### Palabras útiles
| | |
|---|---|
| administración *(f.)* | administration |
| constantemente | constantly |
| todo(a) | everything |
| todos los días | every day |
| vez *(f.)* [*pl.* veces] | time, instance |

## Paso 2  CD2, Track 9

### Almacén
| | |
|---|---|
| almacén *(m.)* | department store |
| escaparate *(m.)* | display window |
| gastar | to spend |
| prenda | garment, article (of clothing) |

| | |
|---|---|
| precio | price |
| regalo | gift |

### Ropa
| | |
|---|---|
| botas *(f. pl.)* | boots |
| botón (botones) *(m.)* | button(s) |
| chaleco | vest |
| chamarra | jacket |
| corbata | necktie |
| impermeable *(m.)* | raincoat |
| jeans *(m. pl.)* | jeans |
| pantalones *(m. pl.)* | pants, trousers |
| pijamas *(m. pl.)* | pajamas |
| sombrero | hat |
| suéter *(m.)* | sweater |
| zapato | shoe |

### Telas
| | |
|---|---|
| algodón *(m.)* | cotton |
| lana | wool |
| mezclilla | denim |
| piel *(f.)* | leather |
| rayón *(m.)* | rayon |
| seda | silk |

### Joyas
| | |
|---|---|
| aretes *(m. pl.)* | earrings |
| collar *(m.)* | necklace |
| pendientes *(m. pl.)* | earrings |
| plata | silver |
| pulsera | bracelet |

### Gastos escolares *(School expenses)*
| | |
|---|---|
| acceso a Internet | Internet access |
| alquiler *(m.)* | rent |
| diversión *(f.)* | entertainment |
| matrícula | registration |
| préstamo | loan |
| televisión por cable | cable TV |

### Descripción
| | |
|---|---|
| abundante | abundant |
| agresivo(a) | aggressive |
| barato(a) | cheap, inexpensive |
| bonito(a) | pretty |
| bordado(a) | embroidered |
| flaco(a) | skinny |
| indígena | indigenous, native |
| metálico(a) | metallic |
| motivado(a) | motivated |

| numeroso(a) | numerous |
|---|---|
| rápido(a) | rapid, fast |
| sabroso(a) | savory, delicious |
| típico(a) | typical |
| tormentoso(a) | stormy, turbulent |

### Comparaciones
| mayor | older |
|---|---|
| menor | younger |
| mejor | better |
| peor | worse |
| tan... como | as ... as |

### Números mayores a 200
Véase la página 157.

## Paso 3 CD2, Track 10

### Bebidas y comidas
| agua mineral (f.) | mineral water |
|---|---|
| bebida | drink |
| caliente | hot |
| chocolate (m.) | chocolate |
| hamburguesa | hamburger |
| taza | cup |
| té (m.) | tea |
| torta | sandwich (Mexico); cake (South America) |

### Turista
| auténtico(a) | authentic |
|---|---|
| barrio | neighborhood |
| crucero | cruise |
| diario | diary |
| experiencia | experience |
| extraordinario(a) | extraordinary, uncommon |
| fotografía | photograph |
| lugar (m.) | place |
| planeta (m.) | planet |
| recital (m.) | recital |
| recuerdo | souvenir |
| ruina | ruin |
| temperatura | temperature |
| tren (m.) | train |
| vista | view |

### Modismos
| tener calor | to be hot |
|---|---|
| tener éxito | to succeed |
| tener frío | to be cold |
| tener ganas de | to feel like |
| tener hambre | to be hungry |
| tener miedo de | to be afraid of |
| tener prisa | to be in a hurry |
| tener que | to have to |
| tener razón | to be right |
| tener sed | to be thirsty |

| tener sueño | to be sleepy |
|---|---|
| tener suerte | to be lucky |
| tener... años | to be...years old |

### Actividades y verbos
| esperar | to wait |
|---|---|
| ganar | to win |
| descubrir | to discover |
| parecer | to seem like, to appear like |
| subir | to go up, climb |
| sufrir | to suffer |
| terminar | to finish |

### Palabras y expresiones útiles
| afortunado(a) | fortunate |
|---|---|
| aspirina | aspirin |
| ayer | yesterday |
| bien | well; very |
| cada | every, each |
| durante | during |
| fin de semana (m.) | weekend |
| irrepetible | unrepeatable |
| momento | moment |
| probablemente | probably |
| productivo(a) | productive |
| precioso(a) | precious |
| siempre | always |

# En preparación 4

## 4.1 Demonstrative adjectives*

### Pointing out specific people, places, events, or things

| Masculine | | Feminine |
|---|---|---|
| este | *this* | esta |
| estos | *these* | estas |
| ese | *that* | esa |
| esos | *those* | esas |
| aquel | *that (over there)* | aquella |
| aquellos | *those (over there)* | aquellas |

■ Demonstrative adjectives in English and Spanish are used to point out the relative distance of the speaker from a specific person, place, or thing.

1. When the person, place, event, or thing being pointed out is perceived to be at a physically close distance from the speaker, a form of **este** is used.

**Este** niño es muy inteligente.      *This child is very intelligent.*
**Estas** señoras son guías del museo.      *These ladies are guides in the museum.*

2. When perceived to be a little farther away from the speaker, a form of **ese** is used.

**Esa** mujer es mi esposa.      *That woman is my wife.*
**Esos** chicos son muy buenos.      *Those youngsters are very good.*

3. Finally, when perceived to be a far distance away from the speaker and the listener, a form of **aquel** is used.

**Aquel** hombre es mi profesor de español.      *That man (over there) is my Spanish professor.*
**Aquellas** computadoras son muy buenas.      *Those computers (over there) are very good.*

■ In Spanish, demonstrative adjectives must agree in *number* and *gender* with the nouns they modify.

**Esas** niñas son altas y delgadas.      *Those girls are tall and slim.*
**Este** señor es mi papá.      *This man is my father.*
**Aquella** joven baja y hermosa es mi hermana.      *That short and beautiful young woman is my sister.*

■ When referring to an abstract concept, an idea, a previous statement, or a situation—none of which has gender—or to an unknown object, the neuter forms of the demonstrative pronouns—**esto, eso,** and **aquello**—are used.

**Eso** es muy interesante.      *That is very interesting. (That idea or what you just said.)*
**Esto** es para ti.      *This is for you. (The object is intentionally being kept unknown.)*

⟋ Google™
BUSCA: Spanish demonstrative adjectives

**Heinle Grammar Tutorial:** Demonstratives

*Demonstrative pronouns are explained in Appendix F.

# ¡A practicar!

**A. ¡Nunca satisfecho!** You are traveling in Mexico with a friend who is a constant complainer. What does your friend say when you go into a restaurant to eat?

MODELO **Estos niños son terribles.**

|       |                              |
|-------|------------------------------|
|       | refrescos son muy caros      |
| Este  | sillas no son cómodas        |
| Esta  | restaurante es muy caro      |
| Estos | comida está muy fría         |
| Estas | mesero es antipático         |
|       | señoras hablan constantemente|

**B. ¡Yo soy su guía!** You are enrolled in a special summer course at the university before you begin your first semester there. Your parents just drove you to the campus and before they leave, you are giving them a guided tour of the campus. What do you say as you point to various people and buildings?

MODELO _____ edificio es la biblioteca.
**Ese edificio es la biblioteca.**

1. _____ señor es el profesor de arte.
2. _____ estudiantes son mis compañeras de cuarto.
3. _____ casa es la casa del rector de la universidad.
4. _____ personas trabajan en la cafetería.
5. _____ edificio es la administración.
6. Y _____ autobús va a mi casa.

**C. ¡Qué guapos somos!** You and your roommate are talking about pictures you took when your parents visted your campus. Alternate pointing out who the various people in the pictures are. As you do so, replace the underlined word in each statement with the word in parentheses and make all other necessary changes.

1. Aquel señor es mi <u>papá</u>. Él es alto y simpático. (mamá)
2. Esa <u>chica</u> es mi amiga. Es baja y delgada. (chicos)
3. Aquellas muchachas rubias son mis <u>hermanas</u>. (amiga)
4. Esos <u>edificios</u> son muy modernos y originales. (casa)
5. Esta <u>mujer</u> es mi amiga. (hombres)
6. Ese <u>auto</u> rojo es de mi profesora de español. (bicicleta)

---

«A otro perro con **ese** hueso». (dicho popular)

____ *Dogs love bones.*
____ *Tell it to the Marines!*

---

## 4.2 Present tense of *e → ie* and *o → ue* stem-changing verbs

### Describing activities

Certain Spanish verbs undergo an **e → ie** or **o → ue** vowel change in all persons, except the **nosotros** and **vosotros** forms, whenever the stem vowel is stressed.

| e → ie: cerrar *(to close)* | | o → ue: poder *(to be able; can)* | |
|---|---|---|---|
| cierro | cerramos | puedo | podemos |
| cierras | cerráis | puedes | podéis |
| cierra | cierran | puede | pueden |

Other frequently used stem-changing verbs are the following.

| | | | |
|---|---|---|---|
| empezar (ie) | *to begin* | almorzar (ue) | *to have lunch* |
| entender (ie) | *to understand* | contar (ue) | *to count* |
| pensar (ie) | *to think; to plan* | dormir (ue)* | *to sleep* |
| perder (ie) | *to lose* | encontrar (ue) | *to find* |
| preferir (ie)* | *to prefer* | volar (ue) | *to fly* |
| querer (ie) | *to want* | volver (ue) | *to return* |

📲 Google™ y YouTube™ BUSCA: Spanish stem-changing verbs

**Heinle Grammar Tutorial:** Stem-changing Verbs e → ie, o → ue

NOTE: In this text, stem changes will always appear in parentheses after the verb when listed in the vocabulary section and in the Appendix. If two stem changes are indicated in parentheses, the first refers to the stem change in the present tense and the second to the stem change in the preterite tense.

### ¡A practicar!

**A. ¡Qué diferente!** How has your life changed since you began your university studies?

**MODELO**     Mis clases (empezar) a las ocho de la mañana.
          **Mis clases empiezan a las ocho de la mañana.**

1. Mis profesores (pensar) que soy un buen estudiante.
2. (Dormir) tres o cuatro horas al día.
3. (Almorzar) una hamburguesa todos los días.
4. Yo nunca (encontrar) estacionamiento. ¡Es imposible!
5. Por eso (preferir) ir en bicicleta.
6. (Pensar) que mi vida en casa es más fácil.

**B. Mis padres de vacaciones... ¡solos!** Your parents are on vacation alone in Mexico City. Find out what they have planned for the day by completing the paragraph with the correct form of the verbs in parentheses.

Hoy nosotros _____ (pensar) ir al Museo Nacional de Antropología. Yo _____ (querer) aprender algo de la cultura azteca. Mi esposo _____ (preferir) ir de compras al mercado, pero yo _____ (pensar) que si nosotros _____ (empezar) muy temprano _____ (poder) ver todo lo que él _____ (querer) ver por la mañana y él _____ (poder) ir al mercado por la tarde. Él no _____ (entender) que para mí es imposible ver todo en un día. Pero no importa, mañana yo _____ (volver) a pasar todo el día aquí en el museo y él _____ (poder) ir de compras.

*All -**ir** stem-changing verbs also undergo a one-vowel change **e → i** or **o → u** in the present participle form of the verb: **prefiriendo, durmiendo.**

**C. Somos guías.** With a partner, get to know Felipe and David, museum guides in Mexico City, by completing the paragraph with the correct form of the verbs in parentheses. Then use this paragraph as a model to write a similar one about two working students that both of you know. If necessary make up information. Finally, read your paragraphs to the class.

Me llamo Felipe y mi amigo es David; somos guías aquí en el museo. David y yo hablamos inglés, francés y, por supuesto, español. Muchas personas no _____ (entender) español y _____ (preferir) una excursión en otro idioma. Nosotros _____ (empezar) a trabajar a las diez de la mañana. Las visitas _____ (empezar) a las diez y media de la mañana. A las dos de la tarde yo _____ (almorzar) en la cafetería del museo. David no _____ (almorzar) hasta las tres. Nosotros _____ (volver) al trabajo una hora y media después de almorzar. El museo _____ (cerrar) a las seis y media.

---

«Lo que mal **empieza**, mal acaba». (proverbio)

____ If you get off to a bad start, you're likely to fail.

____ He who begins many things, finishes but a few.

---

## Paso 2

### 4.3 Numbers above 200

**Counting and writing checks**

CD2, Track 11

| | |
|---|---|
| 200 | doscientos |
| 225 | doscientos veinticinco |
| 300 | trescientos |
| 400 | cuatrocientos |
| 500 | quinientos |
| 600 | seiscientos |
| 700 | setecientos |
| 800 | ochocientos |
| 900 | novecientos |
| 1.000 | mil |
| 1.005 | mil cinco |
| 2.000 | dos mil |
| 7.000 | siete mil |
| 12.045 | doce mil cuarenta y cinco |
| 99.999 | noventa y nueve mil novecientos noventa y nueve |
| 154.503 | ciento cincuenta y cuatro mil quinientos tres |
| 1.000.000 | un millón |
| 25.100.900 | veinticinco millones cien mil novecientos |

■ When the numbers between 200 and 900 precede a feminine noun, they must end in -**as.**

| 300 camisas | trescient**as** camisas |
|---|---|
| 450 blusas | cuatrocient**as** cincuenta blusas |

Remember that the numbers between 30 and 90 always end in -**a.**

| ciento treint**a** hombres | cuatrocientos cincuent**a** libros |
|---|---|

■ **Mil** means *one thousand* or *thousand.* It is *never* preceded by **un.** Its plural, **miles,** meaning *thousands,* is never used when counting.

| 1.994 | mil novecientos noventa y cuatro |
|---|---|
| 100.000 | cien mil |

■ An even million is expressed as **un millón.** Two or more million are expressed with the plural form **millones.** When a number in the millions precedes a noun, it is always followed by **de.**

| 1.000.000 | un millón |
| 2.000.000 | dos millones |
| habitantes: 4.000.000 | cuatro millones **de** habitantes |

■ In most Spanish-speaking countries, written numerals use a period where English uses a comma, and vice versa.

Google™
Images y YouTube™
BUSCA: Spanish
numbers

Heinle Grammar
Tutorial:
Numbers

| 1.500 estudiantes | 1,500 *students* |
| 79,5 por ciento | 79.5 *percent* |

As in English, the year in a date is generally written without punctuation. However, where the numbers in a date in English are often expressed in pairs, Spanish uses whole numbers.

| 1632 | *sixteen thirty-two* |
| 1632 | **mil seiscientos treinta y dos** |

## ¡A practicar!

**A. ¡A pagar cuentas!** Imagine that you are spending your junior year abroad at the Universidad de las Américas in Puebla, Mexico. Today you are writing checks to pay your bills. Write out the following amounts.

1. alquiler: 630 pesos
2. comida con la Sra. Rocha: 269 pesos
3. matrícula: 4.579 pesos
4. libros: 315 pesos
5. televisión por cable/acceso a Internet: 519 pesos
6. préstamo del Banco Nacional: 7.753 pesos

**B. ¡Presupuesto!** How much do you (or your parents) spend on your education? Work out a budget for one semester by indicating how much you spend in each of the following categories. Then write out each number as if you were writing a check to cover that amount. (**¡En español, por supuesto!**)

1. habitación
2. comida
3. auto
4. libros
5. ropa
6. matrícula
7. diversiones

**C. Concurso de dictado.** You and your partner are going to have a dictation contest. Begin by reading the first date on your list while your partner writes it down in Spanish and then in Arabic numerals on a separate sheet of paper. Then your partner will read his/her list and you will write it in Spanish and then in Arabic numerals. Continue this way until you get through all the dates. Throughout the process, your partner should keep your list covered and you should keep your partner's list covered. Uncover the lists when you finish to compare what you have writtten and see who made the fewest errors.

**Tu lista**

1. Dos mil veinticinco
2. Mil novecientos sesenta y uno
3. Dos mil nueve
4. Mil quinientos treinta y cuatro

**Lista de tu compañero(a)**

5. Mil setecientos treinta y cuatro
6. Dos mil cincuenta
7. Mil ochocientos catorce
8. Dos mil quince

---

«En abril, aguas **mil**». (proverbio)

____ *April showers bring May flowers.*

____ *It always rains a lot in April.*

---

## 4.4 Comparisons of equality and inequality

### Stating equivalence

⬈ Google™
BUSCA: Spanish comparisons of equality

**Heinle Grammar Tutorial:**
Comparisons of Equality and Inequality

When people and things share the same quality, use the following expression. Remember that the adjective must agree in number and gender with the subject.

**tan** + adjective + **como**

Esta falda es **tan cara como** la blusa.     *This skirt is as expensive as the blouse.*

### ¡A practicar!

**A. Son gemelas.** Tania and Tatania are identical teenage twins in every sense of the word. Compare the two of them.

**MODELO**     simpático
          **Tania es tan simpática como Tatania.**

1. inteligente
2. rubio
3. alto
4. simpático
5. amable

**B. No tienes que ser gemelo para....** You don't have to be a twin to be almost identical to other people. With a partner, come up with several comparisons of equality among your class-mates and/or friends.

**MODELO**     **Caden y Jason son tan atléticos como Parker.**

**Vocabulario útil**

| | | |
|---|---|---|
| agresivo | flaco | motivado |
| alto | guapo | rubio |
| atlético | inteligente | simpático |
| bonito | interesante | ¿...? |

---

«**Tan** sinvergüenza es el pinto **como** el colorado». (refrán)

____ *It's hard to distinguish between two dishonest people.*

____ *All horses are dishonest.*

---

# Comparing and contrasting

To compare people or things that share different qualities, use the following expression.

**más/menos** + adjective + **que**

Mi hermana es **más alta que** yo.
*My sister is taller than I.*

Tú estás **menos ocupado que** nosotros.
*You are less busy than we.*

**Google**™
BUSCA: Spanish
comparisons of
inequality

**Heinle Grammar
Tutorial:**
Comparisons
of Equality and
Inequality

■ **Más** is the comparative of superiority, and **menos** is the comparative of inferiority. Note that **más** and **menos** always precede the adjective being used to compare.

■ There are four adjectives with irregular comparatives.

| | |
|---|---|
| mayor *older* | menor *younger* |
| mejor *better* | peor *worse* |

¿Conoces a mi hermano **menor**?
*Do you know my younger brother?*

Este café es **peor** que el otro.
*This coffee is worse than the other one.*

¿Quién es **mayor,** tú o yo?
*Who's older, you or me?*

## ¡A practicar!

**A. Sudamérica.** Complete the following comparisons of Latin American countries. You may want to refer to the map in front of your textbook.

1. Ecuador es _____ grande _____ Venezuela.
2. La población de México es _____ numerosa _____ la población de España.
3. La civilización azteca es _____ antigua _____ la civilización maya.
4. Las reservas biológicas de Costa Rica son _____ abundantes _____ las de otro país en Centroamérica.
5. La historia de Nicaragua es _____ tormentosa _____ la de otros países centroamericanos.

**B. ¡Hay varios restaurantes buenos!** There are several restaurants near your university. To find out which are the best, ask your partner these questions. Your partner will respond by making comparisons of the food served. When you finish, decide among the two of you which are the best restaurants and inform the class.

**MODELO**      ¿Cuál es más cara?
             **La comida del restaurante... es más cara que la del restaurante....**

1. ¿Cuál es más típica de México?
2. ¿Cuál es menos sabrosa?
3. ¿Cuál es más abundante?
4. ¿Cuál es más barata?
5. ¿Cuál es más rápida?
6. ¿Cuál es peor?

> «A pesar de ser tan pollo, tengo **más** plumas **que** un gallo». (dicho popular)
>
> ____ *Some chicks are born with more feathers than a rooster.*
>
> ____ *He's very tough for his age.*

## 4.5 Idioms with *tener*

### Expressing feelings, obligations, and age

An idiom is a group of words with a clear meaning in one language that, when translated word for word, doesn't make any sense or sounds strange in another language. For example, in English the expression *to be tied up at the office* means "to be busy" and not "to be tied up with ropes." Many ideas, both in English and in Spanish, are expressed with idioms and simply must be learned. Literal translation does not work with idioms.

Following is a list of idioms with the verb **tener** that are frequently expressed with the verb *to be* in English.

| | |
|---|---|
| **tener calor** | *to be hot* |
| **tener éxito** | *to succeed, to be successful* |
| **tener frío** | *to be cold* |
| **tener hambre** | *to be hungry* |
| **tener miedo de** | *to be afraid of* |
| **tener prisa** | *to be in a hurry* |
| **tener razón** | *to be right* |
| **no tener razón** | *to be wrong* |
| **tener sed** | *to be thirsty* |
| **tener sueño** | *to be sleepy* |
| **tener suerte** | *to be lucky* |
| **tener... años** | *to be... years old* |

| | |
|---|---|
| **Tengo mucha prisa** ahora. | *I'm in a big hurry right now.* |
| **Tenemos mucho calor** y los niños **tienen mucha sed**. | *We're very hot, and the children are very thirsty.* |

Other frequently used idioms with **tener** are the following.

| | |
|---|---|
| **tener que** + *infinitive* | *to have to (do something)* |
| **tener ganas de** + *infinitive* | *to feel like (doing something)* |

| | |
|---|---|
| **Tengo que** estudiar ahora. | *I have to study now.* |
| **No tengo ganas de** comer. | *I don't feel like eating.* |

⌲ **Google**™ y **YouTube**™ BUSCA: **tener** idioms

**Heinle Grammar Tutorial:** Verbal Expressions (**tener, haber, deber**)

### ¡A practicar!

**A. ¿Cómo se sienten?** Select the response that best explains each description.

1. La señora Rivera dice que necesita su suéter inmediatamente.
   a. Tiene frío.
   b. Tiene miedo.
   c. Tiene suerte.
2. El señor González necesita agua bien fría, ¡rápido!
   a. Tiene hambre.
   b. Tiene razón.
   c. Tiene sed.
3. Hace tres días que los niños no comen nada.
   a. Tienen prisa.
   b. Tienen hambre.
   c. Tienen éxito.

4. ¡Mi autobús sale en un minuto!
   a. Tengo que dormir.
   b. Tengo que leer.
   c. Tengo prisa.
5. Mi profesora insiste en que Colón llegó a América en 1492.
   a. Tiene prisa.
   b. Tiene razón.
   c. Tiene miedo.
6. ¡El señor Peña regresa de Las Vegas con cinco mil dólares!
   a. Tiene sueño.
   b. Tiene suerte.
   c. No tiene ganas.

**B. Asociaciones.** With a partner, alternate making the following statements and giving the appropriate responses to each one. Use **tener** idioms in your responses.

**MODELO**     No, hijo. 1 + 4 = 7
               **No tiene razón.**

1. ¡Pobres niños! Acaban de ver la película *Frankenstein*.
2. No puedo creerlo. ¡Es enero y mis abuelos andan en un crucero en Alaska!
3. ¿Cómo es posible? ¿Pediste *(You asked for)* cuántas hamburguesas?
4. Hoy todo el mundo está sufriendo. Hace 115°F de temperatura en Puerto Vallarta.
5. Ahora sí, hijo. 5 – 5 = 0
6. En Las Vegas gané *(I won)* $400 y en Atlantic City $999. Siempre...
7. Está muy cansado. Ya son las tres y media de la mañana.
8. ¡Corran, el tren sale en cinco minutos!

---

«Gran pena debe ser, **tener hambre** y ver comer». (proverbio mexicano)

____ *All food tastes good when you are hungry.*

____ *It must be very painful to see others eat when you are hungry.*

---

## 4.6 Preterite of *ir, ser, poder,* and *tener*

### Narrating in past time

The preterite is a past tense. It is used to talk about what has already happened.

| ir/ser | | poder | | tener | |
|---|---|---|---|---|---|
| fui | fuimos | pude | pudimos | tuve | tuvimos |
| fuiste | fuisteis | pudiste | pudisteis | tuviste | tuvisteis |
| fue | fueron | pudo | pudieron | tuvo | tuvieron |

| | |
|---|---|
| Nosotros **fuimos** ayer. | *We went yesterday.* |
| ¿Cuándo **fue** la fiesta? | *When was the party?* |
| No **pude** ir. | *I wasn't able to go.* |
| Ellos no **tuvieron** tiempo. | *They didn't have time.* |

■ The preterite of **poder, tener,** and most irregular verbs is formed by adding **-e, -iste, -o, -imos, -isteis, -ieron** to their irregular stems: **poder: pud-** and **tener: tuv-**.

The preterite forms of **ser** and **ir** are identical. Context will clarify the meaning.

Anoche Joaquín **fue** a ver la película *Lo que el viento se llevó.*

*Last night Joaquín went to see the movie* Gone with the Wind.

Vivien Leigh **fue** la actriz principal.

*Vivien Leigh was the leading actress.*

⚡ Google™
BUSCA: preterite **ir**, **ser**; preterite **poder**, **tener**

**Heinle Grammar Tutorial:** Preterite of **ir**, **ser**, **poder**, **tener**

## ¡A practicar!

**A.** **¡Qué rutina!** You had a busy schedule yesterday. How busy was it?

MODELO (Tener / yo) tres clases por la mañana.
**Tuve tres clases por la mañana.**

1. A las ocho _____ (tener / yo) un examen.
2. El examen _____ (ser) largo y muy difícil.
3. Yo no _____ (poder) terminarlo.
4. Por la tarde, _____ (ir / yo) a mi trabajo.
5. Mi compañero no _____ (poder) ir a trabajar.
6. Entonces Miguel y yo _____ (tener) que trabajar hasta la noche.
7. ¡_____ (Ser) un día terrible!

**B.** **Y ahora... de vacaciones.** You and three friends just returned from spending two weeks traveling in Mexico. Now two of your traveling buddies are sharing their experiences with their parents. With a partner, complete their paragraph with the correct past tense forms of the verbs in parentheses. Then use this as a model as you and your partner write a description of the trip to send your parents. Finally, share your paragraph with the class.

Nuestras vacaciones a México _____ (ser) excelentes. _____ (Poder / nosotros) visitar muchos lugares. Cerca de la Ciudad de México, _____ (ir / nosotros) a las ruinas de Teotihuacán. Allí Tomás _____ (poder) sacar fotografías extraordinarias, especialmente de las Pirámides del Sol y de la Luna. Cuando yo _____ (ir) al Museo Nacional de Antropología, _____ (poder / yo) comprar muchos recuerdos. El arte de México es fenomenal.

---

«El que se **fue** a la villa, perdió su silla». (dicho mexicano)

____ *If you go to a village, you are likely to be robbed.*

____ *Move your feet, lose your seat.*

---

### CAPÍTULO 5

# ¡Caminito a... Argentina!

## In this chapter, you will learn how to . . .

- inquire about renting an apartment.
- describe an apartment and its furnishings.
- discuss means of transportation.
- describe your family.

*Busca* departamentos Buenos Aires *en Google™ Images y YouTube™ para ver el interior de departamentos en B.A.*

*Busca* La Boca Buenos Aires *en Google™ Images y YouTube™ para ver más de este fascinante barrio bohemio.*

*Busca* barrio Recoleta *en Google™ Images y YouTube™ para ver más de este elegante barrio y su singular cementerio.*

# ¡Las fotos hablan!

**La vivienda.** ¿Dónde crees que los estudiantes universitarios de Buenos Aires pueden encontrar lo siguiente, en Recoleta **(R)**, La Boca **(B)** o en un barrio popular **(P)**?

- ☐ departamentos sin muebles
- ☐ pensiones
- ☐ residencias estudiantiles
- ☐ departamentos amueblados
- ☐ casas privadas
- ☐ alquiler bajo
- ☐ edificios de departamentos
- ☐ habitación en casa privada
- ☐ alquiler caro

# ¡Vos tenés que ver ese departamento, che!*

## TAREA

Antes de empezar este *Paso*, estudia la lista de vocabulario de la página 190 y escucha el corte 17 de tu Text Audio CD2. Luego estudia *En preparación*.

1<sup>er</sup> día   5.1 **Ser** and **estar**: A second look, páginas 192–193

2<sup>do</sup> día   5.2 Prepositions, páginas 193–194

Haz por escrito los ejercicios de *¡A practicar!* correspondientes.

## ¿Eres buen observador?

**PRECIOSO DEPARTAMENTO EN BUENOS AIRES–BELGRANO. PARA 2 PERSONAS.**

**a. cama de matrimonio**

**b. vestidor**

**c. mesa y sillas**

**d. sofá**

**e. bañera**

**f. balcón**

Departamento de unos 110m² con vistas panorámicas al río, cancha de polo y golf, en el Barrio de Belgrano sobre la exclusiva Av. del Libertador.
Servicios comunitarios del edificio: ascensor, pileta, sauna, gym, solarium y seguridad 24 horas. Parking privado. Puede alojar a 2 personas, cuenta con balcón terraza, un dormitorio con cama de matrimonio y vestidor. El living/comedor tiene cómodo sofá, TV por cable, mesa con sillas y salida al balcón. El baño es completo con bañera.

Precio: U$s 1200 Semanal/ U$s 5400 Mensual
Barrio: Belgrano
Tamaño: 110 m²

## Ahora, ¡a analizar!

Indica ☑ si este departamento en Belgrano tiene lo siguiente.

| | | |
|---|---|---|
| ☐ litera | ☐ mesa | ☐ chimenea |
| ☐ vestidor | ☐ sillas | ☐ balcón |
| ☐ bañera | ☐ cama de matrimonio | ☐ sofá |

⊕ **Google™ Images** BUSCA: Alquiler departamento Buenos Aires

*En Argentina y Uruguay, así como en otras regiones de Latinoamérica, se usa el voseo, es decir, el pronombre **vos** y sus formas verbales. En estos países se dice **vos sos** en lugar de **tú eres** y **vos tenés** por **tú tienes**. También se usan expresiones como **¡che!** para llamar la atención a alguien o como exclamación.

# ¿Qué se dice...?

## Al buscar un departamento

Dolores

Señor P.

CD2, track 12

Señor P.: ¿Aló?

Dolores: Buenos días. Estoy interesada en el departamento que se anunció en *La Nación* de esta mañana. ¿Está todavía disponible?

Señor P.: Sí, señorita, está disponible.

Dolores: Mire, yo soy estudiante de la Universidad de Buenos Aires. ¿Está el departamento cerca de la universidad?

Señor P.: En realidad está lejos de la ciudad universitaria, señorita. Pero tiene una parada del colectivo muy cerca de casa. Además es un departamento hermoso, con unas vistas que son inmejorables.

Dolores: ¿Cuál es la dirección exacta?

Señor P.: Está en la calle José Pagano, número 167, al lado de la Plaza Rubén Darío. El lugar es maravilloso.

DOLORES: Ah, sí, conozco esa zona, y me encanta.

SEÑOR P.: ¡Bárbaro, pues!

DOLORES: ¿Cuántas habitaciones tiene?

SEÑOR P.: Cuatro: un dormitorio que es enorme, el living con mucha luz, el comedor y la cocina que es prácticamente nueva... y tiene usted que ver el baño, es como el de un hotel de cinco estrellas.

DOLORES: ¿Está amueblado?

SEÑOR P.: No, no incluye muebles.

DOLORES: ¿Cuánto es el alquiler?

SEÑOR P.: Es barato, solo 900 pesos al mes, y la cochera está incluida.

DOLORES: ¿Está desocupado y disponible ahora?

SEÑOR P.: Sí, puede mudarse a fines de este mes.

DOLORES: ¡Ah! Una pregunta más. ¿Permite animales domésticos? Tengo una linda gatita.

SEÑOR P.: Lo siento, señorita, pero no permito ni gatos ni perros.

DOLORES: Ah, ¿no? Entonces, no me interesa. Gracias por la información. ¡Adiós!

**A propósito...**

En Argentina se dice **departamento** en lugar de **apartamento**, **pileta** en lugar de **piscina**, **living** en lugar de **sala de estar**, **heladera** en lugar de **nevera**, **cochera** en lugar de **garaje**, **colectivo** en lugar de **autobús** y **subte** en lugar de **subterráneo** o **metro**. En este capítulo damos preferencia a este vocabulario que, además, es comprensible para la mayoría de los hispanohablantes.

 Google™ **Images** y **YouTube**™
BUSCA: Departamento Barrio Buenos Aires

CD2,
Track 13

DOLORES: ¡Es terrible! Busco y busco y no encuentro nada. Nadie permite tener animales domésticos... y yo no puedo vivir sin mi gatita.

BEATRIZ: Pues es una pena, porque tu gatita es muy limpia y no hace daño a nadie.

CLAUDIA: Calmate, che. No te preocupes. Vas a encontrar algo.

BEATRIZ: Claudia, ¿y en el edificio de departamentos que está al lado de casa?

CLAUDIA: ¡Tenés razón, Beatriz! Escuchame, che. Cerca de casa hay unos departamentos con un cartel de «Se alquila». Se ven que son muy lindos. Y creo que allí sí aceptan animales domésticos.

DOLORES: ¡Bárbaro! ¡Vamos a llamar enseguida!

En Argentina y Uruguay, así como en grandes partes de Paraguay, Guatemala, El Salvador, Costa Rica y en ciertas regiones de Nicaragua, Colombia, Chile, Bolivia y Ecuador, se usa el voseo, es decir, se sustituyen con el pronombre **vos** y sus formas verbales, el **tú** y sus formas verbales. En estos países se dice **«vos sos»** en lugar de **«tú eres»**, **«vos tenés»** por **«tú tienes»**, **«vos venís»** por **«tú vienes»**, y **«vos hablás»** por **«tú hablas»**,... En Argentina y Uruguay también se usan expresiones como **«che»**, que viene del guaraní y significa **«hombre»** o **«mujer»**, y **«chau»**, que viene del italiano y se usa como saludo informal para decir **«hasta luego»** o **«adiós»**.

**En tu opinión:** ¿Cuál será el origen del voseo? ¿Por qué crees que el voseo se usa solamente en ciertas regiones de Latinoamérica y no en otras? ¿Por qué crees que los argentinos y uruguayos usan expresiones que vienen del guaraní y del italiano?

## Ahora, ¡a hablar!

**A. ¡Esto es un desastre!** La mamá de Cristina está de visita en su departamento, criticando la condición en que está. Completa la conversación de Cristina y su mamá con la forma correcta de **ser** o **estar**.

EP 5.1

| | |
|---|---|
| MAMÁ: | ¡Este living _____ un desastre! |
| CRISTINA: | Simplemente _____ viejo, mamá. |
| MAMÁ: | Sí, pero _____ sucio, hija. |
| CRISTINA: | Ay, mamá, _____ imposible limpiarlo. |
| MAMÁ: | ¡Ay! Mira esa silla, hija. ¡_____ de plástico! |
| CRISTINA: | Sí, mami, pero _____ muy cómoda. |
| | ¡Pero qué difícil _____ hoy, mamá! |
| MAMÁ: | _____ que no comprendo cómo podés vivir aquí, hija. |
| CRISTINA: | Yo _____ cómoda aquí, y el departamento _____ cerca de todo. |

**B. ¿Dónde lo pongo?** Tú y un(a) amigo(a) acaban de alquilar un departamento idéntico al de la página 167. Ahora tienen que decidir dónde poner los muebles. Con un(a) compañero(a), túrnense para preguntar dónde deben poner estos muebles.

> MODELO      TÚ: **¿Dónde pongo el sofá?**
> COMPAÑERO(A): **En la sala, por favor.**

sofá              cama              sillón

escritorio         mesita         mesa

sillas         mesita         lámparas

**C. ¿Dónde está la gatita?** Tú tienes una hermosa gatita. Se llama Perla y es muy activa. Constantemente tienes que vigilarla *(keep an eye on her)*. Ahora que tú y tu compañero(a) están estudiando en tu casa, túrnense para preguntarse *(ask each other)* dónde está Perla.

**Vocabulario útil**

| | | |
|---|---|---|
| a la izquierda / a la derecha | cerca de / lejos de | encima de / debajo de |
| delante de / detrás de | enfrente de | entre / sobre |

> MODELO      TÚ: **¿Dónde está Perla?**
> COMPAÑERO(A): **La gatita está encima de la heladera.**

1.           2.           3.           4.

5.           6.           7.           8.

**D. Amigos dispares.** Este es el cuarto de tu amiga Rosana. Tu compañero(a) tiene el dibujo del cuarto de tu amigo Ernesto. Usa este dibujo para describir cómo es el cuarto de Rosana y en qué condición está. Tu compañero(a) va a usar el dibujo del cuarto de Ernesto en el Apéndice A para describirlo y decir en qué condición está. Decidan cuál es más/menos lujoso y más/menos ordenado.

EP 5.1, 5.2

## Y ahora, ¿por qué no conversamos?

**E. Mi habitación.** Dibuja tu habitación. Incluye todos los muebles, ventanas, ropero/armario, televisor, etcétera. Luego, en otra hoja de papel dibuja un esquema *(outline)* de tu habitación e indica el sitio de la cama, nada más. Dale el esquema a tu compañero(a) y mientras tú describes tu habitación, mencionando el sitio de cada objeto, tu compañero(a) va a dibujar todos los muebles en su lugar. Al terminar, compara tu dibujo original con el de tu compañero(a) para ver si explicaste bien. Repitan el proceso, pero esta vez tu compañero(a) describe su habitación y tú dibujas.

**F. ¡Luces! ¡Cámara! ¡Acción!** Tú y un(a) compañero(a) necesitan un departamento para el próximo semestre. Van a hablar con el dueño de unos departamentos. Hacen muchas preguntas sobre el lugar, el tamaño, los muebles, el precio y la disponibilidad del departamento. En grupos de tres, dramaticen la situación.

**G. ¡Nuestra comunidad!** En tu universidad o comunidad, entrevista a una persona latina, de origen argentino si es posible. Conversa sobre cómo y dónde vive la gente en su país de origen, y haz preguntas específicas sobre la cantidad de cuartos de las casas en la ciudad y en el campo. Comparte la información con toda la clase y decidan si más o menos todos presentaron una idea similar sobre la vida y la vivienda en Latinoamérica.

---

### Un paso atrás, dos adelante

### Capítulo 4

**Repasemos.** En el Capítulo 4 aprendiste a describir la apariencia física y la personalidad de la gente; aprendiste a expresar preferencias, a discutir precios, a hacer comparaciones, a comprar ropa y a hablar de lo que tú y otros hicieron. Repasa ahora lo que sabes, completando el siguiente texto con las palabras necesarias.

Una tarde en el Palacio de Hierro, en México...

LA DEPENDIENTA: _____ (saludo formal). ¿En qué _____ (**poder**) ayudarlo?

Tú: _____ (saludo informal). Sí, _____ (presente progresivo del verbo **buscar**) una blusa para un regalo.

LA DEPENDIENTA: Usted _____ (expresión con **tener**) ver _____ (demostrativo) blusas que tenemos aquí. Mire, _____ (demostrativo) blusas _____ (**tener**) el 30% de descuento *(discount)*, y están de moda.

Tú: ¿Y _____ (palabra interrogativa) cuestan?

LA DEPENDIENTA: El precio original es de _____ (699) pesos, pero con el descuento se quedan en menos de _____ (500). ¡Es muy barato! Son _____ _____ _____ (comparación de igualdad: **baratos**) _____ (demostrativo) que, honestamente, están pasadas de moda.

Tú: Sí, yo _____ (pretérito del verbo **tener**) unas así el año pasado.

---

# Saber comprender  CD2, Track 14

### Estrategias para escuchar: reconocer sufijos

*In **Capítulo 4** you learned to listen for stress variations (accents) in English and Spanish cognates. You will recognize more cognates if you learn to listen for corresponding suffixes and common word endings.*

*Following is a list of three corresponding suffixes or word endings in Spanish and English. Recognizing them makes cognates much easier to understand.*

| Español | Inglés | Español | | Inglés |
|---------|--------|---------|---|--------|
| perfecta**mente** | *perfectly* | -**mente** | = | *-ly* |
| generosi**dad** | *generosity* | -**dad** | = | *-ty* |
| urg**ente** | *urgent* | -**ente** | = | *-ent* |

**Reconocer sufijos o terminaciones de palabras.** Escucha la conversación de Guillermo, un estudiante universitario, con su amiga Dolores. Con tu compañero(a), traten de identificar los siete cognados con los sufijos -**mente, -dad** o con la terminación -**ente**. Escríbanlos y comparen su lista con las del resto de la clase.

1. _____  4. _____  6. _____
2. _____  5. _____  7. _____
3. _____

Departamentos en el barrio de La Boca en Buenos Aires

## Ahora, ¡a escuchar!

Vuelve a escuchar la conversación de Guillermo con su amiga Dolores. Luego compara el lugar donde tú vives ahora con el nuevo departamento de Guillermo. Describe tu alojamiento en la columna de la izquierda, el de Guillermo en la columna de la derecha y lo que tienen en común en la columna del medio.

**Mi departamento**
1.
2.
3.
4.
5.

**Mi departamento y el de Guillermo**
1.
2.
3.
4.
5.

**El departamento de Guillermo**
1.
2.
3.
4.
5.

# Argentina inmensa

### Antes de empezar, dime...

Contesta estas preguntas en relación a los Estados Unidos.

1. Población en millones: ☐ más de 600 ☐ más de 300 ☐ más de 100
2. Inmigrantes en millones: ☐ más de 10 ☐ más de 20 ☐ más de 30
3. Mujeres presidentas: ☐ 2 ☐ 1 ☐ 0

Argentina es un país inmenso, cuatro veces más grande que el estado de Texas, y es el país hispanohablante más grande del mundo. Su geografía es muy variada: en el norte las pampas (las grandes y ricas llanuras), en el sur una enorme meseta llamada Patagonia, en la frontera oeste los impresionantes Andes, y en el este una larga costa. La distancia entre el norte y el sur es casi tan grande como la que existe entre Nueva York y Los Ángeles. Entre sus muchos parques nacionales, se destacan el Parque Nacional Los Glaciares declarado «Patrimonio Mundial de la Humanidad» y el Parque Nacional Iguazú, declarado «Patrimonio Natural de la Humanidad» por la UNESCO en 1981 y en 1984 respectivamente.

La población de Argentina supera los 40.000.000 de habitantes, muchos de ellos descendientes de inmigrantes europeos. Durante la primera mitad del siglo XX, más de diez millones de inmigrantes europeos llegaron a Buenos Aires, la capital, y de allí se fueron a todas partes del país. La mayoría de los inmigrantes vinieron de España e Italia. Pero muchos también llegaron de Alemania, Francia, Inglaterra, Polonia, Rusia y Ucrania.

🡵 Google™ Images y YouTube™ BUSCA: Representación de la llegada de los inmigrantes a la Argentina, en la XVII Fiesta Nacional del Inmigrante en Oberá, Misiones

En su historia más reciente, Argentina sufrió una dictadura militar de 1976 hasta 1983. Como resultado, la «guerra sucia» de los militares argentinos contra los opositores dejó miles de muertos y de desaparecidos. En octubre de 1987 volvió la democracia, con la elección como presidente de Raúl Alfonsín. A lo largo de su historia, la mujer argentina representa una fuerza muy importante en el país, tanto en las letras como en la política. Esto se hizo muy obvio el 28 de octubre de 2007 cuando Argentina nombró a Cristina Fernández de Kirchner su primera presidenta.

⬈ Google™ Images y YouTube™
BUSCA: Cristina Fernández de Kirchner, Presidenta de Argentina

**ARGENTINA**

**Nombre oficial**
República Argentina

**Capital**
Buenos Aires

**Población**
40.677.348 (2008 est.)

**Unidad monetaria**
peso argentino

**Índice de longevidad**
76,5 años

**Alfabetismo**
97,2 por ciento

**Datos interesantísimos sobre Argentina**

- «Argentina» significa «de plata».
- El tango se desarrolló en los bares del puerto de Buenos Aires.
- Todos los jueves en la Plaza de Mayo mujeres se reúnen para recordar los desaparecidos durante la llamada guerra sucia.
- El futbolista argentino Diego Maradona es considerado por muchos el mejor jugador de fútbol de la historia.
- En 2001 Argentina tuvo cinco presidentes en menos de quince días debido a una gran crisis económica.

## Y ahora, dime...

Con un(a) compañero(a) de clase, preparen un esquema como el siguiente y complétenlo con información de la lectura.

⬈ **Por el ciberespacio... a Argentina**
Keywords to search:
*Inmigración en Argentina*
*Buenos Aires*
*Parques nacionales de Argentina*
To learn more about Argentina, go to the *¡Dímelo tú!* website at academic. cengage.com/spanish/dimelotu

ARGENTINA

| Geografía | Población | Gobierno |
|---|---|---|
| 1. _____ | 1. _____ | 1. _____ |
| 2. _____ | 2. _____ | 2. _____ |
| 3. _____ | 3. _____ | 3. _____ |

# De paseo por Buenos Aires

## ¿Eres buen observador?

**Red de metros del Subte de Buenos Aires**

## Ahora, ¡a analizar!

Indica si son ciertas o falsas las siguientes afirmaciones.

1. C    F    Para llegar a Carlos Gardel desde San Juan, es necesario tomar la línea C y cambiar en Tribunales.
2. C    F    Para ir a Congreso de Tucumán desde Catedral, hay que pasar por todas las estaciones de la línea D.
3. C    F    Para ir desde Varela hasta Retiro hay que tomar la línea E y cambiar en Independencia, con destino a Constitución.
4. C    F    Para ir de Bolívar a Catedral es preferible ir a pie.
5. C    F    De Palermo a Scalabrini Ortiz hay que pasar por Plaza Italia.

## Al hablar de cómo viajar en una ciudad

Buenos Aires es una ciudad muy bien comunicada. El sistema subterráneo de metro (Subte) funciona todo el día. La línea A, por ejemplo, funciona de las 6 de la mañana a las 11 de la noche. También tiene dos estaciones de ómnibus, una en el barrio de Retiro y la otra en el barrio de Liniers. La terminal de Retiro es la más importante, y de allí salen todos los días y a todas horas, micros para otras regiones de la Argentina y países fronterizos. Buenos Aires tiene dos aeropuertos, y desde ellos viajan en avión el 85% de los pasajeros que entran o salen de la Argentina.

Si prefieres viajar en coche, los taxis de Buenos Aires se distinguen por su característico color negro y amarillo. En Buenos Aires hay más de 40.000 taxis y, lógicamente, siempre hay uno disponible a cualquier hora del día y de la noche.

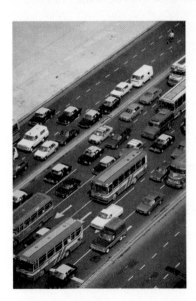

Existen 180 líneas de colectivo que funcionan todo el día, sin horario fijo. De noche la frecuencia del colectivo es de cada hora, para aquellos que prefieren viajar en autobús.

Pero para tener una experiencia más auténtica de Buenos Aires, la recomendación es disfrutar de un paseo en bicicleta o a pie por muchos de los maravillosos barrios de esta impresionante ciudad.

Indica cuál frase o frases mejor completan cada oración.

1. El Subte funciona...
   - ☐ medio día.
   - ☐ media noche.
   - ☐ todo el día.
   - ☐ toda la noche.

2. De la terminal de Retiro salen micros...
   - ☐ lunes a viernes.
   - ☐ a cada hora.
   - ☐ todos los días.
   - ☐ sábado y domingo.

3. En Buenos Aires, hay taxis disponibles...
   - ☐ medio día.
   - ☐ media noche.
   - ☐ todo el día.
   - ☐ toda la noche.

4. De noche, los colectivos en Buenos Aires funcionan...
   - ☐ sin horario fijo.
   - ☐ con horario fijo.
   - ☐ hasta la medianoche.
   - ☐ cada media hora.

5. Para regresar a casa, no se puede tomar el Subte en Buenos Aires...
   - ☐ por la mañana.
   - ☐ a mediodía.
   - ☐ por la noche.
   - ☐ a medianoche.

**YouTube**™ BUSCA: Cualquiera de estos cantantes

## ¿Sabías que...?

De Argentina son algunos de los músicos y cantantes más prestigiosos del mundo hispanohablante. **Carlos Gardel** (1890–1935), poeta, compositor y cantante de tango, es una leyenda viva venerada por millones de argentinos. **Astor Piazzolla** (1921–1990) es otro genio musical que revolucionó el mundo del tango. De origen modesto, consiguió un nivel de preparación musical elevadísimo, combinando los elementos más expresivos de la música culta y del jazz. **Atahualpa Yupanqui** (1908–1992) es el gran representante de la música folklórica argentina. Conoce profundamente el interior de la Argentina y trata temas simples de la dura vida rural. **Rodolfo «Fito» Páez** (1963) es el cantante de rock argentino más popular de todos tiempos. **Mercedes Sosa** (1935) es una de las voces más importantes de Argentina y América Latina, y cantó a la vida y la esperanza mientras la dictadura militar impuso la persecución y la muerte.

**En tú opinión**: ¿Qué piensas que quiere decir esto que canta Mercedes Sosa?

«Qué ha de ser de la vida si el que canta
no levanta su voz en las tribunas
por el que sufre, por el que no hay ninguna razón
que lo condene a andar sin manta».

*¡Dímelo tú! Playlist* Escucha: «Canción con todos» de Mercedes Sosa

# Ahora, ¡a hablar!

EP 5.3

**A. Definitivamente... ¡argentinas!** Tú estás tomando un refresco en un café cerca de la universidad cuando oyes a dos chicas hablar con un acento definitivamente argentino. No puedes resistir escuchar su conversación. Para saber qué dicen, selecciona **por** o **para.**

CHICA #1: ¿Por qué no vamos de compras esta tarde?

CHICA #2: ¡Qué buena idea, che! Si querés, paso (por / para) tu casa a la una y media. ¿Adónde vamos?

CHICA #1: Al Patio Bullrich, es mi centro comercial favorito. Sabés cómo llegar, ¿no?

CHICA #2: Bueno, siempre voy allí (por/ para) subte (por / para) evitar el tráfico. Pero, a ver,... (por / para) llegar al Patio Bullrich, primero tenés que pasar (por / para) la Plaza San Martín. Luego si seguís (por / para) la Avenida del Libertador una buena distancia, llegás, ¿no?

CHICA #1: No me preguntes a mí. Como no manejo, (por / para) mí es siempre un misterio cómo llegar allí.

CHICA #2: Mirá, Dolores, ¿por qué no vamos (por / para) subte? Es más fácil.

EP 5.3, 5.4

**B. ¿Con qué frecuencia?** Pregúntale a tu compañero(a) con qué frecuencia hace estas cosas. Luego, tu compañero(a) te va a hacer las mismas preguntas a ti.

**MODELO**    viajar en autobús

TÚ: **¿Con qué frecuencia viajas en autobús?**

COMPAÑERO(A): **Viajo en autobús todos los días.**

siempre    todos los días    a veces    nunca

1. pasear por el parque
2. enviar mensajes por correo electrónico
3. ir en metro o subte
4. ir a pie a la universidad
5. viajar en avión para las vacaciones
6. viajar en taxi o colectivo

EP 5.4

**C. ¿Juerguistas, musculitos o superresponsables?** ¿Cómo categorizas a tus compañeros(as) de clase? ¿Son **juerguistas** *(party animals)*, **musculitos(as)** *(muscle men/women)* o **superresponsables**? Entrevista a tres compañeros(as) para determinarlo. Luego haz un informe a la clase sobre tus compañeros(as) basándote en sus respuestas.

**MODELO**    TÚ: **¿Con qué frecuencia vas a la biblioteca?**

COMPAÑERO(A): **Voy todos los días para estudiar.** o

**Nunca para estudiar, solo para pasar el rato.**

| | | |
|---|---|---|
| el bar | | bailar |
| el cine | | beber |
| el gimnasio | | correr |
| el jacuzzi | a veces | descansar |
| el laboratorio | de día | escuchar música |
| el teatro | de noche | estudiar |
| la biblioteca | nunca | investigar |
| la cafetería | siempre | levantar pesas |
| la clase de español | tarde | mirar la tele |
| la discoteca | temprano | no hacer nada |
| la piscina | todos los días | pasar el rato |
| la sauna | | tomar café |
| la tutoría | | |

**D. La casa tiene mucho uso.** Tus padres están preocupados porque pagan mucho por el alquiler de la casa que compartes con un(a) amigo(a), y piensan que puedes vivir en otro lugar más pequeño y más barato. Con tu compañero(a), preparen una lista de actividades que hacen por la mánana/tarde/noche en distintas partes de la casa e indiquen la frecuencia con la cual hacen esas actividades para justificar que necesitas esa casa, y no otra.

## Y ahora, ¿por qué no conversamos?

**E. ¿Fiestas? ¡Todos los días!** Tú estás hablando por teléfono con tu mejor amigo(a) de secundaria *(high school)*. Como asisten a distintas universidades, están comparando sus vidas universitarias. Hablen de distintas actividades que hacen (fiestas, exámenes, esquiar, nadar...), la frecuencia con cual las hacen y planeen cuándo y dónde van a hacer las siguientes actividades. ¡Claro! Ustedes dos exageran bastante para impresionar el uno al otro. Representen su conversación frente a la clase para que la clase decida qué universidad es la más interesante.

**F. ¡Luces! ¡Cámara! ¡Acción!** Tú te encuentras en Buenos Aires en camino a la fiesta de unos amigos, pero en este momento estás muy confundido(a). Estás en Palermo, una entrada del Subte en la línea D, y quieres ir a la salida Boedo en la línea E. Le preguntas a una persona que va a explicarte la ruta en el Subte. Tú haces varias preguntas para asegurarte de que entiendes. Dramatiza la situación con un(a) compañero(a). Deben usar el mapa del Subte del *¿Eres buen observador?* de la página 176.

# ¡Escríbelo!

## Estrategias para escribir: precisar

*In **Capítulo 4** you learned that when writing advertisements, it is necessary to have a list of key words and phrases that must be worked into the advertisement. These key words or phrases usually contain the essence of the message to be conveyed. When writing advertisements, especially when writing classified ads, it is very important to be precise. Since space is limited and costly in newspapers, classified ads must be expressed in very few words.*

**Precisar.** Estudia estos modelos y luego contesta las preguntas que siguen.

| **Núñez y Saavedra** | **Zona Norte** |
|---|---|
| ALQUILER NUÑEZ, DPTO. Dpto de excelente categoría c/pileta olímpica, sauna, gimnasio, restaurante, salón. Amplio (120m$^2$) e impecable. Amueblado. Tres dormitorios y tres baños. $700, $80 de gastos de comunidad. Comunicarse de lun a vier de 10 a 18 hs al 6881–9939 sr. Eduardo o Karina. | DPTO ZONA NORTE tipo casa/ alquilo/ Dpto tipo casa entrada individual, patio amplio, uso comercial o familiar, sin gastos de comunidad ni impuestos, superficie 90m$^2$ $650. Dos dormitorios y un baño. Teléfono 15 4800–3804 sólo sáb y dom. |

1. ¿Cuál de los dos tiene piscina?
2. ¿Cuál es más pequeño?
3. ¿Cuál tiene un horario más amplio para llamar?
4. ¿Cuál de los dos tiene incluidos los gastos de la casa?
5. ¿Cuál de los dos prefieres? ¿Por qué?

## Ahora, ¡a escribir!

A. **En preparación.** Para precisar, prepara una lista de toda la información esencial que debes incluir en un anuncio clasificado para alquilar el cuarto o departamento donde vives ahora o para alquilar la casa o departamento de tus padres.

B. **El primer borrador.** Ahora prepara un primer borrador de tu anuncio clasificado. Compara tu anuncio con tu lista original para asegurarte que incluiste toda la información esencial. Para precisar, usa abreviaturas como en los dos modelos.

C. **Ahora, a compartir.** Comparte tu borrador con dos o tres compañeros(as). Comenta sobre el contenido y el estilo de los anuncios de tus compañeros(as) y escucha los comentarios de ellos sobre tu anuncio. Si hay errores de ortografía o gramática, menciónalos. Si necesitas hacer unos cambios basados en los comentarios de tus compañeros(as), hazlos ahora.

D. **La versión final.** Prepara la versión final de tu anuncio en limpio. Escribe la versión final en la computadora con un estilo periodístico, usando columnas de tres pulgadas *(inches)*. Cuando ya esté listo, pon tu anuncio en la página de anuncios clasificados que tu profesor(a) va a proveer.

# Mi familia argentina

**TAREA**

Antes de empezar este *Paso*, estudia la lista de vocabulario de la página 191 y escucha el corte 19 de tu Text Audio CD2. Luego estudia *En preparación*.

1er día    5.5 Comparisons: Actions and quantities, páginas 197–198

2do día    5.6 Adverbs derived from adjectives, página 199

Haz por escrito los ejercicios de *¡A practicar!* correspondientes.

## ¿Eres buen observador?

### Dos familias argentinas

## Ahora, ¡a analizar!

**En la familia argentina de arriba, la pareja en el centro son los abuelos.**

1. ¿Cuántos hijos crees que tienen los abuelos?
2. ¿Cuántos hijos de los abuelos crees que están casados?
3. ¿Cuántos hijos y cuántas hijas tiene cada pareja?
4. En tu opinión, ¿quién es la madre del chico, la rubia o la morena?
5. Si la señora rubia y el señor a su lado son los tíos de las dos chicas que están en la silla, ¿cómo está relacionada la pareja morena con el niño y la niña a la derecha?
6. Los abuelos tienen cuatro nietos. ¿Cuántos son varones y cuántas son hembras?

**En la familia argentina de abajo**

7. ¿Quién consideras que es hijo/hija de quién? ¿Por qué lo crees?
8. ¿Crees que es una familia tan extensa como la de arriba? ¿Por qué sí o no?
9. ¿Prefieres las familias grandes o pequeñas? ¿Por qué?

# ¿Qué se dice?  CD2, Track 16

## Al hablar de la familia

⚡ Google™ BUSCA: Tiras de Mafalda

**Mafalda** es la protagonista de los comics del dibujante argentino Joaquín Salvador Lavado (Quino). Es profundamente crítica a la sociedad. Solo tiene 6 años pero se preocupa excesivamente por lo que ocurre en el mundo, escuchando todos los días la radio o la televisión. Odia la sopa.

**Felipe** es un año mayor que Mafalda. Está locamente enamorado de una vecinita de su barrio. Piensa obsesivamente en las tareas de la escuela que no hace y en cómo los otros niños trabajan mucho más y mejor que él.

**Manolito** es hijo de españoles (tiene apellido gallego), y es el personaje más bruto. Está muy orgulloso del Almacén Don Manolo, propiedad de su padre. Su ídolo es Rockefeller y espera un día tener tanto dinero como él.

**Susanita** está constantemente peleando con Manolito. Su vida es aparentemente normal y le gusta ser el centro de la atención.

**Guille** es el hermano pequeño de Mafalda. No se relaciona prácticamente con el grupo, por lo que aparece en tiras propias o con su hermana *Mafaddita*, como él la llama.

**Los padres** de Mafalda y Guille son de clase media. Ella es ama de casa (que abandona los estudios por casarse con su actual marido) y él agente de seguros. Ante la insistencia de Mafalda, compran un coche que les ayuda a viajar más cómodamente.

Indica a qué personajes de Quino se describen aquí.

1. Es bruto.
2. Es profundamente crítica a la sociedad.
3. Es aparentemente normal.
4. Es prácticamente independiente.
5. Está constantemente peleando.
6. Está locamente enamorado.
7. Se preocupa excesivamente por el mundo.
8. Piensa obsesivamente en la escuela.

### ¿Sabías que...?

En los países hispanos es común usar dos apellidos *(last names),* por ejemplo, Castillo Torres o Gambarini Gunther. El primer apellido, en este caso Castillo, siempre es el apellido del padre; el segundo, Torres, es el apellido de la madre. Si piensas que el apellido Gambarini suena más italiano que español y que el apellido Gunther suena alemán, tienes razón. A principios del siglo *(century)* pasado muchos europeos inmigraron a Argentina, especialmente italianos, y, por lo tanto, un gran porcentaje de la población argentina no tiene apellidos hispanos sino italianos, alemanes e ingleses.

**En tu opinión:** ¿Crees que es buena idea usar ambos apellidos, el de tu padre y el de tu madre? Explica tu respuesta.

## Ahora, ¡a hablar!

**A. ¿Quién es quién?** ¿Cómo está relacionada cada una de las personas con Dolores? Para practicar tu vocabulario de la familia en español, contesta las preguntas de tu compañero(a), que tiene la información en el Apéndice A.

MODELO      TÚ: **¿Cómo están relacionadas Irene y Dolores?**
COMPAÑERO(A): **Irene es hermana de Dolores.**

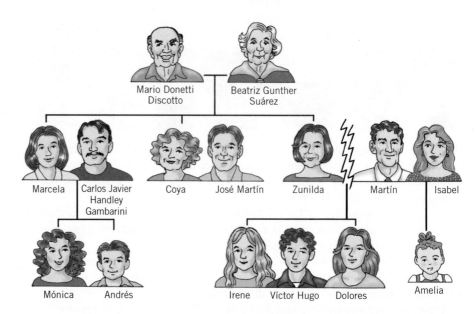

EP 5.5

**B. Cada deporte es un mundo.** Todos los deportes tienen algo especial. Habla con al menos tres compañeros(as) para ver si opinan como tú cuando comparas estos deportistas.

**Vocabulario útil**

| | |
|---|---|
| aburrir al público | pasar frío/calor |
| disfrutar | pasar tiempo en el campo |
| ganar más dinero | quemar *(burn)* calorías |
| hacer ejercicio | recorrer distancias |
| marcar goles | tener accidentes |
| necesitar práctica | tener paciencia |

MODELO    Tú: **El golfista tiene menos accidentes que los patinadores.**
COMPAÑERO(A): **Sí, pero los patinadores tienen tantos accidentes como los esquiadores.**

**C.** **¿Quiénes?** ¿Cómo hacen tú y tus compañeros(as) de clase las siguientes cosas? Con un(a) compañero(a), túrnense para decir quiénes hacen esto y cómo lo hacen.

EP 5.6

MODELO    estudiar
**Mi amigo... estudia raramente.**

**Vocabulario útil**

| | | | |
|---|---|---|---|
| calmado | eficaz | lento | serio |
| cortés | exacto | mensual | silencioso |
| cuidadoso | fácil | preciso | sincero |
| diario | frecuente | rápido | tranquilo |
| difícil | fuerte | raro | violento |

1. hablar español
2. enojarse con los amigos
3. estudiar
4. comer comida mexicana
5. jugar al fútbol
6. practicar piano
7. admitir limitaciones personales
8. saludar
9. ¿...?

**D.** **¿Quién es quién?** Con tu compañero(a), túrnense para decir cómo creen que cada una de estas personas está relacionada con las otras. Informen a la clase cuando estén los dos completamente de acuerdo.

### Y ahora, ¿por qué no conversamos?

**E. Mi árbol genealógico.** Dibuja el árbol genealógico de tu familia. Sigue el modelo de la Actividad A de la sección anterior. Luego, sin permitir que nadie lo vea, descríbele tu árbol a un(a) compañero(a) mientras él (ella) lo dibuja. Cuando termines de describirlo, compara tu dibujo con el dibujo de tu compañero(a) para ver si lo explicaste bien. Finalmente, repite el proceso pero esta vez tú debes dibujar mientras tu compañero(a) describe su árbol genealógico.

**F. ¡Luces! ¡Cámara! ¡Acción!** ¡Esta es tu oportunidad de exagerar! Estás hablando con un(a) amigo(a) que constantemente está jactándose. Ahora lo hace al describir a su familia. Decides que tú también vas a jactarte un poco al describir a tu familia. Dramatiza esta situación con un(a) compañero(a).

## Saber comprender

### Estrategias para ver y escuchar: reconocer cognados por sus sufijos

*In the previous **Paso** you learned that the Spanish equivalent of the English suffixes -ly, -ty, and -ent is **-mente, -dad,** and **-ente**. There are many other suffixes in English words that have Spanish equivalents, and learning to recognize them will greatly expand your vocabulary and your listening comprehension.*

*For example, note the relationship between the following Spanish and English suffixes:*

| | | | |
|---|---|---|---|
| elev**ado** | *elevat**ed*** | na**ción** | *na**tion*** |
| cambi**ado** | *chang**ed*** | combina**ción** | *combina**tion*** |

**Reconocer cognados por sus sufijos.** Trata de identificar los sufijos de estas palabras. Primero escribe los equivalentes de estas palabras en inglés, luego los sufijos en inglés y en español.

| | **Español** | **Inglés** | **Sufijo: español** | **Sufijo: inglés** |
|---|---|---|---|---|
| 1. | ejemplo | _____ | ____ | _____ |
| | templo | _____ | ____ | _____ |
| 2. | dentista | _____ | ____ | _____ |
| | artista | _____ | ____ | _____ |
| 3. | joyero | _____ | ____ | _____ |
| | jardinero | _____ | ____ | _____ |
| 4. | museo | _____ | ____ | _____ |
| | petróleo | _____ | ____ | _____ |

# Buenos Aires, ¡al ritmo de un tango!

## Al ver el video

Ahora mira el video. Escucha con cuidado la narración. Mientras escuchas, escribe por lo menos dos cognados que reconoces con los sufijos **-ado, -ada** y **-ción**.

| -ado | -ada | -ción |
|------|------|-------|
| _____ | _____ | _____ |
| _____ | _____ | _____ |

## Después de ver el video

Mira otra vez el video y marca las expresiones que completen mejor cada oración.

1. Buenos Aires combina... al ritmo de un tango.

   ☐ la música y el baile
   ☐ el pasado y el presente
   ☐ barrios y monumentos

2. Los habitantes de Buenos Aires son conocidos como...

   ☐ emigrantes.
   ☐ cosmopolitas.
   ☐ porteños.

3. Por toda la ciudad de Buenos Aires hay...

   ☐ monumentos.
   ☐ caminitos.
   ☐ barrios italianos.

4. La Boca es un barrio de tradición italiana con...

   ☐ mucha historia.
   ☐ casas coloridas.
   ☐ artistas franceses.

5. Buenos Aires es conocida por muchos como...

   ☐ el París de Sudamérica.
   ☐ el Pueblo de Río de la Plata.
   ☐ La Boca.

# El rincón de los lectores

### Estrategias para leer: proceso de enlace

*When reading poetry aloud in Spanish, it is extremely important to maintain the rhythm the poet intended. This is clearly defined by the widely accepted rules for linking certain words and not others; instead of pronouncing each word separately, they are run together. There are three basic rules.*

1. *Always link a final consonant with an initial vowel.*
   **levanta los‿ojos‿al...**

2. *Always link a final vowel with an initial vowel.*
   **con su‿amable...**

3. *Always link identical final and initial consonants.*
   **Los sueños‿son**

*The only exception to these rules is when there is punctuation that requires a pause, such as a comma, a colon, a semicolon, and the like.*

**Proceso de enlace.** Ahora con dos compañeros(as) de clase, hagan una lectura dramática del poema de Alfonsina Storni, «Hombre pequeñito». Cada uno debe leer una estrofa. Prepárense para leer indicando por escrito el enlace entre palabras de su estrofa. Comparen sus enlaces con las de otra persona en la clase que va a leer la misma estrofa.

Monumento dedicado a Alfonsina Storni

## La autora

**Alfonsina Storni** se suicidó en el Mar del Plata en octubre de 1938, después de sufrir de cáncer por un largo período y de ver morir del mismo tipo de cáncer a una amiga, tras mucho dolor y agonía. La noche antes de morir, Alfonsina Storni mandó al periódico local un poema que tituló «Voy a dormir» y que se publicó la mañana de su muerte. La leyenda dice que Alfonsina Storni se suicidó por un amor no correspondido. Pero Alfonsina escribió poemas como este «Hombre pequeñito» que muestran que en realidad no fue así. En este y en otros poemas, Alfonsina se presenta como una mujer liberada que no depende de los hombres.

## Lectura

# Hombre pequeñito

Hombre pequeñito, hombre pequeñito,
suelta a tu canario que quiere volar.
Yo soy tu canario, hombre pequeñito,
déjame saltar.

Estuve en tu jaula, hombre pequeñito,
hombre pequeñito que jaula me das.
Digo pequeñito porque no me entiendes
ni me entenderás.

Tampoco te entiendo, pero mientras tanto
ábreme la jaula, que quiero escapar;
hombre pequeñito, te amé media hora,
no me pidas más.

## A ver si comprendiste

Contesta estas preguntas basándote en el poema de Alfonsina Storni.

1. ¿Cómo caracteriza el poema a los hombres?
2. ¿Cómo se representa la narradora a sí misma?
3. ¿Está la narradora enamorada (in love)? ¿Cómo lo sabemos?
4. ¿Qué tipo de mujer crees que fue Alfonsina Storni? ¿Tradicional? ¿Feminista? ¿Religiosa? ¿Liberal? Explica.

**Por el ciberespacio... las mujeres argentinas**

Keywords to search:

*Mercedes Sosa*
*Luisa Valenzuela*
*Madres de la Plaza de Mayo*
*Alfonsina Storni*
*Gabriela Sabatini*
*Cecilia Roth*
*María Luisa Bemberg*
*Eva Perón*

To learn more about **las mujeres argentinas**, go to the *¡Dímelo tú!* website at academic.cengage.com/spanish/dimelotu

## Paso 1  CD2, Track 17

### Apartamento
| | |
|---|---|
| amueblado(a) | furnished |
| apartamento | apartment |
| armario | closet, wardrobe |
| ascensor (m.) | elevator |
| balcón (m.) | balcony |
| bañera | bathtub |
| cuarto de baño | bathroom |
| disponibilidad (f.) | availability |
| disponible | available |
| ducha | shower |
| lavadero | laundry |
| ropero | closet |
| vestidor (m.) | walk-in closet |

### Muebles
| | |
|---|---|
| cama de matrimonio (f.) | double bed |
| escritorio | desk |
| espejo | wall mirror |
| heladera | refrigerator |
| horno | oven |
| lámpara | lamp |
| litera | bunkbed |
| mesa | table |
| mesita | coffee table, bedside table |
| mueble (m.) | (piece of) furniture |
| nevera | refrigerator |
| silla | chair |
| televisor (m.) | TV set |
| sillón (m.) | armchair |

### Preposiciones compuestas
| | |
|---|---|
| a la derecha | to the right |
| a la izquierda | to the left |
| al lado de | beside, next to |
| antes de | before |
| cerca de | near |
| debajo de | under |
| delante de | in front of |
| después de | after |
| detrás de | behind |
| encima de | on top of |
| enfrente de | facing, opposite |
| junto a | next to, by |
| lejos de | far from |

### Preposiciones sencillas
| | |
|---|---|
| a | to, at (with time) |
| con | with |
| de | of, from |
| desde | from |
| en | on, in, at |
| entre | between |
| para | for, (in order) to |
| por | for, by, through |
| sin | without |
| sobre | over, on top of, about |

### Ciudad
| | |
|---|---|
| centro | downtown |
| comunitario(a) | public |
| dueño(a) | owner, landlord (landlady) |
| parada del autobús (f.) | bus stop |
| residencia | residence |

### Descripción
| | |
|---|---|
| cómodo(a) | comfortable |
| desastre (m.) | disaster |
| imposible | imposible |
| incluido(a) | included |
| lujoso(a) | luxurious |
| plástico | plastic |
| viejo(a) | old |

### Palabras y expresiones útiles
| | |
|---|---|
| animal doméstico (m.) | pet |
| aquí | here |
| en seguida | right away |
| Es que... | It is just that ... |
| gato(a) | cat |
| mudarse | to move, to relocate |
| perro(a) | dog |
| simplemente | simply |
| sopa | soup |

## Paso 2  CD2, Track 18

### Transporte
| | |
|---|---|
| a pie | walking, on foot |
| avión (m.) | airplane |
| distancia | distance |
| micro | minibus |
| terminal (f.) | terminal |
| taxi (m.) | taxi |

### El subte
| | |
|---|---|
| entrada | entrance |
| con destino a | headed toward |
| estación (f.) | station |
| línea | line |
| red (f.) | system, network |
| ruta | route |
| salida | exit |
| subterráneo | subway, underground, metro |

### Celebración
| | |
|---|---|
| celebrar | to celebrate |
| cumpleaños (m.) | birthday |
| juerguista (m. f.) | party animal |
| pastelería | pastry shop |

### Descripción
| | |
|---|---|
| confundido(a) | confused |
| fijo(a) | fixed, nonchangeable |
| distinto(a) | distinct, different |
| musculitos | muscle men/women |
| medio(a) | half |
| preferible | preferable |
| superresponsable | superresponsible |

### Tiempo y frecuencia
| | |
|---|---|
| ahora | now |
| anoche | last night |
| a veces | sometimes |
| frecuencia | frequency |
| nunca | never |
| siempre | always |
| tarde | late |
| temprano | early |

### Actividades y verbos
| | |
|---|---|
| bajar | to go down, to get off |
| cambiar | to change |
| continuar | to continue |
| compartir | to share |
| comunicar | to communicate |
| funcionar | to function, to work |
| investigar | to investigate |
| levantar pesas | to lift weights |
| manejar | to drive |
| pasar | to pass |
| pasar el rato | to pass the time |

### Palabras y expresiones útiles
| | |
|---|---|
| como | as, since |
| desde | from |
| hasta | until |
| mensaje (m.) | message |
| misterio | mystery |
| paquete | package |
| porque | because |
| ¡Qué pena! | What a shame! |
| ¡Qué suerte! | What luck! |

| solo | only |
|---|---|
| tutoría | tutelage, place for tutoring |
| vacaciones (f. pl.) | vacation |

## Paso 3  CD2, Track 9

### La familia
| | |
|---|---|
| abuelo(a) | grandfather (grandmother) |
| abuelos | grandparents |
| hermano(a) | brother (sister) |
| hermanos | siblings |
| hijo(a) | son (daughter) |
| hijos | children |
| madre | mother |
| nieto(a) | grandson(daughter) |
| padre | father |
| hermanastro(a) | stepbrother(sister) |
| madrastra | stepmother |
| padrastro | stepfather |
| pariente (m.) | relative |
| primo(a) | cousin |
| sobrino(a) | nephew (niece) |
| tío(a) | uncle (aunt) |
| relacionado(a) | related |

### Aspecto
| | |
|---|---|
| bruto(a) | stupid, ignorant, brutish |
| común | common |
| crítico(a) | critical |
| enamorado(a) | in love |
| joven | young |
| moreno(a) | brunet(te) |
| normal | normal |

### Datos personales
| | |
|---|---|
| casado(a) | married |
| hembra | female |
| pareja | couple |
| varón (m.) | male |

### Deportes y deportistas
| | |
|---|---|
| beisbolista (m. f.) | baseball player |
| campeón (campeona) | champion |
| corredor(a) | runner |
| esquiador(a) | skier |
| futbolista (m. f.) | football player |
| golfista (m. f.) | golfer |
| hacer ejercicio | to do exercise |
| jugador(a) | player |
| levantador(a) de pesas | weight lifter |
| marcar goles | to score goals |
| nadadora(a) | swimmer |
| patinador(a) | skater |
| quemar calorías | to burn calories |
| recorrer distancias | to cover a lot of ground |
| tenista (m. f.) | tennis player |

### Manifestaciones
| | |
|---|---|
| discurso | lecture |
| manifestación (f.) | demonstration |
| participar | to participate |
| protestar | to protest |

### Comparaciones
| | |
|---|---|
| más que | more than |
| menos que | less than |
| tanto(a) | as much |
| tantos(as) | as many |

### Descripción de acciones
| | |
|---|---|
| aparentemente | apparently |
| calmadamente | calmly |
| constantemente | constantly |
| cortésmente | courteously |
| cuidadosamente | carefully |
| culturalmente | culturally |
| diariamente | daily |
| eficazmente | efficiently |
| exactamente | exactly |
| excesivamente | excessively |

| | |
|---|---|
| frecuentemente | frequently |
| inmediatamente | immediately |
| lentamente | slowly |
| lógicamente | logically |
| mensualmente | monthly |
| obsesivamente | obsessively |
| prácticamente | practically |
| precisamente | precisely |
| profundamente | profoundly |
| raramente | rarely |
| silenciosamente | silently |
| totalmente | totally |

### Verbos
| | |
|---|---|
| aburrir | to bore |
| admitir | to admit |
| agradecer | to appreciate |
| dibujar | to draw |
| disfrutar | to enjoy |
| enojarse | to get angry |
| jactarse | to brag |
| pasar frío/calor | to experience cold/hot temperatures |
| preocupar | to worry |
| reaccionar | to react |

### Palabras y expresiones útiles
| | |
|---|---|
| accidente (m.) | accident |
| coche (m.) | car |
| dibujante (m. f.) | cartoonist |
| ejercicio | exercise |
| fuera | out |
| ladrón (ladrona) | thief |
| limitación (f.) | limit |
| media jornada | part time |
| osito de peluche | teddy bear |
| paciencia | patience |
| peleando | fighting |
| práctica | practice |
| sociedad (f.) | society |
| tira cómica | comic strip |
| verdad (f.) | truth |

---

## EL ESPAÑOL... de Argentina

| | |
|---|---|
| che | pal, hey, listen |
| cochera | garage |
| colectivo | bus |
| departamento | apartment |
| living (m.) | living room |
| pileta | swimming pool |
| subte (m.) | subway, underground, metro |
| vos | you |

# En preparación 5

## Paso 1

### 5.1 *Ser* and *estar:* A second look

**Describing people and things and telling time**

■ **Ser** is used

1. with adjectives to describe physical traits, personality, and inherent characteristics.
   Tu habitación **es** grande.
   Mamá **es** muy particular.
   Los muebles viejos **son** más cómodos.

2. to identify people or things.
   Yo **soy** estudiante de química y estos **son** mis libros de texto.

3. to express origin and nationality.
   **Somos** de Bariloche; **somos** argentinos.

4. to tell of what material things are made.
   ¡Los muebles **son** de plástico!

5. to tell time.
   ¡Ya **son** las nueve!

6. with impersonal expressions (those that don't have a specific subject).
   ¿**Es** necesario vivir aquí?

7. to tell where an event takes place.
   La fiesta **es** en la casa de Rossana.

■ **Estar** is used

1. with adjectives to describe temporal evaluation of states of being, behavior, and conditions.
   Hijo, **estás** imposible hoy. *(behavior)*
   El baño **está** sucio. *(condition)*

2. to indicate location.
   El departamento **está** cerca del centro.

3. to form the progressive tense.
   Carlos **está limpiando** el departamento.

4. with idiomatic expressions such as the following.

   | | |
   |---|---|
   | **estar de acuerdo** | *to agree with* |
   | **estar de moda** | *to be in style* |
   | **estar enamorado de** | *to be in love with* |
   | **estar seguro** | *to be sure* |

⬈ Google™ y
YouTube™ BUSCA:
Ser vs. Estar

Heinle Grammar
Tutorial: Ser vs. Estar

## ¡A practicar!

**A. ¡Pobre Eva!** You just ran into your friends Eva and Ramón at the cafeteria and neither of them looks very happy. Complete the following paragraph with the appropriate form of **ser** or **estar** to see why the two of them, especially Eva, look so miserable today.

Eva y Ramón _____ en la cafetería. No _____ hablando mucho. Ellos _____ de San Antonio, pero ahora _____ aquí. Ellos _____ estudiantes de la universidad. Eva _____ inteligente y generalmente ella _____ muy simpática pero hoy _____ antipática. Eva _____ furiosa porque Ramón _____ muy ocupado y no puede salir con ella esta noche. Ramón tiene un examen importante mañana y él _____ muy nervioso. ¡Pobre Eva!

**B. ¡Qué misterio!** Mario really is quite misterious. He always sticks to himself and no one knows much about him. With a partner see what you can find out about Mario by taking turns as you use an item in each column to make complete sentences.

| Mario | | muy sucia |
| Él | es | limpiando la casa |
| Mario hoy | está | muy ocupados |
| Ahora | están | muy nervioso |
| Mario y sus compañeros | son | las diez de la mañana |
| Todos | | de Nueva Jersey |
| La casa | | un estudiante de filosofía |

> «**Somos** arquitectos de nuestro propio destino». (frase célebre)
>
> ____ One is destined to be one's own arquitect.
>
> ____ Your future depends on you and what you do now.

## 5.2 Prepositions

### Expressing relationships of time, place, material, and possessions

■ Prepositions express relationships with respect to time, place, material, and possession, among others. The relationships may be between nouns (vaso **de** vino) or pronouns (él está **contra** mí) and the adjectives or verbs that refer to them (¡Maneja **con** cuidado!).

■ There are simple prepositions, which always consist of one word, and compound prepositions, which consist of two or more words. Following are some of the most commonly used simple and compound prepositions.

| Compound Prepositions | | Simple Prepositions | |
|---|---|---|---|
| a la izquierda/ derecha de | to the left/ right of | a | to, at (with time) |
| al lado de | next to, beside | con | with |
| antes de | before | de | of, from |
| cerca de | near | desde | from |
| debajo de | under | en | in, at, on |
| delante de | in front of | entre | between |
| después de | after | para | for, in order to |
| detrás de | behind | por | for, by, through |
| encima de | on top of | sin | without |
| enfrente de | facing, opposite | sobre | over, on top of, |
| junto a | next to, by | | about |
| lejos de | far from | | |

🔎 Google™ Images y YouTube™ BUSCA: Spanish prepositions

El departamento está **detrás del** supermercado. También está **cerca de** la universidad.

*The apartment is behind the supermarket. It's also near the university.*

**Heinle Grammar Tutorial:** Compound Prepositions

## ¡A practicar!

**A. A estudiar.** Julia, a new friend of yours at your university, is walking out of her apartment. To find out what she plans to do, complete this paragraph with the appropriate prepositions.

Ahora voy ____ la biblioteca. Voy ____ estudiar ____ Inés. Necesito el libro ____ física que está ____ mi mochila. Por la tarde tengo una hora libre _____ *(before)* la clase de química y la de física. Para pasar el rato, voy al gimnasio, que está _____ *(far from)* la residencia pero _____ la facultad. Pero, ¿dónde están mis compañeros de clase de español? ¡Ah! Están ____ el laboratorio de lenguas, practicando ____ el examen del miércoles.

**B. ¿Dónde está?** You and your friend still have not found an apartment for next semester. Right now you are calling three apartment owners to find out where their buildings are located. What do they tell you? Take turns completing their statements.

1. El edificio está... (*at 162 Corrientes, behind the library and to the right of the supermarket*).
2. El departamento está... (*in front of the tall building at 145 San Isidro, not far from downtown*).
3. La residencia está... (*at 66 Rivadavia, to the left of the new bookstore*).
4. La oficina está... (*to the right, near the park*).
5. El hospital está... (*next to the office*).

---

«**Debajo de** la manta florida, está la culebra escondida». (refrán)

____ *Danger lurks where you least expect it.*

____ *Snakes look for warmth in flower beds.*

---

## Paso 2

## 5.3 *Por* and *para*

### Expressing direction and means

The prepositions **por** and **para** have many English equivalents, including *for*. **Por** and **para** are not interchangeable, however. Study the many meanings of **por** and **para**.

**Por**

- *By, by means of*
  ¿Mando el paquete **por** avión?        *Should I send the package by plane?*

- *Through, along*
  ¿Pasa el tren **por** aquí?              *Does the train pass through here?*

- *Because of*
  Estuvieron tristes **por** su amiga.     *They were sad because of their friend.*

- *During, in*
  Fueron allí **por** el verano.           *They went there in the summer.*

- *For: in place of, in exchange for*
  ¿Quién fue **por** ella?                 *Who went in her place?*

- *For: for a period of time*
  Siempre jugamos **por** tres horas.      *We always play for three hours.*

## Para

- *In order to*
  **Para** ganar, hay que practicar.

  *In order to win, it is necessary to practice.*

- *For: compared with, in relation to others*
  **Para** ser futbolista, no es muy agresivo.

  *For a soccer player, he is not very aggressive.*

- *For: intended for, to be given to*
  Estudiamos **para** el examen.
  Compré las entradas **para** tus padres.

  *We study for the test.*
  *I bought the tickets for your parents.*

- *For: in the direction of, toward*
  De aquí se fueron **para** Lima.

  *From here they left for Lima.*

- *For: by a specified time*
  Vamos a tener los resultados **para** mañana.

  *We'll have the results for tomorrow.*

- *For: in one's opinion*
  **Para** nosotros, Maradona es el mejor.

  *For us, Maradona is the best.*

GoogleTM Images y YouTubeTM BUSCA: Por vs. Para

Heinle Grammar Tutorial: Por versus Para

## ¡A practicar!

**A. Los planes de Andrea.** Your friend Andrea, who studies in San Francisco, is going next weekend to visit her parents in Lake Tahoe. What are her plans? Find out by filling in the blanks with **por** or **para**.

1. El sabado voy _para_ la casa de mis padres.
2. _Por_ la mañana voy a salir temprano de casa.
3. ¿Por qué? Porque primero debo comprar un regalo _para_ mi madre. Es su cumpleaños.
4. También voy a pasar _por_ la pastelería.
5. Sí, por supuesto, _para_ comprar una rica torta.
6. Pero ¡qué pena! El domingo _por_ la tarde, ya debo regresar _para_ prepararme _para_ los exámenes finales.

**B. En diciembre, ¡vacaciones!** Alicia is from Arizona but she studies in Iowa. Find out what she does before the Christmas break by completing the paragraph with **por** or **para.**

Hoy debo estudiar _para_ dos exámenes y el fin de semana voy a escribir mi composición _por_ la clase de filosofía, y después de eso... ¡vacaciones! Salgo _para_ mi casa el lunes _por_ la mañana, y esta vez voy _por_ avión. Ahora voy a estar con mi familia _por_ todas las vacaciones. ¡Qué suerte!

**C. ¡Viajes!** Your friend Fernando has family spread all over the country. How does he keep in touch with everyone? To find out, complete his ideas with **por** or **para.**

1. _Para_ ir a visitar a mis primos en Seattle, _por_ mí, es mejor ir _por_ tren.
2. Tengo primas que viven cerca de la universidad. _Para_ ir a su casa el camino es más corto si paso _por_ Sacramento.
3. Tengo que comunicarme _por_ teléfono con mis padres. Ellos viven en Lexington.
4. Cuando mis padres me visitan, _para_ ellos, es más fácil viajar _por_ avión.
5. _Para_ mis tíos, el viaje es más fácil. Ellos solo necesitan tomar el subte _para_ llegar a mi departamento.

**D. Paso por ahí.** How does Mónica get to school every day? With your partner, answer the question by completing this paragraph with **por** or **para.** Then together, use this paragraph as a model to write a short paragraph telling how you get to the university every day. You may need to stretch the truth a little bit.

_Para_ llegar a la universidad tomo el colectivo que pasa _por_ la Avenida Santa Fe. Siempre viajo en colectivo porque es más barato que ir en auto. Después de bajarme del colectivo tengo que pasar _por_ la Plaza San Antonio. Tomo el colectivo en la Avenida Central y continúo caminando _para_ la calle San Ramón _para_ llegar a la Facultad de Filosofía. _Por_ la tarde, hago parte del camino a pie _para_ evitar todo el tráfico del centro.

> «El agua **por** San Marcelino\*, buena **para** el pan, mejor **para** el vino». (refrán)
>
> X Holy water, blessed by St. Marcelino, makes good bread and great wine.
>
> ___ Rain that falls in June is good for the harvest of wheat and still better for the grapevine.

## 5.4 Adverbs of time and frequency

### Expressing time and frequency

Adverbs are words that qualify or modify an adjective, a verb, or another adverb. There are many types of adverbs. Some common adverbs of time and frequency are the following.

| | |
|---|---|
| **ahora** | _now_ |
| **anoche/de noche** | _last night/at night_ |
| **a veces** | _sometimes_ |
| **nunca** | _never_ |
| **siempre** | _always_ |
| **tarde** | _late_ |
| **temprano** | _early_ |
| **todos los días** | _every day_ |

↗ Google™ y Google™ Images
BUSCA: Spanish adverbs of time

**Ahora** necesito ver la casa.
**Siempre** pedimos el alquiler con un mes de adelanto.

_I need to see the house now._
_We always ask for the rent one month in advance._

### ¡A practicar!

**A. ¿Qué?** In Spanish, tell some things that you . . .

1. never do.
2. always do late.
3. do once in a while.
4. always do early.
5. do nowadays.
6. sometimes do.

**B. ¿Con qué frecuencia?** Ask your partner with what frecuency he does these things. Then your partner will ask you the same questions.

**Vocabulario útil**

a veces     nunca     siempre     todas las semanas     todos los días

1. llegar tarde a sus clases
2. ir a la iglesia
3. hacer la tarea
4. limpiar su cuarto
5. trabajar hasta la medianoche
6. jugar al fútbol en la nieve _(snow)_
7. ¿...?

\*el 2 de junio

## Paso 3

## 5.5 Comparisons: Actions and quantities

### Stating equivalence

■ **Equivalent actions**

When comparing equivalent actions, the following formula is used.

| verb + | **tanto como** |
|---|---|

Miguel **viaja tanto como** yo.     *Miguel **travels as much as** I do.*
Ustedes no **están produciendo tanto**     *You are not **producing as much as** we are.*
   **como** nosostros.

■ **Equivalent quantities**

When comparing equivalent amounts of things, the following formula is used.

| verb + | **tanto/tanta/tantos/tantas** | noun + | **como** |
|---|---|---|---|

Sandra **tiene tantos problemas\* como** tú.     *Sandra **has as many problems as** you.*
Hoy **espero tantas cartas\* como** ayer.     *Today, **I expect as many letters as** yesterday.*

**Google™**
BUSCA: Spanish comparisons of equality

**Heinle Grammar Tutorial:**
Comparisons of Equality

### ¡A practicar!

**A. ¡Hermanitos!** Little brothers are the same everywhere; they always do exactly what their big brothers do. Tell what you do and what your little brother does.

> **MODELO**     hacer ejercicio tres días por semana
>             **Yo hago ejercicio tres días por semana y mi hermanito hace tanto ejercicio como yo.**

1. ir al cine una vez por semana
2. tener tres ositos de peluche
3. ver deportes en la tele todos los días
4. nadar en la piscina
5. comer pizza dos veces por semana
6. tener muchos amigos

**B. Comparando familias.** Compara tu familia con la de tu compañero(a).

> **MODELO**     Tú: **Tengo cuatro tías.**
> Compañero(a):    **No tengo tantas tías como tú. Solo tengo dos tías.** o
>                  **Tengo tantas tías como tú. Tengo cuatro tías también.** o
>                  **Tengo más tías que tú. Tengo seis tías.**

\*Note: The number and gender of the object being compared determines whether **tanto, tantos, tanta, tantas** is used.

# Comparisons of inequality

When comparing or contrasting actions, use the following formula:

| verb + | más/menos + | que |
|--------|-------------|-----|

Santiago **compra más que** su madre.
Raramente **duermo menos que** tú.

*Santiago **shops more than** his mother.*
*I rarely **sleep less than** you.*

**Google™**
BUSCA: Spanish comparisons of inequality

**Heinle Grammar Tutorial:**
Comparisons of Equality and Inequality

## ¡A practicar!

**A. ¿Más o menos?** How do you compare the members of your family with regard to the following?

MODELO      gastar
       **Mi hermano gasta más que mi hermana.** o
       **Mi madre gasta menos que todos.**

1. manejar por la ciudad
2. comer fuera (*eat out*)
3. ir de compras
4. visitar a mis abuelos
5. usar el teléfono
6. chatear en la computadora

**B. ¿Y sus amigos?** With a partner, compare yourselves to your classmates with regard to the following activities.

MODELO      Tú: **Yo estudio más que todos mis compañeros de clase.**
Compañero(a): **No es verdad. Tú no estudias tanto como yo.**

**Vocabulario útil**

| más que | menos que | tanta(s) como | tanto(s) como |
|---------|-----------|---------------|---------------|

1. practicar español
2. salir de noche
3. cocinar
4. ir en colectivo
5. trabajar
6. ¿...?

«La alegría es un tesoro que **vale más que** el oro». (proverbio)

\_\_\_\_ *Happiness is a treasure worth more than anything.*
\_\_\_\_ *Money brings happiness.*

## 5.6 Adverbs derived from adjectives

### Expressing how an event happened

Many adverbs are directly derived from adjectives.

■ Adverbs are commonly formed from adjectives by adding -**mente** to the feminine singular form of the adjective. This is equivalent to adding *-ly* in English. Written accents on adverbs formed this way are required only if they appear on the adjective form.

| tranquilo(a) | **tranquilamente** | *leisurely, calmly* |
| lento(a) | **lentamente** | *slowly* |
| rápido(a) | **rápidamente** | *rapidly, fast* |

■ Adjectives that do not have a separate feminine form add -**mente** to the singular form.

| total | **totalmente** | *totally* |
| cortés | **cortésmente** | *courteously* |
| fuerte | **fuertemente** | *strongly, loudly* |

■ When two or more adverbs occur in a series, only the last one takes the -**mente** ending; the others use the feminine, singular form of the adjective.

El gato camina **silenciosa y lentamente** por la casa.

*The cat walks **silently and slowly** throughout the house.*

■ Adverbs are normally placed *before* adjectives or *after* the verb they modify.

El tren es **poco** rápido.
Lo golpearon **violentamente.**

*The train is **not very** fast.*
*They beat him **violently.***

🔍 Google™
BUSCA: Spanish adverbs derived from adjectives

**Heinle Grammar Tutorial:** Formation of Adverbs

## ¡A practicar!

**A. ¡Simplemente el mejor!** You are explaining to your friends why you think your roommate is an excellent security guard. What do you say? Answer by changing the adjectives in parentheses to adverbs.

1. Él trabaja _____ (serio).
2. Cuando hay una emergencia él llega _____ (inmediato).
3. Se dedica _____ (total) a su trabajo.
4. Él siempre sabe _____ (exacto) qué hacer en una emergencia.
5. Él siempre piensa _____ (cuidadoso y lógico) antes de actuar.
6. Hace _____ (rápido) todo lo que sus jefes le piden.
7. Siempre habla con el público muy _____ (cortés).
8. En una emergencia, él actúa _____ (inteligente y eficaz).

**B. ¡Un incidente en el Miramar!** A friend is explaining what happened last night at the Miramar Restaurant. Working with a partner, complete her report. Then, using her description as a model, write a brief description of a similar incident that the two of you observed. If necessary, invent one. Read your description to the class.

La policía llega _____ (rápido) y captura al ladrón _____ (inmediato). Luego salen todos del restaurante _____ (tranquilo), pero al subir al carro policial, el ladrón reacciona _____ (violento). El jefe de la policía habla _____ (cortés) con los periodistas y los clientes del restaurante. Luego agradece *(expresses appreciation)* _____ (sincero) la cooperación de los meseros del lugar.

---

«Usa tu mente **sabiamente**». (refrán)

____ *Think before speaking.*
____ *Use your head wisely.*

---

### CAPÍTULO 6

# Guatemala: nación maya en el siglo XXI

## In this chapter, you will learn how to . . .

- talk about activities performed in the past.
- talk about the news and discuss what you read in the newspaper.
- tell what happened on your favorite TV program.
- prepare want ads.

*Busca* Chichicastenango *en Google*™ *Images y YouTube*™ *para conocer mejor este antiguo pueblo y su famoso mercado.*

*Busca* Antigua, Guatemala *en Google*™ *Images para dar un paseo por esta encantadora ciudad colonial.*

*Busca* huipil *en Google*™ *Images y YouTube*™ *para ver la gran variedad de huipiles y cómo los hacen las tejedoras mayas.*

# ¡Las fotos hablan!

**A que ya sabes...** Indica cierto (C) o falso (F) según tu opinión.

C  F  1.  En la iglesia de Santo Tomás de Chichicastenango, los indígenas mayas hacen ofrendas a los dioses mayas y al Dios cristiano.

C  F  2.  La ciudad de Antigua puede ser destruida por un volcán.

C  F  3.  El tejer *(weaving)* es una importante actividad de la mujer maya.

C  F  4.  Probablemente, los colores del huipil (la blusa maya) no tienen un significado *(meaning)* especial.

C  F  5.  Antigua, la primera capital de Guatemala, es todavía una hermosa ciudad de arquitectura maya.

# ¡Por fin en Guatemala!

## ¿Eres buen observador?

### Una ruta inolvidable

## Ahora, ¡a analizar!

1. ¿Qué ruta crees que cubre este viaje?
   a. la ruta azteca
   b. la ruta maya
   c. la ruta incaica

2. ¿Qué países están incluidos en esta ruta?
   a. los EE.UU. y México
   b. México y Guatemala
   c. Guatemala y El Salvador

3. En tu opinión, ¿cuál es la atracción de un viaje como este?

⌖ BUSCA Guatemala tours en **Google**™ **Images** para ver otras rutas interesantes de Guatemala.

# ¿Qué se dice...?

## Al hablar del pasado

Queridos papás:

Llegué al aeropuerto de Guate, como los guatemaltecos llaman a la capital, hace tres días, el sábado. Estoy muy contenta. Rosa, mi mamá guatemalteca, me recibió en el aeropuerto. El primer día fue muy interesante porque conocí mi nueva casa y a toda la familia: mi nuevo papá Rafael y mi nuevo hermano Miguel Ángel. Rosa, mi mamá, es una persona encantadora.

El domingo por la mañana visitamos el Mercado Central y descubrí los huipiles, unas blusas de colores maravillosos. Compré dos, uno para ti, mamá, y otro para mí.

⊿ BUSCA Guatemala City en **Google**™ **Images** para conocer mejor esta hermosa ciudad capital.

Ayer visité el lago de Atitlán, uno de los lagos más hermosos del mundo. Me acompañaron Rosa y Rafael. Comimos en un restaurante cerca del lago que, por cierto, está rodeado de volcanes y doce pueblos que llevan el nombre de los doce apóstoles. Disfruté de hermosas vistas y un fascinante paseo por el lago. Por la tarde Rosa y Rafael me llevaron a Antigua, una ciudad colonial maravillosa.

⊿ BUSCA **lago de Atitlán** en **Google**™ **Images** para ver la increíble hermosura de este lago.

⊿ BUSCA **Antigua** y/o **Chichicastenango** en **Google**™ **Images** para ver lo atractivo de estos pueblos.

El domingo manejamos hasta Chichicastenango. Caminamos por el mercado donde las indígenas mayas siempre van vestidas de huipiles y faldas con los colores tradicionales de sus pueblos. Por la noche, después de la cena, regresé con mi nueva familia a Guate.

Indica si lo siguiente es cierto o falso. Si es falso, corrígelo.

C  F  1. Rosa y Rafael, los padres guatemaltecos de Kimberly, la recibieron en el aeropuerto.
C  F  2. En el Mercado Central Kimberly compró dos huipiles.
C  F  3. Rosa visitó el lago de Atitlán con su nuevo hermano, Miguel Ángel.
C  F  4. El domingo, Kimberly, Rosa, Rafael y Miguel Ángel visitaron el mercado de Chichicastenango.
C  F  5. Rosa y su nueva familia regresaron a cenar en Guate.

## ¿Sabías que...?

Tikal, las ruinas arqueológicas de los mayas en la parte norte de Guatemala, es uno de los sitios más impresionantes de las Américas. Hay más de 3.000 templos, casas y otras construcciones allí, entre ellas, cinco hermosas pirámides de más de veinte pisos que se destacan entre la selva guatemalteca. Este centro maya tuvo *(had)* su comienzo 600 años antes de Cristo y llegó a su apogeo 900 años después de Cristo.

**En tu opinión:** ¿Cómo fue posible para los mayas el construir sin máquinas de construcción modernas y sin la rueda? ¿Cuánto tiempo duró el imperio maya? ¿Cuánto tiempo han existido los Estados Unidos como país? ¿Crees que va a durar tanto como el imperio maya? ¿Por qué sí o por qué no?

## Ahora, ¡a hablar!

EP 6.1

**A. Yo también fui.** Tú también visitaste Guatemala y ahora le cuentas a tu compañero(a) lo que hiciste. ¿Qué dices?

MODELO   Ayer tarde yo visitar / ruinas / Tikal
**Ayer tarde visité las ruinas de Tikal.**

1. mi vuelo llegar / Guate / la noche
2. el lunes mi mamá y yo comprar / ropa / Chichicastenango
3. esta mañana yo escuchar / música de marimba / las calles de Guate
4. el sábado yo fotografiar / unos edificios coloniales impresionantes / Antigua
5. mis amigos y yo leer / mucho / la Ruta Maya
6. Rafael manejar / el lago de Atitlán

EP 6.1

**B. Hechos importantes.** La historia de Guatemala cuenta con eventos importantes. Toma turnos con tu compañero(a) para ver cuáles pueden identificar. Informen a la clase de sus resultados.

MODELO   **Los mayas edificaron Tikal.**

|  |  |  |
|---|---|---|
|  | escribir | Tikal |
| los mayas | arrasar | Tikal «Patrimonio de la Humanidad» en 1979 |
| la UNESCO | usar | la Antigua Guatemala |
| un terremoto | ser | el cero antes que otras civilizaciones |
| la civilización maya | declarar | el premio Nobel de la Paz |
| Rigoberta Menchú | recibir | grandes astrónomos y matemáticos |
|  | edificar | su biografía |

**C.** **Cálculos mayas.** En tu viaje a Guatemala aprendiste a contar usando los números mayas, y ahora tienes la oportunidad de demostrarlo. Con tu compañero(a), digan estas oraciones (en el pretérito) con sus números correspondientes. Usen como referencia esta tabla que representa los números del 1 al 20.

BUSCA Mayan numerals en **Google**™ **Images** para aprender más del sistema de numeración maya.     EP 6.1

1. El vuelo de Los Ángeles a Guatemala _____ (durar) ▬ horas.
2. El viaje _____ (ser) más largo de lo que pensamos; llegamos a las •••• de la tarde.
3. Yo _____ (cumplir) ≡ años en Guatemala.
4. Nosotros ••• _____ (ir) a Atitlán.
5. Mis amigos _____ (tener) que cambiar ⬙ dólares por 150 quetzales.

**D.** **Itinerarios.** Con tu compañero(a), investiguen lo que hizo ayer Kimberly. Para saberlo, respondan a las siguientes preguntas con base en el dibujo.

EP 6.1

1. ¿A qué aeropuerto llegó?
2. ¿Con qué línea aérea viajó?
3. Si Kimberly fue ayer a Tikal y llegó a las 18:45, ¿cuál de los vuelos tomó?
4. ¿Por qué hay varios vuelos que salen a la misma hora?
5. ¿Cuáles de estos vuelos salieron por la mañana, y cuáles por la tarde?

## Y ahora, ¿por qué no conversamos?

**E. ¿Y tú?** ¿Cómo pasaron el fin de semana tú y tu compañero(a)? Hazle estas preguntas y luego contesta las preguntas que él (ella) te va a hacer.

1. ¿Dónde pasaste el fin de semana? ¿Con quién lo pasaste?
2. ¿Cómo pasaste el sábado por la mañana? ¿Por la tarde?
3. Y el domingo, ¿saliste por la mañana? ¿Con quién? ¿Adónde fueron?
4. ¿Hablaste con alguien por teléfono? ¿Llamaste tú o te llamaron? ¿De qué hablaron?
5. ¿Saliste el viernes o el sábado por la noche? ¿Con quién? ¿Adónde fueron?
6. ¿A qué hora regresaste a tu casa el sábado por la noche?
7. ¿...?

**F. ¡Luces¡ ¡Cámara! ¡Acción!** Es domingo y son las 11:30 de la mañana, y tú acabas de levantarte. Llamas a tu mejor amigo(a) para contarle la increíble noche del sábado que pasaste. Dramatiza la conversación con tu compañero(a). Cuenta en detalle las actividades de la noche anterior y contesta todas sus preguntas.

**G. ¡Nuestra comunidad!** En tu universidad o comunidad, entrevista a una persona latina, de origen guatemalteco si es posible. Conversa sobre cuándo, cómo y por qué decidió venir a los Estados Unidos. Pregúntale si regresa frecuentemente a Guatemala, o a su país de origen, y si tiene muchos amigos(as) de su país. Comparte la información con toda la clase y decidan si más o menos todos presentaron una idea similar sobre las motivaciones para emigrar de las personas a las que entrevistaron.

### Un paso atrás, dos adelante

### Capítulo 5

**Repasemos.** En el Capítulo 5 aprendiste a hablar de tu familia y a comparar las cualidades y las características de las personas. Aprendiste también a informarte sobre el alquiler de un apartamento y a describir el apartamento y sus muebles. Repasa lo que sabes, completando el siguiente texto con las palabras necesarias.

**El dueño del apartamento**

El apartamento _____ [presente del verbo **ser/estar**] en excelentes condiciones. Está situado _____ [preposición] del centro de la ciudad. _____ [presente del verbo **tener**] _____ [número] habitaciones. El alquiler es _____ dólares al mes, mucho _____ _____ _____ [comparación: **barato**] otros en esta misma zona.

**Tú**

Yo _____ [presente del verbo **querer**] vivir allí con mi _____ [miembro de mi familia], que tiene una gatita. ¿Acepta usted _____ _____ [gatos, perros, etcétera]?

**El dueño del apartamento**

No hay problema. ¿_____ [presente del verbo **poder**] ustedes venir a verlo mañana _____ [preposición] las _____ [9:00 A.M.]?

# Saber comprender 🎧

## Estrategias para escuchar: identificar pausas lógicas

*When speaking, especially when providing extensive information as in news reports, the speaker must decide where to stop to take a breath. The words that are said before each pause the speaker makes are called "breath groups." Learning to form logical breath groups is central to speech in all languages.*

**Identificar pausas lógicas.** Ahora, al escuchar la primera parte de este noticiero, indica con dos rayas *(//)*, en el guión *(script)* que sigue, todas las pausas que los locutores hacen, ya sea al final de una oración tanto como en medio de una oración. Luego vuelve al guión a ver dónde hicieron una pausa y con tus compañeros(as) de clase traten de decidir si hay algún patrón *(pattern)* en dónde hacen una pausa.

🎧 **Guión**

SONIA ZÚÑIGA:  Buenas tardes, señores radioyentes. Les hablan Sonia Zúñiga...

PACO LOMELÍ:  ... y Paco Lomelí.

SONIA ZÚÑIGA:  La Unión de Trabajadores de Quetzaltenango, UTQ, realizó un plantón frente al Hospital regional de Occidente en protesta por el aumento de salario que se otorgaron los diputados del Congreso de la República. Señalan que este aumento es injustificado, mientras los hospitales no cuentan con medicinas, ni suficiente equipo médico.

🎧 **Ahora, ¡a escuchar!**

Escucha este noticiero especial de Radio Nacional con noticias sobre movimientos sociales en Guatemala. Luego selecciona la frase que mejor completa cada oración.

1. Sonia Zúñiga y Paco Lomelí son...
   a. miembros de un movimiento ambientalista.
   b. miembros de un comité de derechos humanos.
   c. locutores de Radio Nacional.

2. Según el noticiero, miembros de la UTQ...
   a. protestaron por el aumento de salario de los diputados.
   b. protestaron por el aumento de pacientes en los hospitales.
   c. protestaron por el excesivo número de médicos en los hospitales.

3. El Foro de Guatemala **no** presentó propuestas sobre...
   a. desarrollo rural.
   b. cuestiones ambientales y ecológicas.
   c. mujeres.

4. _____ integrantes del movimiento ambientalista *Madre Selva* protestaron contra la concesión petrolera del área cerca del río Sarstún, en Izabal.
   a. Más de cien
   b. Menos de cien
   c. Cien mil

# Guatemala: el país más bello

**Antes de empezar, dime...**

1. ¿Adónde en los Estados Unidos se puede viajar para conocer el pasado indígena del país? ¿El pasado colonial?
2. ¿Cuáles son algunos restos *(remains)* del pasado indígena de los Estados Unidos? ¿Cuáles son las ruinas más impresionantes?
3. ¿Cómo se explica que el porcentage de indígenas en los Estados Unidos es inferior al uno por ciento y en Guatemala es casi un setenta por ciento?

Guatemala reúne tres elementos que lo hacen uno de los países más atractivos de las Américas: su patrimonio arqueológico, su riqueza natural y su cultura viva y activa.

La República Democrática de Guatemala es una tierra riquísima en contrastes y colorido. Su superficie incluye montañas que se elevan hasta los 12.000 pies de altura, volcanes activos, selvas vírgenes, ricas planicies, ríos y lagos. En general, solo tiene dos estaciones: seis meses de lluvia y seis meses en los que no llueve.

Selva, lago y volcanes en Guatemala

Indígenas maya-quichés de Guatemala

Casi el 70 por ciento de los habitantes de Guatemala son descendientes de los mayas y mantienen vivas las tradiciones y costumbres de sus antepasados. Esto se ve en todas sus comunidades, pueblos y ciudades. Cada pueblo tiene su propio modo de vestir, con su simbolismo tejido en diferentes patrones y colores, y se dedican a la agricultura o a la artesanía, como hacían sus antepasados. Esto, tanto como las impresionantes ruinas precolombinas de la cultura maya, sigue fascinando a arqueólogos y a turistas.

Miguel Ángel Asturias

Rigoberta Menchú Tum

Entre los guatemaltecos más ilustres destacan Miguel Ángel Asturias (1899–1974), escritor que recibió el Premio Nobel de Literatura en 1967, y Rigoberta Menchú Tum, que recibió el Premio Nobel de la Paz en 1992. Los dos, cada uno desde su campo de acción, lucharon por el reconocimiento y respeto de los indígenas de Guatemala. Y los dos lo consiguieron, aunque la lucha continúa, porque todavía las condiciones de vida de los indígenas son muy duras, ya sea en el campo o en la ciudad.

*[↗]* BUSCA Rigoberta Menchú Tum y Miguel Ángel Asturias en **Google**™ **Images** y **YouTube**™ para aprender algo de sus fascinantes vidas.

**GUATEMALA**

Capital
Guatemala

Población
13.002.206
(julio 2008 est.)

Unidad monetaria
quetzal

Índice de longevidad
69,7 años

Alfabetismo
69,1 por ciento

**Datos interesantísimos sobre Guatemala**

- En las ruinas mayas de El Mirador, se construyó la pirámide más grande del mundo, 200.000 m³ de volumen, mayor que la gran pirámide de Keops en Egipto, considerada la mayor del mundo.
- A fines del siglo XX, más de 450 pueblos mayas fueron destruidos por paramilitares guatemaltecos y más de un millón de indígenas fueron exiliados.
- Guatemala tiene treinta y siete volcanes, cuatro de ellos todavía activos.
- El 4 de febrero de 1976, un terremoto dejó más de 25.000 muertos en Guatemala.
- El gobierno guatemalteco reconoce veintiuna lenguas mayas distintas.
- Bajo el gobierno del dictador militar Efraín Ríos Montt (1982–1983), más de 200.000 guatemaltecos murieron.

*[↗]* **Por el ciberespacio... a Guatemala**
Keywords to search:
  *Guatemala*
  *Tikal*
  *Ruta Maya*
  *El Mirador*
To learn more about Guatemala, go to the *¡Dímelo tú!* website at academic. cengage.com/spanish/dimelotu

### Y ahora, dime...

Con un(a) compañero(a) de clase, completen estas listas para obtener un cuadro de los maravillosos atractivos de Guatemala. Usen la información de esta lectura y del resto de este Capítulo 6, dedicado a Guatemala.

**Guatemala**

| Su patrimonio arqueológico | Su riqueza natural | Su cultura viva |
|---|---|---|
| 1. | 1. | 1. |
| 2. | 2. | 2. |
| 3. | 3. | 3. |
| 4. | 4. | 4. |
| 5. | 5. | 5. |

# En Guatemala leemos *Prensa Libre*

### TAREA

Antes de empezar este *Paso*, estudia la lista de vocabulario de la página 224 y escucha el corte 26 de tu Text Audio CD2. Luego estudia *En preparación*.

1<sup>er</sup> día   6.2 Preterite of verbs with spelling changes, páginas 227–228

Haz por escrito los ejercicios de *¡A practicar!* correspondientes.

## ¿Eres buen observador?

�’ BUSCA www.prensalibre.com/ en **Google™ Images** para leer las noticias de hoy día.

## Ahora, ¡a analizar!

1. ¿Cómo se llama este periódico?
2. ¿Cuántas secciones principales tiene? ¿Cuáles son?
3. ¿Cuál es la diferencia entre las noticias de la primera plana y la sección internacional?
4. ¿En qué sección podrías encontrar información sobre eventos en otros países? ¿El partido de fútbol de anoche? ¿Casas en venta? ¿La cotización del dólar estadounidense frente al quetzal?
5. ¿Te sorprenden las noticias principales en alguna de las secciones? ¿Por qué?

## Al hablar de las noticias del día

### Asaltan a turistas en parque Tikal

Grupo de turistas europeos asaltados en interior de parque arqueológico.

Ayer, aproximadamente a las cinco de la madrugada, un grupo de turistas europeos fue asaltado por unos desconocidos en el parque Tikal. Al parecer, los ladrones substrajeron relojes, cámaras fotográficas y de video y dinero en efectivo, según uno de los guías: «Anoche cuando llegué con mi grupo de 23 turistas europeos, los llevé directamente al hotel porque ya era muy tarde. Aparentemente 13 de ellos decidieron visitar el parque solos muy temprano esta mañana porque cuando yo los busqué a las 6:30 de la mañana no los encontré. Otros del grupo dijeron que creyeron que entraron al parque solos a eso de las cinco de la mañana para observar la salida del sol sobre el templo. También dijeron que oyeron un ruido, como un disparo al aire, poco después. Enseguida yo me empecé a preocupar y corrí al parque, adonde llegué en menos de tres minutos y busqué a mi grupo hasta que lo encontré. Inmediatamente empezaron a narrarme los hechos. Los ladrones huyeron entre la selva con todo lo robado».

Aunque por suerte no lastimaron a nadie, los turistas vivieron momentos de gran tensión. Uno de los turistas, visiblemente nervioso, indicó: «Llegué a pensar que este era mi final».

### Le dan la bienvenida al año nuevo maya

Los ritos y ceremonias para la celebración del año nuevo maya comenzaron a principios de semana y concluyeron anoche, después de los cinco días de período sagrado llamado «Wayeb». Leopoldo León, jefe espiritual de la comunidad de Mezatenango, Suchitepéquez, aseguró: «Finalicé la jornada muy cansado, pero con el espíritu muy alegre. Con mi comunidad, celebré con nuestra oración en que quemamos incienso y encendimos velas y hogueras en Kaminal Juyú. Destaqué para ellos que debemos promover la solidaridad, la igualdad y el respeto en cada persona. Y rogué por una transformación en una nueva vida». Este año que comienza es el 5124 de la era maya.

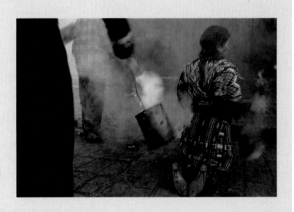

Indica quién dijo o hizo lo siguiente, el guía (**G**), los delincuentes (**D**) o Leopoldo León, el líder espiritual maya (**L**).

_____ 1. Rogué por la transformación en una nueva vida.
_____ 2. Los busqué a las 6:30 de la mañana.
_____ 3. Huyeron entre la selva.
_____ 4. Quemó incienso.
_____ 5. Llegué en tres minutos al parque.
_____ 6. Acabó el día muy cansado.
_____ 7. Dispararon al aire.

## Ahora, ¡a hablar!

EP 6.2

**A. ¡Qué día tan horroroso!** Ayer Kimberly pasó un día extraño. Para saber por qué, completa este párrafo.

Ayer _____ (ser) un día terrible. Todo _____ (comenzar) mal. Yo _____ (empezar) a leer el periódico, pero solo _____ (leer) noticias malas. Dejé de leer y _____ (buscar) algo de comer, pero no _____ (encontrar) nada. Tampoco _____ (almorzar) en la universidad porque no _____ (encontrar) mi cartera donde la dejo normalmente, aunque la _____ (buscar) por una hora. Luego _____ (organizar) mis notas para el examen de español, pero tampoco encontré varias de las páginas. Por esta razón _____ (sacar) una mala nota. Yo _____ (hablar) con el profesor y él _____ (leer) todas mis respuestas con cuidado, pero mi excusa no _____ (influir) para cambiar el resultado. Así que por fin yo _____ (llegar) a casa de mal humor y con mucha hambre.

EP 6.2

**B. Secciones.** Indica a qué sección crees que pertenece cada una de estas noticias. Luego tu compañero(a) te va a decir cuáles son los titulares en esa sección en la *Prensa Libre* de la página 210.

Internacional   Negocios   Entretenimiento   Nacional   Deportes   Buena Vida

1. «Jugué lo mejor que pude» dijo Florencio Martínez, recién inscrito a la Liga Nacional, después de la pérdida a Zacapa.
2. Comenzaron a disminuir los casos de cáncer en Aguadulce.
3. Desafortunadamente, el presidente de Guatemala no oyó la presentación del representante cubano en la cumbre de la OEA.
4. *Lo oyeron en Antigua* en el cine Tikal Futura 6.
5. El doctor Genaro Nájera leyó una conferencia sobre los niveles de antígeno prostático.

EP 6.2

**C. Guatemala y el mundo.** Di qué ocurrió en Guatemala en los años indicados y tu compañero(a) va a decir algo que ocurrió en el mundo en esa misma época.

**MODELO**   1524 Pedro de Alvarado / iniciar la conquista de Guatemala
**En 1524 Pedro de Alvarado inició la conquista de Guatemala.**

| En Guatemala | En el mundo |
|---|---|
| 1. 1523 / Pedro de Alvarado / empezar a construir la primera capital en Iximche | 1. 1517 / Martin Luther / leer su tesis al público alemán por primera vez |
| 2. 1847 / lograr / su independencia de España | 2. 1823 / los Estados Unidos / empezar a implementar la Doctrina de Monroe |
| 3. 1944 / guatemaltecos sacar / al dictador Jorge Ubico | 3. 1936 / se empezar / a sacar petróleo de Saudita Arabia |
| 4. 1950 / Presidente Jacobo Arbenz / comenzar ambiciosas reformas económicas y sociales | 4. 1955 / Rosa Parks / creer que debía afrentarse al prejuicio racial |
| 5. 1992 / el mundo / oír la voz de los indígenas guatemaltecos cuando Rigoberta Menchú ganó el Premio Nobel de la Paz | 5. 1992 / Bill Clinton / alcanzar la presidencia en los Estados Unidos |

**D. ¿Y tú qué?** Ahora, decide algunos de los momentos más importantes de tu vida en los últimos años. Tu compañero(a) va a hacer lo mismo, y van a alternar explicándolos.

EP 6.2

EP 6.2

MODELO    En _____ (comenzar a)...
**En 2009 comencé a estudiar en esta universidad.**

1. En _____ (comenzar a)...
2. En _____ (buscar)...
3. En _____ (llegar a)...
4. En _____ (empezar a)...
5. En _____ (jugar en)...
6. En _____ (sacar)...

> **A propósito...**
> «Lo» más un adjetivo es un pronombre personal neutro y se traduce en inglés como «*the* + (adjective) + *thing*». ¿Cómo traduces al inglés «lo mismo», «lo importante», «lo tradicional», «lo más interesante»?

**E. Continúa en la página...** Al leer el periódico, es frecuente que las noticias de la portada *(front page)* continúen en el interior o en la contraportada *(back page)*. Con tu compañero(a), decidan qué noticias de la contraportada completan las de la portada de este periódico. Luego escriban un breve resumen, de una o dos oraciones, de cada uno de los cuatro incidentes. Lean su resumen a la clase.

# EL SOL DE GUATEMALA
Diario independiente de la mañana

## Última hora

## Noticias Nacionales

Héroe de Quetzaltenango

11:59 En Quetzaltenango, un gran fuego se declaró en una refinería. Al llegar, el sargento de la policía dijo...

11:17 Roban a cónsul guatemalteco en Tapachula. Desconocidos entraron al domicilio del cónsul guatemalteco en Tapachula, Manuel Romero Páez, de donde sustrajeron objetos de valor y dinero, reportó la prensa...

10:04 La Policía Nacional Civil (PNC) detuvo en Escuintla a tres hombres con combustible robado en la parte trasera de un camión...

9:15 La Policía de Izabal detuvo ayer a Lilian Martina Gálvez, 33, de nacionalidad hondureña, por posesión de droga...

**Viene de la portada...**

Los vecinos fueron sorprendidos por la detención de los ladrones

...mexicana. Un informe de la Policía Estatal Preventiva (PEP) señaló que el diplomático buscó el auxilio de las autoridades, y afirmó ser objeto de un atraco en su domicilio, indicó el diario Milenio. «Cuando llegué, los ladrones huyeron» afirmó.

...con nueve tambos llenos de gasolina, un tambo de gas propago y un tonel con capacidad para 60 galones. Los vecinos, que oyeron los disparos de la policía, no quisieron hacer declaraciones, según indicó el comisario Leonel Gracia Vázquez.

...que las llamas alcanzaron unos niveles imposibles de controlar. «Empecé con las tareas de extinción pero lo importante fue que el voluntario arriesgó su vida, y sacó a las tres personas del incendio».

...que la policía pudo encontrar en su domicilio. Su mamá, la famosa actriz hondureña Esperanza Gálvez no quiso hacer comentarios.

## Y ahora, ¿por qué no conversamos?

**F. De la niñez.** En Guatemala conociste a un(a) estudiante que quiere saber algo de tu origen y de tu vida en general. Escríbele una carta contestando sus preguntas. Luego, en grupos de tres o cuatro, lean sus cartas en voz alta.

1. ¿Dónde naciste? ¿En qué año naciste?
2. ¿En qué año empezaste la escuela primaria? ¿Dónde?
3. ¿Dónde viviste los diez primeros años de tu vida?
4. ¿Dónde buscaste trabajo la primera vez? ¿Lo conseguiste?
5. ¿En qué año empezaste a manejar? ¿Cuál fue el primer coche que compraste?
6. ¿Cuál fue el primer cuento que leíste? ¿En qué año leíste tu primera novela?
7. ¿En qué año comenzaste tus estudios universitarios?

**G. ¡Luces! ¡Cámara! ¡Acción!** Tú trabajas para la revista *Hola*. Hoy vas a entrevistar al simpático cantante guatemalteco, Ricardo Arjona. ¿Lo recuerdas? Lo conociste en el *¿Qué se dice...?* del Capítulo 1. En parejas dramaticen esta situación. Tu compañero(a) puede hacer el papel de Ricardo y tú de entrevistador(a). Si quieres, puedes usar las preguntas de la actividad anterior como modelo. Tu compañero(a) puede refrescar su memoria sobre este cantante en el Capítulo 1.

# ¡Escríbelo!

## Estrategias para escribir: seguir un orden cronológico

*Como el objeto de una biografía es la narración de los hechos de la vida de una persona, lo importante a la hora de escribir es la selección de los hechos que hace el (la) autor(a) y el orden en que los presenta. En cuanto a la selección de los hechos, puede presentar solo los que considera importantes, o también aquellos que son informativos, aunque no relevantes. En cuanto al orden, puede usar uno cronológico, empezando por la infancia, hasta seguir a la edad adulta. O puede también hacerlo al contrario, empezando en el presente y regresando a la infancia.*

**Seguir un orden cronológico.** Si tú estuvieras preparándote para escribir la biografía de la indígena maya-quiché Rigoberta Menchú Tum siguiendo un orden cronológico, indica con los números 1, 2, 3,... cómo organizarías estos datos.

Rigoberta Menchú Tum, honrada con el Premio Nobel de la Paz

_____ A. Siguiendo la tradición de muchas mujeres de las zonas rurales, se mudó a la capital para trabajar en el servicio doméstico.

_____ B. En el año 2007, Rigoberta Menchú Tum se presentó como candidata a la presidencia de Guatemala.

_____ C. Nació el 9 de enero de 1959 en un pueblo llamado Chinel.

_____ D. Por esta intensa labor, Rigoberta recibió el Premio Nobel de la Paz en 1992.

_____ E. Decidió dedicarse a defender a su gente, los indígenas, después de la violenta muerte de sus padres y un hermano a manos de los militares del gobierno guatemalteco.

_____ F. Desde muy niña empezó a trabajar en las cosechas de café, ganando un salario muy bajo.

## Ahora, ¡a escribir!

**A.** **En preparación.** Decide cuáles fueron los eventos más importantes de tu vida. Escribe una lista de estos eventos, por ejemplo, dato de nacimiento, dónde vivió tu familia durante los primeros años, escuela primaria, etcétera.

**B.** **El primer borrador.** Ahora organiza la información de tu lista en orden cronológico y prepara un primer borrador de tu autobiografía. Incluye toda la información de tu lista que consideres relevante.

**C.** **Ahora, a compartir.** Comparte tu primer borrador con dos o tres compañeros(as). Comenta sobre el contenido y el estilo de las composiciones de tus compañeros(as) y escucha los comentarios de ellos sobre tu autobiografía. Si necesitas hacer cambios basados en los comentarios de tus compañeros(as), hazlos ahora.

**D.** **La versión final.** Prepara la versión final de tu autobiografía y entrégala. Escribe la versión final en la computadora siguiendo las instrucciones de tu instructor(a).

# Canal Tres presenta...
## *Los misterios de Tikal*

**TAREA**

Antes de empezar este *Paso*, estudia la lista de vocabulario de las páginas 224–225 y escucha el corte 27 de tu Text Audio CD2. Luego estudia *En preparación*.

1<sup>er</sup> día    6.3 Preterite of **estar, decir,** and **hacer,** páginas 228–229

2<sup>do</sup> día    6.4 The pronoun **se**: Special use, página 229

Haz por escrito los ejercicios de *¡A practicar!* correspondientes.

## ¿Eres buen observador?

A mí ya me conocen. Soy Susana, la mala.

A ella la llaman Susana, la buena.

¿Y saben qué tenemos en común?
Las dos los entretenemos
cinco días a la semana de 7:30 a 8:30 P.M.
en la telenovela más exitosa y divertida de la temporada...
**Los misterios de Tikal**
Canal 3, el Super Canal

## Ahora, ¡a analizar!

**Los clichés.** Las telenovelas, aunque pueden ser muy interesantes y entretenidas, están llenas de clichés. ¿Cuáles de estos clichés creen que aparecen en *Los misterios de Tikal*? Decídelo con dos compañeros(as) y luego añadan *(add)* algunos más.

- [ ] 1. Se presenta una como «la buena», la otra como «la mala».
- [ ] 2. Se considera a una «fea y mala», a la otra «hermosa y buena».
- [ ] 3. Se repite que «la buena» sufre la violencia de «la mala».
- [ ] 4. Se dice que una mató a un hombre y que la otra fue injustamente acusada.
- [ ] 5. Se establece que una estudió una carrera; la otra no pudo estudiar porque trabajó toda su vida.
- [ ] 6. Se insiste en que el protagonista ama a una y la otra quiere destruir ese amor.
- [ ] 7. Se determina que una tuvo un hijo ilegítimo; la otra sabe todo lo qué ocurrió y quiere chantajearla.
- [ ] 8. ¿...?

# ¿Qué se dice...?  CD2, Track 24

## Al hablar de tu programa favorito

ROSA: ¡Qué pena! Ayer me perdí mi telenovela favorita. ¿Sabe alguien lo que pasó ayer en *Los misterios de Tikal*?

KIMBERLY: Yo la vi. ¡Fue espectacular! La policía arrestó a la pobre Susana, la buena, que siempre vende huipiles en el mercado de artesanías.

RAFAEL: Se venden libros a mitad de precio en la librería universitaria. Debes ir, hijo.

MIGUEL ÁNGEL: Ya lo hice, papá. Estuve ayer allí y compré todos los libros del semestre que viene.

ROSA: ¿Pero cómo? ¿Qué hizo la pobre Susana?

KIMBERLY: Ella fue la que asesinó a don Roberto en el rancho, según dijo Susana la fea. Pero yo creo que no lo hizo.

ROSA: ¡Yo tampoco! Estoy segura de que es inocente. Si ese día no estuvo ni en el rancho.

RAFAEL: Se busca carpintero a media jornada, hijo. Debes solicitar este trabajo. Siempre dices que necesitas más dinero.

MIGUEL ÁNGEL: Ya te dije, papá, que encontré trabajo en el restaurante de la universidad.

ROSA: Susana la hermosa no lo mató. Hasta los vecinos lo dijeron.

KIMBERLY: Sí, el problema es que, como Susana la hermosa solo habla quiché, la policía ni comprendió lo que dijo. La llevaron directamente a la cárcel. ¡Qué pena!

RAFAEL: Mmm, hay una buena oferta de ropa en Almacén Embajador.

MIGUEL ÁNGEL: Ya lo dijiste, papá. De hecho, estuvimos Kimberly y yo ayer.

Indica quién dijo lo siguiente, Rosa (**RO**), Kimberly (**K**), Rafael (**RA**) o Miguel Ángel (**MA**).

_____ 1. Susana la fea le dijo a la policía.
_____ 2. Siempre dices que necesitas más dinero.
_____ 3. Ella ni estuvo en el rancho el día del asesinato.
_____ 4. La llevaron directamente a la cárcel.
_____ 5. De hecho estuvimos Kimberly y yo.
_____ 6. ¿Qué hizo la pobre Susana?

## ¿Sabías que...?

Las telenovelas son programas melodramáticos que aparecen diariamente en televisión. En casi todas las novelas se cuenta una historia de amor imposible, generalmente de una joven humilde, un individuo guapo y rico y una villana. Las telenovelas _Barrera de amor_ y _La fea más bella_, ambas transmitidas por Univisión en los Estados Unidos, alcanzaron una audiencia de más de cuatro millones. La actriz y cantante mexicana Thalía, por ejemplo, se ganó el título de «reina de las telenovelas» como protagonista en _María Mercedes_ (1992) y _María la del barrio_ (1995). También la actriz mexicana Salma Hayek inició su carrera artística al protagonizar la telenovela _Teresa_ en 1992. A diferencia de las series norteamericanas, que duran años y años, las telenovelas latinoamericanas duran solo tres o cuatro meses.

**En tu opinión:** ¿Por qué crees que las telenovelas son tan populares? ¿Por qué crees que duran tantos años en los Estados Unidos? ¿Cuál es tu telenovela favorita? ¿Por qué te gusta?

## Ahora, ¡a hablar!

EP 6.3, 6.4

**A. Testigo.** En el siguiente episodio de _Los misterios de Tikal_, el inspector Humanes interroga a dos testigos sobre el asesinato del que acusaron a Susana la hermosa. ¿Qué dicen los dos testigos? Tú puedes hacer el papel del primer testigo y tu compañero(a) del segundo.

**MODELO**

TESTIGO 1: yo / observar / todo lo que / pasar
**Yo observé todo lo que pasó.**

1. un coche estar / estacionado enfrente de la casa / más de una hora
2. una mujer hacer / mucho ruido en la casa
3. se / escuchar / un disparo
4. la mujer / decir / «yo no / hacer nada» / al salir de la casa
5. unas mujeres / comenzar / a gritar en la casa

**MODELO**

TESTIGO 2: no / ser / así
**No, no fue así.**

6. dos coches / estar / estacionados enfrente de la casa / más de tres horas
7. dos hombres / entrar / en la casa
8. se / escuchar / dos disparos
9. los dos hombres / hacer / mucho ruido antes de salir de la casa
10. una mujer / empezar / a gritar en la casa

**B. ¿Y tú y tu compañero(a)?** Susana la fea tuvo que explicar a la policía su coartada *(alibi)* del día del asesinato. Si tú y tu compañero(a) tuvieran que explicar su coartada a la policía el sábado pasado, ¿qué dirían *(would you say)*? Tomen turnos en decir en gran detalle todo lo que hicieron el sábado por la mañana, tarde y noche. Pueden usar las sugerencias que siguen o crear sus propias coartadas.

 **EP 6.3**

MODELO    **Por la mañana dormí hasta tarde, hice ejercicio, fui al supermercado, limpié la casa, estudié y...**

1. Por la mañana:
   salir a correr / tomar café / escribir cartas / ir al centro / mandar cartas / limpiar la casa / no hacer ejercicio / estar muy cansado(a) / tener que descansar / llamar a mis padres / ...

2. Por la tarde:
   ir de compras / caminar a... / hacer la tarea / mirar deportes en la televisión / chatear con papá en la computadora / decirle los resultados del partido de fútbol / escuchar la radio / dormir un poco / practicar deportes / ir a la biblioteca / ...

3. Por la noche:
   mirar televisión / preparar algo para comer / hacer hamburguesas / llamar a unos amigos / salir con mis amigos / ir a una fiesta / estar en la fiesta hasta las 4:00 a.m. / ...

**C. Sucesos.** Hoy en su telenovela favorita vivieron una situación muy dramática durante un juicio. Con tu compañero(a), expliquen qué pasó inventando las respuestas a estas preguntas.

**EP 6.3, 6.4**

1. ¿Quién estuvo en el juicio?
2. ¿De qué se acusó a la señora?
3. ¿Quién fue la víctima?
4. Según el fiscal, ¿qué hizo la acusada?
5. ¿Qué dijo la acusada? ¿Qué dijo el juez?
6. ¿A qué veredicto se llegó?

**D.** **¡A la comisaría de policía!** Seguro que saben cómo se debe actuar si la policía decidiera llevarlos a la comisaría por inconsistencias en su coartada. Tomen turnos para decir qué se hace o no se hace en la comisaría de policía.

MODELO        decir la verdad       pedir cigarrillos
                      **Se dice la verdad.**      **No se piden cigarrillos.**

1. responder groseramente
2. contradecir los testimonios anteriores
3. mentir
4. hablar claramente
5. insultar a la policía
6. tratar de escapar
7. pedir un abogado
8. gritar
9. fumar
10. ¿...?

## Y ahora, ¿por qué no conversamos?

**E.** **¿Quién es?** En grupos de tres o cuatro, escojan una persona famosa del mundo de la política o del espectáculo que hizo algo por lo que fue acusado(a) y juzgado(a). Luego, sin mencionar el nombre de la persona, den algunos datos personales o hechos específicos del incidente en que estuvo involucrada *(involved)* la persona. El resto de la clase tiene que adivinar quién es. Se permite hacer preguntas para saber más detalles.

**F.** **¡Luces! ¡Cámara! ¡Acción!** Ustedes se encuentran en un juicio donde uno(a) de ustedes es el (la) acusado(a), otro(a) un(a) testigo(a), otro(a) el (la) abogado(a) defensor(a), y otro(a) el (la) fiscal. Dramaticen esta situación entre cuatro compañeros hasta alcanzar un veredicto.

# Saber comprender

## Estrategias para ver y escuchar: predecir a partir del título y fotos

*In Chapters 3 and 5, you learned that you can always get a good idea of what to expect to hear and see on a video by reading the questions at the end of the viewing section before you view the video. Another good way to anticipate what you will hear and see is by reading the title of the video and carefully looking at any photos or drawings that accompany it.*

**Predecir a partir del título y fotos.** Lee el título de este video y estudia las fotos en la página 221. Luego escribe dos o tres cosas que estás seguro(a) que se van a mencionar en el video y dos o tres cosas que estás seguro(a) que vas a ver en el video. Vuelve a estas listas después de ver el video para confirmar si predijiste correctamente o no.

| Lo que voy a escuchar | Lo que voy a ver |
|---|---|
| ☐ 1. _____ | ☐ 1. _____ |
| ☐ 2. _____ | ☐ 2. _____ |
| ☐ 3. _____ | ☐ 3. _____ |

# Guatemala, ¡el corazón de la cultura maya!

## Al ver el video

Ahora mira el video. Mientras escuchas la narración, marca (✓) lo que predijiste que ibas a escuchar y ver en la sección anterior. Compara lo que tú predijiste correctamente con lo de dos compañeros(as) de clase. Digan a la clase todo lo que los tres predijeron correctamente.

## Después de ver el video

Ahora di en tus propias palabras qué evidencia visual u oral hay en el video para confirmar estos comentarios.

1. Guatemala es un país de bellos contrastes.
2. Guatemala es el corazón de la cultura maya.
3. Algunas fiestas religiosas combinan las tradiciones cristianas con las costumbres indígenas.

# El rincón de los lectores

## Estrategias para leer: reconocer las pistas del contexto

*A good reader uses a variety of problem-solving techniques. Using context clues when you don't know the meaning of a specific word is one such strategy. The context referred to here is the sentence in which the unknown word occurs. Although there is no easy formula to help you always guess the correct meaning of unknown words, the following suggestions can be very helpful.*

1. *Use the meaning of the rest of the sentence to reduce the number of meanings the unknown word may have.*
2. *Be satisfied with getting at the general meaning of unfamiliar words. More often than not, the exact meaning is not necessary in order to get the gist of what you are reading.*
3. *Look for help in punctuation and grammar. Knowing the relationship between various parts of a sentence can help you understand the sentence.*
4. *Don't feel you have to know the meaning of every unfamiliar word. Learn to recognize key words needed to understand the sentence, and don't worry about less important unfamiliar words.*

**Reconocer las pistas del contexto.** Busca las palabras y las frases de la columna A en la lectura (todas aparecen en negrita) y estudia el contexto de las oraciones donde las encuentres. Luego selecciona, según el contexto, la frase de la columna B que mejor defina cada palabra. No olvides que la gramática y la puntuación también ayudan a entender el contexto de la oración.

| A | B |
|---|---|
| 1. ladinos | a. siempre pensamos |
| 2. politeístas | b. que inspira profunda veneración |
| 3. sagrado | c. parientes que anteceden |
| 4. no hay que desperdiciar | d. personas que han adoptado el habla y las costumbres europeas |
| 5. antepasados | e. objetos procesados con máquinas |
| 6. nunca se le quita a uno de pensar | f. que no se debe mal usar, malgastar |
| 7. cosas compuestas | g. personas que creen en varios dioses |

## La autora

**Rigoberta Menchú Tum**, indígena maya-quiché, nació el 9 de enero de 1959. La muerte violenta de sus padres y un hermano la hicieron dedicarse a defender a su gente, los indígenas y los de las clases menos favorecidas. Por esta intensa labor recibió el Premio Nobel de la Paz en 1992, que le permitió crear una fundación que apoya su causa en Guatemala.

## Lectura

# Me llamo Rigoberta Menchú y así me nació la conciencia (fragmento)

Desde niños recibimos una educación diferente de la que tienen los blancos, los **ladinos.** Nosotros, los indígenas, tenemos más contacto con la naturaleza. Por eso nos dicen **politeístas.** Pero, sin embargo, no somos politeístas... o, si lo somos, sería bueno, porque es nuestra cultura, nuestras costumbres. De que nosotros adoramos, no es que adoremos, sino que respetamos una serie de cosas de la naturaleza, las cosas más importantes para nosotros, por ejemplo, el agua es algo **sagrado**... la explicación que nos dan nuestros padres desde niños es que **no hay que desperdiciar** el agua... El agua es algo puro, es algo limpio y es algo que da vida al hombre. Sin el agua no se puede vivir, tampoco hubieran podido vivir nuestros **antepasados.** Entonces, el agua la tenemos como algo sagrado y eso está en la mente desde niños y **nunca se le quita a uno de pensar** que el agua es algo puro. Tenemos la tierra. Nuestros padres nos dicen «Hijos, la tierra es la madre del hombre porque es la que da de comer al hombre». Y más nosotros, que nos basamos en el cultivo. Nosotros los indígenas comemos maíz, frijol y yerba del campo y no sabemos comer, por ejemplo, jamón o queso, **cosas compuestas** con aparatos, con máquinas. Entonces se considera que la tierra es la madre del hombre. Y de hecho nuestros padres nos enseñan a respetar esa tierra.

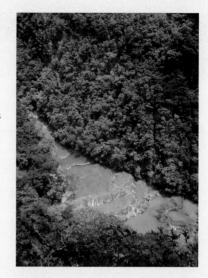

(↗) Busca Rigoberta Menchú en **YouTube**™ para escuchar a esta mujer otorgada el Premio Nobel de la Paz.

## A ver si comprendiste

Contesta estas preguntas a base de la selección que leíste.

1. ¿Cuál es la diferencia entre la educación de los indígenas y la de los demás?
2. ¿Qué significa el agua para los indígenas? ¿Y la tierra?
3. ¿Por qué dicen los padres de los indígenas que no hay que desperdiciar el agua?
4. Usa este diagrama Venn para comparar tus actitudes y acciones con respecto a la madre naturaleza con las de los indígenas guatemaltecos.

| Mis actitudes y acciones | Lo que tenemos en común | Las actitudes y acciones de los indígenas |
| --- | --- | --- |
| 1. | 1. | 1. |
| 2. | 2. | 2. |
| 3. | 3. | 3. |

# Vocabulario

## Paso 1  CD2, Track 25

### Viajar
| | |
|---|---|
| aeropuerto | airport |
| declarar | to declare |
| fotografiar | to photograph |
| línea aérea | airline |
| viaje (m.) | trip |
| volcán (m.) | volcano |
| vuelo | flight |

### Historia
| | |
|---|---|
| biografía | biography |
| civilización (f.) | civilization |
| colonial | colonial |
| paz (f.) | peace |
| terremoto | earthquake |

### Profesiones
| | |
|---|---|
| astrónomo(a) | astronomer |
| matemático(a) | mathematician |
| presidente(a) | president |
| representante (m. f.) | representative |

### Descripción
| | |
|---|---|
| impresionante | impressive |
| increíble | unbelievable, incredible |
| maravilloso(a) | marvelous |
| mismo(a) | same |
| otro(a) | other, another |

### Acciones y verbos
| | |
|---|---|
| arrasar | to raze, to destroy |
| arrestar | to arrest |
| cumplir... años | to be ... years old |
| edificar | to build |
| dejar | to leave |

### Palabras útiles
| | |
|---|---|
| cero | zero |
| diamante (m.) | diamond |
| equipo | team |
| marimba | marimba (musical instrument similar to xylophone) |
| premio | prize |
| también | also |

## Paso 2  CD2, Track 26

### Periódicos
| | |
|---|---|
| clasificados (m. pl.) | classified ads |
| entretenimiento | entertainment |

| | |
|---|---|
| evento | event |
| internacional | international |
| nacional | national |
| negocios (m. pl.) | business |
| noticias (f. pl.) | news |
| prejuicio | prejudice |
| presentación (f.) | presentation |
| primera plana (f.) | front page |
| principal | main |
| racial | racial |
| rebaja | sale, discount |
| revista | magazine |
| sección (f.) | section |
| venta | sale |

### Deportes
| | |
|---|---|
| liga | league |
| partido | game (competitive) |

### Educación
| | |
|---|---|
| cuento | short story |
| escuela primaria (f.) | elementary school |
| inscrito(a) | enrolled |
| nota | grade |
| novela | novel |
| tesis (f.) | thesis |

### Incidentes
| | |
|---|---|
| disparo | shot |
| fuego | fire |
| incendio | fire |
| llamas (f. pl.) | flames |
| quemar | to burn |
| robo | robbery |

### Gobierno
| | |
|---|---|
| dictador(a) | dictator |
| independencia | independence |
| mundo | world |
| presidencia | presidency |
| reforma | reform |
| voz (f.) | voice |

### Transporte
| | |
|---|---|
| camión (m.) | truck, (Mex.) bus |
| llave (f.) | key |
| petróleo | petroleum oil |
| refinería | refinery |

### Descripción
| | |
|---|---|
| alemán (alemana) | German |
| ambicioso(a) | ambitious |
| con cuidado | carefully, with care |
| de repente | suddenly |

| | |
|---|---|
| desafortunadamente | unfortunately |
| económico(a) | economical |
| primero(a) | first |
| social | social |
| trasero(a) | back, rear |

### Acciones y verbos
| | |
|---|---|
| acabar | to finish |
| afrentar | to confront |
| alcanzar | to reach, to attain |
| asesinar | to murder |
| comenzar (ie) | to begin |
| conseguir (i) | to obtain, to get |
| construir | to construct |
| disminuir | to diminish, to decrease |
| disparar | to fire (a gun), to shoot |
| huir | to run away |
| implementar | to implement |
| influir | to influence, to have influence |
| lograr | to get, to achieve |
| nacer | to be born |
| ocurrir | to occur |
| robar | to rob, to steal |
| rogar | to beg, to plead |
| sacar | to take out |
| sorprender | to surprise |
| sustraer | to remove, to take away |

### Palabras útiles
| | |
|---|---|
| cartera | purse |
| conmigo | with me |
| domicilio | domicile, residence |
| nadie | no one, nobody |
| por fin | finally |
| recién | just, recently, newly |
| resto | rest, remaining |
| ruido | noise |
| suerte (f.) | luck |
| tambo | barrel |
| tampoco | neither |
| valor (m.) | value |
| vida | life |

## Paso 3  CD2, Track 27

### Telenovelas
| | |
|---|---|
| amar | to love |
| asesinato | assassination |
| cárcel (f.) | jail |
| camarero(a) | waiter |

| | | | | | | |
|---|---|---|---|---|---|
| chantajear | to blackmail | testigo *(m. f.)* | witness | decir (i) | to say, to tell |
| comisaría | police station | testimonio | testimony | descansar | to rest |
| destruir | to destroy | veredicto | verdict | entrar | to enter |
| gritar | to scream, to yell | víctima *(f.)* | victim | escapar | to escape |
| ilegítimo(a) | illegitimate | | | establecer | to establish |
| matar | to kill | **Descripción** | | insultar | to insult |
| mecánico(a) | mechanic | algo | something | mandar | to send |
| protagonista *(m. f.)* | protagonist | anterior | previous, before | mentir (ie) | to lie |
| telenovela | soap opera | así | like that | pasar | to occur, to happen |
| violencia | violence | competente | competent | reparar | to repair |
| | | estacionado(a) | parked | responder | to respond, to answer |
| **El juicio** | | grosero(a) | coarse, crude | | |
| abogado(a) defensor | defense lawyer | injustamente | unjustly | **Palabras útiles** | |
| acusado(a) | accused | | | anuncio | advertisement, classified ad |
| acusar | to accuse | **Acciones y verbos** | | | |
| fiscal *(m. f.)* | prosecutor | alquilar | to rent | artesanía | handicrafts, crafts |
| juicio | trial | contradecir (i) | to contradict | nada | nothing |
| juzgado(a) | judged | deber | to be obliged, must, should | | |
| resultado | result | | | | |

# En preparación 6

## Paso 1

### 6.1 Preterite of regular verbs

**Providing and requesting information about past events**

Spanish has two simple past tenses: the preterite and the imperfect. In this chapter you will study various uses of the preterite. Following are the preterite verb endings for regular verbs.

| Preterite: -ar verb endings | | Preterite: -er, -ir verb endings | |
|---|---|---|---|
| **hablar** | | **comer** | |
| habl-**é** | habl-**amos** | com-**í** | com-**imos** |
| habl-**aste** | habl-**asteis** | com-**iste** | com-**isteis** |
| habl-**ó** | habl-**aron** | com-**ió** | com-**ieron** |

| encontrar | | vender | | recibir | |
|---|---|---|---|---|---|
| encontr**é** | encontr**amos** | vend**í** | vend**imos** | recib**í** | recib**imos** |
| encontr**aste** | encontr**asteis** | vend**iste** | vend**isteis** | recib**iste** | recib**isteis** |
| encontr**ó** | encontr**aron** | vend**ió** | vend**ieron** | recib**ió** | recib**ieron** |

■ The preterite is used to describe an act that has already occurred; it focuses on the beginning, the end, or the completed aspect of an act. The preterite is translated in English as the simple past or as *did* + verb.

| **Encontré** los boletos. | *I found the tickets.* |
|---|---|
| | *I did find the tickets.* |
| ¿**Vendiste** el coche? | *You sold the car?* |
| | *Did you sell the car?* |

■ Note that in the preterite, the first- and third-person singular endings of regular verbs *always* require a written accent on the last vowel.

| **Regresé** a eso de las once. | *I returned at about 11:00.* |
|---|---|
| La policía lo **arrestó** anoche. | *The police arrested him last night.* |

■ Note also that the first-person plural endings (the **nosotros(as)** forms) of **-ar** and **-ir** verbs are identical to the present indicative endings. Context determines whether the verb is in the past, the present, or the future.

| Mañana **jugamos** en Ocós. | *Tomorrow we play in Ocós.* |
|---|---|
| Ayer **jugamos** en Antigua. | *Yesterday we played in Antigua.* |

■ All stem-changing **-ar** and **-er** verbs in the present tense are *regular* in the preterite. Stem-changing **-ir** verbs in the preterite will be discussed in **Capítulo 10.**

| **Encontraron** el avión en Petén. | *They found the plane in Petén.* |
|---|---|
| ¿**Entendiste** las noticias? | *Did you understand the news?* |
| **Perdieron** el campeonato, ¿verdad? | *They lost the championship, right?* |

[↗] **Google**™ y **YouTube**™ BUSCA: preterite regular verbs; preterite

**Heinle Grammar Tutorial:** Preterite Part 1

## ¡A practicar!

**A. Noticias.** Paula está leyéndole las noticias a su esposo mientras él prepara el desayuno. ¿Qué le dice ella? Al contestar, completa estas oraciones con el pretérito.

1. La policía _arresto_ (arrestar) al ladrón.
2. El presidente y su esposa _recibe_ (recibir) al presidente de Guatemala.
3. Unos niños _encontro_ (encontrar) un millón de dólares.
4. Una actriz _vendio_ (vender) sus diamantes.
5. El equipo de Antigua _pedio_ (perder) anoche.

**B. Me interesan los detalles.** El marido de Paula está muy interesado en lo que pasó ayer. Tú vas a decir qué pregunta el marido de Paula y tu compañero(a) va a inventar las respuestas de Paula.

1. ¿_encontraste_ (encontrar) tú el libro que perdiste *(you lost)*?
2. ¿Cuándo _llegaste_ (llegar) tus padres a su casa tras la fiesta?
3. ¿Dónde _compraste_ (comprar) ese perfume tan bueno?
4. ¿Sabes si yo _deje_ (dejar) mi coche dentro del garaje anoche?
5. ¿Contra quién _jugaste_ (jugar) tu equipo favorito?
6. ¿Crees que nosotros _ganamos_ (ganar) la lotería anoche?

---

«**Salió** peor el remedio que la enfermedad». (proverbio)

\_\_\_\_ *The worst illness is one without remedy.*

\_\_\_\_ *The solution was worse than the problem.*

---

## Paso 2

## 6.2 Preterite of verbs with spelling changes
### Describing in past time

■ To maintain the consonant sound of the infinitive, verbs that end in **-car, -gar,** and **-zar** undergo a spelling change in the preterite in the first person singular. (These rules apply not only to verbs in the preterite but to verbs in any tense whenever the following circumstances occur.)

1. Ending in **-car: c** changes to **qu** in front of **e**
   **sacar:** sa**qué,** sacaste, sacó...
   **buscar:** bus**qué,** buscaste, buscó...

2. Ending in **-zar: z** changes to **c** in front of **e**
   **empezar:** empe**cé,** empezaste, empezó...
   **comenzar:** comen**cé,** comenzaste, comenzó...

3. Ending in **-gar: g** changes to **gu** in front of **e**
   **llegar:** lle**gué,** llegaste, llegó...
   **jugar:** ju**gué,** jugaste, jugó...

■ Whenever an unstressed **i** occurs between two vowels, it changes to **y.** Note that these verbs require a written accent in all persons except the third-person plural and **ustedes** forms.

| leer | | creer | | oír | |
|------|------|------|------|------|------|
| leí | leímos | creí | creímos | oí | oímos |
| leíste | leísteis | creíste | creísteis | oíste | oísteis |
| leyó | leyeron | creyó | creyeron | oyó | oyeron |

⟦☝⟧ **Google**™
BUSCA: preterite
spelling changes

**Heinle Grammar
Tutorial:** Preterite
Part IV

## ¡A practicar!

**A.** **¡Qué día!** Ayer Angélica tuvo un día terrible. ¿Qué pasó?

Ayer (yo) _empecé_ (empezar) el día con el pie izquierdo *(wrong side of the bed)*. Cuando _comencé_ (comenzar) a preparar el café, _oí_ (oír) sonar el teléfono. Era mi mamá. Ella _habló_ (hablar) más de una hora. Luego _____ (buscar) las llaves de mi auto pero no las _encontré_ (encontrar). Finalmente (yo) _____ (decidir) tomar el autobús, pero _____ (llegar) muy tarde a la parada. Yo _regresé_ (regresar) a casa y no _salí_ (salir) el resto del día.

**B.** **Norberto.** Por lo general, Norberto lleva una vida muy aburrida. Con tu compañero(a), completa este párrafo para saber qué pasó ayer en la vida de Norberto. Luego, usen este párrafo como modelo para escribir un breve párrafo explicando qué pasó ayer en su vida. Lean su párrafo a la clase.

Norberto: «Ayer _llegué_ (llegar) tarde a clase. Después de clase _practiqué_ (practicar) fútbol por dos horas. Cuando _volví_ (volver) a casa, _____ (preparar) la cena y _____ (leer) el periódico. Por la noche no _____ (empezar) a hacer mi tarea hasta que _llegó_ (llegar) mi amigo Ricardo. Ricardo y yo _____ (estudiar) dos o tres horas. De repente Ricardo _____ (oír) un ruido. Yo _busqué_ (buscar) por todas partes pero no _encontré_ (encontrar) a nadie. ¡Parece que Ricardo tiene una imaginación muy activa!»

---

«Huyendo del toro **cayó** en el arroyo». (proverbio)

____ *The bull was running so hard, it tripped and fell in the stream.*

____ *Running away from the problem made it worse.*

---

## Paso 3

### 6.3 Preterite of *estar*, *decir*, and *hacer*

**Narrating about the past**

| estar | | decir | | hacer | |
|---|---|---|---|---|---|
| estuve | estuvimos | dije | dijimos | hice | hicimos |
| estuviste | estuvisteis | dijiste | dijisteis | hiciste | hicisteis |
| estuvo | estuvieron | dijo | dijeron | hizo | hicieron |

Note that these irregular verbs do not have written accents in the preterite.

¿Quién **hizo** eso?  
Te **dije** que yo lo **hice** ayer cuando **estuve** aquí.

*Who did that?*  
*I told you I did it yesterday when I was here.*

### ¡A practicar!

**A.** **En busca de empleo.** Completa el párrafo que sigue para saber qué pasó cuando Martín visitó Guatemala.

El verano pasado _____ (estar/yo) dos meses en Guatemala. Yo les _____ (decir) a mis padres: «Voy a vender mi carro. Necesito dinero porque quiero conocer Centroamérica». _____ (hacer) mis planes y el itinerario con un agente de viajes para pasar un mes en Centroamérica. Pero finalmente _____ (estar) por mucho más tiempo. Mi amigo Hernán me _____ (decir): «No puedes visitar Guatemala sin conocer Antigua. ¡Es impresionante!». La verdad es que tenía razón. _____ (estar/yo) en Antigua casi un mes completo. De allí _____ (ir/yo) a Tikal. ¡La vegetación, la naturaleza, las ruinas de Tikal y la gente son excelentes! Ellos me _____ (hacer) muchas comidas locales, y todas exquisitas. El próximo verano definitivamente tengo que volver, pero, ¿qué carro voy a vender ahora?

**B. Cumpleaños.** Con tu compañero(a), completa este párrafo para saber cómo celebraron el cumpleaños de Jaime. Luego, usen este párrafo como modelo para escribir un breve párrafo explicando cómo celebraron el cumpleaños de uno de sus amigos. Lean su párrafo a la clase.

Ayer fue el cumpleaños de Jaime. Jorge, su compañero de cuarto, _____ (organizar) una fiesta para él. Marta y yo _____ (ir) a la tienda para comprar champán. Carmen _____ (hacer) un pastel delicioso. Isabel y Juana _____ (hacer) unos sándwiches. Todos nosotros _____ (ir) a la casa de Jorge y esperamos a Jaime. Cuando Jaime _____ (llegar) todos le _____ (decir): «¡Felicitaciones!». La fiesta _____ (estar) estupenda. Jaime _____ (decir): «Fue la mejor fiesta de cumpleaños de mi vida».

---

«No se **hizo** la miel para la boca del asno». (refrán)

___ This is too good for you.

___ A donkey's mouth does not taste of honey.

---

## 6.4 The pronoun *se:* Special use
### Making announcements

When writing notices such as classified ads, placards, recipes, and signs on windows or walls, the pronoun **se** is used in Spanish.

| | |
|---|---|
| **Se alquilan** bicicletas. | *Bicycles for rent.* |
| **Se necesita** secretaria. | *Secretary wanted.* |
| **Se habla** inglés aquí. | *English spoken here.* |
| **Se prohíbe** estacionar. | *No parking.* |

Note that the verb form following **se** is in the third-person singular when followed by a singular noun or an infinitive (**secretaria, inglés, estacionar**) and in the third-person plural when it is followed by a plural noun (**bicicletas).**

⏻ Google™
BUSCA: pronoun **se**

### ¡A practicar!

**A. Anuncios.** Imagínate que trabajas en el departamento de anuncios clasificados en las oficinas de un periódico de tu ciudad. Prepara algunos anuncios.

MODELO     vender / bicicleta nueva
                **Se vende bicicleta nueva.**

1. vender / televisor en buen estado
2. buscar / apartamento en el centro
3. vender / casa grande
4. necesitar / dos mecánicos
5. buscar / camarero competente

**B. Ventas.** Tú y tu compañero(a) están leyendo los anuncios clasificados en *Prensa Libre.* Decidan qué dicen los anuncios. Luego escriban otros cinco anuncios que fácilmente se pueden encontrar en un periódico de su ciudad universitaria. Lean sus anuncios a la clase.

1. vender / casa en lago de Atitlán
2. necesitar / alquilar casa cerca de Tolimán
3. comprar / todo tipo de artesanía maya-quiché
4. buscar / habitación para dos estudiantes en Antigua
5. reparar / coches

---

«Santa Rita, Rita, lo que **se** da, no **se** quita». (dicho popular)

___ Saint Rita gives but does not take away.

___ Once you give a gift, you don't take it back.

---

### CAPÍTULO 7

# Enamorados de... ¡Colombia!

## In this chapter, you will learn how to . . .

- speak about relationships.
- express emotions.
- express preferences.
- talk about your preferred artwork.

## Comunicación

### ¿QUÉ SE DICE...?

- Al hablar de las cosas del amor
- Al planear cosas que hacer con tu pareja
- Al expresar gustos artísticos

## Cultura

### ¿SABÍAS QUE...?
La música colombiana
La imagen negativa de Colombia

### NOTICIERO CULTURAL
Colombia: la esmeralda de Sudamérica

### VIDEO CULTURAL
Colombia, ¡puerta a Sudamérica!
Fernando Botero, ¡reconocido internacionalmente!

### EL RINCÓN DE LOS LECTORES
«Un día de éstos» de Gabriel García Márquez

## En preparación

### PASO 1
7.1  Direct-object nouns and pronouns
7.2  Irregular -**go** verbs

### PASO 2
7.3  Present tense of **e** —> **i** stem-changing verbs

### PASO 3
7.4  Review of direct-object nouns and pronouns
7.5  The verbs **saber** and **conocer**

## Destrezas

### ¡A ESCUCHAR!
Distinguishing intonation patterns

### ¡A VER!
Using visual images to interpret content

### ¡A ESCRIBIR!
Formulas for giving written advice

### ¡A LEER!
Using context clues

*Busca* Juanes *en Google*™ *Images y YouTube*™ *para escuchar y ver a este popular cantante colombiano.*

*Busca* café colombiano *en Google*™ *Images y YouTube*™ *para empezar a saborear esa delicia colombiana.*

*Busca* Fernando Botero *en Google*™ *Images y YouTube*™ *para ver excelentes ejemplos de sus pinturas y esculturas.*

# ¡Las fotos hablan!

**A que ya sabes...** Indica cierto (C) o falso (F) según tu opinión.

C  F  1. Colombia es uno de los mayores productores de café del mundo.

C  F  2. En Colombia podemos disfrutar del Caribe, del Pacífico, del Amazonas, pero no de la Cordillera de los Andes.

C  F  3. Fernando Botero es un famoso pintor y escultor nacido en Medellín, Colombia.

C  F  4. Colombia ha producido grandes artistas, tanto pintores como músicos.

C  F  5. El cantante colombiano Juanes recibió cinco premios Grammy en un solo año.

# ¡Desde Bogotá con amor!

## ¿Eres buen observardor?

**TAREA**

Antes de empezar este *Paso*, estudia la lista de vocabulario de la página 254 y escucha el corte 33 de tu Text Audio CD2. Luego estudia *En preparación*.

1er día 7.1 Direct-object nouns and pronouns, páginas 256–257

2do día 7.2 Irregular -**go** verbs, página 258

Haz por escrito los ejercicios de *¡A practicar!* correspondientes.

| | Cristóbal Colón Calle 10 No. 5 - 32 | Colsubsidio Calle 26 No. 25 - 40 | Jorge E. Gaitán Car. 7 No. 22-47 | T. Nacional La Castellana Calle. 95 No. 30-13 | T. de Bellas Artes de Bta. Cra. 58 No. 90-88 | Auditorio León de G. Cra. 30 No. 45-03 | |
|---|---|---|---|---|---|---|---|
| **Viernes 7** | REINO UNIDO Kneehigh Theatre Cimbeline 8:00 p.m. | ESPAÑA C.C.de V.de Madrid Baroco 8:00 p.m. | ESPAÑA Ballet Flamenco de A. Viaje al sur 8:00 p.m. | E.E.U.U. Mabou Mines Casa de muñecas 8:00 p.m. | ESPAÑA Teatro de La Abadía. Argelino servidor... 8:00 p.m. | | **Programación de Salas del XI Festival Iberoamericano de Teatro de Bogotá** |
| **Sábado 8** | REINO UNIDO Kneehigh Theatre Cimbeline 8:00 p.m. | ESPAÑA C.C.de V.de Madrid Baroco 8:00 p.m. | ESPAÑA Ballet Flamenco de A. Viaje al sur 8:00 p.m. | E.E.U.U. Mabou Mines Casa de muñecas 8:00 p.m. | ESPAÑA Teatro de La Abadía. Argelino servidor... 8:00 p.m. | COLOMBIA El colegio del cuerpo Fuerza de sangre 7:00 p.m. | |
| **Domingo 9** | REINO UNIDO Kneehigh Theatre Cimbeline 3:00 y 8:00 p.m. | ESPAÑA C.C.de V.de Madrid Baroco 6:00 p.m. | ESPAÑA Ballet Flamenco de A. Viaje al sur 6:00 p.m. | E.E.U.U. Mabou Mines Casa de muñecas 3:00 y 8:00 p.m. | ESPAÑA Teatro de La Abadía. Argelino servidor... 6:00 p.m. | COLOMBIA El colegio del cuerpo Fuerza de sangre 3:00 p.m. | |
| **Lunes 10** | REINO UNIDO Kneehigh Theatre Cimbeline 8:00 p.m. | ESPAÑA C.C.de V.de Madrid Baroco 8:00 p.m. | ESPAÑA Ballet Flamenco de A. Viaje al sur 8:00 p.m. | E.E.U.U. Mabou Mines Casa de muñecas 8:00 p.m. | ESPAÑA Teatro de La Abadía. Argelino servidor... 8:00 p.m. | COLOMBIA El colegio del cuerpo Fuerza de sangre 7:00 p.m. | |
| **Martes 11** | REINO UNIDO Kneehigh Theatre Cimbeline 8:00 p.m. | ESPAÑA C.C.de V.de Madrid Baroco 8:00 p.m. | ESPAÑA Ballet Flamenco de A. Viaje al sur 8:00 p.m. | | | | |
| **Miércoles 12** | | | | AUSTRALIA Circa Bajo la luz de las e. 8:00 p.m. | | Delia Zapata Cra. 6 No. 10-71 | Plaza de Toros Cll. 26 No. 6-00 | Teatro Varasar Cra. 15 No. 3 |
| **Jueves 13** | RUSIA Nueva G. de Moscú. Un poema ridículo 8:00 p.m. | | SERBIA Ballet T.N. Belgrado La Reina Margot 8:00 p.m. | CANADÁ 4d art La tempestad 8:00 p.m. | AUSTRALIA Circa Bajo la luz de las e. 8:00 p.m. | ARGENTINA Ultratango Concierto 7:00 p.m. | COLOMBIA Colective Punto Org. Vidas ejemplares 8:00 p.m. | |
| **Viernes 14** | RUSIA Nueva G. de Moscú. Un poema ridículo 8:00 p.m. | ISRAEL K.C. Dance Company Ekodoom 8:00 p.m. | SERBIA Ballet T.N. Belgrado La Reina Margot 8:00 p.m. | CANADÁ 4d art La tempestad 8:00 p.m. | AUSTRALIA Circa Bajo la luz de las e. 8:00 p.m. | VENEZUELA Cia. Mimi Lazo Golpes a mi puerta 8:00 p.m. | PERÚ T.La Plaza Isil Canto de un emigrant 8:00 p.m. | R. CHECA Farm in the Cave T.E. La celebración 8:00 p.m. | COLOMBI T. Matacandel Velada metafi 6:00 y 9:00 p |

## Ahora, ¡a analizar!

1. Este anuncio es para un festival de...
   a. cine.
   b. teatro.
   c. baile.

2. Los participantes en el festival son...
   a. solo de Colombia.
   b. todos de Latinoamérica.
   c. de todas partes del mundo.

3. Todas las presentaciones son por la...
   a. mañana.
   b. tarde.
   c. tarde y noche.

4. Imagina que esta noche vas a invitar a una persona a una de estas funciones.
   a. ¿A quién vas a invitar?
   b. ¿Qué obra van a ver? ¿Por qué? ¿Cómo vas a explicar tu selección?
   c. ¿Lo (La) vas a recoger o te va a recoger? ¿A qué hora?
   d. ¿Vas a llevarlo (o llevarla) a cenar antes o después de la función? ¿Quién va a pagar?

# ¿Qué se dice...? 🎧 CD2, Track 28

## Al hablar de las cosas del amor

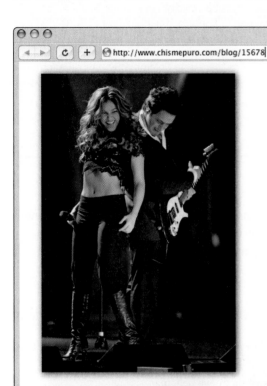

**Música | Cine | Deportes|**

### El blog del CHISME PURO

En una entrevista de la revista Espectáculos, el cantante español Alejandro Sanz, quien grabó un disco con la famosa cantante colombiana Shakira, reconoció que la ama.

«Cuando conocí a Shaki fue un descubrimiento profesional buenísimo y personal también. Ella es una amiga, es mi hermana, con eso ya aclaro todo. Ella está enamoradísima de Antonio de la Rúa, y con eso no se puede luchar, quise hacerlo, pero llegué tarde, ha sido mi tortura», confesó el cantautor.

Bueno, el tiempo pasó desde aquella entrevista, y si Shakira estuvo enamorada de Antonio de la Rúa, ya no lo está. Según todas las informaciones, entre ellos hubo un problema de fidelidad, y recordamos que en 2005, Shakira afirmó: «Digo que si mi novio (Antonio de la Rúa) me engaña, lo dejo inmediatamente». La pregunta que se hacen las revistas del corazón es: ¿Va a dar el paso Alejandro Sanz ahora que Shakira no está comprometida? Pronto lo vamos a saber.

**Suscríbete**

Indica si El blog del Chisme Puro indica esto o no.

Sí    No  1. Alejandro Sanz está locamente enamorado de Shakira.
Sí    No  2. Ella no lo ama a él.
Sí    No  3. Shakira todavía está enamorada de su novio, Antonio de la Rúa.
Sí    No  4. Antonio la ama y la respeta mucho.
Sí    No  5. Es muy probable que ella lo deje por infidelidad.
Sí    No  6. No se sabe si Alejandro la va a enamorar ahora que no está comprometida.

## ¿Sabías que...?

Colombia, además de haber dado al mundo grandes escritores y artistas, ha tenido un gran impacto en el mundo musical internacional. Año tras año, los premios Grammy Latino siguen yendo a grandes músicos colombianos como Shakira, los Aterciopelados, Carlos Vives, Juan Fernando Fonseca, Charlie Zaa, Los Tri-O y Juanes. Es fácil entender por qué Colombia continúa teniendo un papel de gran prestigio internacional: las influencias de los ritmos caribeños y del Pacífico, mezclados con los ritmos europeos e indígenas, hacen de Colombia un país de enorme creatividad musical.

**En tu opinión:** ¿Por qué crees que tantos excelentes músicos vienen de Colombia? ¿Cuántos cantantes latinos, que puedes nombrar, hay en los Estados Unidos? ¿Por qué crees que hay tantos?

### Ahora, ¡a hablar!

EP 7.1

**A. En la cita.** Con tu compañero(a), túrnense para preguntar si hicieron lo siguiente la última vez que salieron en una cita. Pueden inventar las respuestas.

**MODELO** Tú: **¿Lo/La invitaste personalmente o por teléfono?**
COMPAÑERO(A): **La invité personalmente.** o **Lo invité personalmente.**

1. ¿Lo/La fuiste a buscar a su casa?
2. ¿Lo/La llevaste al cine?
3. ¿Lo/La invitaste a cenar?
4. ¿Lo/La sacaste a bailar?
5. ¿Lo/La acompañaste a su casa?
6. ¿Lo/La llamaste el día siguiente?

EP 7.1

**B. ¡Quieres salir!** Alguien te invita a salir por primera vez y te propone algunas actividades. ¿Qué le contestas tú?

**MODELO** AMIGO(A): ¿Quieres ver la nueva película?
Tú: **Sí, quiero verla.** o **No, no la quiero ver.**

1. ¿Puedo llamarte esta noche?
2. ¿Puedo pasar a buscarte a las 8, el viernes?
3. ¿Quieres visitar mi restaurante favorito?
4. ¿Quieres ver mi película favorita?
5. ¿Quieres conocer a mis padres?

EP 7.2

**C. Buenos modales.** Los colombianos, como la mayoría de los hispanos, siempre son muy educados y saben impresionar a todo el mundo. ¿Eres tú como los colombianos? ¿Qué haces para impresionar a otras personas?

**MODELO** Los jóvenes colombianos hacen muchas cosas para impresionar a sus novias.
**Yo también hago muchas cosas para impresionar a mi pareja.** o **Yo no hago nada para impresionar a mi pareja.**

1. Los colombianos siempre traen bebidas o comida a las fiestas.
2. Los hombres les dicen piropos a las mujeres.
3. Los jóvenes colombianos hacen todo con sus amigos.
4. Ellos nunca ponen los pies (*feet*) en la mesita.
5. Los jóvenes colombianos son muy corteses.

**A propósito...**
Cuando estás de acuerdo con algo afirmativo que dice otra persona, dices: «yo también». Cuando estás de acuerdo con algo negativo, dices: «yo tampoco».

EP 7.2

**D. Costumbres.** Con tu compañero(a), túrnense para preguntar si tienen los siguientes hábitos relacionados con las citas.

**MODELO** ¿Sales durante la semana o solo los fines de semana?
**Salgo sólo los fines de semana.**

1. ¿Dices siempre todo lo que piensas?
2. ¿Traes a otros amigos contigo a tus citas?
3. Si van a casa, ¿oyen música o miran la televisión?
4. ¿Pones flores y velas en tu casa?
5. ¿Haces café u otra bebida especial para él/ella?

E. **Tu media naranja.** Tomaste la decisión de encontrar a tu «media naranja» por Internet. Llena este formulario sin escribir tu nombre, y tu profesor(a) va a distribuirlo. En grupos de cuatro o cinco personas, lean los formularios y decidan si la persona de alguno de los formularios puede ser la media naranja *(ideal partner)* de la otra.

EP 7.1, 7.2

---

# @mor... ¡por Internet!
## Encuentra a tu verdadero amor... ¡hoy día!

Solo hay que rellenar este formulario con datos personales
sobre tu propio perfil y el de la persona que buscas.
Hazlo ahora mismo y envíaselo a
**@mor... ¡por Internet!**

Te garantizamos que en menos de una hora recibirás más citas de lo que buscas.

### Tu perfil

Aspecto físico: Soy... _____

Personalidad: Soy... _____

En una cita yo siempre... _____

### Perfil de persona que deseas conocer

Aspecto físico: La persona que busco es... _____
_____
_____
_____

Personalidad: La persona que busco es... _____
_____
_____

En una cita la persona que busco siempre... _____
_____
_____

---

## Y ahora, ¿por qué no conversamos?

F. **¡Paso a paso!** Tú y tus compañeros(as) están hablando por primera vez. Conversen un poco para llegar a conocerse. Alternen preguntando y respondiendo.

1. ¿Cuáles son sus deportes favoritos? ¿Con qué frecuencia los practican?
2. ¿Cómo pasan el tiempo libre? ¿Qué hacen?
3. Si miran la tele con frecuencia, ¿cuáles son sus programas favoritos? ¿Con qué frecuencia los miran?
4. ¿Qué tipo de música escuchan? ¿Quiénes son sus artistas favoritos?
5. ¿Visitan a sus familiares con frecuencia? ¿Los visitan cada fin de semana? ¿Una vez al mes?

G. **Actividades.** ¿Qué hacen tus compañeros(as) de clase cuando salen con su novio(a)? Para saberlo, entrevístalos usando el cuadro en la página 236. Encuentra a compañeros(as) que puedan contestar afirmativamente a cada pregunta y pídeles que firmen en el cuadrado apropiado. No olvides que una persona no debe firmar en más de un cuadrado.

| Antes de salir | Durante la cita | Antes de despedirse |
|---|---|---|
| Invita a la otra persona sin pensarlo mucho.<br>*Firma* _____ | Lo paga todo.<br><br>*Firma* _____ | Invita a su amigo(a) a tomar un café en casa.<br>*Firma* _____ |
| Siempre acepta invitaciones para salir.<br>*Firma* _____ | Controla la conversación.<br>*Firma* _____ | Siempre está contento(a) de terminar la cita.<br>*Firma* _____ |
| Es tímido(a). Casi nunca toma la iniciativa.<br><br>*Firma* _____ | Nunca habla de cosas personales.<br><br>*Firma* _____ | Siempre promete llamar al día siguiente.<br><br>*Firma* _____ |
| Decide qué actividades hacer.<br>*Firma* _____ | Toma bebidas alcohólicas.<br>*Firma* _____ | Siempre se despide *(says good-bye)* con un beso.<br>*Firma* _____ |

**H. ¡Luces! ¡Cámara! ¡Acción!** Tú, tu novio(a) y dos amigos(as) están imaginando la primera visita de tu novio(a) a casa de tus padres. Dramatiza esta situación con tres compañeros(as). Tus compañeros(as) de clase deben decirle a tu novio(a) qué puede hacer para impresionar a tus padres. También deben hablar de temas de conversación apropiados y no apropiados para tu novio(a) y tus padres.

**I. ¡Nuestra comunidad!** En tu universidad o comunidad, entrevista a una persona latina, de origen colombiano si es posible. Conversa sobre cuáles son las actividades favoritas de los jóvenes en su comunidad de origen: la discoteca, el cine, la playa, los paseos... Pregúntale si nota alguna diferencia entre lo que hacen los jóvenes en su país de origen para divertirse, y lo que hacen en los Estados Unidos. Comparte la información con toda la clase y decidan si más o menos todos presentaron una idea similar sobre el estilo de vida de los jóvenes en un país y otro.

## Un paso atrás, dos adelante

### Capítulo 6

**Repasemos.** En el Capítulo 6 aprendiste a hablar y a discutir sobre las noticias de prensa, de lo que pasó en tu programa de televisión favorito, y a preparar y a leer anuncios clasificados. Repasa lo que sabes, completando el siguiente texto con las palabras necesarias.

El policía: ¿Qué _____ [pretérito: **pasar**] aquí?

Protagonista: _____ [saludo formal por la noche], señor agente. Yo _____ [pretérito: **llamar**] porque _____ [pretérito: **oír**] unos ruidos terribles en el dormitorio de la criada y cuando _____ [pretérito: **llegar**], _____ [pretérito: **encontrar**] a la víctima en la cama sin vida.

El policía: ¿Y qué _____ [pretérito: **hacer**] usted?

Protagonista: _____ [pretérito: **estar**] esperando unos minutos, pero no _____ [pretérito: **pasar**] nada.

El policía: ¿Y hay más testigos?

Protagonista: No. _____ [pretérito: **comenzar**] a gritar _____ [adverbio: **desesperado**] pero nadie me ____ [pretérito: **oír**].

# Saber comprender 🎧 CD2, Track 29

## Estrategias para escuchar: distinguir patrones de entonación

*In previous chapters you learned to listen for stress variations in English and Spanish cognates. Listening to intonation, that is, the rise and fall of a speaker's voice, can be very helpful when distinguishing between questions and statements in Spanish. Questions in Spanish usually have one of the following two intonation patterns.*

1. *In questions requiring yes/no answers, the voice rises on the last word of the question.*

   **¿Quieres venir conmigo?**

   **¿Viven cerca de aquí?**

2. *In questions that begin with an interrogative word and request information, the speaker's voice usually drops on the last word of the question.*

   **¿Qué vas a hacer el sábado?**

   **¿A qué hora vienes por mí?**

*Being aware of these intonation patterns for questions will help you better understand a conversation.*

**Distinguir patrones de entonación.** Escucha la conversación entre Manolo, un joven muy tímido, y Carmen, una chica muy atractiva. Al escuchar, indica el número de preguntas sí/no que escuchas y el número de preguntas que piden información.

_____ Sí/No          _____ Que piden información

## Ahora, ¡a escuchar!

Vuelve a escuchar la conversación de Manolo y Carmen e indica con un círculo la letra que mejor completa cada oración.

1. Carmen piensa...
   a. estudiar.          b. mirar la tele.          c. visitar a una amiga.

2. Manolo piensa...
   a. estudiar.          b. mirar la tele.          c. ir al cine.

3. Manolo...
   a. la invita.          b. la acepta.          c. no la acepta.

4. Carmen...
   a. lo invita.          b. lo acepta.          c. no lo acepta.

5. Manolo va a buscar a Carmen...
   a. a las seis.          b. a las siete.          c. a las siete y diez.

# Colombia: la esmeralda de Sudamérica

## Antes de empezar, dime...

1. ¿A cuántos océanos tiene salida los Estados Unidos? ¿Cuáles son?
2. ¿Cuáles son algunas de las atracciones más grandes de los Estados Unidos?

Colombia es el único país de Sudamérica que tiene salida al Pacífico y al Atlántico (mar Caribe). Además, tiene cuatro zonas climáticas: la costa del océano Pacífico, el altiplano de los Andes, los llanos y la costa del mar Caribe.

Los Andes colombianos

El verdadero oro de Colombia

Gracias al clima subtropical, los principales productos del país son su sabrosísimo café, una gran variedad de flores —entre ellas, las hermosas orquídeas—, bananas y caña de azúcar. De fama mundial son también las esmeraldas que se producen en el país —de allí el nombre de «Colombia, la esmeralda de Sudamérica».

Bogotá, Colombia

La capital, Bogotá, tiene todo lo que se espera de una ciudad moderna: rascacielos, hoteles lujosos, oficinas elegantísimas, tiendas fascinantes, excelentes restaurantes y una gran diversidad de actividades culturales. Allí y en los alrededores puedes visitar, entre otras maravillas, la Catedral de Sal y el famoso Museo del Oro, que es un verdadero tesoro de colecciones del oro prehispánico.

En tu próxima visita a Sudamérica... ¡Colombia te espera!

**COLOMBIA**

**Nombre oficial**
República de Colombia

**Capital**
Bogotá

**Población**
45.013.674 (est. 2008)

**Unidad monetaria**
peso colombiano

**Índice de longevidad**
72,5 años

**Alfabetismo**
92,8 por ciento

**Datos interesantísimos sobre Colombia**

- Colombia es el cuarto país más grande de Sudamérica.
- En 1995, Colombia exportó esmeraldas con un valor de $452 millones de dólares.
- Varias ciudades de Colombia, como Medellín, donde el clima varía muy poco, gozan de una eterna primavera.
- La música más popular de Colombia es la cumbia y el vallenato, pero también son populares la salsa y el merengue.
- Colombia produce un 12 por ciento del café consumido en el mundo entero.
- El Museo del Oro en Bogotá tiene mas de 30.000 objetos de oro de las principales culturas precolombinas de Colombia.
- Cerca de Bogotá se encuentra la Catedral de Sal, construida en el interior de una mina de sal, uno de los logros artísticos más notables de la arquitectura colombiana.

## Y ahora, dime...

Contesta estas preguntas con un(a) compañero(a) de clase.

1. Explica el título de esta lectura.
2. Prepara un esquema como el siguiente y complétalo con información de la lectura.

⚡ **Por el ciberespacio... a Colombia**
Keywords to search:
*Geografía de Colombia*
*Catedral de Sal*
*Museos de Colombia*
To learn more about Colombia, go to the *¡Dímelo tú!* website at academic. cengage.com/spanish/dimelotu

COLOMBIA

| Geografía | Economía | Otros datos |
|-----------|----------|-------------|
| 1. | 1. | 1. |
| 2. | 2. | 2. |
| 3. | 3. | 3. |
| 4. | 4. | 4. |

# Decidimos salir a pasear por Cartagena

## TAREA

Antes de empezar este *Paso*, estudia la lista de vocabulario de la página 254 y escucha el corte 34 de tu Text Audio CD2. Luego estudia *En preparación.*

1<sup>er</sup> día    7.3 Present tense of **e —> i** stem-changing verbs, página 259

Haz por escrito los ejercicios de *¡A practicar!* correspondientes.

## ¿Eres buen observador?

Si te decides por Colombia, seguro que repites.
En Colombia no compites por un trozo de playa caribeña
y nada te impide ser el rey o la reina de la selva amazónica.
Si prefieres la montaña, tienes tres cordilleras que miden lo justo para ti.
La gente sonríe más en Colombia. Y todos los que la visitan, se despiden con un
«¡Hasta pronto!»
Si eliges Colombia, ¡Colombia te elige a ti!

## Ahora, ¡a analizar!

1. ¿Cuál es el propósito de este anuncio?
2. ¿Qué significa, «Si te decides por Colombia, seguro que repites»?
3. ¿Por qué no es necesario competir «por un trozo de playa» en Colombia?
4. ¿Por qué crees que puedes ser «el rey o la reina de la selva amazónica» en Colombia?
5. ¿Cuáles son los atractivos para ti de Colombia, según el anuncio?

# ¿Qué se dice...? 🎧

## Al planear cosas que hacer con tu pareja

🎧
CD2,
ck 30
Hola, Vicente. Te saludo desde Cartagena. Estoy muy contenta por tu decisión de venir a visitarme. No sé si al final te traes a tu amigo Ricardo contigo. Si deciden venir los dos, encantada. ¿Qué te parece este plan?

Yo normalmente hago la ruta del Amazonas para los turistas, y los viernes tengo día de descanso. Si quieres, el viernes los traigo al Parque Nacional Natural de Amacayacu que es una maravilla, y visitamos algunas poblaciones indígenas.

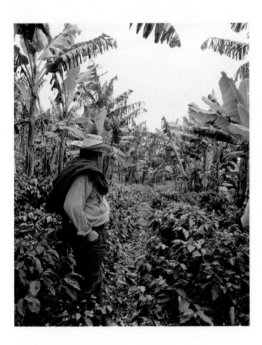

También quiero quedarme con ustedes un par de días en alguna hacienda cafetera. Muchas tienen habitaciones para albergar a turistas. Podemos montar a caballo, pasear en bicicleta por la montaña, pescar... Tú me dices lo que prefieren.

Y si quieren tener una experiencia diferente, podemos darnos un baño de lodo en el volcán del Totumo, cerca de Cartagena. ¡Se ve divertido!

Bien. Ya me dicen si deciden venir juntos para hacer planes más concretos.

Abrazos.

Querida Esmeralda: Espero que estés bien. Ya tengo los planes para la semana que vamos a pasar juntos en Bogotá. Sigo con muchísimas ganas de verte. Te pido la confirmación de la fecha y la hora de tu vuelo, para esperarte. Estas son algunas de las cosas que podemos hacer:

En el centro de Bogotá permiten pasear en bicicleta los domingos y días de fiesta de las 7 de la mañana a las 2 de la tarde. Son más de 75 millas de carreteras y calles para nosotros.

Voy a ver si me hago el valiente y no me pongo demasiado nervioso descendiendo los rápidos del río Negro en Cundinamarca. Sé que es algo que te encanta.

Y como sé también que oyes mucha salsa, vamos a visitar Cali, la capital colombiana de la salsa. Aunque no la conozco, dicen que es una ciudad muy interesante.

Si me dices cuándo llegas, te espero en el aeropuerto. Espero tus noticias. Te quiero mucho. Un beso.

## ¿Sabías que...?

Colombia, contra la imagen internacional de violencia y narcotráfico, es un país precioso, de gente hospitalaria, apasionada por la música, la literatura, el arte... Y se destaca también su gran gusto por la comida, el café y la buena compañía. Con todo, la imagen negativa que se proyecta de Colombia no es correcta, especialmente si se tienen en cuenta las estadísticas y se comparan con las de otros muchos países que no tienen esa imagen.

**En tu opinión:** ¿Por qué crees que Colombia proyecta una imagen negativa? ¿Proyecta los Estados Unidos alguna imagen negativa? Explica. ¿Cómo se pueden cambiar esas imágenes?

# Ahora, ¡a hablar!

**A. ¿Qué prefieren?** Ester y Elías, y Carmen y Pancho, hablan de sus planes para salir. ¿Qué dice cada uno?

EP 7.3

> **MODELO**    Ester y Elías: seguir interesados / ir al Museo del Oro
> **Nosotros seguimos interesados en ir al Museo del Oro.**

1. Ester: elegir / ir al Museo Nacional
2. Elías: pedir / visitar el museo Donación Botero
3. Pancho: preferir / el restaurante Radio Sutatenza porque servir / muy bien la carne
4. Ester y Elías: preferir / el restaurante Aguamar porque freír / muy bien el pescado
5. Ester y Elías: ¿por qué no repetir / la visita al club Cha-chá?
6. Carmen y Pancho: ¿por qué no seguir / con nuestro plan de ir al club Lola?

**B. ¡Aquí sirven bebidas riquísimas!** Tú, tu compañero(a) y Ester y Elías celebran tu cumpleaños en el restaurante favorito de Ester y Elías, La Embajada Antioqueña. ¿Qué hacen todos? Túrnense para describir lo que hacen.

EP 7.3

> **MODELO**    **Elías pide las bebidas.**

**Vocabulario útil**

| | | |
|---|---|---|
| conseguir | preferir | sonreír |
| decir | querer | traer |
| elegir | reír | |
| pedir | servir | |

| | | |
|---|---|---|
| 1. Yo... | 3. Tú... | 5. Tú y yo... |
| 2. Ester... | 4. Ester y Elías... | 6. El mesero... |

**C. Somos diferentes.** Tu compañero(a) y tú se comparan con Ester y Elías. Con tu compañero(a), decidan qué hacen igual o diferentemente.

EP 7.3

> **MODELO**    Ester y Elías siempre consiguen boletos para el teatro.
> **Nosotros conseguimos boletos para un concierto rock.** o
> **Nosotros también conseguimos boletos para el teatro.**

1. Ester y Elías salen muchas veces con otras parejas.
2. Ester y Elías siempre visten elegantemente.
3. Ester y Elías consiguen salir casi todas las noches.
4. Ester y Elías piden pizza por teléfono los sábados por la noche.
5. Ester y Elías siguen hablando dos horas en el restaurante después de cenar.
6. Ellos repiten la misma actividad todos los domingos.

**D. Gente corriente.** Con tu compañero(a), imaginen que son uno de estos personajes y que salieron juntos a cenar esta noche. Identifíquense con dos de estas personas y en primera persona digan qué dicen, qué piden en el restaurante, por qué eligen la comida que eligen, por qué sonríen y qué hacen en este momento. Sean creativos.

EP 7.3

Ester      Elías

## Y ahora, ¿por qué no conversamos?

**E. Entrevístense.** Entrevista a un(a) compañero(a) y luego él (ella) te entrevista a ti.

1. ¿Con qué frecuencia sales con tu pareja? ¿Salieron el fin de semana pasado? ¿Adónde fueron?
2. ¿A qué hora salen generalmente? ¿Se divierten?
3. ¿Normalmente repiten las mismas actividades o siempre hacen algo distinto?
4. ¿Cómo visten cuando salen, formal o informalmente? ¿Cuándo visten formalmente?
5. ¿Qué pides tú y qué pide tu pareja cuando van a comer algo después del cine? ¿Cuándo van a un restaurante elegante?
6. ¿Qué dicen tus amigos de tu pareja? ¿Qué dicen los amigos de tu pareja de ti?

**F. Una fotonovela de corazón.** Para el periódico local de Antioquia, en Colombia, les pidieron a los estudiantes de su clase que escriban una fotonovela basada en estos cuatro dibujos. Con tu compañero(a), inventen el diálogo que tienen estas personas. Sean creativos. Lean sus diálogos a la clase.

**G. ¡Luces! ¡Cámara! ¡Acción!** Tú y un(a) compañero(a) de clase van a salir por primera vez con una nueva persona. Escriban el diálogo que tienen al decidir cuándo van a salir, adónde van a ir, qué van a hacer, cómo van a viajar, quién va a buscar a quién, cuánto dinero van a necesitar y a qué hora piensan regresar. Representen esta situación delante de la clase.

*Dímelo tú! Playlist* Escucha: «Volverte a ver» de Juanes

# ¡Escríbelo!

## Estrategias para escribir: dar consejos por escrito

*Cuando escribimos cartas que dan sugerencias o consejos* (advice), *hay que usar ciertas estructuras. La más sencilla es usar ciertos verbos que ya conoces con el infinitivo, tanto afirmativa como negativamente.*

| | |
|---|---|
| **necesitar** + infinitivo | **Necesitas ser** más activa. |
| **(no) deber** *(should)* + infinitivo | **(No) debes hablar** con tu novia. |
| **(no) tener que** + infinitivo | **(No) tienes que decidir** en este momento. |

**Dar consejos por escrito.** Ahora piensa en un(a) amigo(a) que tiene problemas sentimentales y prepara una lista de sus problemas. Incluye lo que dice tu amigo(a) y lo que dice su pareja. Si no tienes un(a) amigo(a) con problemas, invéntalo(la).

¿Necesitan consejos?

## Ahora, ¡a escribir!

A. **En preparación.** Prepárate para escribirle una carta a tu amigo(a) con problemas sentimentales. Empieza por crear un grupo de ideas para sugerir y aconsejar *(advise)*. Escribe todas tus ideas usando ciertos verbos más el infinitivo. Organiza tus ideas en grupos que puedan elaborarse en párrafos.

B. **El primer borrador.** Ahora prepara un primer borrador de tu carta de consejo. Incluye la información de la lista de ideas que preparaste en la sección previa.

C. **Ahora, a compartir.** Comparte tu primer borrador con dos o tres compañeros(as). Haz comentarios sobre el contenido y el estilo de las cartas de consejo de tus compañeros(as) y escucha sus comentarios sobre tu carta. ¿Están claros los consejos? ¿Hay bastantes consejos o necesitan más? ¿Es lógica la organización de la carta? Concéntrate específicamente en cómo da los consejos. ¿Da sugerencias y consejos usando **necesitar, deber** y **tener que** correctamente? Indica todos los errores de las cartas de tus compañeros(as) y luego decide si necesitas hacer cambios en tu carta basándote en los errores que ellos(as) te indiquen a ti.

D. **La versión final.** Prepara la versión final de tu carta y entrégala. Escribe la versión final en la computadora, siguiendo las instrucciones recomendadas por tu instructor(a).

# Si no amas el arte colombiano, es porque no lo conoces

## TAREA

Antes de empezar este *Paso*, estudia la lista de vocabulario de las páginas 254–255 y escucha el corte 35 de tu Text Audio CD2. Luego estudia *En preparación*.

1<sup>er</sup> día    7.4 Review of direct-object nouns and pronouns, página 260

2<sup>do</sup> día    7.5 The verbs **saber** and **conocer,** página 261

Haz por escrito los ejercicios de *¡A practicar!* correspondientes.

## ¿Eres buen observador?

## Ahora, ¡a analizar!

1. ¿Conoces a estas personas? ¿Quiénes son?
2. ¿Sabes de dónde es Celia Cruz y si todavía vive?
3. ¿Qué sabes de J. Lo y de Shakira? ¿Quiénes son? ¿De dónde son? ¿Por qué son famosas?
4. ¿Sabes quiénes son Itatí y Camil? ¿Qué hicieron en Brasil?
5. ¿Conoces a Lucía Méndez? ¿Sabes si es cantante, artista o actriz? ¿Cómo lo sabes?

♪ *Dímelo tú! Playlist* Escucha: «La tortura» de Shakira

# ¿Qué se dice...? 🎧

## Al expresar gustos artísticos

¿Conoces las obras de Fernando Botero, el pintor y escultor colombiano más reconocido internacionalmente? ¿Sabes, por ejemplo, que nació en Medellín en 1932? ¿Sabes
que a los doce años su tío lo inscribió en una escuela de toreros, y que sus primeras
pinturas fueron sobre toros y toreros? Fernando Botero vendió su primer cuadrito por
un precio bastante bajo. ¿Sabes cuánto fue? Apenas dos pesos. Hoy día sus obras las
valoran en mucho más dinero.

Seguro que conoces algunas de sus obras. Por
ejemplo, *La Gioconda*. Botero normalmente
representa, tanto en escultura como en pintura,
a personas y animales bastante gorditos. En esta
famosa versión de la Gioconda, vemos que el
cuerpo no es proporcionado. Las manos son
mucho más pequeñitas que el resto del cuerpo.
La cabeza es también enorme en relación con
el cuerpo. Pero aparte del volumen de La Gioconda, Botero consigue recrearla con frescura y
personalidad propia.

Los que conocen bien sus trabajos los admiran
y aseguran que en su obra la monumentalidad,
el humor y la ironía se combinan con un gran
talento. La crítica y la gente en general valoran la
rebelión de la forma y el volumen que lo caracteriza.

### A propósito...

Spanish diminutive suffixes **-ito(a)** and
**-cito(a)**, as in **gorditos**, are attached
to nouns to indicate that something
is small—**casita** *(little house)*, **coche-
cito** *(little car)*— or that something is
charming or endearing—**mi abuelita**
*(my dear grandmother)*, **mi tita** *(my
dear aunt)*.

**Critical Thinking:** Does English use
diminutives? What do you think the use
of diminutives can add to a language?

¿Es cierta (C) o falsa (F) la siguiente información sobre Fernando Botero?

1. C   F   Fernando Botero es medellinense o «paisa».
2. C   F   Las obras de Fernando Botero puedes comprarlas hoy día por muy
           poco dinero.
3. C   F   Fernando Botero es famoso, pero sus obras no las conoce el gran
           público.
4. C   F   Las primeras obras de Botero fueron sobre temas de la pintura
           flamenca.
5. C   F   Fernando Botero simplemente imita la pintura de Da Vinci.

EP 7.4

**A. Sentimientos.** ¿Qué sientes tú hacia estas personas y cosas?

> MODELO       mamá
> **Yo la amo.**

**Vocabulario útil**

| | |
|---|---|
| admirar | odiar |
| adorar | resolver |
| amar | respetar |
| detestar | ignorar |

1. una buena obra de arte
2. tu mejor amigo(a)
3. tus compañeros(as) de cuarto
4. tu pareja
5. la universidad
6. la tarea
7. los políticos
8. los problemas de dinero
9. los profesores
10. las enfermedades

EP 7.4, 7.5

**B. El arte y yo.** ¿Cómo reaccionas ante Colombia? ¿Qué te parecen las obras de Botero? ¿Las canciones de Shakira? ¿De Juanes? Con tu compañero(a), túrnense expresando sus reacciones.

> MODELO       la música de Juanes
> **No la conozco.** o
> **La disfruto mucho.**

1. el arte de Botero
2. Shakira
3. el café colombiano
4. la playa en Tyrona, Colombia
5. Bogotá
6. la Catedral de Sal
7. Cartagena
8. el Museo del Oro en Bogotá
9. *La Gioconda* de Botero
10. ¿...?

EP 7.4

**C. Compañeros(as) de cuarto.** Tú y tu compañero(a) de cuarto están hablando de sus novios(as). Tu compañero(a) dice que tiene un problema: no sabe si su pareja lo (la) ama realmente o no. Prepara preguntas que puedes hacerle para ayudarlo(la) a solucionar su problema. Luego haz tus preguntas a un(a) compañero(a) de clase y tu compañero(a) va a hacerte sus preguntas.

> MODELO       **¿Te invita a su apartamento?**
> **¿Acepta tus invitaciones?**

EP 7.5

**D. ¡Tu obra de arte ideal!** Con dos o tres compañeros(as), hablen sobre arte. ¿Qué dicen sobre estos temas?

> MODELO       arte abstracto
> **Yo no sé mucho sobre arte abstracto.**

| | |
|---|---|
| | pintores impresionistas |
| | las obras de arte de Fernando Botero |
| yo (no) sé/conozco | distinguir una iglesia románica de una barroca |
| | los mejores museos de arte del mundo |
| | hablar de arte contemporáneo |

**E.** **¿Qué opinas?** La vida está llena de cosas y personas sobre las que opinar. Con tu compañero(a) decidan lo que admiran, detestan, odian, les encanta, les fascina... de lo que ven en estos dibujos.

## Y ahora, ¿por qué no conversamos?

**F.** **Datos personales.** Entrevista a un(a) compañero(a) para obtener algunos datos personales.

1. ¿Es fácil o difícil para ti expresar tus sentimientos? ¿Por qué?
2. ¿Quién es la persona que más admiras? ¿Que más amas? ¿Por qué?
3. ¿Odias a alguna persona? ¿Por qué?
4. ¿Quién es la persona que más te ama?
5. ¿Eres una persona básicamente sociable o no? ¿Por qué?
6. ¿Qué se necesita para tener una relación ideal?

**G.** **¿Tú o tu compañero(a)?** ¿Quién tiene la mejor personalidad, tú o tu compañero(a)? Para saberlo, individualmente contesten estas preguntas y sigan el orden de las flechas *(arrows)* hasta llegar al final. Comparen sus resultados e informen a la clase si están de acuerdo o no.

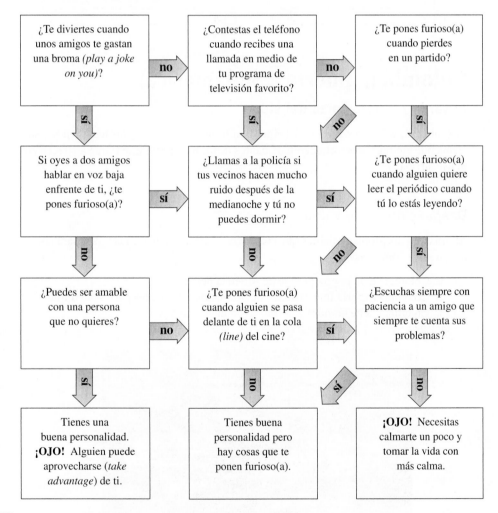

**H.** **¡Luces! ¡Cámara! ¡Acción!** En grupos de tres o cuatro, dramaticen una escena de su telenovela favorita. Puede ser un triángulo amoroso o dos parejas que tienen una relación complicada.

# Saber comprender

### Estrategias para ver y escuchar: usar imágenes visuales para interpretar el contenido

*In **Capítulo 2** you learned to use visual images to anticipate the content of a reading selection. Because videos always consists of rich visual images to illustrate what is being said, they frequently also help you understand words that you may not know. As you watch the video, pay close attention to the images, especially when you hear narrative that you do not understand. More often than not, the images being shown will aid your comprehension considerably. Apply this strategy as you view the segment on Colombia. Then use this and other listening strategies you have learned to help you understand the segment on Fernando Botero.*

**Interpretar el contenido aprovechando las imágenes visuales.** Mira ahora la primera parte del video que tu profesor(a) va a poner sin volumen *(mute)*, para que puedas prestar atención a las imágenes. Al verlo, escribe cuatro cosas que crees que el video trata.

**El video trata de...**

☐ 1. _____    ☐ 3. _____
☐ 2. _____    ☐ 4. _____

# Colombia, ¡puerta a Sudamérica!

## Al ver la primera parte del video

Mira ahora la primera selección del video con sonido y marca (✓) los temas en tu lista arriba que predijiste correctamente. ¿Cuántos de los temas que sí se tratan aparecen en tu lista arriba?

## Después de ver el video

Ahora di en tus propias palabras qué evidencia visual u oral hay en el video para confirmar estos comentarios.

1. Colombia es la puerta grande de América del Sur.
2. Colombia exporta una variedad de productos a diferentes partes del mundo.
3. Colombia tiene grandes y hermosas ciudades.

Bogotá de noche

**Interpretar el contenido aprovechando las imágenes visuales.** Mira ahora la segunda parte del video sin volumen y presta atención a las imágenes. Escribe cuatro cosas que crees que el video trata.

**El video trata de...**

☐ 1. _____

☐ 2. _____

☐ 3. _____

☐ 4. _____

# Fernando Botero, ¡reconocido internacionalmente!

## Al ver la segunda parte del video

Mira ahora la segunda selección con sonido y marca (✓) los temas en tu lista arriba que predijiste correctamente. ¿Cuántos de los temas que sí se tratan aparecen en tu lista arriba?

## Después de ver el video

Ahora indica si estás o no estás de acuerdo con los siguientes comentarios y explica por qué.

Sí   No  1. Los personajes de Botero representan a la élite colombiana.

Sí   No  2. Sus personajes y objetos gordos reflejan humor y también la realidad del país.

Sí   No  3. Botero, además de pintor, es actor de cine.

Sí   No  4. Antes de empezar a pintar un cuadro, Botero siempre piensa mucho sobre el tema y planifica cuidadosamente.

# El rincón de los lectores

## Estrategias para leer: pistas del contexto

*In the previous chapter you learned several techniques for recognizing context clues including*

1. *using the meaning of the rest of the sentence.*
2. *being satisfied with the generalized meaning.*
3. *looking for help in punctuation and grammar.*
4. *learning to recognize key words and to ignore others.*

**Pistas de contexto.** Practica usando las técnicas que ya sabes para reconocer las pistas de contexto en esta selección. Busca las palabras de la columna A en la lectura y estudia el contexto de las oraciones donde las encuentres. Luego selecciona según el contexto las frases de la columna B que tienen el mismo significado de cada palabra de la columna A.

| A | B |
|---|---|
| 1. alcalde | a. poniendo brillante |
| 2. muela | b. usa una pistola o revólver |
| 3. puliendo | c. expresarse en voz alta |
| 4. salita de espera | d. tranquilamente |
| 5. gritar | e. un diente de la parte de atrás de la boca |
| 6. pega un tiro | f. silla grande |
| 7. sin apresurarse | g. oficial principal del pueblo o de la ciudad |
| 8. sillón | h. cuarto donde esperan los pacientes |

## El autor

**Gabriel García Márquez** nació en Colombia en el año 1928. En 1961 se fue a vivir a México donde maduró la idea para una de sus novelas más famosas, *Cien años de soledad.* Publicó esta novela en el año 1967. La mayoría de los críticos consideran esta novela la más importante de la literatura española de la época por su temática y técnica creativa. En 1982, García Márquez recibió el Premio Nobel de Literatura.

En «Un día de éstos», Gabriel García Márquez expresa su oposición a los militares de Colombia. Es el cuento de un militar que va al dentista del pueblo con un absceso. El dentista odia a los militares y no quiere atenderlo, pero el militar amenaza con matarlo si no le saca la muela. Al final, el dentista le saca la muela al militar, pero no usa anestesia.

# Un día de éstos (fragmento)

—Papá.

—Qué.

—Dice el **alcalde** que si le sacas una **muela.**

—Dile que no estoy aquí.

Estaba **puliendo** un diente de oro. Lo retiró a la distancia del brazo° y lo examinó con los ojos a medio cerrar. En la **salita de espera** volvió a **gritar** su hijo.

*Lo retiró...* He held it at an arm's distance

—Dice que sí estás porque te está oyendo.

El dentista siguió examinando el diente. Sólo cuando lo puso en la mesa con los trabajos terminados, dijo:

—Mejor.

Volvió a operar la fresa.° De una cajita de cartón° donde guardaba las cosas por hacer, sacó un puente° de varias piezas y empezó a pulir el oro.

**fresa** *dentist's drill* / **cajita de...** *cardboard box* / **puente** *dental bridge*

—Papá.

—Qué.

Aún no había cambiado de expresión.

—Dice que si no le sacas la muela te **pega un tiro.**

**Sin apresurarse,** con un movimiento extremadamente tranquilo, dejó de pedalear en la fresa, la retiró del **sillón** y abrió por completo la gaveta° inferior de la mesa. Allí estaba el revólver. —Bueno —dijo—. Dile que venga a pegármelo.°

**gaveta** *drawer*
**Dile...** *Tell him to come and shoot me*

## A ver si comprendiste

Contesta basándote en la selección de «Un día de éstos» que leíste.

1. Haz comentarios sobre el diálogo en este fragmento. ¿Cómo indica el autor que una persona deja de hablar y otra empieza? En tu opinion, ¿por qué no hay signos de interrogación cada vez que el dentista dice «Qué»? ¿Qué emociones se expresan en el diálogo?

2. Esta escena es muy dramática. Hay mucha tensión. ¿Qué crees que esté pensando cada personaje mientras ocurre este diálogo? Escribe los pensamientos del hijo, del dentista y del militar.

**Pensamientos del hijo:**

**Pensamientos del dentista:**

**Pensamientos del militar:**

# Vocabulario

## Paso 1 CD2, Track 33

**Festival**

| | |
|---|---|
| **baile** *(m.)* | *dance* |
| **festival** *(m.)* | *festival* |
| **función** *(f.)* | *function* |

**Cosas del amor**

| | |
|---|---|
| **amor** *(m.)* | *love* |
| **beso** | *kiss* |
| **cita** | *date* |
| **comprometido(a)** | *engaged* |
| **flor** *(f.)* | *flower* |
| **infidelidad** *(f.)* | *infidelity* |
| **juntos** | *together* |

**Acciones de enamorados**

| | |
|---|---|
| **acompañar** | *to accompany* |
| **admirar** | *to admire* |
| **adorar** | *to adore* |
| **controlar** | *to control* |
| **impresionar** | *to impress* |
| **odiar** | *to hate* |
| **prometer** | *to promise* |
| **respetar** | *to respect* |

**Citas**

| | |
|---|---|
| **cortés** | *polite* |
| **familiares** *(m. pl.)* | *relatives* |
| **iniciativa** | *initiative* |
| **modales** *(m. pl.)* | *manners* |
| **puntual** | *punctual* |
| **recoger** | *to pick up, to gather* |
| **vela** | *candle* |

**Verbos**

| | |
|---|---|
| **nombrar** | *to name* |
| **oír** | *to hear* |
| **poner** | *to put* |
| **traer** | *to bring* |

**Palabras útiles**

| | |
|---|---|
| **cosa** | *thing* |
| **Latinoamérica** | *Latin America* |
| **narcotráfico** | *narcotraffic* |
| **obra** | *work* |
| **parte** *(f.)* | *part* |
| **participante** | *participant* |
| **perfil** *(m.)* | *profile* |
| **personalmente** | *personally* |
| **pies** *(m. pl.)* | *feet* |
| **siguiente** | *next* |

## Paso 2 CD2, Track 34

**Al hacer planes para salir**

| | |
|---|---|
| **boleto** | *ticket* |
| **consejo** | *advice* |
| **elegir** | *to elect* |
| **formalmente** | *formally* |
| **gentileza** | *kindness* |
| **informalmente** | *informally* |
| **reír** | *to laugh* |
| **sonreír** | *to smile* |

**Dietas**

| | |
|---|---|
| **carne** *(f.)* | *meat* |
| **dieta** | *diet* |
| **freír** | *to fry* |
| **fruta** | *fruit* |
| **pescado** | *fish* |
| **postre** *(m.)* | *dessert* |
| **servir** | *to serve* |
| **vegetariano(a)** | *vegetarian* |
| **vestir** | *to dress* |

**Examen: ¿Eres buen amigo?**

| | |
|---|---|
| **abusar** | *to abuse, to take advantage* |
| **ayudar** | *to help* |
| **competir** | *to compete* |
| **delatar** | *to reveal, to denounce* |
| **despedir** | *to fire, to dismiss* |
| **determinar** | *to determine* |
| **imagen** *(f.)* | *image* |
| **negativo(a)** | *negative* |
| **obligar** | *to obligate* |
| **permitir** | *to allow* |
| **problema** *(m.)* | *problem* |
| **proyectar** | *project* |
| **punto** | *point* |
| **repetir** | *to repeat* |
| **revelar** | *to reveal, to develop* |
| **secreto** | *secret* |
| **significar** | *to signify, to mean* |
| **solución** *(f.)* | *solution* |
| **suficiente** | *sufficient, enough* |
| **sumar** | *to sum up, to add* |

**De visita en Colombia**

| | |
|---|---|
| **fotonovela** | *photoromance* |
| **reina** | *queen* |
| **rey** *(m.)* | *king* |

| | |
|---|---|
| **selva** | *jungle* |
| **trozo** | *piece* |

**Palabras útiles**

| | |
|---|---|
| **casi** | *almost* |
| **de vuelta** | *in return* |
| **elegantemente** | *elegantly* |
| **en absoluto** | *absolutely not, not at all* |
| **excelente** | *excellent* |
| **propósito** | *purpose, intent* |
| **seguir** | *to continue* |
| **según** | *according to* |
| **seguro(a)** | *sure, secure, safe* |

## Paso 3 CD2, Track 35

**Arte**

| | |
|---|---|
| **abstracto(a)** | *abstract* |
| **acrílico** | *acrylic* |
| **acuarela** | *watercolor* |
| **barroco(a)** | *baroque* |
| **contemporáneo(a)** | *contemporary* |
| **escultura** | *sculpture* |
| **granito** | *granite* |
| **impresionista** | *impressionist* |
| **mármol** *(m.)* | *marble* |
| **óleo** | *oil (painting)* |
| **pintor(a)** | *painter* |

**Sentimientos**

| | |
|---|---|
| **comprender** | *to comprehend* |
| **detestar** | *to detest* |
| **expresar** | *to express* |
| **sentimiento** | *sentiment* |

**Descripción**

| | |
|---|---|
| **datos** *(m. pl.)* | *facts* |
| **élite** | *elite* |
| **ideal** | *ideal* |
| **personal** | *personal* |

**Personas**

| | |
|---|---|
| **extranjero(a)** | *foreigner* |
| **personaje** *(m.)* | *character (in a novel)* |
| **político(a)** | *politician* |

**La naturaleza y sus productos**

| | |
|---|---|
| **montaña** | *mountain* |
| **naturaleza** | *nature* |

| oro | gold |
|---|---|
| producto | product |
| sal (f.) | salt |

**Verbos**

| conocer | to know, to be familiar with |
|---|---|
| distinguir | to distinguish |

| ignorar | to ignore |
|---|---|
| resolver | to resolve |
| saber | to know (facts) |

**Palabras útiles**

| básicamente | basically |
|---|---|
| disco | record, disc |

| enfermedad (f.) | illness |
|---|---|
| iglesia | church |
| reconocido(a) | recognized, known |
| relación (f.) | relationship |
| situación (f.) | situation |
| todavía | still |

## EL ESPAÑOL... de Colombia

**Comida colombiana**

| ajiaco | chicken stew |
|---|---|
| bandeja paisa | dish of steak, pork, beans, rice, sausage, and fried egg |
| tinto | strong Colombian coffee with sugar |

# En preparación 7

## 7.1 Direct-object nouns and pronouns
### Agreeing and disagreeing, accepting and refusing

■ Direct-object nouns and pronouns answer the questions *Whom?* or *What?* in relation to the verb of the sentence.

I'll see <u>her</u> tonight.  (*Whom will I see? Her.*)
They have <u>my tickets</u>.  (*What do they have? My tickets.*)

Identify the subjects and direct objects in the following sentences and check your answers.*

1. She doesn't expect her surprise birthday party.
2. Can you hear them now?
3. Shall I put flowers on this table?
4. Bring it tomorrow.

■ In Spanish, whenever the direct object is a specific person or persons, an **a** is *always* placed before it. This personal **a** is never translated into English.

¿Por qué no invitamos **a** tus padres?  *Why don't we invite your parents?*
En 2008 visité Bogotá.  *In 2008 I visited Bogotá.*
Siempre traen **a** Gloria.  *They always bring Gloria.*

■ Direct-object pronouns replace direct-object nouns. The direct-object pronouns in Spanish are shown below.

| | Singular | | Plural |
|---|---|---|---|
| **me** | me | **nos** | us |
| **te** | you (*fam.*) | **os** | you (*fam.*) |
| **lo/la** | you (*formal, m./f.*) | **los/las** | you (*formal, m./f.*) |
| **lo** | him, it (*m.*) | **los** | them (*m.*) |
| **la** | her, it (*f.*) | **las** | them (*f.*) |

■ Direct-object pronouns must be placed *directly* in front of a conjugated verb.

**Te** amo.  *I love you.*
Nunca **me** escuchas.  *You never listen to me.*
Yo **la** quiero mucho.  *I love her very much.*

■ The direct-object pronoun may follow and be attached to an infinitive or a present participle.

Voy a traer**los** mañana. }
**Los** voy a traer mañana. }  *I'm going to bring them tomorrow.*

Está esperándo**me** ahora. }
**Me** está esperando ahora. }  *He's waiting for me now.*

Note that when a direct-object pronoun is attached to a present participle, a written accent is required to maintain the original stress: **esperando** —> **esperándome.**

**Google**™ y **YouTube**™ BUSCA: Spanish direct object pronouns

**Heinle Grammar Tutorial:** Direct object pronouns

*Answers: 1. *subject:* She / *direct object:* party; 2. *subject:* you / *direct object:* them; 3. *subject:* I / *direct object:* flowers; 4. *subject:* (you) / *direct object:* it

# ¡A practicar!

**A. Examen.** Juanita is taking the placement exam at the **Universidad Nacional de Colombia.** How does she answer the examiner's questions?

PROFESOR: ¿Me ves bien de allí?

 JUANITA: Sí, profesor. _____ veo bien.

PROFESOR: ¿Tienes un lápiz número 2?

 JUANITA: Sí, _____ tengo.

PROFESOR: ¿Escuchas bien el CD?

 JUANITA: Sí, _____ escucho muy bien.

PROFESOR: ¿Me escuchas bien a mí y a la profesora Salas?

 JUANITA: Sí, _____ escucho muy bien a los dos.

PROFESOR: ¿Entiendes bien las instrucciones?

 JUANITA: Sí, sí, _____ entiendo.

PROFESOR: Bien, entonces empecemos.

**B. ¿Me quieres?** Pancho is unsure about his relationship with Salomé. He is now drilling her with dozens of questions about him- and herself. What does he ask and how does she respond?

MODELO          amar intensamente / a mí
          PANCHO: **¿Me amas intensamente?**
          SALOMÉ: **Sí, te amo intensamente.**

1. desear / a mí
2. comprender / a mí
3. admirar / a mí
4. querer para siempre / a mí
5. perdonar siempre / a mí
6. esperar todos los días / a mí

**C. ¿Qué hacen ustedes?** You are at a party and a new friend asks you several questions regarding you and your boyfriend (girlfriend). How do you answer?

MODELO          ¿Ven videos juntos *(together)*? ¿Dónde?
          **Sí, los vemos en mi apartamento.** o
          **No, no los vemos juntos.**

1. ¿Ven la televisión juntos? ¿Dónde?
2. ¿Escuchan discos juntos? ¿Dónde?
3. ¿Leen novelas o periódicos juntos? ¿Dónde?
4. ¿Preparan comidas juntos? ¿Dónde?
5. ¿Hacen las tareas juntos? ¿Dónde?
6. ¿Lavan el auto juntos? ¿Dónde?

**D. ¡Qué casualidad!** You and your new friend realize that you both love Colombia. What do you ask each other? How do you each respond? Alternate asking and answering.

MODELO          visitar / museo Fernando Botero
          **—¿Visitaste el museo Fernando Botero?**
          **—Sí, lo visité.** o **No, no lo visité.**

1. leer / la novela *Cien años de soledad*
2. visitar / el Museo del Oro
3. recorrer / las calles de Barranquilla
4. admirar / la periodista Sonia Uribe
5. escuchar / Shakira y Juanes
6. ver jugar al fútbol / a Faustino Asprilla

---

«El que tiene tienda, que **la** atienda». (dicho colombiano)

____ *You need to look after your own things.*

____ *If you own the store, you have to work in it.*

---

## 7.2 Irregular *-go* verbs

### Telling what people do, say, or hear

In **Capítulo 2**, you learned the irregular verbs **tener, salir,** and **venir.** Following are several other Spanish verbs that have the same irregular ending in the **yo** form in the present tense: **-go.** Note that some of these verbs also have stem changes.

🔊 Google™ y YouTube™ BUSCA: Spanish irregular -go verbs

**Heinle Grammar Tutorial:** Verbs with Irregular First Persons

| hacer | traer | poner | decir | oír |
|-------|-------|-------|-------|-----|
| *to do, make* | *to bring* | *to put* | *to say, tell* | *to hear* |
| hago | traigo | pongo | digo | oigo |
| haces | traes | pones | dices | oyes |
| hace | trae | pone | dice | oye |
| hacemos | traemos | ponemos | decimos | oímos |
| hacéis | traéis | ponéis | decís | oís |
| hacen | traen | ponen | dicen | oyen |

### ¡A practicar!

**A. ¡No hay como un buen tinto colombiano!** In Colombia, **un tinto** refers to black coffee. What does this person do when he is feeling a little depressed? To find out, complete the following paragraph with the appropriate form of the verb in parentheses.

Cuando yo estoy deprimido, siempre _____ (tener) mucho sueño y generalmente me _____ (hacer) un buen tinto. Todo el mundo _____ (decir) que el café no es bueno para la salud *(health)* pero nosotros, los colombianos, _____ (decir) que el tinto es ideal para la depresión. Yo nunca _____ (poner) demasiado azúcar *(sugar)* en mis tintos. Cuando yo _____ (llevar) café a las fiestas, siempre _____ (oír) lo que dicen todos: —¡Mmm! ¡Está delicioso!

**B. Buena impresión.** Raúl is from Medellín, the city of eternal spring, where flowers are abundant year round. María is dating Raúl. To find out what a typical date is like from her point of view, complete the following statements with the appropriate form of the verb in parentheses.

1. Cuando Raúl _____ (venir) a nuestra casa, siempre _____ (traer) unas orquídeas para mi mamá.
2. Mamá siempre _____ (decir) que las orquídeas son lindísimas.
3. Yo siempre las _____ (poner) en un florero y luego _____ (poner) el florero en la mesa.
4. Mi mamá y mi abuelo _____ (hacer) su refresco preferido, ponche.
5. Mi papá _____ (decir) que es obvio que nosotros queremos impresionarlo.

**C. ¡Qué caballero!** Now, working with a partner, complete the following paragraph with the appropriate form of the verb in parentheses to see Raúl's point of view. Then, with your partner, write a short paragraph telling what you do when you go to your girlfriend's/boyfriend's parents' home. Your instructor will call on volunteers to read their paragraph to the class.

Cuando yo _____ (venir) a tu casa siempre _____ (hacer) todo lo posible para impresionar a tu familia. Generalmente _____ (traer) orquídeas para tu mamá. A veces hasta _____ (traer) algo para tu papá. Yo sospecho que ellos lo agradecen *(appreciate)* porque _____ (oír) sus comentarios. Yo siempre _____ (decir) que la cortesía es muy importante.

---

«Oye lo que yo **digo** y no mires lo que **hago**». (refrán)

____ *Do as I say, not as I do.*

____ *Listen to what I say, and don't stare at me.*

---

## 7.3 Present tense of *e —> i* stem-changing verbs

### Stating what people do

In **Capítulo 4,** you learned that some Spanish verbs have an **e —> ie** or an **o —> ue** vowel change whenever the stem vowel is stressed. A number of **-ir** verbs have an **e —> i** vowel change.

| pedir | | seguir | |
|---|---|---|---|
| *to ask for* | | *to follow* | |
| pido | pedimos | sigo | seguimos |
| pides | pedís | sigues | seguís |
| pide | piden | sigue | siguen |

Other frequently used **e —> i** stem-changing verbs include **decir** *(to say, tell)*, **repetir** *(to repeat)*, **vestir** *(to dress)*, and **servir** *(to serve)*. Note that derivatives of these verbs will also be stem-changing: **conseguir** *(to get, obtain)* and **despedir** *(to fire, dismiss)*. Remember that all **-ir** stem-changing verbs undergo a one-vowel change in the present participle:

| **e —> ie** | **o —> ue** | **e —> i** |
|---|---|---|
| divirtiendo | durmiendo | pidiendo |
| prefiriendo | muriendo | siguiendo |
| sintiendo | | diciendo |

Heinle Grammar
Tutorial:
Stem-changing
Verbs e —> i

### ¡A practicar!

**A. Dietas.** What do these people think about dieting?

1. Yo siempre _____ (pedir) fruta; nunca _____ (pedir) postres.
2. Yo _____ (seguir) una dieta que me permite comer de todo.
3. Mi médico _____ (repetir) constantemente: «No es necesario estar a dieta, pero sí es necesario hacer ejercicio».
4. Pues yo solo voy a restaurantes donde _____ (servir) comida vegetariana.
5. Yo no _____ (seguir) los consejos de nadie. ¡Yo como lo que quiero, cuando quiero!

**B. En un café de Cali.** Justino, who has been spending his junior year studying in Cali, Colombia, has invited several of his friends for a farewell reunion as the school year comes to an end. Complete the following paragraph with the appropriate form of the verb in parentheses to find out what they do when they get to their favorite café.

Nosotros _____ (seguir) a Justino a una mesa grande. Él _____ (conseguir) sillas para todos y _____ (pedir) cervezas para Pedro y María. Él, Carmen y yo _____ (decir) que preferimos un refresco. Cuando la mesera _____ (servir) las bebidas, todos nosotros _____ (decir): —¡Salud!

**C. Una noche con Miguel.** Virginia Salazar always enjoys going out with Miguel, a Colombian friend. With a partner, complete the following paragraph with the appropriate form of the verb in parentheses to find out why. Then together write a brief paragraph telling what you do that makes your dates special. Your instructor will call on individuals to read their paragraphs to the class.

Cuando Miguel y yo _____ (salir), siempre es divertido. Él siempre se _____ (vestir) elegantemente. Nosotros nunca _____ (repetir) las mismas actividades; siempre _____ (hacer) algo diferente. Por ejemplo, a veces vamos a un restaurante colombiano que _____ (servir) comida exquisita. Él _____ (pedir) unos platos colombianos deliciosos. Todos los meseros conocen a Miguel y _____ (servir) la comida inmediatamente.

«El que la **sigue**, la **consigue**». (refrán)

___ *A determined stalker gets what he wants.*
___ *Only those who are tenacious enough, reach their objective.*

## 7.4 Review of direct-object nouns and pronouns
### Referring to people and things indirectly

- Direct-object nouns answer the question *Whom?* or *What?* in relation to the verb. Identify the subjects and direct objects in the following sentences.*

  1. Te adoro, Rodolfo. Y tú, ¿me amas?
  2. Yo no lo puedo creer. Dice que ya no me quiere.

- Direct-object pronouns are always placed directly in front of a conjugated verb, but may be attached to the end of an infinitive or a present participle. They are always attached to an affirmative command. Identify the direct-object pronouns in the following sentences.†

  1. ¿Bebidas alcohólicas? ¡Las detesto!
  2. Mis abuelos me quieren mucho pero no me permiten salir de noche.
  3. —Llámanos al llegar, por favor.
     —Sí, los llamo. Lo prometo.

**Heinle Grammar Tutorial:**
Direct Object Pronouns

Note that, as with the case of present participles, when a direct-object pronoun is attached to an affirmative command of two or more syllables, a written accent is required to maintain the original stress: **Llama > Llámanos.**

### ¡A practicar!

**A. ¿Quién va a traerlos?** Your Spanish teacher is throwing a party this weekend for everyone in your class. Of course, all of you volunteered to help out! Answer these questions by telling who in your class is doing these things.

MODELO   ¿Quién va a traer los discos? (Francisco)
**Francisco va a traerlos.** o
**Francisco los va a traer.**

1. ¿Quién va a traer la bandeja paisa?
2. ¿Quién va a hacer el ajiaco?
3. ¿Quiénes van a preparar el tinto?
4. ¿Quién va a tocar la guitarra?
5. ¿Quiénes van a comprar los refrescos?
6. ¿Quiénes van a limpiar la casa después de la fiesta?

**B. ¿Qué piensan de ti?** With a partner, take turns telling each other how the following people feel about both of you.

**Vocabulario útil**

| | | | |
|---|---|---|---|
| admirar | no querer | amar | querer |
| adorar | odiar | detestar | respetar |

1. tus padres
2. tus hermanos(as)
3. tu perro(a) o gato(a)
4. tu profesor(a) de español
5. tu novio(a)
6. tus abuelos

«**Decirlo** y **hacerlo**, serás bien servido». (refrán)
____ You are better off doing it yourself.
____ Say it and do it, if you expect to be served.

* Answers: 1. *subjects:* Yo / tú; *direct objects:* Te / me; 2. *subjects:* yo / Él (or Ella); *direct objects:* lo / me
† Answers: 1. Las 2. me 3. nos / los / Lo

## 7.5 The verbs *saber* and *conocer*

### Stating what you know and who or what you are acquainted with

| saber | | conocer | |
|---|---|---|---|
| *to know (how)* | | *to know, to be acquainted with* | |
| sé | sabemos | conozco | conocemos |
| sabes | sabéis | conoces | conocéis |
| sabe | saben | conoce | conocen |

■ **Saber** is used when speaking of knowing specific, factual information. When followed by an infinitive, **saber** means *to know how to do something.*

No **sé** cómo se llama pero **sé** que
ella **sabe** bailar cumbia muy bien.

*I don't know her name but I know that she knows how to dance the cumbia very well.*

■ **Conocer** is used when talking about knowing a person or being familiar with a place or a thing. When speaking of knowing people, **conocer** is always followed by the personal **a.**

**Conozco** varias obras de García
Márquez pero no lo **conozco a** él.

*I know several of García Márquez's works but I don't know him.*

Heinle Grammar
Tutorial:
Saber vs. Conocer

### ¡A practicar!

**A. ¿Quién es?** Justin is trying to find out as much as he can about the new Colombian girl in his history class. Complete the following sentences with the appropriate form of **saber** or **conocer** to find out what his friends say.

NATALIA: Yo no la _____ pero _____ que vive en la residencia.

VÍCTOR: Mi novia _____ a su hermana.

ROSA: Julio y Roberto _____ su número de teléfono.

GLORIA: Mis padres _____ a sus padres.

ROBERTO: Yo no _____ quién es pero ella _____ bailar cumbia muy bien.

ANTONIO: Si quieres _____la, te la puedo presentar.

**B. ¡Lo siento, pero...!** What do these people say when asked for specific information?

MODELO      **Sí, yo conozco a su hermana, pero no sé su nombre.**

1. Yo la _____ muy bien, pero no _____ su número de teléfono.
2. Yo _____ la casa de Andrés, pero no _____ su dirección.
3. Lo siento, yo _____ francés, pero no _____ Francia.
4. Nosotros no _____ Medellín muy bien, pero _____ dónde está ese restaurante.
5. Mamá no _____ cómo se llama el último libro de Gabriel García Márquez.
6. Ustedes _____ Cartagena, ¿verdad? ¿ _____ cuáles son las mejores playas?

**C. ¡No conozco a nadie!** A friend invited you and your partner to a party. When you get there you realize there are lots of people there you don't know. Take turns asking each other who they are.

MODELO      Pablo y Antonio
         TÚ: **¿Quiénes son esos chicos? No los conozco.**
COMPAÑERO(A): **Son Pablo y Antonio.** o **Se llaman Pablo y Antonio.**

1. Jacobo
2. Ángela y Matilde
3. tú
4. Esteban y Luisa
5. Víctor Mario y tú
6. Luz María

«El que **sabe, sabe**, y el que no, es jefe». (refrán)

___ *He who knows the least is the most likely to govern.*

___ *He who knows the boss, knows he will get the farthest.*

### CAPÍTULO 8

# Chile te lo da... ¡todo!

## In this chapter, you will learn how to . . .

- shop at a market.
- order a meal at a restaurant.
- describe your favorite foods.
- describe your vacation.

## Comunicación

**¿QUÉ SE DICE...?**
- Al hacer compras en el mercado
- Al pedir la comida en un restaurante
- Al describir las vacaciones

## Cultura

**¿SABÍAS QUE...?**
Variedad en los nombres de las comidas
La uva carménère
La isla Robinson Crusoe

**NOTICIERO CULTURAL**
Chile: un paraíso alto y largo

**VIDEO CULTURAL**
Isabel Allende: contadora de cuentos

**EL RINCÓN DE LOS LECTORES**
«Oda al tomate», poema de Pablo Neruda

## En preparación

**PASO 1**
8.1  Indirect-object nouns and pronouns
8.2  Review of **gustar**

**PASO 2**
8.3  Double object pronouns

**PASO 3**
8.4  Review of **ser** and **estar**
8.5  The verb **dar**

## Destrezas

**¡A ESCUCHAR!**
Linking sounds

**¡A VER!**
Anticipating specific information

**¡A ESCRIBIR!**
Describing an event

**¡A LEER!**
Using punctuation to help interpret poetry

*Busca* pesca chilena *en Google™ Images para ver más fotos de esta importante industria nacional.*

*Busca* deportes invernales Chile *en Google™ Images para ver fotos de la gran variedad de deportes de nieve en Chile.*

*Busca* Chile cosecha de uva *en Google™ Images para familiarizarte con la elaboración del vino chileno.*

# ¡Las fotos hablan!

**A que ya sabes...** Indica si las siguientes oraciones describen a Chile (**Ch**) o a California (**Ca**). Puedes seleccionar los dos, si crees que describe a los dos.

**Ch Ca** 1. Produce una gran variedad de vino.

**Ch Ca** 2. Produce y exporta una gran variedad de fruta.

**Ch Ca** 3. Produce y exporta una gran cantidad de verduras.

**Ch Ca** 4. Tiene una gran industria de pescado y marisco.

**Ch Ca** 5. A pocos kilómetros de la capital hay grandes pistas de esquí.

**Ch Ca** 6. El fútbol es su principal deporte, siendo en 1972 anfitriona de la Copa del Mundo.

# A disfrutar de las riquezas naturales

## TAREA

Antes de empezar este *Paso*, estudia la lista de vocabulario de la página 284 y escucha el corte 7 de tu Text Audio CD3. Luego estudia *En preparación*.

1er día    8.1 Indirect-object nouns and pronouns, páginas 286–287

2do día    8.2 Review of **gustar**, página 288

Haz por escrito los ejercicios de *¡A practicar!* correspondientes.

🡥 **Por el ciberespacio... a la naturaleza en Chile**

Keywords to search:

  *Patagonia*
  *Atacama*
  *Isla Negra*
  *Isla Grande de Chiloé*

To learn more about **la naturaleza en Chile**, go to the *¡Dímelo tú!* website at academic. cengage.com/spanish/dimelotu

## ¿Eres buen observador?

### DESCUBRIENDO EL DESIERTO DE ATACAMA

**Día 1. Calama**
Llegada a Calama. Día libre.

**Día 2. San Pedro de Atacama y Petroglíficos**
Desayuno en el hotel. Salida a las 8:30 de la mañana para visitar los Petroglíficos y las áreas de Hierba Buena y Río Grande. Continuar a San Pedro de Atacama para visitar la iglesia y la casa de Pedro de Valdivia, entre otras atracciones. Almuerzo en San Pedro de Atacama por la tarde, visita al Mirador del Valle de la Luna y Valle de la Muerte. Un paseo de 30 minutos en el Valle de la Luna. Cena en el corazón del valle. Regreso a Calama. Llegada a Calama aproximadamente a las 9:00 de la noche.

Atacama

Valle de la Muerte

**Día 3. Caspana – Pukará de Turi**
Desayuno en el hotel. Muy temprano, a las 5:00 de la mañana, salida hacia los géisers de Tatio. Visita a los campos geotermales admirando los animales de la región. Baño en las piscinas geotermales. Visita al Mirador Los Volcanes. Más tarde, descubrir Pukará de Turi y parada para el almuerzo. Regreso al hotel a las 4:00 de la tarde.

Géisers y fumarolas

Volcán en el desierto

**Día 4. Mina Chuquicamata**

Desayuno continental. Por la mañana, viaje a Chuquicamata para visitar la mina de cobre a tajo abierto. Más tarde, excursión a Saltpeter. Primero a María Elena, para visitar el museo y una casa típica que data de 1800. Almuerzo en el camino a la abandonada refinería Chacabuco Saltpeter. Visita al cementerio de Unión Pampa y regreso a Calama. Llegada a las 5:00 de la tarde.

Mina de cobre Chuquicamata

**Día 5. Calama**

Transporte al aeropuerto de regreso a casa.

Mina abandonada en Chacabuco

## Ahora, ¡a analizar!

1. En el desierto de Atacama se encuentran...

   ☐ géisers.  ☐ impresionantes catedrales.  ☐ minas activas.

   ☐ lagos grandes.  ☐ museos.  ☐ piscinas geotermales.

   ☐ hoteles.  ☐ restaurantes elegantes.  ☐ volcanes.

2. ¿Qué es lo que más te interesa a ti de Atacama? Explica.

# ¿Qué se dice...?

## Al hacer compras en el mercado

CD3,
Track 2

VENDEDOR: ¡Pescado fresco! ¿Qué puedo servirle hoy, señorita?

ANA MARÍA: ¿Me puede vender un kilo de merluza?

VENDEDOR: Por supuesto, señorita. Está riquísima. La trajeron hoy por la mañana de Viña del Mar. Puedo ofrecerle también unos camarones de mar buenísimos.

ANA MARÍA: No me gustaron los últimos que me vendió.

VENDEDOR: ¿En serio, señorita? ¿Segura que fui yo? Aquí hay otros pescaderos, y yo vendo lo mejor de lo mejor.

ANA MARÍA: Si me promete que estos están buenos, me llevo medio kilo.

VENDEDOR: Le juro, señorita, que son los camarones más sabrosos del mercado. Si no le gustan estos, mañana me lo dice, y le devuelvo su plata.

CD3,
Track 3

VENDEDORA: ¿Le gustan los duraznos?
LUIS MANUEL: Me encantan, pero los
encuentro un poco
verdes, ¿no?
VENDEDORA: Para mañana ya están
maduros. ¿Cuántos kilos
le pongo?
LUIS MANUEL: ¿Kilos? Si me da
tres duraznos tengo
suficiente. Vivo solo.
VENDEDORA: Le redondeo y le pongo el kilo, ¿está?
LUIS MANUEL: ¿Y a cuánto está el kilo?
VENDEDORA: Barato, caballero. Por ser usted, cuatrocientos pesos. Una ganga.
LUIS MANUEL: ¿Cuatrocientos? Pero si en el puesto de al lado los venden por 200...
VENDEDORA: ¿Me va a regatear unos pobres duraznos, caballero? Bueno, pues por
ser la primera venta de hoy, se los dejo a 300. Pero no les gano nada.
LUIS MANUEL: Bueno, está bien.
VENDEDORA: ¿No le apetece llevarse una buena papaya?

SATURNINO: ¿Entonces no te gustan estos melones?
ROSA: No están mal, pero son un poco caros.
SATURNINO: Los tomates tienen buena cara.
ROSA: Pero tenemos un montón de
tomates en casa.
SATURNINO: ¿Y porotos?
ROSA: También hay bastantes porotos.
SATURNINO: Pues nada. ¿Te decides por los
melones?
ROSA: Venga. Compra tres o cuatro,
por si tenemos visita este fin de
semana.
SATURNINO: ¡Qué rica es la fruta chilena!

## ¿Sabías que...?

Hay mucha variedad en los nombres de las comidas en distintas regiones de las Américas, por ejemplo, entre México y Centroamérica y entre los países del Cono Sur: Chile, Argentina, Uruguay y Paraguay. A continuación aparecen algunos ejemplos.

| Frutas y verduras | México y Centroamérica | El Cono Sur |
| --- | --- | --- |
| avocado | aguacate | palta |
| beans | frijoles | porotos |
| string beans | ejotes | porotos verdes |
| chili pepper | chile | ají |
| corn | elote | choclo |
| peach | durazno | durazno/melocotón |
| peanut | cacahuate | maní |
| peas | chícharos | arvejas |
| pineapple | piña | ananá |
| potato | papa | papa/patata |

**En tu opinión:** ¿Por qué crees que varían tanto los nombres de frutas y verduras en el mundo hispano? ¿Ocurre algo similar en inglés? ¿Puedes dar algunos ejemplos?

# Ahora, ¡a hablar!

**A. Cumpleaños.** ¿Recuerdas la última vez que le hiciste una fiesta de cumpleaños de sorpresa a un(a) amigo(a)? ¿Qué hiciste para esa persona?

EP 8.1

MODELO    preparar una fiesta
          **Le preparé una fiesta.**

1. preparar una cena especial
2. hacer un pastel
3. regalar un libro de...
4. desear «feliz cumpleaños»

5. comprar un CD de...
6. sacar muchas fotos
7. servir... para tomar
8. ¿...?

**B. ¿Frutas y verduras chilenas?** En invierno, la mayoría de las frutas y verduras de los supermercados de los Estados Unidos viene de Chile. Con tu compañero(a), túrnense para preguntar qué frutas o verduras chilenas le ponen a sus comidas.

EP 8.1

MODELO    Tú: **¿Qué le pones a tus queques?**
COMPAÑERO(A): **Les pongo unas excelentes manzanas chilenas.**

| Comida | Fruta | Verdura |
|---|---|---|
| sopa | fresa | apio |
| estofado | manzana | col |
| omelet | durazno | lechuga |
| ensalada | melón | papa |
| queque | piña | rábano |
| cóctel de fruta | plátano | tomate |
| jugo | naranja | zanahoria |

**C. Gustos individuales.** No a todos nos gustan las mismas comidas. En grupos de cuatro, hablen de sus gustos relacionados a estas comidas y a las verduras y frutas en la actividad anterior y otras como espinacas *(spinach)*, pulpo *(octopus)*, tofu, ... que ustedes quieran mencionar. Empiecen por preguntarse si les gustan o no las siguientes comidas hasta encontrar una que no le gusta a uno de ustedes pero sí a los demás. Terminen por informar a la clase sobre los gustos de cada individuo en su grupo diciendo: «A todos nos gustan los calamares excepto a (nombre)» o «A (nombre) le gusta el tofu pero al resto de nosotros no nos gusta».

EP 8.1, 8.2

| Productos lácteos | Pescados y mariscos | Carnes y fiambres |
|---|---|---|
| leche | cangrejo | carne de puerco/de res |
| helado | calamar | jamón |
| mantequilla | camarón | salchicha |
| queso | langosta | pollo/pavo |
| huevos | salmón | hamburguesa |

**D. Un día de mercado.** Hoy es día de mercado y tienes que empezar el día poniéndole precio a tu mercancía. Suponiendo que un dólar es igual a aproximadamente 600 pesos chilenos, en grupos de cuatro decidan el precio y preparen unas etiquetas *(labels)* con el nombre y el precio del producto. Luego, cuando la clase les pregunte por los precios, entre todos van a decidir quiénes son los más caros del mercado.

EP 8.1

## Y ahora, ¿por qué no conversamos?

**E. Hábitos culinarios.** ¿Qué conexión hay entre lo que comes y cuándo, dónde y con quién comes? Para saberlo, completa este cuadro con información sobre lo que comiste ayer. Luego, en grupos de tres comparen sus formularios y contesten las preguntas que siguen.

|  | ¿Qué comiste? | ¿Dónde comiste? | ¿Con quién comiste? | ¿De qué hora a que hora? |
|---|---|---|---|---|
| desayuno |  |  |  |  |
| almuerzo |  |  |  |  |
| cena |  |  |  |  |
| entre comidas |  |  |  |  |

1. ¿Cuál es la comida más común para el desayuno? ¿El almuerzo? ¿La cena? ¿Entre comidas?
2. ¿Dónde y con quién comen con más frecuencia?
3. ¿Cuánto tiempo toman para desayunar? ¿Almorzar? ¿Cenar?
4. ¿Cuál es la hora más popular para comer entre comidas?

**F. ¡Luces! ¡Cámara! ¡Acción!** Tú y tu compañero(a) de cuarto llegan al mercado municipal de Santiago. Hay otras personas esperando, hablando de cosas irrelevantes, como lo caros que están los precios, la telenovela de anoche, etcétera. Cuando les llega su turno, el (la) vendedor(a) les pregunta qué se les ofrece, y ustedes compran la fruta y verdura que más les gusta. Trabajen en grupos de cinco: uno(a) de vendedor(a), dos personas esperando y dos comprando.

---

## Un paso atrás, dos adelante

### Capítulo 7

**Repasemos.** En el Capítulo 7 aprendiste a proponer y a decir que no a una cita. También aprendiste a expresar tus preferencias y tus emociones. Repasa lo que sabes, completando el siguiente texto con las palabras necesarias.

**Una cita en la biblioteca**

TU AMIGO(A): ¿El libro, ya no _____ [pron. objeto directo] necesitas más?

Tú: No, ya no lo _____ [**necesitar**]. Aquí está.

TU AMIGO(A): Gracias. Oye, _____ [pron. objeto directo] molesto si te _____ [**decir**] una cosa?

Tú: No, no _____ [pron. objeto directo] molestas.

TU AMIGO(A): _____ [**Tener**] dos entradas para el recital de Shakira del sábado y quiero _____ [**invitar** + pron. objeto directo].

Tú: El sábado sí. Normalmente _____ [**hacer**] mi tarea los sábados. Pero _____ [**preferir**] ir a oír a Shakira.

TU AMIGO(A): Yo no _____ [**saber/conocer**] dónde queda la Biblioteca Luis Ángel Arango. ¿Tú _____ [pron. objeto directo] _____ [**saber/conocer**]?

Tú: Yo sí _____ [pron. objeto directo] _____ [**saber/conocer**]. Creo que _____ [**ser/estar**] en la calle 11.

# Saber comprender 🎧 CD3, Track 4

## Estrategias para escuchar: enlace de sonidos

*In Chapter 5, you learned that linking is the combining of the final sound of one word with the beginning sound of the word that follows. Linking is common to all languages. In English, for example, "What did you eat?" becomes something similar to "Whadjeet?" when final and initial word sounds are linked. This perfectly normal phenomenon can make listening comprehension very challenging for the beginning student. In Chapter 5 you also learned the three basic rules for linking in Spanish:*

1. *Vowel to vowel: Always link a final vowel with an initial vowel.*

   Vuelvo_enseguida con sus bebidas.
   No tengo_hambre.

2. *Consonant to consonant: Always link identical final and initial consonant sounds.*

   Las_salchichas están ricas y las_zanahorias* exquisitas.
   Me gusta preparar_rábanos con tomate y cebolla.

3. *Consonant to vowel: Always link a final consonant with an initial vowel.*

   Para mí, un_agua mineral con_hielo.
   El_apio no me gusta del todo.

*Understanding linking will greatly help you improve your listening comprehension.*

**Enlace de sonidos.** Ahora, antes de escuchar hablar a Claudio Téllez y a Elena Contreras, que acaban de llegar a su restaurante favorito en Viña del Mar, marca dónde en sus primeros intercambios con el mesero debe haber enlace, según las tres reglas básicas de enlace en español. Luego al escuchar el diálogo, fíjate si en efecto enlazan sus palabras según tus indicaciones.

> Mozo: ¿Está bien esta mesa o prefieren una más cerca de la ventana?
> Elena: Aquí está bien, gracias.
> Mozo: Muy bien. ¿Desean algún aperitivo, un vino blanco, una cerveza... ?
> Elena: Para mí agua mineral con hielo.

Una playa en Viña del Mar

## ¡Ahora, a escuchar!

Claudio Téllez y Elena Contreras, dos estudiantes de la Universidad de Santiago, están celebrando su primer aniversario de novios en Delicias del Mar, un restaurante en Viña del Mar. Escucha su conversación, y luego indica quién hace cada una de estas cosas: el mozo (**M**), Elena (**E**) o Claudio (**C**).

_____ 1. Los lleva a una mesa.
_____ 2 Pregunta si prefieren una mesa cerca de la ventana.
_____ 3. Ofrece un aperitivo.
_____ 4. Pide un vaso de agua mineral.
_____ 5. Pide vino tinto.
_____ 6. Sugiere una ensalada de zanahorias.
_____ 7. Dice que no le gustan las zanahorias.
_____ 8. Imagina que la sopa es buena.

*Notice that the same sounds may have different spellings.

# Chile: un paraíso alto y largo

### Antes de empezar, dime...

¿Cuáles son tus impresiones de Chile? Simplemente expresa tu opinión.

1. La extensión territorial de Chile es más o menos la misma distancia que de...
   a. Nueva York a Chicago.
   b. Miami a Nueva Orleans.
   c. San Francisco a Nueva York.
2. El promedio de anchura de Chile es más o menos...
   a. 25 millas.
   b. 100 millas.
   c. 200 millas.
3. Chile es número dos en el mundo en exportación de...
   a. salmón.
   b. vino.
   c. productos agrícolas.

Chile se encuentra en el extremo suroeste de Sudamérica. Su nombre viene de la palabra aimara «chilli» que significa «confines de la tierra», porque está prácticamente aislado del resto de Sudamérica por la cordillera de los Andes. Chile tiene más de 16 millones de habitantes, de los cuales un 6% son indígenas aimaras, atacameños y mapuches, entre otros. El resto de la población es mestiza y proveniente de la inmigración española y europea.

Hasta la década de los setenta, la economía de Chile dependió principalmente de la exportación del cobre y nitratos. Gracias a una exitosa estrategia económica durante la década de los ochenta, el país pasó a depender de las exportaciones de una variedad de productos agrícolas: frutas, verduras y vino, entre otros y, debido a su extensa zona costera junto al océano Pacífico, Chile produce y exporta una gran variedad de pescados y mariscos. Gracias a las diferencias de estaciones climáticas, el mercado de todos estos productos chilenos se extiende ahora a los Estados Unidos y Europa, entre otras muchas regiones del mundo.

Chile destaca también en Latinoamérica por tener gobiernos constitucionales democráticos y civiles a lo largo de su historia moderna, excepto en dos ocasiones, la más reciente en 1973, cuando el General Augusto Pinochet, apoyado por la CIA, derrocó al presidente electo Salvador Allende, que murió durante el ataque de las fuerzas armadas de Pinochet al palacio presidencial. En 1990, asumió el poder un presidente elegido democráticamente, Patricio Aylwin, después de perder Pinochet un referéndum en 1988. En el año 2006 asumió la presidencia la socialista Michelle Bachelet, la primera mujer presidenta del país.

## CHILE

**Nombre oficial**
República de Chile

**Capital**
Santiago

**Población**
16.454.143 (julio 2008 est.)

**Unidad monetaria**
peso (Ch$)

**Índice de longevidad**
77,15 años

**Alfabetismo**
95,7 por ciento

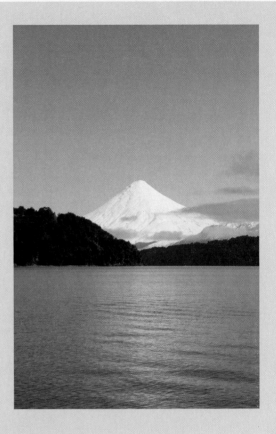

### Datos interesantísimos sobre Chile

- Chile tiene más de 5800 islas e islotes, incluyendo la enigmática Isla de Pascua.
- Chile tiene más de 2000 volcanes, unos 50 de ellos en actividad.
- Actualmente Chile ocupa el segundo lugar en el mundo en exportación de salmón y también exporta grandes cantidades de frutas.
- Atacama, en el norte de Chile, es el desierto más árido del mundo.
- Casi la mitad de la población de Chile vive en Santiago, la capital, o en sus alrededores.
- Chile se extiende más de 4300 km o 2700 millas de largo (más o menos la distancia de San Francisco a Nueva York) y tiene un promedio de 140 kilómetros u 87 millas de ancho.
- En el año 2006 los chilenos eligieron a Michelle Bachelet como la primera mujer presidenta del país.

**⬈ Por el ciberespacio... a Chile**
Keywords to search:

*Salvador Allende y Augusto Pinochet*
*Los volcanes y lagos de Chile*
*Isla de Pascua*

To learn more about Chile, go to the *¡Dímelo tú!* website at academic. cengage.com/spanish/dimelotu

## Y ahora, dime...

Con un(a) compañero(a) de clase, haz la siguiente comparación.

|  | Chile | Estados Unidos |
|---|---|---|
| 1. Geografía |  |  |
| 2. Población indígena |  |  |
| 3. Historia democrática |  |  |
| 4. Sistema de gobierno actual |  |  |
| 5. Productos de exportación |  |  |

# ¿Qué se les ofrece... en Valparaíso?

## ¿Eres buen observador?

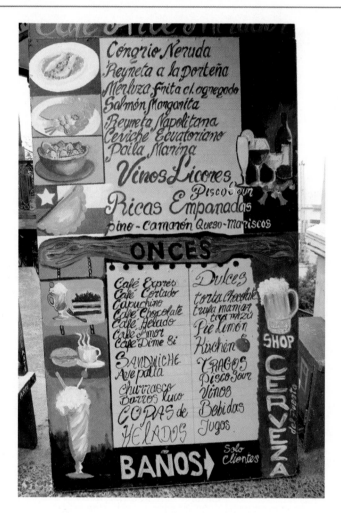

## Ahora, ¡a analizar!

Imagina que tú y tres amigos van a comer en este restaurante de Valparaíso y les preguntan al mozo cómo les preparan las comidas del menú. ¿Qué les responde?

1. El congrio, ¿cómo nos lo preparan, a la napolitana o a la Neruda?
2. La reyneta, ¿cómo nos la preparan, a la porteña o a la Neruda?
3. La merluza, ¿cómo nos la preparan, frita o al vapor?
4. El ceviche, ¿cómo nos lo preparan, a la peruana o a la ecuatoriana?
5. ¿De qué son las empanadas?
6. ¿Cuántos tipos de café preparan?
7. ¿Qué tragos sirven?

# ¿Qué se dice...?   CD3, Track 5

## Al pedir la comida en un restaurante

MOZA: A sus órdenes. Me llamo Esperanza y estoy aquí para servirles. ¿Están de visita en Valparaíso?

ELISABETTA: ¡Hola! Sí, estamos de visita.

GIOVANNI: Buenas. Sí. Esta es nuestra primera experiencia pidiendo la comida en español. Va a tener que ayudarnos con el menú, porque no lo comprendemos muy bien.

MOZA: Ah, no son chilenos. Con mucho gusto. ¿Y puedo preguntarles de dónde son y qué los trajo a Valparaíso?

ELISABETTA: Claro que puede preguntárnoslo. Somos italianos y venimos para estudiar español.

GIOVANNI: Y para conocer un poco Chile. Es un país fascinante.

MOZA: Me alegro, señor. Seguro que les va a encantar.

GIOVANNI: ¡Qué vino tan bueno!

ELISABETTA: Sí, es excelente. Muchísimas gracias por recomendárnoslo.

MOZA: Con mucho gusto. Si en otra ocasión prefieren el tinto, les recomiendo el Carménère, un excelente vino tinto que se produce solo en Chile.

GIOVANNI: Muchas gracias, otro día lo probamos.

MOZA: De acuerdo. ¿Qué quieren para comer?

GIOVANNI: No entiendo bien el menú. ¿Qué es la lubina?

MOZA: Tenemos una lubina muy fresca. Es un pescado del Mediterráneo y del Atlántico. Se la podemos preparar a la sal. Es deliciosa. Se la puedo escoger grandecita para que sea suficiente para los dos.

ELISABETTA: ¡Delicioso! ¡Ya tengo hambre!

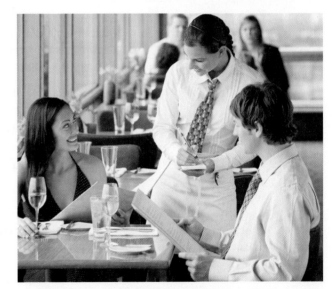

MOZA: Si quieren hacer algo diferente en Chile, les recomiendo el festival de La Tirana. Yo soy de allí. Es muy interesante. Es esta semana y no deben perdérselo.

ELISABETTA: ¿Y es aquí en Valparaíso?

MOZA: No, es en un pueblo que se llama La Tirana. No está cerca. Pero de verdad vale la pena.

ELISABETTA: Lo tenemos que pensar. El problema es que no tenemos coche, y tenemos clase de español todos los días.

GIOVANNI: Pero si nos dice cómo llegar, tal vez podemos organizarnos.

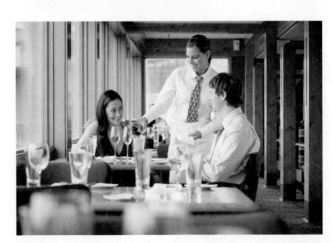

La uva carménère es exclusiva de Chile, ya que esta cepa *(root stock)* se extinguió en Europa en el siglo XIX por una plaga. La cepa carménère se consideró extinta, hasta que a principios de la década de 1990 unos enólogos franceses descubrieron que en Chile esta uva se cultivaba inadvertidamente, mezclada con cepas de Merlot. No es la primera vez que en Chile una cepa se confunde con otra. A fines del siglo XIX se introdujo en Chile el Cabernet Sauvignon y en la década de los 70, un grupo de enólogos descubrió que entre las cepas del Cabernet Sauvignon se mezclaba otra cepa de orígen francés: el Merlot. Esas son cosas de la historia. Hoy en Chile puedes pedir una copa de vino tinto Carménère, Cabernet Sauvignon o Merlot entre muchos otros de excelente calidad.

**En tu opinión:** ¿Sabes de otros casos donde una planta o animal se cree extinguido y de repente aparece de nuevo? ¿Qué se puede hacer para evitar la extinción de distintas especies de plantas y animales?

## Ahora, ¡a hablar!

EP 8.3

**A. ¿Cómo se lo sirvo?** Estás en un restaurante con tu pareja, y el mozo les pregunta cómo quieren cada una de las cosas. ¿Qué les dice?

> **MODELO**  el vino espumoso / ¿servir / frío?
> **El vino espumoso, ¿se lo sirvo frío?**

1. la lubina / ¿preparar / a la sal?
2. el agua / ¿servir / con gas?
3. el pan / ¿traer / calentito?
4. el café / ¿servir / con azúcar?
5. el queque / ¿traer / cortado?
6. la botella de vino / ¿traer / abierta?

EP 8.3

**B. ¡Por favor!** Tú y dos amigos(as) están comiendo y cada uno necesita que le pasen varias cosas. Túrnense en pedir lo que necesitan.

> **MODELO**  la sal  **Cristina, la sal... ¿me la pasas, por favor?**

1. el pan
2. la cuchara y el tenedor
3. el cuchillo
4. la servilleta
5. el agua
6. la sal y la pimienta

EP 8.3

**C. Gustos particulares.** El padre de Margarita, una amiga chilena, es muy particular y siempre insiste en que su mujer le prepare la comida de cierta manera. Con tu compañero(a), digan cómo pide esta comida y qué le contesta su esposa.

> **MODELO**  el pescado / a la parrilla
> TÚ: **Quiero el pescado a la parrilla.**
> COMPAÑERO(A): **Pero, mi amor, siempre te lo preparo a la parrilla.**

1. los huevos / revueltos
2. los camarones / a la plancha
3. el bistec / a la parrilla
4. la carne / asada
5. el pollo / frito
6. la corvina / al ajillo

EP 8.3

**D. ¿Cómo se los sirvo?** La familia San Martín está de fiesta celebrando el cumpleaños de Rita, la mamá. Con tu compañero(a), escriban el diálogo que cada miembro de la familia mantiene con el mozo, lo que pide cada uno y cómo quiere que se lo preparen.

## Y ahora, ¿por qué no conversamos?

**E. ¿Tu comida y bebida favorita?** Indica tu cosa favorita de cada categoría. Luego, en grupos pequeños comparen sus gustos y prepárense para decirle a la clase si tienen algunos gustos en común.

1. Entremeses:
   a. cóctel de mariscos    b. jamón    c. queso    d. otro: _____
2. Ensalada:
   a. de papas    b. verde    c. mixta    d. otra: _____
3. Sopa de:
   a. pollo    b. cebolla    c. pescado    d. otra: _____
4. Plato principal:
   a. bistec    b. pollo    c. pescado    d. otro: _____
5. Bebidas:
   a. café    b. vino    c. leche    d. otra: _____
6. Postre:
   a. helado    b. fruta    c. pastel    d. otro: _____

**F. ¡Luces! ¡Cámara! ¡Acción!** Tú y dos amigos(as) están comiendo en un restaurante pero cada uno necesita que los otros le pasen algunas cosas (como, por ejemplo, la sal, un tenedor). También tienen que pedirle al (a la) mozo(a) que les traiga varias cosas. Dramaticen la situación.

**G. ¡Nuestra comunidad!** En tu universidad o comunidad, entrevista a una persona hispana, de origen chileno preferiblemente. Luego compara los resultados de tu entrevista con los de dos compañeros(as) de clase. Pregúntale a la persona que entrevistes...

1. a qué hora desayuna, almuerza y cena.
2. si le gusta comer entre comidas. ¿Qué come?
3. cuándo tiene más hambre.
4. si come comida de su país. ¿Preparada en casa o en restaurantes locales?
5. qué piensa de la comida rápida o basura. ¿La come? ¿Con qué frecuencia?

# ¡Escríbelo!

## Estrategias para escribir: descripción de un evento

*Las descripciones normalmente incluyen muchos detalles y se hacen siguiendo el orden cronológico del evento. Este tipo de descripción es importante particularmente en algunas profesiones como las de los policías, los abogados y los periodistas.*

**Orden cronológico.** La lista que sigue incluye todos los detalles de un incidente que ocurrió en Coco Loco, un restaurante chileno muy elegante. Ocurrió cuando el reportero de la serie *Los mejores restaurantes de Santiago* fue a cenar allí. El problema es que la lista no está en orden cronológico. Reorganízala, numerando las oraciones de 1 a 8, para que esté en el orden apropiado. La primera oración ya está numerada.

_1_ a. Anoche tuve ganas de cenar en mi restaurante favorito.
___ b. Decidí irme.
___ c. Al mozo le pregunté por Ernesto, la persona que normalmente sirve en el restaurante.
___ d. «Ernesto está enfermo», me dijo.
___ e. En ese momento recordé mi cumpleaños y regresé para celebrar con mis amigos del Coco Loco.
___ f. Llegué al restaurante a las ocho de la noche.
___ g. Antes de salir, escuché la música del piano y vi a Ernesto con un gran sombrero mexicano cantando «¡Cumpleaños feliz!».
___ h. Entonces le pedí el menú, pero me dijo «Hoy cerramos en cinco minutos».

## Ahora, ¡a escribir!

**A. En preparación.** El periódico estudiantil de tu universidad va a publicar una serie de artículos sobre los mejores restaurantes de la ciudad y te han escogido para que tú escribas el reporte del que tú consideras el mejor restaurante. Aquí está una guía para tu reporte.

Párrafo 1: Escribe el nombre del restaurante y describe un poco cómo es este restaurante. No olvides incluir algún detalle de interés para captar la atención del lector.

Párrafo 2: Señala dónde está el restaurante, si es grande o pequeño, cuándo está abierto... Incluye alguna información adicional para atraer a más clientes a este restaurante, como por ejemplo, la calidad del servicio.

Párrafo 3: Indica qué tipo de comida tiene. Sé lo más específico(a) que puedas al describir el menú. Si es buena la comida, indica por qué. Si tiene platos especiales el menú, menciona cuáles son. Menciona también cuál es tu comida favorita del menú.

Párrafo 4: Describe cómo es el servicio en el restaurante. ¿Es bueno o malo? ¿Es bonito o feo este restaurante? ¿Es formal o informal? ¿Qué tipo de ropa se debe llevar para ir a este restaurante?

Párrafo 5: Finaliza tu reporte indicando si recomiendas el restaurante a tus lectores y explica por qué sí o por qué no. No olvides también indicar cuánto pagaste y cualquier otro detalle que consideres de interés.

Empieza por hacer una lista de ideas sobre todo lo que puedes decir de tu restaurante favorito, teniendo en cuenta la guía que se te dio. Tal vez quieras organizar tu lista en cinco categorías, correspondiendo con cada uno de los cinco párrafos.

**B. El primer borrador.** Ahora prepara un primer borrador de tu artículo. Incluye la información basándote en la guía que se te dio en la sección previa.

**C. Ahora, a compartir.** Comparte tu primer borrador con un(a) compañero(a). Haz comentarios sobre el contenido y el estilo de la descripción de tu compañero(a) y escucha los comentarios de él/ella sobre tu descripción. ¿Comunican bien sus ideas? ¿Hay bastantes detalles o necesitan más? ¿Es lógica la organización de los reportes? Asegúrate de que hay una introducción y de que mencionan el servicio y ambiente, la variedad y calidad de la comida, y de que hacen recomendaciones finales.

**D. Ahora, a revisar.** Ahora haz comentarios sobre la estructura, la ortografía y la puntuación. Concéntrate específicamente en el uso de los complementos directos e indirectos. ¿Los usan cuando deben usarlos? ¿Los ponen frente al verbo o los conectan con infinitivos, mandatos o participios de presente? Indica todas las correcciones o sugerencias a los reportes de tus compañeros(as) y luego decide si necesitas hacer cambios en tu artículo basándote en sus correcciones o sugerencias.

**E. La versión final.** Prepara la versión final de tu reporte y entrégalo. Escribe la versión final en la computadora siguiendo las instrucciones recomendadas por tu instructor(a).

# La Isla de Pascua... ¡fascinante!

## ¿Eres buen observador?

| Home | Paquetes | Billetes aereos | Hoteles | Como lo podemos ayudar | Cruceros | Consultas | Quienes somos |

Consultas a Chile +56 65 284 242

**VC150 TREN DEL VINO "Programa "Tinto 1" por el día**

- **08:00 hrs.** Presentación en "Hotel Galerias" (San Antonio 65, Santiago Centro) o en Tienda de vinos "Uno Markett" (Av. Tobalaba 911, Providencia).

- **08:30 hrs.** Salida del bus rumbo a San Fernando.

- **10:30 hrs.** Salida del Tren del Vino rumbo a Santa Cruz, con degustación a borde de vinos varietales, quesos de la zona, animación folclórica y guias billingües.

- **12:00 hrs.** Liegada a la estación de trenes de Paniahue. Los pasajeros son recibidos con un esquinazo presentado por un Grupo Folclórico Juvenil.

- **12:45 hrs.** Visita guiada (billingüe) a unviñedo, que considera un tour porla(s) bodega(s) y degustación de vinos.

- **14:15 hrs.** Almuerzo menú Campestre en viñedo.

- **15:45 hrs.** Visita al Museo de Colchagua.

- **17:30 hrs.** Salida del bus rumbo a Santiago.

- **20:00 hrs.** Liegada a Santiago.

| FECHAS DE SALIDAS AÑO 2008 | |
| --- | --- |
| ENERO | 05 - 12 - 19 - 26 |
| FEBRERO | 02 - 09 - 16 - 23 |
| MARZO | 01 - 08 - 15 - 22 - 29 |
| ABRIL | 05 - 12 - 19 - 26 |
| MAYO | 03 - 17 - 31 |
| JUNIO | 07 - 21 - 28 |
| JULIO | 12 - 19 - 26 |
| AGOSTO | 02 - 16 - 30 |
| SEPTIEMBRE | 06 - 13 - 20 - 27 |
| OCTUBRE | 04 - 11 - 18 - 25 |
| NOVIEMBRE | 01 - 08 - 15 - 22 - 29 |
| DICIEMBRE | 06 - 13 - 20 - 27 |

Desde 01 de Enero, 2008

### TAREA

Antes de empezar este *Paso*, estudia la lista de vocabulario de las páginas 284–285 y escucha el corte 9 de tu Text Audio CD3. Luego estudia *En preparación*.

1er día   8.4 Review of **ser** and **estar**, páginas 291–292

2do día   8.5 The verb **dar**, páginas 292–293

Haz por escrito los ejercicios de *¡A practicar!* correspondientes.

## Ahora, ¡a analizar!

Indica si estas afirmaciones son ciertas (C) o falsas (F) según la información de las rutas del vino de Chile.

\_\_\_\_ C \_\_\_\_ F   1. Una de las comidas es en el viñedo.

\_\_\_\_ C \_\_\_\_ F   2. El tour dura doce horas.

\_\_\_\_ C \_\_\_\_ F   3. Después de comer pueden degustar vinos.

\_\_\_\_ C \_\_\_\_ F   4. En verano hay menos tours que en invierno.

\_\_\_\_ C \_\_\_\_ F   5. Parte del trayecto es en tren.

# ¿Qué se dice...?

## Al describir las vacaciones

Hola amigos:

Finalmente llegamos a la Isla de Pascua. Este es un lugar maravilloso. Todo es enorme, y la naturaleza es tan variada y tan llena de paz.... La isla está lejísimos del continente y de Chile, a unos 3700 kilómetros, pero pertenece a la región de Valparaíso.

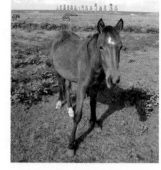

Cuando llegamos aquí, inmediatamente nos dimos cuenta de que este es un lugar especial, por las gigantescas figuras de piedra y por lo misterioso de la ancestral cultura Rapa Nui. Las estatuas, que son grandísimas, pertenecen a sus ancestros, y se las conoce como «moais». La UNESCO declaró esta isla Patrimonio de la Humanidad en 1995.

Dar un paseo a caballo por la Isla de Pascua es uno de los placeres que nos recomendaron y tengo que decir que lo pasamos como nunca.

Tuvimos la suerte de asistir a la competencia tradicional de los Rapa Nui que se llama Haka Pei. La competencia consiste en deslizarse en el tronco de un árbol del banano desde la colina de Maunga Pui con una inclinación de 50 grados y alcanzando una velocidad de 80 kms por hora. Da vértigo verlos venir a tanta velocidad.

Finalmente nos dimos un baño en las increíbles aguas de la Isla de Pascua. Este es un lugar extraordinario para sumergirse: las aguas son transparentes y están calentitas, con una temperatura media anual de 65 grados Farenheit. Si no les dio sana envidia al leer y ver estas fotos, ¡pueden prepararse para cuando le contemos nuestro viaje en persona!

---

### ¿Sabías que...?

Además de la Isla de Pascua, en Chile se encuentra la isla Robinson Crusoe, en el conjunto llamado Juan Fernández con un área de unas 9,3 millas cuadradas, a 423 millas de la costa central chilena. Allí vivió durante cuatro o cinco años el marinero Alexander Selkirk, cuya vida inspiró la novela *Robinson Crusoe*. En ella viven en la actualidad unos 550 habitantes, con una flora grandiosa y una fauna muy rica en un ambiente natural que las Naciones Unidas proclamó en 1977 Reserva de la Biosfera.

**En tu opinión:** ¿Cuáles son otras islas legendarias como Isla de Pascua y la de Robinson Crusoe? Imagínate que tienes la oportunidad de vivir en una de ellas por cinco años. ¿Cuál vas a escoger y por qué?

# Ahora, ¡a hablar!

EP 8.4

**A. ¡Hay que ver cómo son!** Tras tus vacaciones en Chile, ¿cómo describes estos lugares y cosas fantásticas?

MODELO        **Chile es un país estrecho y larguísimo\*.**

1. La Isla de Pascua
2. El clima de la isla Robinson Crusoe
3. La ciudad de Santiago
4. El agua en las playas de la Isla de Pascua
5. Los vinos chilenos
6. El 18 de septiembre

ser/estar

muy cosmopolita
calentita casi todo el año
la fiesta de la independencia de Chile
riquísimos
templado y suave de octubre a marzo
lejísimos de la costa chilena

EP 8.4

> **A propósito...**
> Adjectives ending in **-ísimo(a/os/as)** represent the absolute superlative and are used to express a high degree of a quality or exceptional qualities. Final vowels are always dropped before adding the **-ísimo** endings. English equivalents are expressed as *extremely/exceptionally/very, very* + an adjective: **Los moais son *grandísimos*.** *(The moais are very, very large.)*

**B. ¡Qué hermosa es!** Estás en una fiesta y alguien te pregunta sobre tu viaje a Chile, y más concretamente, sobre tu estancia en la isla Robinson Crusoe. ¿Qué le respondes?

MODELO        la isla Robinson Crusoe / parte del conjunto llamado Juan Fernández
**La isla Robinson Crusoe es parte del conjunto llamado Juan Fernández.**

1. el área de la isla / de unas 9,3 millas cuadradas
2. la isla / a 423 kilómetros de la costa central chilena
3. la isla no / muy poblada ahora
4. la población de la isla / de unos 550 habitantes
5. la vida del marinero Alexander Selkirk / la inspiración de la novela *Robinson Crusoe*
6. la isla / repleta de una flora grandiosa y una fauna muy rica

EP 8.4

**C. ¡Qué isla la de Chiloé!** Otra persona de la fiesta también visitó Chile, pero fue a la gran isla de Chiloé. Como tú también visitaste Chiloé, le haces varias preguntas. Tu compañero(a) va a contestar las preguntas.

MODELO        la cueca de Chiloé: encantar / preciosa y diferente
TÚ: **¿Te gustó la cueca de Chiloé?**
COMPAÑERO(A): **Me encantó. Es preciosa y diferente.**

1. las leyendas de Chiloé: impresionar / interesante y misteriosa
2. las iglesias de Chiloé: gustar mucho / de madera y muy hermosa
3. las aguas del mar de Chiloé: impresionar / muy transparente y cálida
4. el viaje en trasbordador de Chiloé: encantar / romántico y tranquilo
5. el turismo en la isla de Chiloé: impresionar / sostenible y muy interesante

> **A propósito...**
> El verbo **impresionar** es similar a los verbos **gustar** y **encantar**. Todos siempre son precedidos por un complemento indirecto.

**D. La cueca.** La cueca chilena es un baile tradicional que consiste en una serie de movimientos muy específicos. ¿Cómo describe la cueca tu amigo(a) chileno(a)?

MODELO        primero / hombre / dar / brazo a / mujer
**Primero el hombre da el brazo a la mujer.**

1. luego / hombre / dar / primer paso
2. luego / dos / dar / breve paseo antes de / iniciar / baile
3. luego / dos / dar inicio / baile
4. durante / baile / mujer / dar / impresión de coquetear
5. para terminar / hombre / dar / zapateo final / mucha fuerza / elegancia

EP 8.5

\*When forming the absolute superlative of adjectives that end in -**co** or -**go**, the following spelling change occurs:

c    →    **qu**          g    →    **gu**
rico  →  ri**qu**ísimo    largo  →  lar**gu**ísimo

**E. ¡Una de cangrejos!** En la feria libre de El Arenal, los vecinos están disfrutando de lo lindo. Con tu compañero(a), describan la profesión de estas personas, qué están haciendo en este momento y si les gusta lo que están comiendo.

## Y ahora, ¿por qué no conversamos?

**F. Entrevista.** Entrevista a un(a) compañero(a) y luego que él (ella) te entreviste a ti.

1. ¿A qué das más importancia, al amor o al dinero? ¿Por qué?
2. ¿Qué te da más satisfacción, hacer regalos o recibirlos? ¿Qué haces más a menudo, darlos o recibirlos?
3. Si te dan a elegir entre vivir cerca del mar y vivir en la montaña, ¿qué eliges? ¿Por qué?
4. ¿Das a las personas el beneficio de la duda siempre? ¿Te lo dan los demás siempre a ti? ¿Cómo te sientes cuando te juzgan sin conocerte?
5. ¿Cuál de tus clases te da más problemas? ¿Por qué?

**G. ¿Son generosos?** ¿Son generosos tus amigos? Pregúntale a tu compañero(a) a quién le da estas cosas y bajo qué circunstancias.

MODELO      flores
            TÚ:  **¿A quién le das flores y cuándo se las das?**
COMPAÑERO(A):  **Se las doy a mi mamá el Día de las Madres.**

1. dinero
2. propina
3. consejos
4. regalos
5. tu palabra de honor
6. la hora

**H. ¡Luces! ¡Cámara! ¡Acción!** Tú y tu compañero(a) representan a la pareja de italianos de visita en Chile que ahora regresan tras dos años de ausencia, y comentan con otros dos amigos lo que les encanta de Chile, y las cosas que cambiaron durante estos dos años. Representen frente a la clase.

# Saber comprender

## Estrategias para ver y escuchar: predecir información específica

*En el Capítulo 3 aprendiste que siempre puedes sacar una buena idea de lo que vas a ver y escuchar en un video si revisas con cuidado las preguntas que vas a tener que contestar después de ver el video. Aprendiste también que esa estrategia es válida tanto con preguntas cerradas como con preguntas abiertas, como las de este video.*

**Predecir información específica.** Usa ahora la misma estrategia al prepararte para ver *Isabel Allende: contadora de cuentos*. Lee las oraciones para completar en **Después de ver el video** y trata de extraer información que predices que vas a necesitar entender y recordar para completar cada oración correctamente.

1. _____
2. _____
3. _____
4. _____
5. _____

Isabel Allende

# Isabel Allende: contadora de cuentos

## Al ver el video

**¿Comprendes lo que se dice?** Mientras ves el video por primera vez, escribe la información que predijiste que vas a necesitar para completar cada oración.

1. _____
2. _____
3. _____
4. _____
5. _____

## Después de ver el video

Ahora, usa la información que predijiste para completar estas oraciones. ¿Predijiste la respuesta correcta de cada oración? Compara tus resultados con los de dos de tus compañeros(as).

1. La razón por la cual Isabel Allende salió de Chile es...
   a. su esposo.     b. su madre.          c. la dictadura.

2. Las arpilleras fueron prohibidas en Chile porque su arte se consideraba propaganda...
   a. comunista.     b. estadounidense.     c. comercial.

3. Probablemente, Isabel Allende se interesó en contar cuentos porque los oía...
   a. en la televisión.   b. en el cine.          c. de su madre.

4. De todos sus libros, el que más valora es *Paula*, la historia de su...
   a. madre.     b. hija.     c. abuela.

5. En *Paula*, la protagonista muere...
   a. en coma.     b. a manos de los militares.   c. con su tío, el Presidente Allende.

> ⏎ **Por el ciberespacio... a Chile**
>
> If you are a cyberspace surfer, try entering one of the following keywords to get to many fascinating sites in **Chile:**
>
> *Literatura chilena*
> *Los desaparecidos y exiliados chilenos*
> *Isabel Allende*
>
> To learn more about Chile, go to the *¡Dímelo tú!* website at academic. cengage.com/spanish/dimelotu

# El rincón de los lectores

## Estrategias para leer: uso de la puntuación para interpretar la poesía

*En el Capítulo 5 aprendiste a interpretar la puntuación en la poesía. En este poema, el poeta chileno Pablo Neruda usa comas, dos puntos, signos de exclamación y puntos. Observa esa puntuación ahora para ayudarte a entender este poema.*

**Prepárate para leer.** Contesta estas preguntas basándote en el poema de Pablo Neruda, «Oda al tomate».

1. ¿Cuántas oraciones completas tiene el poema? ¿Cómo lo sabes?
2. ¿Cuál es el tema de cada oración?
3. ¿Hay un mensaje específico en cada oración? Si así es, ¿cuál es?

## El autor

**Pablo Neruda** (1904–1973) es, sin duda, el poeta latinoamericano mejor conocido del siglo pasado. Su madre murió cuando él tenía un mes de edad. A los diez años escribió sus primeros poemas. En 1924 publicó *Veinte poemas de amor y una canción desesperada,* una de sus obras más leídas.

Paralelamente a su labor de poeta, se desempeñó como diplomático. En 1927 empezó su carrera como cónsul en Asia y posteriormente en Europa. Entre 1935 y 1936 trabajó como diplomático en España, donde se hizo gran amigo de otros famosos poetas. Neruda, con ideas opuestas a Franco, tuvo que renunciar a su trabajo en España. En 1971, recibió el Premio Nobel de Literatura. Pablo Neruda murió el 23 de septiembre de 1973, pocos días después del golpe militar en Chile que resultó en la muerte de su buen amigo, el presidente Salvador Allende.

# Oda al tomate

La calle
se llenó de tomates,
mediodía,
verano,
la luz
se parte
en dos
mitades
de tomate,
corre
por las calles
el jugo.
En diciembre
se desata°   *is turned loose*
el tomate,
invade
las cocinas,
entra por los almuerzos,
se sienta
reposado°   *relaxed*
en los aparadores,°   *cupboards*
entre los vasos,
las mantequilleras,
los saleros azules.
Tiene
luz propia,
majestad benigna.
Debemos, por desgracia,°   *por... unfortunately*
asesinarlo:
se hunde°   *sinks*
el cuchillo
en su pulpa viviente,°   *pulpa... living pulp*
es una roja
víscera,
un sol
fresco,
profundo,
inagotable,°   *inexhaustible*
llena las ensaladas
de Chile,
se casa alegremente
con la clara cebolla,

y para celebrarlo
se deja
caer
aceite,
hijo
esencial del olivo,
sobre sus hemisferios entreabiertos,°   *half-open*
agrega°   *adds*
la pimienta
su fragancia,
la sal su magnetismo:
son las bodas°   *weddings*
del día,
el perejil°   *parsley*
levanta
banderines,°   *little flags*
las papas
hierven° vigorosamente,   *boil*
el asado
golpea
con su aroma
en la puerta,
es hora
¡vamos!
sobre
la mesa, en la cintura°   *waist*
del verano
el tomate,
astro° de tierra,   *star*
estrella repetida y fecunda,
nos muestra
sus circunvoluciones,
sus canales,
la insigne plenitud°   *insigne... famous fullness*
y la abundancia
sin hueso,°   *bone*
sin coraza,°   *shell*
sin escamas ni espinas,°   *escamas... scales nor fishbone*
nos entrega
el regalo
de su color fogoso°   *spirited*
y la totalidad de su frescura.

## A ver si comprendiste

Contesta según el poema «Oda al tomate» del poeta chileno Pablo Neruda.

1. ¿En qué mes del año hay más tomates en Chile, según el poeta?
2. ¿Por qué dice el poeta que «Debemos, por desgracia, asesinarlo»?
3. ¿Qué se prepara con el tomate, la cebolla, perejil y aceite de oliva: una sopa, una ensalada o una salsa?
4. ¿A qué se refiere el poeta cuando habla de «la cintura del verano»?
5. ¿Con qué elementos de la naturaleza compara el poeta al tomate?
6. ¿Qué imágenes evoca este poema para ti?

# Vocabulario

## Paso 1  CD3, Track 7

### Bebidas
| | |
|---|---|
| pisco | *alcoholic drink made from muscatel grape* |
| vino blanco | *white wine* |
| vino tinto | *red wine* |

### Carnes y aves
| | |
|---|---|
| pavo | *turkey* |
| pollo | *chicken* |
| carne de puerco *(f.)* | *pork* |
| carne de res *(f.)* | *beef* |
| salchicha | *sausage* |

### Frutas
| | |
|---|---|
| durazno | *peach* |
| fresa | *strawberry* |
| manzana | *apple* |
| melón *(m.)* | *melon* |
| naranja | *orange* |
| piña | *pineapple* |
| plátano | *banana* |

### Pescados y mariscos
| | |
|---|---|
| calamar *(m.)* | *squid* |
| cangrejo | *crab* |
| langosta | *lobster* |
| pulpo | *octopus* |
| salmón *(m.)* | *salmon* |

### Verduras
| | |
|---|---|
| aguacate *(m.)* | *avocado* |
| apio | *celery* |
| col *(f.)* | *cabbage* |
| lechuga | *lettuce* |
| papa | *potato* |
| rábano | *radish* |
| tomate *(m.)* | *tomato* |
| verdura | *vegetable* |
| zanahoria | *carrot* |

### Palabras relacionadas con la comida
| | |
|---|---|
| desayunar | *to eat breakfast* |
| desayuno | *breakfast* |
| lácteo(a) | *milky* |

### Mercado
| | |
|---|---|
| cerámica | *ceramics* |
| guantes *(m. pl.)* | *gloves* |
| mercancía | *merchandise* |
| poncho | *cloak, square piece of fabric with opening for the head* |

### Palabras y expresiones útiles
| | |
|---|---|
| feliz cumpleaños | *happy birthday* |
| helado(a) | *cold* |
| lago | *lake* |
| mina | *mine* |
| natural | *natural* |
| ramo | *bouquet (of flowers)* |
| riqueza | *richness, wealth* |
| sorpresa | *surprise* |

### Comida y preparaciones
| | |
|---|---|
| al ajillo | *sautéed in garlic* |
| cóctel de fruta | *fruit cocktail* |
| empanada | *turnover* |
| ensalada | *salad* |
| estofado | *stew* |
| fiambres *(m. pl.)* | *cold cuts* |
| frito(a) | *fried* |
| helado | *ice cream* |
| hamburguesa | *hamburger* |
| huevo | *egg* |
| mantequilla | *butter* |
| pan *(m.)* | *bread* |
| pastel *(m.)* | *cake, pie* |
| queque *(m.)* | *cake* |

### Verbos y expresiones útiles
| | |
|---|---|
| desear | *to desire* |
| devolver | *to reimburse, to return* |
| regalar | *to give a gift* |
| sacar fotos | *to take pictures* |

## Paso 2  CD3, Track 8

### Bebidas
| | |
|---|---|
| café cortado | *espresso with a tiny bit of milk* |
| con gas | *carbonated* |
| jugo | *juice* |
| vino espumoso | *sparkling wine* |
| vino rosado | *rosé wine* |

### Mariscos y pescado
| | |
|---|---|
| ceviche *(m.)* | *raw fish marinated in lemon juice* |
| congrio | *conger eel* |
| corvina | *meagre (fish)* |
| lubina | *sea bass* |
| merluza | *hake* |
| reyneta (reineta) | *angel fish* |

### Comidas
| | |
|---|---|
| arroz *(m.)* | *rice* |
| bistec *(m.)* | *steak* |
| cebolla | *onion* |
| comida basura | *junk food* |
| entremés *(m.)* | *appetizer* |
| plato principal | *main dish* |

### Condimentos
| | |
|---|---|
| azúcar *(m.)* | *sugar* |
| pimienta | *pepper* |
| sal *(f.)* | *salt* |

### Preparación de comidas
| | |
|---|---|
| a la parrilla | *grilled* |
| a la plancha | *griddle fried* |
| a la sal | *covered with salt* |
| asado(a) | *roasted* |
| calentito(a) | *warm* |
| cazuela | *casserole* |
| cortado(a) | *cut* |
| gusto | *taste, flavor* |
| mixto(a) | *mixed* |
| revuelto(a) | *scrambled* |

### Cubiertos
| | |
|---|---|
| cuchara | *spoon* |
| cuchillo | *knife* |
| servilleta | *napkin* |
| tenedor *(m.)* | *fork* |

### Verbos y expresiones
| | |
|---|---|
| probar | *to try, to taste* |
| recomendar (ie) | *to recommend* |
| valer la pena | *to be worthwhile* |

### Palabras útiles
| | |
|---|---|
| botella | *bottle* |
| copa | *(wine) glass* |
| exigente | *demanding* |
| extinción *(f.)* | *extinction* |
| mozo(a) | *waiter/waitress* |
| por favor | *please* |
| zapatilla | *slipper* |

## Paso 3  CD3, Track 9

### Islas
| | |
|---|---|
| área (el área/las áreas) | *area* |
| conjunto | *group, collection* |

| costa | coast |
|---|---|
| fauna | fauna, animal life |
| flora | flora, plant life |
| isla | island |
| kilómetro | kilometer |
| mar | sea |
| millas cuadradas | square miles |
| trasbordador (m.) | ferry |
| turismo | tourism |

### Clima

| cálido(a) | warm |
|---|---|
| clima (m.) | climate |
| sostenible | sustainable |
| suave | gentle, mild |
| templado(a) | moderate |

### Descripción

| a menudo | frequently |
|---|---|
| breve | brief, short |
| cosmopolita | cosmopolitan |
| elegancia | elegance |
| estrecho(a) | narrow |
| fascinante | fascinating |
| fuerza | strength |
| generoso(a) | generous |
| grandioso(a) | grand, magnificent |
| largo(a) | long |

| misterioso(a) | misterious |
|---|---|
| poblado(a) | populated |
| primer | first |
| repleto(a) | replete, full |
| transparente | transparent |

### Cueca

| cueca | Andean folk dance |
|---|---|
| paseo | walk |
| paso | step |
| zapateo | heel-tapping |

### Leyendas

| impresión (f.) | impression |
|---|---|
| inspiración (f.) | inspiration |
| legendario(a) | legendary |
| leyenda | legend |

### Cuerpo humano

| brazo | arm |
|---|---|
| cintura | waist |
| cuerpo | body |
| humano(a) | human |

### Gente

| arpilleras | hand-sewn art scenes made of fabric |
|---|---|
| dictadura | dictatorship |

| habitantes (m. pl.) | inhabitants |
|---|---|
| marinero | sailor |
| población (f.) | population |

### Verbos y expresiones verbales

| asesinar | to assassinate |
|---|---|
| contar (ue) | to tell (a story) |
| coquetear | to flirt |
| dar | to give |
| dar problemas | to cause problems |
| degustar | to taste, to sample |
| escoger | to choose, to select |
| iniciar | to initiate, to begin |
| valorar | to value |

### Palabras y expresiones útiles

| beneficio de la duda | benefit of a doubt |
|---|---|
| Día de las Madres | Mother's Day |
| demás | other |
| luego | then |
| perfume (m.) | perfume |
| pipa | pipe |
| propina | tip |
| tema (m.) | topic |
| trayecto | trajectory |
| viñedo | vineyard |

### EL ESPAÑOL... del Cono Sur

| ají (m.) | chili pepper |
|---|---|
| ananá | pineapple |
| arvejas (f. pl.) | peas |
| choclo | corn |
| maní (m.) | peanut |
| melocotón (m.) | peach |
| palta | avocado |
| patata | potato |
| plata | money |
| porotos (m. pl.) | beans |
| porotos verdes (m. pl.) | string beans |

# En preparación 8

## 8.1 Indirect-object nouns and pronouns

### Stating to whom and for whom people do things

■ You learned in **Capítulo 7** that direct objects answer the question *Whom?* or *What?* in relation to the verb of the sentence. Indirect objects answer the questions *To whom/what?* or *For whom/what?* in relation to the verb.

Identify the direct and indirect objects in the following sentences. Note that in English the words *to* and *for* are often omitted. Check your answers below.*

1. She doesn't want to tell me the price.
2. No, I will not buy any more bones for your dog!
3. We'll write you a letter.
4. Give us the keys and we'll leave the door open for you.

Now identify the indirect objects in the following Spanish sentences. Check your answers below.†

5. Bueno, ¿van a traernos el menú, o no?
6. Me puedes traer un café.
7. ¿Te sirvo algo más?
8. Voy a pedirte un aperitivo, ¿está bien?

■ Study this chart of indirect-object pronouns in Spanish.

| Indirect-object pronouns | | | |
|---|---|---|---|
| **me** | *to me, for me* | **nos** | *to us, for us* |
| **te** | *to you, for you* (familiar) | **os** | *to you, for you* (familiar) |
| **le** | *to you, for you* (formal) / *to her, for her* / *to him, for him* | **les** | *to you, for you* (formal) / *to them, for them* |

In Spanish, both the indirect-object pronoun and the indirect-object noun may be included in a sentence for *emphasis* or for *clarity* when using **le** or **les**. The preposition **a** always precedes the indirect-object noun.

| | |
|---|---|
| **¿Le** pido más café **al mozo?** | *Shall I ask the waiter for more coffee?* |
| **A ustedes les** voy a servir un postre muy especial. | *I'm going to serve you a very special dessert.* |

*ANSWERS: 1. D.O.: price / I.O.: me; 2. D.O.: bones / I.O.: dog; 3. D.O.: letter / I.O.: you; 4. D.O.: keys, door / I.O.: us, you
†ANSWERS: 5. nos; 6. Me; 7. Te; 8. te

■ Like direct-object pronouns, indirect-object pronouns in Spanish are placed in front of conjugated verbs. They may also be attached to the end of infinitives and present participles. Note the placement of the object pronouns in the following sentences and indicate if a change in word order is possible. Check your answers below.*

1. ¿Qué puedo servirle, señorita?
2. Les recomiendo la sopa de mariscos. ¡Está exquisita!
3. Están preparándonos algo muy especial.
4. ¿Nos puede traer una botella de vino tinto, por favor?

When object pronouns are used with affirmative commands, they also follow and are attached to the verb, which usually requires a written accent to keep the original stress of the verb.

| | |
|---|---|
| **Pregúntele** si quiere café o té. | *Ask him/her if he/she wants coffee or tea.* |
| **Dígame** si quiere más. | *Tell me if you want more.* |

**Heinle Grammar Tutorial:** Indirect Object Pronouns I, II, III

## ¡A practicar!

**A. En Viña del Mar.** La familia Carrillo está en Armandita, su restaurante preferido en Viña del Mar. ¿Qué les sirve la camarera?

MODELO      a nosotros / empanadas
     **Nos sirve empanadas.**

1. a mí / camarones al ajillo
2. a mi papá / sopa de mariscos
3. a mis hermanos / pescado frito
4. a todos nosotros / café helado
5. a mi mamá / calamares fritos
6. a mis hermanas / ensalada de camarones

**B. En el viaje al norte.** Ramón acaba de regresar de un viaje al Valle de Elqui, en el norte de Chile, y trae regalos para todos sus familiares y amigos. ¿Qué les trae?

MODELO      a Paloma / pulsera de plata (*silver bracelet*)
     **A Paloma le trae una pulsera de plata.**

1. a mamá / cerámicas
2. a ustedes / tarjetas postales
3. a ti / charango (*small Andean guitar*)
4. a mí / libro de la historia de Chile
5. a su papá / botella de pisco
6. a Pepe y a Paco / discos compactos

**C. ¿Y en el viaje al sur?** ¿Qué les compró Ramón a todos en su viaje a la Región de Lagos, en el sur de Chile?

MODELO      a Paloma / chaqueta de lana
     **A Paloma le compró una chaqueta de lana.**

1. a mamá / ramo de copihues (*Chilean national flower*)
2. a ustedes / ponchos
3. a ti / suéter de lana
4. a mí / libro de la Patagonia
5. a su papá / otra botella de pisco
6. a Pepe y a Paco / camisetas de Puerto Montt

---

«A los tontos no **les** dura el dinero». (proverbio)

____ *Fools have a hard time making money.*

____ *Only fools don't save for a rainy day.*

---

*ANSWERS: 1. ¿Qué le puedo servir...? 2. No change 3. Nos están preparando... 4. ¿Puede traernos...?

## 8.2 Review of *gustar*

### Talking about likes and dislikes

Remember that the verb **gustar** means *to be pleasing to* and is the Spanish equivalent of *to like*. The forms of **gustar** are *always preceded* by an indirect-object pronoun.

**Me gusta** la sopa, pero no **me gustan** las hamburguesas.

*I like soup but I don't like hamburgers. (Soup is pleasing to me, but hamburgers are not.)*

**Heinle Grammar Tutorial: Gustar** and Similar Verbs

If what is liked is an action (**cantar, leer, trabajar,** etc.) or a series of actions, the singular form of **gustar** is generally used.

Me **gusta** hacer ejercicio.
Nos **gusta** correr y caminar rápido.

*I like to exercise.*
*We like to run and walk fast.*

### ¡A practicar!

**A.** **¡Qué rico!** ¿A todos les gusta la comida que les sirven en el restaurante del Hotel Pérez Rosales en Puerto Montt?

**MODELO**      a nosotros / mariscos
**Nos gustan mucho los mariscos.** [o] **No nos gustan los mariscos.**

1. a mí / carne de puerco
2. a nosotros / salchicha
3. a mi mejor amigo(a) / calamares
4. a mis compañeros(as) de cuarto / ensalada de zanahorias
5. a mi mamá / pescado frito
6. a mis hermanos / ensalada

**B.** **Gustos.** ¿Conoces los gustos de tus familiares y amigos? ¿Y qué no les gusta?

**MODELO**      abuela: postre sí, verduras no
**A mi abuela le gusta el postre. No le gustan las verduras.**

1. hermano: jugar al fútbol sí, estudiar no
2. hermana: el verano sí, el invierno no
3. papá: el tomate sí, los porotos no
4. mamá: las flores sí, el vino no
5. mejor amigo(a): lavar platos sí, cocinar no
6. ¿y a mí?: los postres sí, el pescado no

---

«Cuanto más conozco a los hombres, más **me gustan** los perros». (frase célebre)

____ *Men look a lot like their dogs.*

____ *The more I get to know people, the more I like dogs.*

---

## 8.3 Double object pronouns

### Referring indirectly to people and things

■ When both a direct- and an indirect-object pronoun are present in a sentence, a specific word order must be maintained. The two pronouns must always be together, with the indirect-object pronoun preceding the direct-object pronoun. *Nothing may separate them.* As with single object pronouns, the double object pronouns are placed directly in front of conjugated verbs, or may be attached to infinitives, present participles, and affirmative commands.

| | |
|---|---|
| **Te lo** recomiendo. | *I recommend it to you.* |
| Ella va a traér**noslo.** | *She is going to bring it to us.* |

Remember that the first pronoun in the sentence is not always the subject of the verb. As subject pronouns are often not stated in Spanish, the first pronoun in a sentence may well be the object of the verb.

Translate the following sentences. Check your answers below.*

1. Prefiero la sopa del día, pero me la sirve caliente.
2. Y la cuenta, ¿cuándo nos la van a traer?
3. ¿Es posible? ¿Todavía están preparándotelo?
4. ¿Puedes pasármelos, por favor?

Notice in examples 3 and 4 that whenever two object pronouns are attached to a present participle or an infinitive, the original stress of the verb form is maintained by a written accent, which is always necessary.

Indicate where written accents need to be placed on the italicized verb forms of the following sentences. Check your answers below.†

1. ¿Piensas *devolvernoslo* esta tarde?
2. ¿Están *preparandomelo* ahora mismo?
3. Estoy *pensandomelo* bien.

■ In Spanish, whenever two object pronouns beginning with the letter **l** occur together in a sentence, the indirect-object pronoun (**le, les**) changes to **se.**

**se** $\begin{cases} \text{lo} \\ \text{la} \\ \text{los} \\ \text{las} \end{cases}$  **se** $\begin{cases} \text{lo} \\ \text{la} \\ \text{los} \\ \text{las} \end{cases}$

— El vino «Casillero del Diablo» es exquisito.
— ~~Les~~ lo recomiendo. → **Se** lo recomiendo.
— ¿Vas a comprar dos botellas?
— Sí, voy a regalár~~le~~las a papá. → Sí, voy a regalár**se**las a papá.

Since **se** may refer to **le** or **les,** it is often necessary to use the preposition **a** plus a noun or prepositional pronoun to clarify its meaning.

| | |
|---|---|
| Voy a regalár**se**las **a papá.** | *I'm going to give them to Dad.* |
| **Se** lo recomiendo **a ustedes.** | *I recommend it to you.* |

**Heinle Grammar Tutorial:** Direct and Indirect Objects Together

*ANSWERS: 1. I prefer the soup of the day, but serve it to me hot. 2. And the bill, when are they going to bring it to us? 3. Is it possible? They are still preparing it for you? 4. Can you pass them to me, please?
†ANSWERS: 1. devolvérnoslo; 2. preparándomelo; 3. pensándomelo

## ¡A practicar!

**A. Tenemos hambre.** Tú y tus amigos están en el café Bravísimo de Viña del Mar. ¿Qué hace el mozo?

MODELO        servir arroz a Mariano

                     **El mozo le sirve arroz a Mariano.**

                     **El mozo se lo sirve a Mariano.**

1. traer el menú a nosotros
2. traer los entremeses a Mariano y a Juanita
3. traer jamón a mí
4. servir vino blanco a nosotros
5. servir ensalada a Juanita
6. servir sopa de cebolla a Mariano y a mí

**B. ¡Ay, qué sabroso!** El mozo del restaurante Los Adobes de Argomedo, en Santiago, conoce bien los gustos de cada miembro de la familia Gamboa. ¿A quiénes les recomienda estos platos?

MODELO        el pescado frito / al señor Gamboa

                     **Se lo recomienda al señor Gamboa.**

1. la cazuela de pollo / a papá y a mí
2. los calamares / a mi hermana mayor
3. los huevos fritos / a mi hermanito
4. el arroz blanco / a toda la familia
5. las empanadas de queso / a mí
6. el helado / a mi hermana menor

**C. ¿Tantos regalos?** Paquito, el hermanito menor de Ramón, quiere saber para quién son todos los regalos. ¿Qué le dice Ramón?

MODELO        ¿Para quién son los discos compactos? ¿Para Paloma?

                     **Sí, se los traigo a Paloma.**

1. ¿Para quién son los capihues? ¿Para mamá?
2. ¿Para quién son las camisetas? ¿Para mí?
3. ¿Para quién son las dos botellas de pisco? ¿Para papá?
4. ¿Para quién es el libro? ¿Para Miguel?
5. ¿Para quiénes son los ponchos? ¿Para nosotros?
6. ¿Para quién es el suéter? ¿Para él?

---

«¡Dí**melo** tú!» (expresión popular)

\_\_\_\_ *Don't tell me your problems!*

\_\_\_\_ *You tell me!*

---

## 8.4 Review of *ser* and *estar*

### Describing, identifying, expressing origin, giving location, and indicating change

**Ser** is used

- with adjectives to describe physical attributes, personality, and inherent characteristics.
  Chile **es** un país largo y angosto.

- to identify people or things.
  Nosotros **somos** estudiantes.

- with impersonal expressions.
  **Es** importante estudiar mucho.

- to tell time.
  **Son** las cinco y media.

- to express nationality.
  El vino **es** chileno.

**Ser** is used with **de**

- to express origin.
  Elisabetta y Giovanni **son** de Italia.

- to tell what material things are made of.
  El poncho **es** de lana.

**Estar** is used

- with adjectives to describe temporal evaluation of states of being, behavior, and conditions.
  Elisabetta y Giovanni **están** encantados con su visita a La Tirana.

- to indicate location.
  La Tirana **está** cerca de Iquique.

- to form the progressive tense.
  Giovanni y Elisabetta **están** celebrando el cumpleaños de Giovanni.

**Heinle Grammar Tutorial: Ser** and **Estar** IV Contrasting Uses

### ¡A practicar!

**A. Nuevos amigos.** Rebeca es de Antofagasta, en el norte de Chile. Ahora está estudiando en la Universidad de Chile en Valparaíso. Completa este correo electrónico con la forma correcta de **ser** o **estar** para saber qué les escribe a sus padres.

Queridos papás:

¿Cómo _____ ustedes? Recibí su carta y _____ muy contenta porque vienen a visitarme este domingo. Hace tres semanas que vivo en el nuevo departamento y mis compañeras _____ simpatiquísimas. Rosa _____ alta y morena como yo; siempre nos preguntan si _____ hermanas. Marina siempre _____ ocupada porque _____ una estudiante muy diligente. Toni, el hermano de Marina, y Rosa _____ novios. Él _____ muy tímido y cuando nos visita siempre _____ muy nervioso.

Me despido ahora porque Marina y Rosa me _____ diciendo: «Rebeca, tú _____ muy perezosa hoy. ¿Cuándo vas a preparar la comida?».

Hasta pronto,

Rebeca

**B. ¡En Santiago!** Ahora Rebeca está en Santiago durante las vacaciones de primavera. Completa la carta que le escribe a su prima Lorena con la forma correcta de **ser** o **estar**.

Querida prima:

    ¿Cómo _____ tú? Yo _____ muy bien y _____ contentísima aquí en Santiago. La gente en general _____ muy simpática. Casi todos _____ amistosos y siempre dicen que _____ impresionados conmigo porque yo estudio y también trabajo en una tienda. Bueno, tú sabes, el dinero... no me gusta pedirles tanto a mis padres. Y ahora, unos amigos y yo _____ estudiando inglés y el curso _____ caro. Todos _____ estudiantes de un instituto privado. ¡Ah! ¿Te gusta Ricky Martin? Él _____ aquí en Santiago ahora. Ayer lo vi. ¡Él _____ guapísimo! No _____ mi cantante favorito, pero canta muy bien y baila... ¡uuuh!

    Bueno, ya casi _____ las dos de la mañana y yo_____ muy cansada. Buenas noches y hasta pronto.

Rebeca

---

«No **son** todos los que **están**, ni **están** todos los que **son**». (proverbio)

____ *Many are called, but few are chosen.*

____ *Not all that belong are present, nor do all that are present, belong.*

---

## 8.5 The verb *dar*

### Telling what people give

**Heinle Grammar Tutorial:** Irregular Verbs: **estar, ir, dar**

The verb **dar** is irregular in both the present tense and in the preterite.

| Present tense | | Preterite tense | |
|---|---|---|---|
| **dar** *(to give)* | | **dar** *(to give)* | |
| doy | damos | di | dimos |
| das | dais | diste | disteis |
| da | dan | dio | dieron |

### ¡A practicar!

**A. La propina.** Tú y unos amigos salieron a cenar juntos al restaurante del Hotel O'Higgins en Viña del Mar. Ahora están decidiendo cuánto deben dejarle de propina al mozo. ¿Cuánto le da cada uno?

MODELO      Antonio / 500 pesos
               **Antonio le da quinientos pesos.**

1. Pablo / 650 pesos
2. María y Juan / 425 pesos
3. yo / 700 pesos
4. Ana / 250 pesos
5. Carmen y Pedro / 475 pesos
6. en total, / ¿...?

**B. Navidad.** Es el 25 de diciembre y Rebeca está pasando las vacaciones de verano en Antofagasta, en casa de sus padres. ¿Qué regalos se dieron todos en la Nochebuena (24 de diciembre), para las Navidades?

**MODELO**        tú / papá
                 **Yo le di una botella de pisco a papá. Él me dio una blusa.**

**Vocabulario útil**

| | | |
|---|---|---|
| una camisa | un perfume | un teléfono |
| una corbata | un perro | un televisor |
| unas flores | una pipa | unas vacaciones |
| un pastel | un suéter | un vestido |

1. mamá / papá
2. tú / hermano(a)
3. tú y tus hermanos / abuelos
4. tú / mamá
5. tu mejor amigo(a) / tú

---

«Te **doy** un dedo y me quieres tomar el brazo». (dicho popular)

____ *You are going to cost me an arm and a leg.*

____ *I give you an inch and you take a mile.*

---

### CAPÍTULO 9

# ¡Qué buen día para... los hispanos en los Estados Unidos!

## In this chapter, you will learn how to . . .

- discuss the weather and how it affects you.
- describe your daily routine.
- ask for and give directions.
- describe a typical weekend.

## Comunicación

### ¿QUÉ SE DICE...?
- Al hablar del clima
- Al describir la rutina diaria
- Para pedir direcciones

## Cultura

### ¿SABÍAS QUE...?
El español estadounidense
Los distintos grupos de inmigrantes latinos en California

### NOTICIERO CULTURAL
Los hispanos en los Estados Unidos
Gente... Gloria y Emilio Estefan, Sandra Cisneros y Marc Anthony

### VIDEO CULTURAL
San Diego, ¡intensamente artístico y cultural!
Texas, ¡el segundo estado más grande!

### EL RINCÓN DE LOS LECTORES
«Una pequeña gran victoria», poema de Francisco X. Alarcón

## En preparación

**PASO 1**
9.1 Weather expressions
9.2 **Mucho** and **poco**

**PASO 2**
9.3 Reflexive verbs

**PASO 3**
9.4 Affirmative **tú** commands

## Destrezas

**¡A ESCUCHAR!**
Listening "from the top down"

**¡A VER!**
Getting the gist of what is said

**¡A ESCRIBIR!**
Organizing detailed information in a formal e-mail

**¡A LEER!**
Punctuation in modern poetry

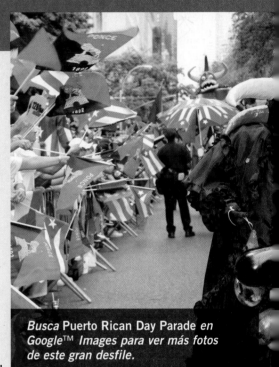

*Busca* Puerto Rican Day Parade *en* Google™ *Images para ver más fotos de este gran desfile.*

*Busca* Calle Ocho *en* Google™ *Images para ver más fotos de esta fascinante calle.*

Busca Hispanic murals *en Google*™ *Images para ver una colección emocionante de murales hispanos.*

# ¡Las fotos hablan!

**A que ya sabes...** Completa estas oraciones y explica por qué seleccionaste cada respuesta.

1. El desfile en la primera foto probablemente tiene lugar en...
   a. Puerto Rico.     b. Nueva York.     c. Los Ángeles.
2. La segunda foto probablemente se sacó en la ciudad de...
   a. San Juan, Puerto Rico.     b. La Habana, Cuba.     c. Miami, Florida.
3. La tercera foto es de un mural en...
   a. San Francisco.     b. Miami.     c. Dallas.

# ¡Hace frío por todo el suroeste de los EE.UU.!

**TAREA**

Antes de empezar este *Paso*, estudia la lista de vocabulario de la página 320 y escucha el corte 14 de tu Text Audio CD3. Luego estudia *En preparación*.

1er día    9.1 Weather expressions, página 322

2do día    9.2 **Mucho** and **poco**, página 323

Haz por escrito los ejercicios de *¡A practicar!* correspondientes.

## ¿Eres buen observador?

El tiempo hoy en México

### Simbología

| | | | |
|---|---|---|---|
| ☼ | Despejado | | Intervalos Nubosos |
| | Cielos Nubosos | | Cielos Cubiertos |
| | Intervalos nubosos con lluvia débil | | Cielos nubosos con lluvia débil |
| | Cielos cubiertos con lluvia débil | | Intervalos nubosos con lluvia moderada |
| | Cielos nubosos con lluvia moderada | | Cielos cubiertos con lluvia moderada |
| | Intervalos nubosos con chubascos tormentosos | | Cielos nubosos con chubascos tormentosos |
| | Cielos cubiertos con chubascos tormentosos | | Intervalos nubosos con chubascos tormentosos y granizo |
| | Cielos nubosos con chubascos tormentosos y granizo | | cielos cubiertos con chubascos tormentosos y granizo |
| | Intervalos nubosos con nevadas | | Cielos nubosos con nevadas |
| | Cielos cubiertos con nevadas | | |

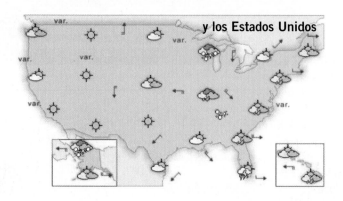

y los Estados Unidos

## Ahora, ¡a analizar!

1. Hace buen tiempo en el norte de México.

   _____ cierto          _____ falso

2. Está lloviendo en el sur de México.

   _____ cierto          _____ falso

3. En Texas, Nuevo México y Arizona el cielo está cubierto de nubes hoy.

   _____ cierto          _____ falso

4. En el sur de California está despejado y hace sol.

   _____ cierto          _____ falso

5. En la costa este de los Estados Unidos llueve muchísimo.

   _____ cierto          _____ falso

6. Nieva en Alaska pero no en los Estados Unidos continentales.

   _____ cierto          _____ falso

# ¿Qué se dice...?  CD3, Track 10

## Al hablar del clima

Y ahora, el tiempo en los Estados Unidos. Como pueden ver en el mapa, tenemos alta presión en casi todo el país, con temperaturas superiores a los 80 grados en muchas regiones de los Estados Unidos, especialmente en California.

En San Francisco, por ejemplo, nos informan que están sufriendo una ola de calor que no es normal para esta temporada del año, con temperaturas mucho más altas de lo normal, en torno a los 80 grados.

En el noroeste, lluvias generalizadas en los estados de Washington y Oregón donde la temperatura no sobrepasa los 60 grados Fahrenheit.

La intensa lluvia que cayó en las últimas horas y la poca visibilidad en el estadio han provocado la cancelación del partido de béisbol entre los Mariners de Seattle y los Red Sox de Boston.

En el noreste, muchos chubascos y nevadas, con temperaturas por debajo de los 20 grados Fahrenheit. El tráfico se encuentra detenido en muchas de las carreteras y autopistas, aunque se espera que dentro de poco todo vuelva a la normalidad.

## Ahora, ¡a hablar!

EP 9.1

**A. ¿Qué tiempo hace aquí y en Sudamérica?** ¿Qué tiempo hace generalmente donde vives en los siguientes días de fiesta? Tú vas a contestar primero y luego tu compañero(a) va a decir qué tiempo hace en Buenos Aires durante la misma época.

MODELO   Navidad
   TÚ: **En Navidad nieva y hace mucho frío en...**
 COMPAÑERO(A): **En Buenos Aires hace calor y llueve un poco en el verano.**

1. Pascua Florida (*Easter*)
2. Día de Acción de Gracias
3. Día de San Valentín
4. el 4 de julio
5. Día de las Madres
6. el día de tu cumpleaños

> **A propósito...**
>
> **¡Ojo!** Al hablar del tiempo, no olvides que **nieve** y **lluvia** son sustantivos. Los verbos son **nieva** y **llueve** en presente y **nevó** y **llovió** en pretérito. Recuerda también que para hacer pronósticos del tiempo, puedes usar el verbo **ir** + *infinitivo*, como por ejemplo: **va a nevar** o **va a llover.**

B. **¿Qué te gusta hacer... ?** Con tu compañero(a), túrnense para decir qué les gusta hacer en estas situaciones.

MODELO cuando está nevando

TÚ: **Cuando está nevando me gusta esquiar.**

COMPAÑERO(A): **A mí, no. Cuando está nevando me gusta permanecer en casa.**
o **A mí también. Cuando está nevando me gusta esquiar.**

**Vocabulario útil**

| | | |
|---|---|---|
| esquiar | pasear por el campo | ir de compras |
| pasear por el parque | montar en bicicleta | ir a la playa |
| permanecer en casa | correr | estar cerca de la chimenea |

1. cuando llueve
2. cuando hace sol
3. cuando hay neblina
4. cuando hace mucho viento
5. cuando hace buen tiempo
6. si hace mucho frío
7. cuando nieva
8. si hace muchísimo calor

C. **¿Qué tiempo hace y cómo se siente?** Describe estos dibujos.

MODELO **Hace mucho calor y el señor está sudando.**

1.

2.

3.

4.

5.

6.

**D. El tiempo.** Imagina que estás en un parque de tu ciudad. Hay mucha actividad a tu alrededor. Con tu compañero(a), describan qué pasa en cada escena, qué tipo de clima hace y todos los detalles posibles sobre las personas que están en ella: ¿Quiénes son ellos? ¿Cuál es su profesión? ¿Qué ropa llevan? ¿Por qué se mueven los árboles?...

## Y ahora, ¿por qué no conversamos?

**E. Lugares favoritos.** Con tu compañero(a), túrnense para decir cuáles de estos lugares les gustaría visitar y en qué temporada. Cada uno debe seleccionar tres. Expliquen por qué seleccionaron esos lugares y temporadas. Mencionen qué tiempo hace allí durante su temporada preferida.

Anchorage, Alaska
Antigua, Guatemala
Atacama, Chile
Buenos Aires, Argentina
El Yunque, Puerto Rico
Hawai

Isla de Pascua, Chile
Ciudad de México
Madrid, España
Playa en Tyrona, Colombia
San Juan, Puerto Rico
Tikal, Guatemala

**F.** **¡Luces! ¡Cámara! ¡Acción!** Tú y dos compañeros(as) trabajan para la estación de radio de su universidad. Son meteorólogos. Cada uno(a) de ustedes va a informar al público sobre el clima en una de estas regiones de los Estados Unidos. Preparen su parte del pronóstico. Luego preséntenselo a la clase. No olviden incluir las presentaciones y saludos típicos de los meteorólogos.

La costa del Este   El Noreste   El Sudoeste

**G.** **¡Nuestra comunidad!** En tu universidad o comunidad, entrevista a una persona hispana. Luego compara los resultados de tu entrevista con los de dos compañeros(a) de clase. Pregúntale a la persona que entrevistes...

1. ¿Cómo es el clima en el país de origen de su familia?
2. ¿Les gusta a él (ella) y a su familia el clima de la ciudad donde viven? ¿Cómo les afecta?
3. ¿Qué actividades les gusta hacer al aire libre cuando hace buen tiempo? ¿Cuando nieva? ¿Cuando hace calor? ¿Cuando hace viento?
4. ¿Creen que el clima es una buena razón para cambiar de ciudad o de país? ¿Bajo qué circunstancias?
5. ¿Qué piensan del tema del calentamiento global? ¿Creen que es algo real o piensan que es algo ficticio? ¿Cómo lo justifican?

## Un paso atrás, dos adelante

### Capítulo 8

**Repasemos.** En el Capítulo 8 aprendiste a comprar en un mercado. También aprendiste a hablar de tus comidas favoritas y de tus viajes. Repasa lo que sabes, completando el siguiente texto con las palabras necesarias.

#### Día de mercado

VENDEDORA: ¿Qué _____ [pron. objeto indirecto] _____ [dar] hoy?

Tú: Buenos días. ¿Me _____ [poner] un kilo de naranjas, por favor?

VENDEDORA: ¿Cómo _____ [pron. objeto indirecto] _____ [pron. objeto directo] _____ [poner]? ¿Grandes o pequeñas?

Tú: Grandes, por favor.

VENDEDORA: Aquí tiene. ¿Algo más?

Tú: Las cebollas, ¿a cuánto _____ [ser / estar] de precio?

VENDEDORA: [Ser / Estar] _____ muy bien de precio. A 250 pesos el kilo. Y _____ [ser / estar] sabrosísimas.

Tú: ¿Puede _____ [dar + pron. objeto indirecto] dos kilos, por favor?

VENDEDORA: Por supuesto. ¿_____ [pron. objeto indirecto] _____ [pron. objeto directo] _____ [poner] en la misma bolsa con las naranjas?

Tú: Sí, muchas gracias.

# Saber comprender  CD3, Track 11

## Estrategias para escuchar: escuchar «de arriba hacia abajo»

*If you are thoroughly familiar with the subject of a conversation and can anticipate what will be said, you are able to listen casually to the general flow, picking out the occasional specific words that convey the gist of what is being said and letting your knowledge of the topic fill in the blanks on everything else. This approach is known as listening "from the top down."*

**Escuchar «de arriba hacia abajo».** Para familiarizarte con lo que es el verano en San Francisco, escucha a tu profesor(a) leer esta descripción de un día típico de verano en la ciudad. Luego completa las oraciones que siguen.

1. El día típico de verano en San Francisco empieza con...
   a. frío.
   b. neblina.
   c. calor.

2. A mediodía en verano, usualmente los cielos en San Francisco están...
   a. llenos de neblina.
   b. despejados.
   c. nublosos.

3. A eso de las cuatro de la tarde en los días de verano en San Francisco, la neblina...
   a. desaparece.
   b. se convierte en lluvia.
   c. reaparece.

4. Por la noche, en verano en San Francisco, con frecuencia...
   a. hace viento y frío.
   b. llueve.
   c. hay mucha neblina.

5. Según Mark Twain, el invierno más frío que él pasó fue en San Francisco en...
   a. otoño.
   b. invierno.
   c. verano.

## ¡Ahora, a escuchar!

Escucha el pronóstico del tiempo en San Francisco para el 15 de julio. Luego, con un(a) compañero(a), decidan cómo la información de la columna B se combina con la información de la columna A según el pronóstico que escucharon.

| A | B |
|---|---|
| 1. por la mañana | a. de 45 grados |
| 2. a mediodía | b. más neblina |
| 3. por la tarde | c. neblina |
| 4. por la noche | d. sol y temperaturas de 65 grados |
| 5. una temperatura por la noche | e. viento |

# Los hispanos en los Estados Unidos

### Antes de empezar, dime...

¿Cuáles son tus impresiones? Simplemente expresa tu opinión.

1. Los tres grupos más grandes de latinos en los Estados Unidos son...
   a. mexicanos, cubanos y salvadoreños.
   b. mexicanos, cubanos y puertorriqueños.
   c. mexicanos, puertorriqueños y dominicanos.
2. El porcentaje de la población de los Estados Unidos que representa los hispanos en este país es aproximadamente...
   a. 5%.　　b. 15%.　　c. 25%.
3. Los hispanos han impactado la cultura estadounidense en las áreas de...
   ☐ arquitectura.　☐ pintura.　☐ literatura.　☐ música.
   ☐ cocina.　　　☐ moda.　　☐ cine.　　　☐ política.

Cuando se habla de los «hispanos» en los Estados Unidos no se habla de un solo grupo ni de una sola cultura. Los hispanos en los Estados Unidos representan un gran número de grupos y una gran variedad cultural. Los tres grupos más numerosos son los mexicoamericanos (65%), los puertorriqueños (12%) y los cubanoestadounidenses (5%). También hay miles de nicaragüenses, salvadoreños, guatemaltecos, hondureños, dominicanos... Cada uno de estos grupos tiene sus propias costumbres y su propia cultura: costumbres culinarias, manera de hablar, de vestir, literatura, música,...

La influencia de la población hispana en los Estados Unidos se hace notar en todos los aspectos de la vida de este país: en la arquitectura, la pintura, la literatura, la música, la cocina, la moda y el cine, entre otros. Los hispanos estadounidenses participan activamente del arte, la política y áreas fundamentales de la administración del país. A continuación puedes disfrutar de unas listas muy incompletas de grandes hispanos en los Estados Unidos conocidos como grandes novelistas, poetas, dramaturgos, músicos, actores y deportistas. Podríamos seguir nombrando a hispanos sobresalientes en las artes visuales, la arquitectura, la moda, la cocina, el gobierno y otros campos.

Los hispanos de los Estados Unidos, para concluir, son un grupo multicolor, cada vez con más relevancia y confianza en un futuro mejor y en su capacidad de poder unir como en un arco iris *(rainbow)* cultural, lo mejor de los Estados Unidos y el mundo de habla hispana.

Edward James Olmos

Dolores Prida

Cristina Aguilera

**Actores**
Anthony Quinn
César Romero
Raúl Julia
Rita Moreno
Andy García
Edward James Olmos
Salma Hayek
Cameron Díaz
Emilio Estévez
Jennifer López
Jimmy Smits
Penélope Cruz

**Dramaturgos**
María Irene Fornes
Eduardo Machado
Carlos Morton
Gregorio Nava
Miguel Piñero
Dolores Prida
Reinaldo Provod
Luis Valdez

**Músicos**
Cristina Aguilera
Carlos Santana
Gloria Estefan

Ricky Martin
Rubén Blades
Shakira
Marc Anthony
Tito Puente

**Novelistas**
Rudy Anaya
Ricardo Aguilar
Melantzón
Isabel Allende
Julia Álvarez
María Teresa Babín
Ángel Castro
Sandra Cisneros
Junot Díaz
José Luis González
Óscar Hijuelos
Rolando Hinojosa Smith
Francisco Jiménez
Tomás Rivera
Esmeralda Santiago
Pedro Juan Soto
John Peter «Piri» Thomas

**Poetas**
Francisco Alarcón
Alurista

Jorge Argueta
Lorna Dee Cervantes
Daisy Cubias
Rodolfo «Corky» Gonzales
Orlando González Esteva
Elías Miguel Muñoz
Juana Rosa Pita
Gary Soto
Chiqui Vicioso

**Deportistas**
Carlos Beltrán
Guillermo Coria
Milka Duno
Mary Jo Fernández
Óscar de la Hoya
Pau Gasol
Manu Ginobil
Nancy López
Pedro Martínez
Juan Pablo Montoya
Eduardo Nájera
David Nalbandian
Fabricio Oberto
Albert Pujols
Mariano Rivera
Sammy Sosa

Esmeralda Santiago

Jorge Argueta

Juan Antonio Marichal

⊘ **Por el ciberespacio... a los Estados Unidos**

Keywords to search:
*políticos hispanos*
*arquitectura hispana*
*artistas hispanos*
To learn more about the United States, go to the *¡Dímelo tú!* website at academic.cengage.com/spanish/dimelotu

## Y ahora, dime...

Con un(a) compañero(a) de clase, seleccionen a una persona de cada una de las seis listas. Luego divídanselas entre los dos para que cada uno investigue a tres de las personas en Internet e informe a la clase de sus resultados.

# ¡Mi rutina en San Francisco, California!

**TAREA**

Antes de empezar este *Paso*, estudia la lista de vocabulario de la página 320 y escucha el corte 15 de tu Text Audio CD3. Luego estudia *En preparación*.

1er día    9.3 Reflexive verbs, páginas 323–325

Haz por escrito los ejercicios de *¡A practicar!* correspondientes.

## ¿Eres buen observador?

1. Cuando te laves los dientes, **utiliza un vaso**. No dejes el grifo abierto. Llena moderadamente el lavabo para lavarte la cara, las manos o afeitarte. Ahorrarás 12 litros al minuto.

2. No uses el inodoro como **cubo de basura**, coloca una papelera. Ahorrarás de 6 a 12 litros cada vez.

3. Cierra levemente la **llave de paso** de vivienda, no apreciarás la diferencia y ahorrarás una gran cantidad de agua diariamente.

*Consumir agua de forma eficiente es mucho más fácil de lo que imaginas.*

*Siguiendo algunos consejos puedes ahorrar una enorme cantidad de agua.*

4. **Repara** los grifos o ducha que gotean o cámbiales por sistemas monomando. Ahorrarás una media de 170 litros de agua al mes. Pon **dispositivos de ahorro** en los grifos y duchas, reducirás el consumo casi en un 50%.

5. Utiliza la lavadora y el lavavajillas con la **carga completa** y el programa adecuado. Cuando lavas a mano consumes un 40% más de agua.

6. Riega tus plantas y el jardín al **anochecer** o amanecer. Utiliza sistemas de riego automáticos, por goteo o aspersión.

7. Instala una cisterna de **doble pulsador**. Reducirás a la mitad el consumo de agua.

8. **Dúchate** en vez de bañarte y cierra el grifo mientras te enjabonas. Ahorrarás un media de 150 litros cada vez.

9. Ponte en contacto con tu ayuntamiento para comunicar pérdidas de agua.

10. Utiliza siempre el sentido común y no desperdicies ni una gota de agua.

## Ahora, ¡a analizar!

1. Ahorramos agua si al lavarnos los dientes...
   (✗) usamos un vaso.                     (__) dejamos el grifo abierto.

2. Si nos afeitamos, es mejor...
   (✗) dejar correr el agua.               (__) poner un poco de agua en el lavabo.

3. Es preferible arrojar la basura...
   (✗) al inodoro.                         (⊘) a una papelera.

4. Lavar los platos a mano es... que lavarlos a máquina.
   (✗) más eficiente                       (⊘) menos eficiente

5. Ahorras mucha agua si...
   (⊘) te duchas en vez de bañarte.        (__) te bañas en vez de ducharte.

# ¿Qué se dice...?

## Al describir la rutina diaria

Mario es estudiante de la Universidad de California en San Diego. También trabaja medio tiempo en un supermercado. Vive solo.

Se despierta muy temprano y siempre se levanta enseguida cuando oye los despertadores (porque no confía en un solo despertador).

Generalmente se prepara un buen desayuno. Pero hoy desayuna algo ligero porque tiene prisa. Tiene que estar en el trabajo a las 9 y en clase a las 11.

Primero se ducha y luego se peina. Lo único que hace lentamente es afeitarse para no cortarse.

Después del trabajo y de las clases, Mario llega a casa muy cansado. Primero se quita el suéter y los pantalones y se pone unos jeans para estar más cómodo. A veces su hermano Santiago lo acompaña para ver su programa de deportes favorito.

Después de cenar se sienta a ver la tele un rato. Se acuesta a eso de las once y se duerme enseguida.

Como estudiaste en *Para empezar*, página 13, hay muchas palabras del español incorporadas al inglés: *plaza, rodeo, corral, sierra...* También hay palabras del inglés incorporadas al español: **champú, jeans, shorts, béisbol...** Debido al contacto diario con el inglés, los hispanohablantes en algunas comunidades de los Estados Unidos usan un gran número de «palabras prestadas» del inglés que van formando una versión de «Spanglish». Estas palabras, por tener equivalentes en el español normativo, no comunican fuera de las comunidades que las usan. Algunos ejemplo son:

| Español estadounidense | Español más común |
|---|---|
| *armi* | ejército |
| *bas* | autobús |
| *biles* | cuentas |
| *breca* | freno |
| *colegio* | universidad |
| *daime* | diez centavos |
| *escuela alta* | escuela secundaria |
| *gasolín* | gasolina |
| *magazín* | revista |
| *sainear* | firmar |

**En tu opinión:** ¿Por qué crees que unas palabras del inglés estadounidense como champú y béisbol son aceptadas en el español normativo y otras como biles y daime no son aceptadas?

## Ahora, ¡a hablar!

EP 9.3

**A. Dos rutinas.** Compara tu rutina diaria con la rutina de Mario en *¿Qué se dice... ?* ¿Hacen las mismas cosas o hay algunas que él hace que tú no haces y viceversa? ¿Hacen todo en el mismo orden o se organizan de distintas maneras?

MODELO    **Mario se levanta temprano; yo siempre me levanto tarde.** o
**Mario y yo siempre nos levantamos temprano.**

EP 9.3

**B. Un sábado típico.** La rutina de Toñi y Gregory durante el fin de semana depende bastante del clima, pero nunca hacen las mismas cosas. Explica lo que Toñi hace y tu compañero(a) va a decir lo que hace Gregory.

MODELO    hacer viento: Toñi–quedarse / casa / leer / novela;
Gregory–salir / correr como siempre
TÚ: **Cuando hace viento Toñi se queda en casa a leer una novela.**
COMPAÑERO(A): **Gregory sale a correr como siempre.**

1. llover: Toñi–quedarse / cama / hasta 11 A.M.; Gregory–salir / correr como siempre
2. no llover: Toñi–levantarse / 7:00 A.M. y hacer / ejercicio; Gregory–salir / correr como siempre
3. hacer buen tiempo: Toñi–desayunar / terraza; Gregory–prepararse / licuado / manzanas, fresas y plátanos / el desayuno
4. hacer mal tiempo: Toñi–quedarse / casa / todo el día; Gregory–sentarse / ver programas / deportes / todo el día
5. hacer calor: Toñi–bañarse / piscina; Gregory–practicar fútbol / mañana e / irse al gimnasio / tarde
6. hacer frío: Toñi–¿...?; Gregory–¿...?

**C. Planes.** ¿Qué planes tienen tú y tu compañero(a) para este fin de semana? Tomen turnos para preguntarse.

EP 9.3

MODELO      levantarse tarde/temprano

TÚ: **¿Vas a levantarte tarde?**

COMPAÑERO(A): **¡Claro! No voy a levantarme hasta las 12.** o **No, voy a levantarme a las 7 porque tengo que escribir un trabajo para la profesora Lozano.**

**Vocabulario útil**

| | |
|---|---|
| despertarse tarde/temprano | irse de compras por la mañana/tarde/noche |
| vestirse formalmente/informalmente | salir con amigos/novio(a)/padres |
| desayunar mucho/poco | divertirse en… |
| bañarse en la playa/piscina | acostarse tarde/temprano |

**D. Actividades diarias.** Los Rodríguez comienzan el día de una manera bastante común. ¿Qué hacen? Con tu compañero(a), túrnense en decir lo que hacen los dos. Luego imagínense que hablan en nombre de ella y de él, y cuéntennos su rutina en primera persona.

EP 9.3

## Y ahora, ¿por qué no conversamos?

**E. ¿Qué haces tú?** Hazle preguntas a un(a) compañero(a) de clase para saber cómo pasa el fin de semana.

Pregúntale…

1. a qué hora se acuesta y a qué hora se levanta los viernes. ¿Y los sábados? ¿Y los domingos?
2. qué hace después de levantarse. ¿Y de ducharse? ¿Se afeita todos los días el fin de semana o solo los domingos?
3. si desayuna los sábados y domingos. ¿Qué come? ¿Quién le prepara el desayuno?
4. si generalmente se queda en casa los sábados y domingos o si sale con sus amigos. ¿Qué hace durante el día? ¿Qué hace de noche?
5. ¿…?

**F. ¡Luces! ¡Cámara! ¡Acción!** Tú estás tratando de convencer a un(a) amigo(a) de que la vida en tu universidad es más tranquila o más divertida que la vida en su universidad. Dramatiza esta situación con un(a) compañero(a). Comparen su rutina diaria al hacerlo.

# GENTE... Gloria y Emilio Estefan, Sandra Cisneros y Marc Anthony

## Antes de empezar, dime...

Contesta estas preguntas sobre hispanos famosos de los Estados Unidos.

1. ¿Has leído *(Have you read)* un libro o cuento de un autor hispano de los Estados Unidos? ¿Cuál? ¿Te gustó? ¿Por qué?
2. ¿Tienes algún cantante hispano favorito? ¿Quién es? ¿Cuál es tu disco favorito de este cantante?
3. ¿Quiénes son tus actores hispanos favoritos? ¿En qué películas actuaron?

### Gloria y Emilio Estefan

Esta es, sin duda, la pareja hispana del nuevo milenio. Juntos, han creado uno de los imperios musicales más impresionantes del mundo entero: él con su banda Miami Sound Machine, ella con sus dos Grammys y los dos con la venta de más de 60 millones de discos. Han establecido una fundación que ayuda a los más necesitados y han servido de mentores a grandes estrellas latinas como Shakira, Jennifer López, Jon Secada y Ricky Martin.

### Sandra Cisneros

Esta poeta y cuentista chicana nacida en Chicago en 1954 escribe en inglés, pero incorpora mucho español en sus cuentos y en su poesía. Su libro, *The House on Mango Street,* recibió el premio «American Book Award» en 1985. Su novela *Caramelo,* escrita 18 años después, entusiasmó a la crítica hasta el punto que ha obtenido un gran reconocimiento internacional. Sandra Cisneros, con sus libros traducidos a más de diez idiomas y su nombre en las más importantes antologías, es considerada hoy día el máximo exponente de lo que se conoce como la nueva «narrativa chicana».

**Marc Anthony**

Marc Anthony (Marco Antonio Muñiz) nació de padres puertorriqueños en Manhattan. Comenzó cantando en inglés en clubes de Nueva York, especializándose en un tipo de música llamada «House Music». En 1993, después de su participación en una convención nacional musical, sus canciones comenzaron a sonar en todas las emisoras del país y pronto comenzó a ser conocido fuera de los Estados Unidos cantando en español. En 2007, junto con Jennifer López, Marc Anthony actuó en la película *El cantante*, donde interpreta a Héctor Lavoe, el legendario artista puertorriqueño muerto en 1993 a los 46 años.

♪ *¡Dímelo tú! Playlist* Escucha: «Dímelo» de Marc Anthony

## Y ahora, dime...

Usa un diagrama Venn como este para comparar a uno de estos latinos sobresalientes con tus escritores, cantantes o músicos favoritos.

Gloria y Emilio Estefan,
Sandra Cisneros o
Marc Anthony

1.
2.
3.
4.
5.

Lo que
tienen en
común

1.
2.
3.
4.
5.

Mi escritor(a),
cantante o músico(a)
favorito(a)

1.
2.
3.
4.
5.

⚡ **Por el ciberespacio... al mundo latino estadounidense**

If you are a cyberspace surfer, try entering one of the following keywords to get to know some of the many fascinating Hispanics in the United States:

*Cristina Aguilera
Jennifer Rodríguez
Julia Álvarez
Cameron Díaz
Ryan Suárez
Andy García
Jennifer López
Jorge Ramos
France Córdova*

# ¡Escríbelo!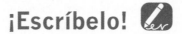

## Estrategias para escribir: organización de información detallada en el correo electrónico

*Nos hemos acostumbrado a escribir correos electrónicos rápidamente sin poner mucha atención a los detalles. Sin embargo, para escribir un correo electrónico formal a una persona que no conoces personalmente o a personas mayores, debes poner más atención al detalle y proveer toda la información que se espera de ti.*

**Organización de información detallada.** Tus padres y/o tu instructor(a) quieren que mejores tu español y por eso, te piden que mantengas correspondencia con un(a) estudiante de la Universidad Nacional Autónoma de México. ¿Qué aspectos de tu vida piensas que le interesaría a un(a) estudiante universitario(a) de México conocer sobre tu vida y tu universidad? Piensa y contesta las siguientes preguntas para ayudarte a organizar esa información.

1. ¿Quién eres? ¿De dónde eres? ¿Cuántos años tienes?
2. ¿Dónde estudias? ¿Qué estudias? ¿Cuáles son tus clases favoritas?
3. ¿Qué haces para divertirte?
4. ¿Cuál es tu rutina diaria?
5. ¿Cómo es el clima en tu ciudad?

## Ahora, ¡a escribir!

A. **En preparación.** Para empezar, basa tu correo electrónico en las preguntas anteriores. Añade a la lista más información para escribir una buena descripción que destaca las actividades importantes de un(a) estudiante como tú.

B. **El primer borrador.** Ahora usa toda esa información para formar la base de la escritura. Tu correo electrónico debe seguir el orden de las preguntas que hiciste.

C. **Ahora, a compartir.** Intercambia tu escritura con la de dos compañeros(as). Haz comentarios sobre el contenido y el estilo de la escritura de tus compañeros(as) y escucha los comentarios de ellos sobre tu escritura. Pídeles que te indiquen qué más les interesaría que incluyeras en tu correo electrónico. Si hay errores de ortografía o de gramática, menciónalos.

D. **Ahora, a revisar.** Agrega a tu escritura la información que consideres necesaria, basada en los comentarios de tus compañeros(as). Revisa los errores de gramática, de puntuación y de ortografía.

E. **La versión final.** Escribe ahora la última versión de tu correo electrónico y entrégasela a tu profesor(a).

# De visita en San Francisco, California

## ¿Eres buen observador?

**TAREA**

Antes de empezar este *Paso*, estudia la lista de vocabulario de las páginas 320–321 y escucha el corte 16 de tu Text Audio CD3. Luego estudia *En preparación*.

1er día    9.4 Affirmative **tú** commands, páginas 326–327

Haz por escrito los ejercicios de *¡A practicar!* correspondientes.

## Ahora, ¡a analizar!

Indica si las siguientes instrucciones te llevan a los lugares que dicen.

1. Sí X    No ⊗    Para ir de Fremont a Pleasanton, bájate en Bay Fair y cambia a la línea <u>celeste</u>.
2. Sí ⊗    No X    Para ir de Concord a Orinda, toma la línea amarilla y bájate en la segunda parada.
3. Sí X    No ___    Para ir al aeropuerto internacional de San Francisco desde Oakland, toma la línea amarilla y bájate en South San Francisco.
4. Sí X    No ___    Para ir de San Leandro a Castro Valley, bájate en la segunda parada.
5. Sí ⊗    No X    Para ir de Mission a Downtown Berkeley, toma cualquiera de las líneas.

# ¿Qué se dice...?  CD3, Track 13

## Para pedir direcciones

ADRIANA: Disculpa. ¿Puedes decirme cómo llegar a la Misión Dolores?

NOELIA: Sí, ¡cómo no! Sigue por esta calle seis o siete cuadras, hasta la calle Church y el parque Dolores. Allí toma la calle Church a la izquierda y sigue hasta la calle dieciséis. Gira a la derecha en la calle dieciséis, y a una cuadra, en la esquina con la calle Dolores, está la misión.

NOELIA: También puedes tomar el autobús en la calle Castro y bajar por la calle dieciséis.

ADRIANA: ¿Y cómo sé en qué parada bajarme?

NOELIA: Pregúntale al conductor. Dile que vas a la Misión Dolores y seguro que te dice cuándo bajarte.

ADRIANA: Muy bien. Muchísimas gracias. Muy amable.

NOELIA: De nada. Buena suerte.

GONZALO: ¿Dónde puedo encontrar una panadería?

AMALIA: Creo que la panadería más cercana está en la calle Castro. Para ir a la calle Castro, sigue por esta calle y rodea el parque Misión Dolores por la derecha. En la calle dieciocho, gira a la izquierda y sigue por la calle dieciocho cinco o seis cuadras hasta llegar a la calle Castro. Allí vas a encontrar varias panaderías.

La población hispana es la que crece con más rapidez en todo el país con 31%, o unos 11 millones de hispanos ya establecidos en California. Se dice que para el año 2020 los hispanos representarán el 43% de la población en California, mientras que los blancos serán aproximadamente el 34%. Ya para el año 2010 las poblaciones de blancos e hispanos serían iguales, cuando cada grupo representará un 39% de la población del estado. En el área de la bahía de San Francisco, la población latina ya supera los 1,5 millones, con siete emisoras de televisión y otros siete periódicos en español. La riqueza de culturas hispanas en California se refleja en la gran variedad culinaria en el distrito de La Misión en San Francisco, donde fácilmente se encuentran el batido de guanábana ecuatoriano, las pupusas salvadoreñas, las arepas venezolanas, los chuchitos guatemaltecos, el nacatamal nicaragüense y claro, los taquitos mexicanos.

**En tu opinión:** ¿Por qué crees que California es el destino predilecto de tantos inmigrantes latinos? ¿Cuál será la atracción de San Francisco? ¿Crees que es fácil o difícil mezclar varias culturas como la ecuatoriana, salvadoreña, venezolana, guatemalteca, nicaragüense y mexicana en el distrito de La Misión en San Francisco? Explica tu respuesta.

## Ahora, ¡a hablar!

EP 9.4

**A. ¿Cómo llego?** Ricardo, un estudiante de la Universidad Estatal de San Francisco, va a la casa de Patricia, pero no sabe dónde vive. ¿Qué instrucciones le da Patricia?

MODELO    llamar antes de venir
    **Llama antes de venir.**

1. tomar el autobús #5
2. bajarse en la parada de la calle Judah
3. doblar a la izquierda en la esquina de la carnicería Ramírez
4. caminar unas tres cuadras
5. entrar en el edificio 34
6. subir al tercer piso
7. tocar la puerta B

**B. Consejos de un buen amigo.** Tu amigo José es compañero de la universidad y es muy tímido. Ahora está triste porque no conoce a ninguna chica con quien salir. ¿Qué consejos le das?

EP 9.4

MODELO    preocuparse / por tu imagen
    **Preocúpate por tu imagen.**

1. cortarse / el pelo
2. vestirse / más informalmente
3. comprarse / ropa a la moda
4. interesarse / por los otros
5. divertirse / mucho
6. ir / a los partidos de fútbol
7. invitar / a tus amigos al cine

**C. Y tú...** Están organizando una fiesta para celebrar el comienzo del curso académico en la universidad y tú y tu compañero(a) están organizándolo todo. ¿Qué les piden a sus amigos? Túrnense para dar instrucciones.

**MODELO**   Marcelo ir / comprar las sodas, por favor
**Marcelo, ve a comprar las sodas, por favor.**

1. Adela comprar / ingredientes para los bocadillos en el supermercado
2. Pamela traer / los discos de Gloria Estefan, por favor
3. Bárbara venir / temprano para ayudar a preparar los bocadillos, por favor
4. Anselmo limpiar / las sillas de la terraza
5. Cristina salir / a recibir a los invitados
6. ¿... ?

**D. Cuídalo, por favor.** Tú y tu compañero(a) se van a pasar las vacaciones de primavera fuera y antes de salir dan las instrucciones a su compañero(a) de departamento sobre lo que tiene que cuidar en la casa. ¿Qué le dicen?

**MODELO**   cambiarle / agua / pez una vez / semana
**Cámbiale el agua al pez una vez por semana.**

1. bañar / perro una vez / lo menos
2. ponerle / agua / las plantas una vez / por semana
3. abrir / ventanas / el día
4. cerrar / ventanas / noche
5. recoger / correspondencia / mediodía
6. contestar / el teléfono y escribe / nombre / persona que llamó
7. darle / de comer / gato cada día / la noche

**E. En mi pueblo, de todo.** Tu compañero(a) va a pasar las vacaciones en tu pueblo y ahora le estás mostrando los lugares más importantes de la plaza del pueblo (dibujo en la página 315). Mientras tanto, él/ella aprovecha para preguntarte dónde puede hacer o comprar distintas cosas. ¿Qué te pregunta? ¿Qué le respondes?

**MODELO**

COMPAÑERO(A): **¿Qué hago para tomar el autobús?**
TÚ: **Para tomar el autobús, ve a la parada que está al lado de la iglesia.**

**Vocabulario útil**

carnicería
cervecería
esquina
frutería
panadería
papelería
perfumería
tabaquería
zapatería

## Y ahora, ¿por qué no conversamos?

**F. Problemas anónimos.** Comparte con la clase un problema que tienes tú o uno(a) de tus amigos (o inventa uno). El resto de la clase va a darte consejos para solucionar el problema. Escribe tu problema en una hoja de papel, pero no la firmes. Tu profesor(a) va a seleccionar varios para que la clase dé consejos. (El resto se van a usar en la Actividad G.) Todos los problemas van a ser anónimos.

**G. ¡Luces! ¡Cámara! ¡Acción!** Trabajas para un periódico y escribes la sección «Consejos para los jóvenes». Tú y dos compañeros(as) forman un equipo de escritores que dan consejos a los problemas que reciben. Preparen consejos a los problemas que su profesor(a) les va a dar. Presenten sus consejos frente a la clase: uno(a) presenta la situación y los otros dos leen los consejos que prepararon.

# Saber comprender

## Estrategias para ver y escuchar: ver y escuchar «de arriba hacia abajo»

*In Paso 1 you learned that, if you are thoroughly familiar with the subject, you can listen casually to the general flow of a conversation, picking out the occasional specific words that convey the gist of what is being said and letting your knowledge of the topic fill in the blanks on everything else. This approach, known as "listening from the top down," works the same way when viewing a video on a very familiar topic.*

**Ver y escuchar «de arriba hacia abajo».** Aunque nunca hayas visitado San Diego, probablemente sabes bastante de esa encantadora ciudad. Usa ahora ese conocimiento *(knowledge)* que ya tienes para determinar el significado de las palabras subrayadas *(underlined)* en estas oraciones y seleccionar la palabra con el mismo sentido *(meaning)*.

1. San Diego, California, está situada en el extremo sur de la costa pacífica a solo unas dieciocho millas <u>de la frontera</u> con México.
   a. de la reunión     b. del límite     c. de la resolución
2. Los habitantes de San Diego están muy orgullosos de su interesante <u>ambiente</u> artístico.
   a. atmósfera     b. salón     c. museo
3. La influencia española mexicana se puede experimentar en *Old Town*, un barrio animado y <u>pintoresco</u>.
   a. atractivo     b. sin color     c. peligroso
4. Casa Bandini es el muy premiado restaurante donde pueden <u>probar</u> una auténtica comida mexicana.
   a. cocinar     b. preparar     c. comer

# Primera parte: San Diego, ¡intensamente artístico y cultural!

## Al ver el video

**¿Comprendes lo que se dice?** Mientras ves el video por primera vez, anota tres cosas que aprendiste que no sabías antes, y tres que ya sabías.

SAN DIEGO

| Lo que no sabía | Lo que ya sabía |
| --- | --- |
| 1. | 1. |
| 2. | 2. |
| 3. | 3. |

## Después de ver el video

Ahora, usa el conocimiento que ya tenías de San Diego y la nueva información que aprendiste al ver el video para contestar estas preguntas. Compara tus resultados con los de dos compañeros(as).

1. ¿Cuál es la población de San Diego: más de un millón, dos millones o tres millones?
2. ¿En qué consiste *Old Town* San Diego?
3. ¿Qué se puede comprar en el Café Coyote por un dólar?
4. ¿Cuál es la importancia histórica de Presidio Park?
5. ¿Cuál es el atractivo más popular de Balboa Park?

# Segunda parte: Texas, ¡el segundo estado más grande!

**Ver y escuchar «de arriba hacia abajo».** Usa la misma estrategia al prepararte para ver la segunda parte del video: *Texas, ¡el segundo estado más grande!* Usa el conocimiento que ya tienes del gran estado de Texas para determinar el significado de las palabras subrayadas en estas oraciones y seleccionar la palabra con el mismo sentido.

1. Seis <u>banderas</u> han ondeado sobre Texas incluyendo las de España y México.
   a. estandartes
   b. aviones
   c. presidentes

2. La <u>herencia</u> mexicana también se encuentra en las comidas, la música y las fiestas.
   a. alegría
   b. inteligencia
   c. influencia

3. Millones de visitantes llegan a San Antonio cada año a visitar el Paseo del Río con sus cafés <u>al aire libre</u>.
   a. en terrazas y patios
   b. elegantes
   c. en barcos

4. Texas, por su historia, su diversidad y su aire mexicano es un estado <u>sin igual</u>.
   a. típico
   b. único
   c. informal

## Al ver el video

**¿Comprendes lo que se dice?** Mientras ves el video por primera vez, anota tres cosas que aprendiste que no sabías antes, y tres que ya sabías.

TEXAS

| Lo que no sabía | Lo que ya sabía |
|---|---|
| 1. | 1. |
| 2. | 2. |
| 3. | 3. |

## Después de ver el video

Ahora, usa el conocimiento que ya tenías de Texas y la nueva información que aprendiste al ver el video para contestar estas preguntas. Compara tus resultados con los de dos compañeros(as).

1. ¿Es Texas el estado más grande de los Estados Unidos?
2. ¿De qué es buen ejemplo la misión de San José en San Antonio?
3. ¿Qué porcentaje de la población de San Antonio es mexicoamericano?
4. ¿Cuáles son algunas de las atracciones de San Antonio?

# El rincón de los lectores

### Estrategias para leer: reconocer versos, estrofas y la lógica de la puntuación en la poesía moderna

*En la poesía tradicional siempre encontramos una puntuación que sigue las reglas tradicionales de la sintaxis. La poesía moderna, sin embargo, no siempre tiene puntuación, como tampoco estrofas claramente delineadas. Algunos poetas como Francisco X. Alarcón, el poeta chicano que escribió el poema que sigue, con frecuencia no usa ni puntuación ni estrofas. Sin embargo, todos sus poemas tienen oraciones completas —solo les falta la puntuación— y se pueden dividir fácilmente en estrofas. Si la ausencia de puntuación te hace más difícil entender la poesía moderna, ponle la puntuación mentalmente mientras la lees.*

**Reconocer versos, estrofas y la lógica de la puntuación en la poesía moderna.** En parejas, lean el poema y decidan dónde falta la puntuación. Pongan las letras mayúsculas que faltan, los puntos finales, las comas y las comillas. Si es necesario, escriban el poema de nuevo.

1. ¿Cuántas oraciones completas tiene el poema? ¿Cuáles son?
2. ¿En cuántas estrofas se puede dividir el poema? ¿Cuántos versos habría (*would there be*) en cada estrofa?

### El autor

El poeta **Francisco Xavier Alarcón** nació en Wilmington, California, pero se crió tanto en los Estados Unidos como en México. Totalmente bilingüe, se educó en escuelas primarias y secundarias en el Este de Los Ángeles y en Guadalajara, México. Empezó sus estudios universitarios en la Universidad Comunitaria del Este de Los Ángeles y terminó su licenciatura en la Universidad Estatal de California en Long Beach. Hizo sus estudios graduados en la Universidad de Stanford. Poeta, crítico y editor chicano, ha publicado diez colecciones de poemas: *Tattoos* (1985); *Ya vas, Carnal* (1985); *Quake Poems* (1989); *Body in Flames / Cuerpo en llamas* (1990); *Loma Prieta* (1990); *Snake Poems* (1992); *Poemas zurdos* (1992); *No Golden Gate for Us* (1993); *From the Other Side of Night / Del otro lado de la noche* (2002).  También ha publicado una serie de libros de poemas bilingües para niños: *Laughing Tomatoes and Other Spring Poems / Jitomates risueños y otros poemas de primavera* (1997); *From the Bellybutton of the Moon and Other Summer Poems / Del ombligo de la luna y otros poemas de verano* (1998); *Angels Ride Bikes and Other Fall Poems / Los Ángeles andan en bicicleta y otros poemas del otoño* (1999); *Iguanas in the Snow and Other Winter Poemas / Iguanas en la nieve y otros poemas de invierno* (2001). Actualmente es catedrático de la Universidad de California en Davis.

## Lectura

# Una pequeña gran victoria

esa noche de verano
mi hermana dijo
no
ya nunca más
se iba a poner ella
a lavar los trastes°                    platos
mi madre sólo
se le quedó viendo
quizás deseando
haberle dicho°                          decir
lo mismo
a su propia madre
ella también había odiado°              no le gustaron
sus tareas de «mujer»
de cocinar limpiar siempre estar al tanto°   tener que servir
de sus seis hermanos
y su padre
un pequeño trueno°                      *thunder*
sacudió° la cocina                      movió
cuando silenciosos
nosotros recorrimos
con los ojos la mesa
de cinco hermanos
el repentino aprieto°                   momento incómodo
se deshizo cuando
mi padre se puso
un mandil° y abrió                      delantal (*apron*)
la llave del agua
caliente en el fregadero°               *sink*

## A ver si comprendiste

Contesten estas preguntas en parejas.

1. ¿Dónde se encuentra el poeta esa «noche de verano»? ¿Quiénes lo acompañan? ¿Cuántos miembros tiene la familia en total?
2. ¿Quién dijo no? ¿A qué y a quiénes dijo no? ¿Por qué crees que lo dijo?
3. ¿Cómo reaccionó la madre? ¿Por qué cree el poeta que su madre reaccionó de esa manera? ¿Estás de acuerdo con el poeta? ¿Por qué?
4. Explica por qué el poeta menciona a seis hermanos y luego a cinco hermanos. ¿Es un error?
5. ¿Cómo se solucionó el problema? ¿Quién lavó los platos al final? ¿Qué opinas de eso? ¿Puede ocurrir esta situación en tu familia? ¿Por qué?
6. Explica el título del poema.

⚡ **Por el ciberespacio... los poetas hispanos en los Estados Unidos**
Keywords to search:

*Lily Rodríguez*
*poetas hispanos*
*Francisco Alarcón*

To learn more about **los poetas hispanos,** go to the *¡Dímelo tú!* website at academic.cengage.com/spanish/dimelotu

# Vocabulario

## Paso 1  CD3, Track 14

### Clima
| | |
|---|---|
| **calor** *(m.)* | *heat* |
| **cielo** | *sky* |
| **clima** *(m.)* | *weather* |
| **estar despejado** | *to be clear* |
| **grados** *(m. pl.)* | *degrees* |
| **hacer buen tiempo** | *to be nice weather* |
| **hacer calor** | *to be hot* |
| **hacer frío** | *to be cold* |
| **hacer sol** | *to be sunny* |
| **hacer viento** | *to be windy* |
| **hay neblina** | *it's foggy* |
| **llover (ue)** | *to rain* |
| **lluvia** | *rain* |
| **neblina** | *fog* |
| **nevar (ie)** | *to snow* |
| **nieve** *(f.)* | *snow* |
| **nube** *(f.)* | *cloud* |
| **nublado(a)** | *cloudy* |
| **¿Qué tiempo hace?** | *What's the weather like?* |
| **tiempo** | *weather* |

### Relacionado con el clima
| | |
|---|---|
| **al aire libre** | *in the open air* |
| **calentamiento global** | *global warming* |
| **chimenea** | *fireplace* |
| **congelado(a)** | *frozen* |
| **empapado(a)** | *soaking wet* |
| **meteorólogo(a)** | *meteorologist* |
| **pronóstico** | *forecast* |
| **sudar** | *to perspire* |
| **temblar** | *to shiver* |

### Profesiones
| | |
|---|---|
| **deportista** *(m./f.)* | *athlete* |
| **dramaturgo** *(m./f.)* | *playwright* |
| **músico** *(m./f.)* | *musician* |
| **novelista** *(m./f.)* | *novelist* |
| **poeta** *(m./f.)* | *poet* |
| **político(a)** | *politician* |

### Días feriados
| | |
|---|---|
| **Año Nuevo** | *New Year* |
| **Día de Acción de Gracias** | *Thanksgiving* |
| **Día de las Madres** | *Mother's Day* |
| **Día de San Valentín** | *St. Valentine's Day* |
| **Navidad** | *Christmas* |
| **Pascua Florida** | *Easter* |

### Materias
| | |
|---|---|
| **arquitectura** | *arquitecture* |
| **literatura** | *literature* |
| **moda** | *fashion, style* |
| **pintura** | *painting* |

### Palabras útiles
| | |
|---|---|
| **aculturación** *(f.)* | *acculturation* |
| **árbol** *(m.)* | *tree* |
| **contaminación** *(f.)* | *pollution* |
| **ficticio(a)** | *ficticious* |
| **poco** | *little* |

### Verbos
| | |
|---|---|
| **afectar** | *to affect* |
| **justificar** | *to justify* |
| **montar en bicicleta** | *to ride a bicycle* |
| **permanecer** | *to remain, to stay* |
| **reaparecer** | *to reappear* |

## Paso 2  CD3, Track 15

### Rutina diaria
| | |
|---|---|
| **acostarse (ue)** | *to go to bed* |
| **afeitarse** | *to shave* |
| **bañarse** | *to bathe* |
| **despertarse (ie)** | *to wake up* |
| **dormirse (ue)** | *to fall asleep* |
| **ducharse** | *to shower, to take a shower* |
| **lavarse** | *to wash oneself* |
| **levantarse** | *to get up* |
| **peinarse** | *to comb one's hair* |
| **ponerse** | *to put on* |
| **quitarse** | *to take off* |
| **sentarse (ie)** | *to sit down* |
| **vestirse (i, i)** | *to dress oneself, to get dressed* |

### Otros verbos
| | |
|---|---|
| **acordarse (ue)** | *to remember* |
| **ahorrar** | *to save* |
| **arrojar** | *to throw* |
| **bajarse** | *to get off* |
| **callarse** | *to become quiet* |
| **divertirse (ie)** | *to have a good time, to enjoy oneself* |
| **irse** | *to go away* |
| **llamarse** | *to be named, to be called* |
| **llevarse** | *to take away* |
| **marcharse** | *to leave* |
| **salirse** | *to leave unexpectedly* |
| **sentirse (ie, i)** | *to feel* |
| **turnarse** | *to take turns* |

### En la casa
| | |
|---|---|
| **basura** | *trash* |
| **cama** | *bed* |
| **despertador** *(m.)* | *alarm clock* |
| **grifo** | *faucet* |
| **inodoro** | *toilet, lavatory* |
| **lavabo** | *wash basin, sink* |
| **licuado** | *mixed, blended (drink)* |
| **máquina** | *machine* |
| **papelera** | *wastepaper basket* |
| **vaso** | *glass* |

### Palabras útiles
| | |
|---|---|
| **capitolio** | *capital building* |
| **chaqueta** | *jacket* |
| **cuero** | *leather* |
| **diario(a)** | *daily* |
| **dientes** *(m. pl.)* | *teeth* |
| **eficiente** | *efficient* |
| **estadio** | *stadium* |
| **rutina** | *routine* |

## Paso 3  CD3, Track 16

### Lugares
| | |
|---|---|
| **carnicería** | *butcher shop* |
| **cervecería** | *pub, brewery* |
| **esquina** | *corner* |
| **frutería** | *fruit store* |
| **panadería** | *bakery* |
| **papelería** | *stationery store, book store* |
| **perfumería** | *perfume store* |
| **piso** | *floor* |
| **tabaquería** | *tobacco store* |
| **zapatería** | *shoe store* |

### Para dar direcciones
| | |
|---|---|
| **a la derecha** | *to the right* |
| **a la izquierda** | *to the left* |
| **cuadra** | *block* |

| | | |
|---|---|---|
| **doblar** | *to turn* | |
| **girar** | *to veer* | |
| **línea** | *line* | |

**Verbos y expresiones verbales**

| | |
|---|---|
| **aportar** | *to contribute* |
| **cortarse** | *to cut oneself* |
| **estar de acuerdo** | *to be in agreement* |
| **interesarse** | *to become interested* |
| **mencionar** | *to mention* |

| | |
|---|---|
| **pertenecer** | *to belong* |
| **preocuparse** | *to worry* |
| **solucionar** | *to solve* |
| **tocar** | *to knock (at a door), to ring (a doorbell)* |

**Bebidas y bocadillos**

| | |
|---|---|
| **bocadillo** | *snack, tidbit* |
| **ingredientes** (*m. pl.*) | *ingredients* |
| **soda** | *carbonated beverage* |

**Palabras y expresiones útiles**

| | |
|---|---|
| **celeste** | *light blue* |
| **correspondencia** | *mail* |
| **cualquiera** | *any, anybody* |
| **fusión** (*f.*) | *fusion* |
| **imagen** (*f.*) | *image* |
| **miembros** | *members* |
| **pez** (*m.*) | *(live) fish* |
| **planta** | *plant* |

## EL ESPAÑOL... estadounidense

| | |
|---|---|
| **armi** | *ejército* |
| **bas** | *autobús* |
| **biles** | *cuentas* |
| **breca** | *freno* |
| **colegio** | *universidad* |
| **daime** | *diez centavos* |
| **escuela alta** | *escuela secundaria* |
| **gasolín** | *gasolina* |
| **magazín** | *revista* |
| **sainear** | *firmar* |

# En preparación 9

## Paso 1

### 9.1 Weather expressions

#### Talking about the weather

■ In Spanish, **hacer, estar,** and the verb form **hay** are commonly used to describe weather conditions.

| | |
|---|---|
| ¿Qué tiempo **hace** hoy? | *What's the weather like today?* |
| **Hace** mucho frío. | *It's very cold.* |
| Sí, pero no **hace** viento. | *Yes, but it's not windy.* |
| **Está** despejado. | *It's clear.* |
| En el norte **está** nublado. | *In the north it's cloudy.* |
| ¿**Hay** neblina hoy? | *Is it foggy today?* |
| No, pero **hay** mucha contaminación. | *No, but there is a lot of pollution (smog).* |

**Heinle Grammar Tutorial:** Weather Expressions

■ The verb **tener** is used to describe how a person feels as a result of the weather conditions.

| | |
|---|---|
| ¿No **tienes** frío? | *Aren't you cold?* |
| No, en realidad, **tengo** mucho calor. | *No, actually, I'm very hot.* |

**Heinle Grammar Tutorial:** Verbal expressions (**tener, haber, deber**)

■ The verb **estar** can also be used to describe a person's condition as a result of the weather.

| | |
|---|---|
| **Estoy** congelado. | *I'm frozen.* |
| **Está** temblando. | *He's shivering.* |
| **Están** sudando. | *They are perspiring/sweating.* |
| **Estamos** empapados. | *We are soaking wet.* |

### ¡A practicar!

**A.** **¿Qué tiempo hace?** Unos amigos quieren saber qué tiempo hace en diferentes partes de los Estados Unidos. ¿Qué les dices tú?

1. verano en Phoenix, Arizona
2. invierno en Buffalo, Nueva York
3. primavera en Des Moines, Iowa
4. otoño en Boston, Massachusetts
5. todo el año en Chicago, Illinois
6. todo el año en Seattle, Washington

**B.** **¿Es igual?** Di ahora qué tiempo hace en diferentes lugares del mundo, en las siguientes fechas.

1. la Navidad en San Francisco
2. la Navidad en Buenos Aires
3. el 4 de julio en California
4. el 4 de julio en Alaska
5. el Año Nuevo en París
6. el Año Nuevo en Santiago de Chile

> «Cuando **llueve** y **hace** viento, quédate adentro». (proverbio)
>
> ____ *When it's rainy and windy it is best not to go out.*
>
> ____ *Neither rain nor wind will keep us from doing our job.*

## 9.2 *Mucho* and *poco*

### Expressing indefinite quantity

■ **Mucho** and **poco** may modify a noun or a verb. When the former is the case, **mucho** and **poco** act as adjectives and must agree in number and gender with what is being modified.

| | |
|---|---|
| Hay **pocos** carros pero **mucha** contaminación. | *There are few cars but a lot of pollution.* |
| Hay **mucha** nieve pero hace **poco** frío. | *There is a lot of snow, but it's not very cold.* |

■ When **mucho** and **poco** modify a verb, they are adverbs and do not vary in form.

| | |
|---|---|
| Nieva **mucho** en el invierno. | *It snows a lot in the winter.* |
| Llueve **poco** aquí en el verano. | *It rains very little here in the summer.* |

■ **Muy** is never used to modify **mucho**. Use the word **muchísimo** instead.

| | |
|---|---|
| Hay **muy poca** nieve pero **muchísima** lluvia. | *There is very little snow but a lot of rain.* |

### ¡A practicar!

**A. Así es mi vida.** Completa el párrafo con **mucho** o **poco** según tu propio (*your own*) estilo de vida.

Yo tengo ___pocas___ amigas y ___muchos___ amigos y por eso salgo ___mucho___. Este semestre estudio ___mucho___ porque tengo ___muchas___ clases. Trabajo ___mucho___ y gano (*earn*) dinero. Tengo ___poco___ tiempo libre. En mi tiempo libre practico _____ deportes y miro _____ la televisión. En mi ciudad hay _____ cosas que hacer.

**B. Problemas de un estudiante.** ¿Cómo se prepara Rafael, estudiante de la Universidad de Nuevo México en Albuquerque, para empezar las clases después de las vacaciones de verano? Para saberlo, completa el párrafo con **mucho** o **poco**.

El semestre empezó esta semana y yo tuve que comprar _____ libros. ¡Ay, qué caros son! Por eso, ahora yo tengo muy _____ dinero. ¡Estoy pobre! Además, tengo _____ clases, pero _____ energía. Debo organizar mi vida. Necesito trabajar _____ horas y pasar _____ tiempo en la biblioteca. Este semestre voy a tener _____ tarea y _____ tiempo. ¡Qué horror!

> «Quien **mucho** abarca, **poco** aprieta». (proverbio)
>
> ___ *If you take on too much, you're not likely to do a good job.*
>
> ___ *The harder you try, the more likely you are to succeed.*

## Paso 2

## 9.3 Reflexive verbs

### Talking about what people do for themselves

| lavarse | | | |
|---|---|---|---|
| *to wash* | | | |
| *I wash (myself)* | **me** lavo | **nos** lavamos | *we wash (ourselves)* |
| *you wash (yourself)* informal | **te** lavas | **os** laváis | *you wash (yourselves)* |
| *you wash (yourself)* formal | **se** lava | **se** lavan | *you wash (yourselves)* |
| *he/she/it washes (himself/herself/itself)* | **se** lava | **se** lavan | *they wash (themselves)* |

■ A verb is called *reflexive* when the subject does the action to or for himself, herself, themselves, and so on, that is, when the subject receives the action of the verb. A reflexive pronoun always accompanies such a verb; it agrees in person and number with the subject of the verb. Reflexive pronouns precede a conjugated verb.

| | |
|---|---|
| Los niños **se bañan** de noche. | *The children bathe (themselves) at night.* |
| Yo siempre **me acuesto** a las once. | *I always go to bed at eleven.* |

■ Reflexive verbs appear in vocabulary lists with the reflexive pronoun **-se** attached to the infinitive ending. The following is a list of frequently used reflexive verbs. Some of these verbs have been used in previous chapters nonreflexively.

| | |
|---|---|
| acostarse (ue) | *to go to bed* |
| afeitarse | *to shave* |
| bañarse | *to take a bath, to bathe* |
| despertarse (ie) | *to wake up* |
| divertirse (ie, i) | *to have a good time, to enjoy oneself* |
| dormirse (ue, u) | *to fall asleep* |
| ducharse | *to shower, to take a shower* |
| lavarse | *to wash oneself* |
| levantarse | *to get up, to stand up* |
| llamarse | *to be named, to be called* |
| peinarse | *to comb one's hair* |
| ponerse | *to put on (clothing)* |
| quitarse | *to take off (clothing)* |
| sentarse (ie) | *to sit down* |
| sentirse (ie, i) | *to feel* |
| vestirse (i, i) | *to get dressed* |

The reflexive pronoun is necessary only when the subject does something to or for itself.

| | |
|---|---|
| Mamá **se despierta** primero y luego **despierta** a los niños. | *Mom wakes up first and then wakes up the children.* |
| Primero **me baño** y luego **baño** a los niños. | *First I bathe, and then I bathe the children.* |

■ Reflexive pronouns, like direct- and indirect-object pronouns, are always placed directly in front of conjugated verbs. They are attached to the end of infinitives, present participles, and affirmative commands. As with object pronouns, a written accent is often necessary to keep the original stress of present participles and affirmative commands when reflexive pronouns are attached.

| | |
|---|---|
| Siempre **me** afeito antes de duchar**me**. | *I always shave before taking a shower.* |
| No vamos a levantar**nos** hasta el mediodía. | *We're not going to get up until noon.* |
| Los jóvenes están divirtiéndo**se** muchísimo. | *The young people are enjoying themselves very much.* |
| Quíta**te** la ropa y acuésta**te** en seguida. | *Take your clothes off and go to bed right away.* |

■ Making a verb reflexive can change its meaning. These are some common examples. Some of these words may have other meanings not included here.

| Verbo | | Forma reflexiva | |
|---|---|---|---|
| acordar | *to agree, to decide* | acordarse | *to remember* |
| bajar | *to go down* | bajarse | *to get off* |
| callar | *to be quiet* | callarse | *to become quiet* |
| dormir | *to sleep* | dormirse | *to fall asleep* |
| ir | *to go* | irse | *to go away* |
| llevar | *to carry* | llevarse | *to take away* |
| marchar | *to march* | marcharse | *to leave* |
| poner | *to put* | ponerse | *to put on, to wear* |
| salir | *to leave* | salirse | *to leave unexpectedly* |

**Heinle Grammar**
**Tutorial:** Reflexive
Verbs

# ¡A practicar!

**A. Todos los días...** ¿Cuál es la rutina en casa de los Chávez según Marta, la hija mayor?

1. Yo (levantarse) a las 6:30.
2. Yo (ducharse) rápidamente pero no (lavarse) el pelo todos los días.
3. Papá (afeitarse) después de (ducharse).
4. Mamá (peinarse) y luego (peinar) a mi hermanita.
5. Mi hermana y yo (vestirse) rápidamente.

**B. ¡Un pájaro raro!** La rutina del profesor Gamboa es muy interesante. Para saber por qué, completa el párrafo con la forma apropiada de los verbos que están entre paréntesis.

Por lo general, el profesor Gamboa (acostarse) muy temprano, a eso de las 9:30 o las 10:00 de la noche. ¿Por qué tan temprano? Porque (levantarse) cuando todo el mundo está durmiendo, a las 4:00 de la mañana. ¿Qué hace a esa hora? Pues, primero (prepararse) una taza de café. Luego (sentarse) a trabajar frente a la computadora. No (bañarse) ni (afeitarse) hasta las 11:30 porque no tiene que ir a la universidad hasta el mediodía. Ah, ¡y nunca (peinarse)! Es un pájaro raro *(rare bird)*.

**C. ¿Y tú?** Responde a las siguientes preguntas sobre tu propia rutina diaria.

1. ¿A qué hora te despiertas diariamente?
2. ¿Prefieres ducharte o bañarte?
3. ¿Cuántas veces al día te peinas?
4. ¿A qué hora te levantas los fines de semana?
5. ¿A qué hora te acuestas normalmente?
6. ¿Desayunas antes o después de vestirte?
7. ¿Qué te quitas antes de acostarte?
8. ¿Te duermes con música?

**D. Una nueva rutina extraordinaria.** Manuel habla con sus padres de su rutina y su vida en su nueva universidad, la Universidad del Estado en Sacramento. Para saber qué les dice, decide cuál de los verbos completa correctamente estas frases.

1. Marta y yo (acordamos / nos acordamos) reunirnos todos los sábados para estudiar.
2. En esta ciudad, como no hace mucho frío, (ponemos / nos ponemos) una chaqueta de cuero en invierno.
3. Yo (me duermo / duermo) todos los días a las 10 de la noche.
4. Quiero participar en la banda de la universidad para (marcharme / marchar) en el estadio.
5. Cuando nos cansamos de la vida en la ciudad (nos vamos / vamos) a disfrutar del campo.
6. Cuando venimos de la universidad, Marta y yo (bajamos / nos bajamos) en la parada enfrente del Capitolio.

---

«Quien borracho **se acuesta**, con agua **se desayuna**». (proverbio)

\_\_\_ *If you drink too much, you're likely to wake up in the shower.*

\_\_\_ *If you go to bed drunk, you're going to wake up with a hangover.*

---

## 9.4 Affirmative *tú* commands

### Giving orders and directions

Commands are used to order someone to do or not to do something. **Tú** commands are used with people with whom you are familiar or whom you address as **tú**. There are different forms for affirmative and negative **tú** commands. In this chapter, you will learn only affirmative **tú** commands.

■ In general, the affirmative **tú** command is identical to the third-person singular of the present indicative.

| Infinitive | Command |
|---|---|
| tomar | **Toma** café. |
| leer | **Lée**lo. |
| dormirse | **Duérme**te. |

**Habla** con el profesor y     *Talk to the professor and explain your*
    **explíca**le tu problema.     *problem to him.*
**Trae** el mapa.     *Bring the map.*

■ There are eight irregular affirmative **tú** command forms. Note that most are derived from irregular first-person singular forms ending with **-go**.

| Infinitive | *yo* present tense | *tú* command |
|---|---|---|
| decir | digo | **di** |
| poner | pongo | **pon** |
| salir | salgo | **sal** |
| tener | tengo | **ten** |
| venir | vengo | **ven** |
| hacer | hago | **haz** |
| ir | voy | **ve** |
| ser | soy | **sé** |

■ Object and reflexive pronouns always follow and are attached to affirmative commands. The placement of pronouns follows this order: reflexive, indirect, direct.

Tráe**melas**.     *Bring them to me.*
Acuésta**te**.     *Go to bed.*
Lléva**selo**.     *Take it to him.*

**Heinle Grammar Tutorial:** Informal Commands (**tú**)

Notice that whenever pronouns are added to a verb, accents are often necessary in order to maintain the original stress.

### ¡A practicar!

**A.** **¡Organízate!** El hermano menor de Olga es muy desorganizado. ¿Qué consejos le da Olga a su hermano?

    **MODELO**     acostarse / más temprano
              **Acuéstate más temprano.**

1. levantarse / más temprano
2. vestirse / rápidamente
3. poner / la ropa en tu cuarto
4. salir / antes de las 7:30
5. ir / directamente a clase
6. hacer / tu tarea todas las noches

**B. ¡Por favor!** Tú decides establecer un poco de orden en el uso del baño en tu casa o aparta- mento. Dile a tu hermano(a) o a tu compañero(a) de cuarto lo que tiene que hacer para evitar que todos quieran usar el cuarto de baño a la vez. Usa mandatos en la segunda persona **(tú).**

1. levantarse temprano
2. ducharse rápidamente
3. vestirse en su cuarto
4. lavarse el pelo por la noche
5. peinarse rápidamente
6. ¿... ?

**C. ¡Dímelo tú!** El título de este libro de texto tiene dos significados según el contexto dentro del cual se usa: *You tell me (it)!* o *You don't say!* Explica la estructura del título a base de las reglas que acabas de aprender —la forma del verbo, el acento, los pronombres, etcétera.

---

«**Dame** pan y **dime** tonto». (dicho popular)

____ *I don't care what people say as long as I get what I want.*

____ *Let them eat cake!*

---

### CAPÍTULO 10

# Nicaragua: tierra de lagos, volcanes, terremotos y poetas

## In this chapter, you will learn how to . . .

- talk about proper action to take in case of an emergency.
- talk about the past.
- describe what happened.
- talk about the lives and works of a writer.

*Busca* terremoto en Managua *en Google*™ *Images y YouTube*™ *para aprender sobre los daños del terremoto de Managua.*

*Busca* huracán Félix Nicaragua *en Google*™ *Images y YouTube*™ *para aprender sobre su desastroso efecto en octubre 2007.*

# ¡Las fotos hablan!

**A que ya sabes...** Mirando las fotos, trata de completar estas afirmaciones.

1. El volcán en la primera foto es uno de los _____ que rodean Managua, la capital de Nicaragua.
   a. tres          b. cinco          c. veinticinco
2. La destrucción del edificio de gobierno en la segunda foto probablemente fue causada por un _____.
   a. terremoto     b. golpe militar  c. huracán
3. Nicaragua, por su cercanía al Caribe, está expuesta a _____.
   a. tornados      b. huracanes      c. sequías

*Busca* Nicaragua tierra de lagos y volcanes *en Google*™ *Images y YouTube*™ *para ver una variedad de fotos de este hermoso paisaje.*

# ¡Viviendo seguros en... Nicaragua!

**TAREA**

Antes de empezar este *Paso,* estudia la lista de vocabulario de la página 350 y escucha el corte 21 de tu Text Audio CD3. Luego estudia *En preparación.*

1er día    10.1 Present subjunctive: Theory and forms, páginas 352–353

10.2 Subjunctive with expressions of persuasion, página 353

Haz por escrito los ejercicios de *¡A practicar!* correspondientes.

## ¿Eres buen observador?

**¿QUÉ HACER EN CASO DE TERREMOTO?**

**ANTES:** Se recomienda que...
- prepares un plan de emergencia para la familia en caso de terremoto.
- practiques cómo cortar la electricidad, el agua y el gas rápidamente.
- dispongas de un equipo de emergencia: linterna, radio transistor, botiquín de primeros auxilios...
- tengas agua en recipientes de plástico para al menos una semana para toda la familia.

**DURANTE:** Te sugerimos que...
- mantengas la calma y reacciones deliberadamente.
- estés lejos de cuadros, chimeneas y objetos que puedan caerse.
- te protejas debajo de los huecos de las puertas o de algún mueble sólido.
- si estás en el exterior, procures mantenerte a distancia de los edificios altos, postes de energía eléctrica y otros objetos que te puedan caer encima.

**DESPUÉS:** Te pedimos que...
- no muevas a los heridos con fracturas.
- cierres las llaves de paso del agua y del gas y comuniques cualquier escape a sus compañías.
- no camines por cristales rotos o cables eléctricos y sigas las instrucciones de las autoridades.

## Ahora, ¡a analizar!

1. Localiza Managua en el mapa de Nicaragua en las primeras páginas de este libro y mira este mapa de las zonas sísmicas de Nicaragua. La ciudad capital de Managua tiene una amenaza de terremoto...
   a. muy alta.    b. alta.    c. mediana.    d. baja.
2. En el noreste, en la Costa del Caribe de Nicaragua, la amenaza es...
   a. muy alta.    b. alta.    c. mediana.    d. baja.
3. En caso de un terremoto, nos recomiendan...
   a. que llevemos rápidamente a los heridos al hospital más cercano.
   b. que no movamos a los heridos.

## En caso de emergencia

### CAMPAÑA DE PREVENCIÓN DE DESASTRES NATURALES

Nicaragua es un paraíso natural que es a menudo azotado por los desastres naturales. Tanto los habitantes de Nicaragua como los visitantes deben observar estos consejos de la Cruz Roja Nicaragüense, que de todos modos son válidos para cualquier parte del mundo.

**Para evitar incendios forestales, se pide que...**

- no arrojen fósforos ni cigarros encendidos.
- no enciendan fuego para cocinar fuera de los lugares preparados para ello.
- no lancen cohetes ni ningún otro fuego artificial.

**Si caminan a pie por el monte y hay un incendio en las proximidades les recomendamos que...**

- se alejen del incendio lo antes posible.
- no corran ladera arriba a menos que sepan que existe un lugar seguro.
- no intenten cruzar las llamas, salvo que vean claramente lo que hay detrás de ellas.

**Ante una posible erupción de un volcán les recomendamos que...**

- conozcan la situación del volcán. ¿Está activo? ¿Cuándo fue la última vez que entró en erupción?
- eviten los terrenos erosionados o deforestados.
- usen el tiempo desde el comienzo de la actividad hasta la crisis volcánica para buscar refugio fuera de la zona y para seguir las directrices de las autoridades.

**Como preparación para un huracán, les aconsejamos que...**

- se informen sobre los planes de emergencia de su comunidad, las señales de advertencia y las rutas de evacuación.
- desconecten las fuentes de alimentación de gas y de agua antes de abandonar la casa.
- compren un extinguidor de incendios y se aseguren de que todos sepan dónde está y cómo usarlo.
- pongan en un sitio seguro los documentos importantes, como pólizas de seguro y testamentos, y mantengan un inventario para su seguro del hogar.
- anoten los números de teléfono de emergencia junto a cada aparato de teléfono.

**Ante los constantes terremotos de Nicaragua, les aconsejamos que...**

- escojan un lugar seguro en cada sala —debajo de una mesa resistente, de un escritorio o contra una pared interior donde nada pueda caerles encima.
- elijan un contacto familiar que resida fuera de la zona para mantenerse en contacto con el resto de la familia.
- tomen un curso de primeros auxilios en la oficina local de la Cruz Roja de su localidad y mantengan actualizada su capacitación.

**Ante un tornado, les aconsejamos que...**

- identifiquen un lugar donde los miembros de la familia puedan reunirse si un tornado se dirige hacia su casa.
- se cuiden de los cables eléctricos caídos y se queden fuera de la zona dañada.
- si están fuera, se protejan en una zona baja o bajo un puente.
- escuchen la radio para recibir información e instrucciones.
- usen una linterna para inspeccionar los daños a su hogar, nunca una vela.

**Los maremotos *(tsunamis)* son raros pero devastadores. Para minimizar su impacto les sugerimos que...**

- aprendan cómo llegar a una zona de evacuación que está a por lo menos 10 metros de elevación (o 30 pies).
- preparen un paquete de emergencia con agua, medicinas, ropa, botiquín de primeros auxilios y comida para ustedes y sus mascotas.
- apaguen el gas, la electricidad y el agua de su casa, cierren la puerta y busquen refugio en una zona elevada.

## ¿Sabías que...?

Con el descubrimiento de oro en California en 1848, miles de aventureros se pusieron rumbo al oeste, guiados por lo que se ha dado por llamar «fiebre del oro». Pero en contra de lo que muestran las famosas películas de Hollywood, gran parte de los viajeros de la costa este de los Estados Unidos viajaban a California por mar y no por tierra. La ruta iba de Nueva York a San Juan del Norte (Greytown), Nicaragua. De ahí cruzaban por el río San Juan, el lago de Nicaragua y el istmo por San Jorge, y se embarcaban hasta San Francisco, California. Basándose en esa experiencia y en la idea de que hay demanda para otro canal además del de Panamá, el presidente Bolaños anunció en 2006 la construcción de un canal siguiendo una ruta similar a la de los aventureros, que reduciría el transporte entre Nueva York y San Francisco en más de un día, y que podría hacer de Nicaragua uno de los países más ricos de las Américas en cuanto a renta per cápita. El proyecto crearía 40.000 puestos de trabajo directamente y 200.000 indirectamente.

**En tu opinión:** ¿Por qué crees que los aventureros preferían viajar por Nicaragua para ir de Nueva York a California? ¿Crees que es buena idea construir un nuevo canal? Explica tu respuesta.

# Ahora, ¡a hablar!

**A.** **¿Qué debes hacer?** El Centro Nacional de Riesgos Naturales de la Universidad de Colorado en Boulder se dedica, entre otras cosas, a ayudar a la gente en distintas partes del país a prepararse para la posibilidad de un desastre natural en la región donde viven. Trabajando con un(a) compañero(a), decidan para qué ciudades o estados de los Estados Unidos son apropiados estos consejos. Algunos pueden ser apropiados para todo el país.

EP 10.1, 10.2

1. Recomendamos que hagan un plan con su familia para reunirse en caso de emergencia.
2. Sugerimos que compren un extintor de incendios y aprendan a usarlo con su familia.
3. Invitamos a que mantengan la calma y busquen un lugar elevado en caso de alerta de tsunami.
4. Recomendamos que hagan un paquete con un botiquín de primeros auxilios, comida, ropa...
5. Pedimos que no arrojen fósforos ni cigarros al suelo.
6. Sugerimos que tomen un curso de primeros auxilios.
7. Recomendamos que tengan un radio transistor y que escuchen las instrucciones de las autoridades.
8. Pedimos que no muevan a los heridos salvo en caso de incendio u otro peligro.

**B.** **Supervivencia.** ¿Saben algo sobre casos de emergencia? Con tu compañero(a), decidan si lo siguiente es cierto o falso. Si es falso, corríjanlo.

EP 10.2

### Vocabulario útil

| | |
|---|---|
| dar los primeros auxilios | esperar la llegada de una ambulancia |
| dar masaje cardíaco | llamar a un médico |
| dar respiración artificial | llamar un servicio de emergencia |

C (F) 1. Se recomienda que no hagas nada a una persona que no respira, porque puede morirse.

(C) F 2. Es recomendable que busques ayuda inmediatamente si ves que una persona sufre un ataque cardíaco.

C (F) 3. Es aconsejable que le des mucha leche a una persona que sufre de envenenamiento *(poisoning)*.

(C) F 4. Si una persona sufre un ataque cardíaco, se recomienda que, antes que nada, le des un masaje cardíaco.

(C) F 5. En caso de dosis excesiva de alguna medicina, te recomendamos que llames inmediatamente al departamento de toxicología del hospital más cercano.

**C.** **¿Qué debo hacer?** Pregúntale a tu compañero(a), que es un(a) experto(a) en protección civil, lo que debes hacer en estos casos de emergencia.

EP 10.1, 10.2

**MODELO** una persona está inconsciente: proporcionar los primeros auxilios / inmediato

Tú: **¿Qué me recomiendas si una persona está inconsciente?**

Compañero(a): **Te recomiendo que le proporciones los primeros auxilios inmediatamente.**

1. una persona es víctima de un choque *(shock)* eléctrico: verificar si la víctima respira / normal
2. una persona sufre de ataque cardíaco: llamar al servicio de emergencia / urgente
3. una persona se está ahogando *(drowning)*: sacarla del agua y empezar a administrarle respiración artificial / rápido
4. una persona sufre de lesiones en la cabeza: observar si hay hemorragia / cuidadoso
5. una persona es víctima de envenenamiento y está inconsciente: llamar al departamento de toxicología del hospital más cercano y hablar / lento y claro

**D. En caso de emergencia.** Estas situaciones representan varios tipos de emergencias. Con un(a) compañero(a), tomen turnos para dar recomendaciones sobre lo que se debe hacer y en qué orden se deben hacer en caso de emergencia.

**Vocabulario útil**

| | | |
|---|---|---|
| llamar a... | dar respiración artificial | cubrir al lastimado con una manta |
| servicios de urgencia | mantener la calma | verificar si la víctima respira |
| los bomberos | lanzar una cuerda o salvavidas | proporcionar un masaje cardíaco |
| ambulancia | pedir ayuda | no mover al lastimado |

ahogarse

sufrir un ataque cardíaco

caerse

sufrir un choque eléctrico

envenenarse

incendio

huracán

beber demasiado

## Y ahora, ¿por qué no conversamos?

**E. Incendio.** Recomiéndale a tu compañero(a) en qué orden y cómo debe hacerse lo siguiente si hay un incendio. Luego tu compañero(a) te va a decir qué se debe hacer y no hacer en caso de un terremoto.

MODELO **Primero te sugiero que llames a los bomberos inmediatamente. Segundo...**

1. poner una toalla *(towel)* húmeda debajo de la puerta / rápido
2. ayudar a otras personas / cortés
3. caminar por el pasillo *(hall)* / lento
4. ver si la puerta está caliente / cuidadoso
5. buscar la salida más cercana / tranquilo
6. llamar a los bomberos / inmediato

**F. ¡Luces! ¡Cámara! ¡Acción!** Tú y otros(as) tres compañeros(as) acaban de completar un curso de prevención ante distintas emergencias y quieren mostrar a sus instructores que están preparados. Uno hace el papel de víctima, otro de ayudante y los otros dos de instructores que dan consejos adicionales sobre cómo reaccionar. Los instructores van a inventar una posible situación. Dramaticen la situación delante de la clase.

**G. ¡Nuestra comunidad!** En tu universidad o comunidad, entrevista a una persona hispana, preferiblemente nicaragüense, y pregúntale si recuerda algún desastre natural, si él o ella se vio afectado(a) por ese desastre y qué medidas de información y de prevención ante esos desastres se toman en su país.

## Capítulo 9

**Repasemos.** En el Capítulo 9 aprendiste a hablar del tiempo y de cómo el clima te afecta. Aprendiste también a hablar de tus costumbres y tu rutina diaria, así como pedir y dar instrucciones sobre cómo llegar a los lugares. Finalmente, aprendiste a describir un fin de semana típico. Repasa lo que sabes, completando el siguiente texto con las palabras necesarias.

Tu AMIGO(A): ¡Qué _____ [20°F] hace hoy!

Tú: Sí, yo _____ [**ser/estar**] congelado(a).

Tu AMIGO(A): Este clima no es normal _____ [**por/para**] mayo, ¿no?

Tú: Sí, es que con el cambio climático, el clima _____ [**ser/estar**] un poco loco.

Tu AMIGO(A): Si quieres podemos _____ [**sentarse**] ahí, al sol.

Tú: Sí, es buena idea. _____ [**Traer/tú** *command*] los libros y podemos estudiar _____ [**por/para**] el examen de español.

Tu AMIGO(A): _____ [**pensar/tú** *command*] que la semana próxima vamos a estar en Argentina, con ese clima tan bueno.

Tú: Pues no _____ [**saber/conocer**], porque allí ahora es _____ [*season*].

Tu AMIGO(A): _____ [**Ser/tú** *command*] positivo(a) y _____ [**considerar/tú** *command*] lo bien que lo vamos a pasar.

# Saber comprender  CD3, Track 18

### Estrategias para escuchar: escuchar «de abajo hacia arriba»

*In **Capítulo 9** you learned that listening is easier when you know something about the subject. However, this is often not the case. When you know nothing about what you are listening to, it is helpful and sometimes necessary to listen for grammatical and linguistic structures that you already know. For example, listening to verb endings can tell you not only who is carrying out the action, but when it is occurring. Listening for adverbs derived from adjectives can tell you how the action is carried out. This method is known as listening «from the bottom up.»*

**Escuchar «de abajo hacia arriba».** Escucha este noticiero especial de Radio Managua. Luego, con un(a) compañero(a), hagan una lista de por lo menos cuatro cosas que ocurrieron y expliquen con un adverbio o en breves palabras cómo ocurrió cada cosa.

### Ahora, ¡a escuchar!

Completa estas oraciones, según lo que se escuchó en el noticiero.

1. Los bomberos sofocaron...
2. El fuego se debió al hecho de que...
3. La policía respondió...
4. El ataque no resultó...
5. Los equipos médicos lograron...

# Nicaragua: de la realidad a la esperanza

### Antes de empezar, dime...

1. ¿Cuál es el origen del nombre de los Estados Unidos?
2. ¿Qué tipo de desastres naturales ocurren en los Estados Unidos?
3. ¿Cuáles son algunos de los más recientes? ¿De los más destructivos?
4. ¿Por qué sigue viviendo la gente en esos sitios?

**NICARAGUA**

**Nombre oficial**
República de Nicaragua

**Capital**
Managua

**Población**
5.785.846 (julio 2008 est.)

**Unidad monetaria**
córdoba oro

**Índice de longevidad**
71,2 años

**Alfabetismo**
67,5 por ciento

Nicaragua recibió su nombre del cacique Nicarao, jefe indígena de la tribu que en época precolombina pobló las orillas del Cocibolca, el actual lago de Nicaragua (3000 kms$^2$). Se trata del país más grande de América Central y, con Belice, el menos poblado, con casi 6.000.000 de habitantes.

Nicaragua ofrece una gran variedad de rutas para explorar su belleza natural. La ruta colonial nos lleva a explorar las ciudades de León y Granada. León, al igual que la famosa ciudad de Pompeya en la antigua Roma, fue enterrada en 1614 por el volcán Momotombo. Esta ciudad fue transladada posteriormente al lugar que ocupa hoy en día. La ruta de la abundante agua nos lleva a nadar y disfrutar del clima y a descubrir los lagos, ríos y misteriosas lagunas en los cráteres de los volcanes, además de las playas de la costa del Pacífico y Atlántico. Para los turistas más aventureros existe la ruta del fuego que nos transporta a explorar

exuberantes volcanes, algunos todavía activos, que bordean la costa del Pacífico. Poder subir hasta la punta del cráter o divisar la naturaleza en todo su esplendor es llevarse memorias inolvidables de Nicaragua. Para los amantes de la naturaleza, la ruta del café nos envuelve en sus majestuosas zonas cafetaleras de Matagalpa y Jinoteca.

La gran mayoría de la población nicaragüense es mestiza, con un sector en la costa del Atlántico de herencia africana. La población indígena predominante es la de los indígenas misquitos. El 60% de la población de Nicaragua tiene menos de 17 años.

Nicaragua ocupa una de las zonas más geológicamente inestables y jóvenes de la tierra, el istmo centroamericano: una gran depresión de casi 600 kms que separa América del Norte y América del Sur.

Nicaragua está también llena de volcanes, de tal modo que un día despejado es posible ver entre veinte y veinticinco volcanes desde el centro de la capital, Managua. A solo dieciséis kilómetros de Managua se halla el cráter del volcán Xiloá, con un hermoso lago donde se puede nadar, pescar y dar un paseo en bote.

---

**Datos interesantísimos sobre Nicaragua**

- El lago de Nicaragua mide 92 millas de largo por 34 millas de ancho. Hay 302 isletas en el lago.
- Managua, la capital, fue casi totalmente destruida por un terremoto en 1972.
- León es considerada «la capital intelectual» de Nicaragua. Su catedral es la más grande de toda Centroamérica.
- Granada, una hermosa ciudad colonial, es la ciudad más antigua de toda Centroamérica.
- En 2006, Presidente Enrique Bolaños anunció un plan para construir un nuevo canal entre el océano Pacífico y el océano Atlántico. Se proyecta completarlo para el año 2018.
- Violeta Barrios de Chamorro, Presidenta de Nicaragua de 1990 a 1996, fue la primera mujer elegida presidenta democráticamente en el mundo hispanohablante.

---

**⚓ Por el ciberespacio... a Nicaragua**

If you are a cyberspace surfer, try entering one of the following keywords to get to know some of the fascinating sites of **Nicaragua:**

*Lago de Nicaragua*
*Terremotos de Nicaragua*
*Geografía de Nicaragua*

To learn more about Nicaragua, go to the *¡Dímelo tú!* website at academic. cengage.com/spanish/dimelotu

---

## Y ahora, dime...

Con un(a) compañero(a), preparen dos listas: una con los atractivos de Nicaragua que descubrieron en este capítulo (pueden repasar también los Pasos 2 y 3) y otra con los inconvenientes naturales que tiene Nicaragua, según esta lectura.

# ¡Qué hermosa la vida... en Solentiname!

## TAREA

Antes de empezar este *Paso*, estudia la lista de vocabulario de las páginas 350–351 y escucha el corte 22 de tu Text Audio CD3. Luego estudia *En preparación*.

1er día    10.3 Irregular verbs in the preterite, páginas 354–355

2do día    10.4 Negative and indefinite expressions, páginas 355–356

Haz por escrito los ejercicios de *¡A practicar!* correspondientes.

## ¿Eres buen observador?

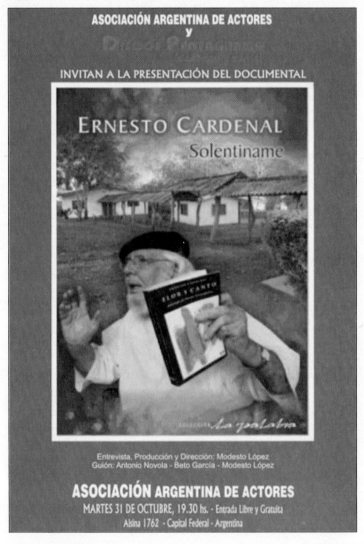

## Ahora, ¡a analizar!

1. ¿Qué evento anuncia este póster?
2. ¿Cuándo tuvo lugar este evento? ¿A qué hora fue?
3. ¿Dónde tuvo lugar? ¿En qué ciudad?
4. ¿Quién lo organizó?
5. ¿Cuánto costaron los boletos de entrada?
6. ¿Qué anticipas que se va a tratar en este documental?

🎵 *¡Dímelo tú! Playlist* Escucha: «El Cristo de Palacagüina» de Carlos Mejía Godoy

# ¿Qué se dice...?

## Al describir lo que ocurrió

Querida Isabel:

Cuando llegamos al archipiélago de Solentiname en el lago de Nicaragua, encontramos un paraíso formado por 36 isletas. ¡Nos quedamos impresionados! Cuando Santiago y yo caminamos un poco por la isla nos sentimos libres del estrés y las preocupaciones de nuestra vida diaria. Jamás nos sentimos tan cómodos y tan relajados como aquí. A propósito, el nombre Solentiname viene de una palabra náhuatl que significa «lugar de muchos huéspedes» o «lugar de hospedaje».

Solentiname es uno de los lugares más atractivos de Nicaragua. La naturaleza se conserva en su estado primitivo, y muchos de sus habitantes son pintores, artesanos y escultores.

Pero deja contarte un poco la historia de Solentiname. En 1966, Ernesto Cardenal, un sacerdote,

poeta y escultor originario de Granada, Nicaragua, vino a Solentiname y pronto se dejó impresionar por la habilidad artística de los habitantes del archipiélago al tallar la madera de balsa, una madera muy ligera y maleable, y la corteza de jícaro, una fruta de la zona. Tanto se impresionó que en 1967 trajo a su amigo Róger Pérez de la Rocha, un joven pintor de 17 años, y juntos fundaron la escuela de arte primitivista de Solentimane, que pusieron a disposición de todos los habitantes de la isla.

El joven artista supo atraer el interés de los habitantes, e impartió talleres de pintura a niños, jóvenes y ancianos. No solo les enseñó las técnicas de la pintura, sino que también supo ayudarles a valorar y pintar la belleza natural del archipiélago.

Tienes que ver lo hermosas que son las pinturas primitivistas. El arte primitivista normalmente representa la vida diaria e incluye siempre pájaros, reptiles y también peces. Casi siempre pintan montañas y fondos volcánicos, envueltos en maravillosos amaneceres y atardeceres. A veces los cuadros dividen el lienzo en escenas del día y de la noche. En los cuadros primitivistas que yo vi, no hay nada violento ni trágico, y tampoco vi nada importado, solo temas locales.

La familia Arellano es un buen ejemplo de la vida artística de Solentiname: seis miembros de la familia son pintores, siendo los más jóvenes Hazel de 16 años y Julio, de 15. Pudimos disfrutar de sus cuadros en el Museo de las Musas, en la isla Elvis Chavarría. Uno de los cuadros, *Vida Silvestre del Archipiélago de Solentiname,* es el resultado de la colaboración entre todos los miembros de la familia.

Bueno. Te escribo otro día. Tengo que contarte muchas cosas más.

Abrazos,

Mónica

*El Viejo del Monte,* por Rodolfo Arellano

## ¿Sabías que...?

Ernesto Cardenal, poeta, revolucionario y sacerdote nicaragüense participó, desde 1954, en las luchas contra el dictador Anastasio Somoza García. Residió durante un tiempo en un monasterio de Kentucky en los Estados Unidos, bajo la dirección espiritual de Thomas Merton. A su regreso a Nicaragua fundó una comunidad en la isla de Solentiname. Algunos miembros de su comunidad de Solentiname participaron en la lucha contra Somoza, y este destruyó la comunidad y obligó a Ernesto Cardenal a huir a Costa Rica. Tras la caída del dictador Somoza, Ernesto Cardenal regresó a Nicaragua y fue nombrado ministro de cultura del gobierno sandinista, cargo que ocupó por casi diez años. También participó de la teología de la liberación, y junto a los habitantes de Solentiname escribió el Evangelio en Solentiname. Una imagen que se hizo famosa fue la de Ernesto Cardenal recibiendo al Papa Juan Pablo II en el aeropuerto de Managua. Allí, el Papa riñó a Ernesto Cardenal por su liderazgo en la teología de la liberación y su implicación en la política, a pocos metros del avión y a la vista de todo (literalmente todo) el mundo.

**En tu opinión:** ¿Es positivo o negativo que un sacerdote sea también poeta? ¿Político? ¿Revolucionario? ¿Por qué?

## Ahora, ¡a hablar!

EP 10.3

**A. Pintura primitivista.** Combina las frases de las columnas para escribir cinco oraciones sobre la información de *¿Qué se dice... ?*

| | | |
|---|---|---|
| 1. La pintura primitivista nunca | trajo | pintores primitivistas. |
| 2. Ernesto Cardenal | se hicieron | a la isla a Róger Pérez de la Rocha. |
| 3. Somoza | destruyó | temas de las ciudades o de otros lugares. |
| 4. La llegada de Ernesto y Róger | pinta | que los habitantes se interesaran por la pintura. |
| 5. Algunas familias enteras | hizo | los edificios de la comunidad de Solentiname. |

EP 10.3

**B. Maravillosas islas.** Ahora son Santiago y Mónica quienes narran lo que más les gustó de su estancia en Nicaragua. ¿Qué dicen?

1. En Managua Santiago y yo (tener) la oportunidad de asistir a una obra en el Teatro Nacional Rubén Darío.
2. Nuestro guía turístico (traernos) café con leche para tomar en el bus.
3. También nosotros (querer) visitar el Parque Nacional Volcán Masaya, en las afueras de Managua.
4. A nosotros (producirnos) gran placer disfrutar de las playas de Bluefields.
5. En nuestra visita a Masaya (haber) cosas muy bonitas: mucho folklore y muchas actuaciones de teatro.

EP 10.3

**C. ¿Qué hiciste tú?** Santiago y Mónica describieron sus vacaciones en Solentiname, Nicaragua. ¿Qué hicieron tú y tu compañero(a) en sus últimas vacaciones? Hazle estas preguntas y luego tu compañero(a) te va a hacer las mismas preguntas a ti.

1. ¿Adónde fuiste en tus últimas vacaciones? ¿Con quién fuiste?
2. ¿Cuánto tiempo estuvieron allí?
3. ¿Tuviste que hacer reservaciones o pudiste conseguir un cuarto sin reservaciones?
4. ¿Cómo llegaron allí? ¿Volaron o condujeron?
5. ¿Hubo algún tipo de incidente? Si así es, descríbelo.
6. ¿Te pudiste comunicar sin problemas con tu familia o tuviste que esperar que ellos llamaran?

**D. Servicio de urgencia.** ¿Qué dice este miembro de un equipo de urgencia y qué le contesta la persona con quien habla al llegar a un barrio destruido por un tornado? Tú vas a hacer las preguntas y tu compañero(a) va a contestarlas usando expresiones negativas e indefinidas.

EP 10.4

MODELO      haber / en esta casa: no

Tú: **¿Hay alguien en esta casa?**

Compañero(a): **No, no hay nadie aquí.**

1. estar / seguro(a) que no quedar / persona en el interior: sí
2. cerrar / todas las llaves de paso: no
3. ver / indicio de incendio: no
4. oír / pidiendo auxilio: no
5. estar / tornado / vez: no

**E. ¡Qué accidente!** Tu compañero(a) y tú observaron este accidente y ahora están redactando para el periódico de la universidad todos los detalles de lo que ocurrió. Escriban un reporte en el que incluyen los datos típicos del artículo periodístico: qué, quién, cómo, cuándo, dónde, por qué, si hubo víctimas, en qué estado se encuentran las víctimas, y todo lo demás.

EP 10.3, 10.4

**Vocabulario útil**

| | | |
|---|---|---|
| accidente | chocar | oxígeno |
| ambulancia | grúa | primeros auxilios |
| bomberos | lastimados | servicio de urgencia |

## Y ahora, ¿por qué no conversamos?

**F. ¡Qué susto pasamos!** Todos hemos tenido experiencias fuera de lo normal durante un desastre natural, unas vacaciones, un viaje... ¿Cuál fue tu experiencia? Cuéntasela a tu compañero(a) que va tomar nota. Luego, él (ella) te contará su experiencia mientras tú tomas nota. Compartan con la clase la experiencia de su compañero(a) y voten para decidir cuál de las historias resulta la más extraña de todas las de la clase.

**G. ¡Luces! ¡Cámara! ¡Acción!** En este momento está ocurriendo o ha ocurrido un desastre natural o un accidente. Sin decir qué fue lo que ocurrió, preparen la situación entre cuatro o cinco estudiantes, y represéntenla delante de la clase. Observen las reacciones de las distintas personas. La clase tiene que adivinar qué pasó y juzgar si las acciones de todos fueron las correctas, y si no, corregirlas.

# ¡Escríbelo!

## Estrategias para escribir: decidir qué información presentar

*Una composición es un trabajo escrito que requiere tres pasos principales:*

*1. decidir qué información presentar sobre el tema,*

*2. conseguir esa información y*

*3. comunicar la información por escrito de una manera clara y organizada.*

*Para decidir qué información presentar, es necesario pensar en las preguntas específicas sobre el tema que quieres que tu composición conteste. Ya habiendo decidido qué información quieres incluir, tendrás que conseguir la información necesaria usando varias fuentes: el Internet, entrevistas a personas nativo hablantes, libros de referencia como una enciclopedia, revistas, periódicos, etcétera. Para comunicar la información de una manera clara y organizada deben seguir el proceso de redacción que ya han usado en los trabajos escritos desde el principio.*

**Decidir qué información presentar.** Al escribir una composición, es importante empezar por proponerte preguntas específicas que quieres que tu composición conteste. A continuación están las preguntas que los autores del *Noticiero cultural* del *Paso 1*, «Nicaragua: de la realidad a la esperanza», se propusieron contestar. ¿Las contestaron todas? Si no, ¿cuáles no y por qué crees que no las contestaron todas?

1. ¿Dónde está? ¿Cuál es el origen de su nombre?
2. ¿Cómo es su clima y geografía?
3. ¿Qué bellezas naturales puedes encontrar al visitar este país?
4. ¿Cómo es su gente?
5. ¿Cómo es la artesanía que se produce y vende?

## Ahora, ¡a escribir!

A. **En preparación.** La secretaría de turismo de Nicaragua ha anunciado un concurso para ver quién puede desarrollar una promoción de Nicaragua tipo folleto o «brochure» que se pueda usar para inspirar a estudiantes universitarios estadounidenses a visitar Nicaragua. La secretaría sugiere que titulen su folleto «¡Visite Nicaragua!». En preparación para escribir su brochure, piensen en los temas que quieren presentar y en las preguntas específicas que quieren contestar. Su folleto puede tratar un solo tema, como por ejemplo, presentar la ciudad de León o Granada, un nicaragüense famoso o puede ser un tema más general como la belleza natural de Nicaragua o la artesanía del país. Tú y dos compañeros(as) han decidido colaborar para desarrollar un folleto. Empiecen por preparar preguntas apropiadas al tema que su brochure debe desarrollar. Si necesitan ayuda, miren como guía las preguntas que contesta la composición del *Noticiero cultural* y las que se pueden deducir de ¿*Sabías que...*? y de ¿*Qué se dice...*? Pueden usar una variedad de fuentes para encontrar la información necesaria para contestar sus preguntas sobre el tema. Se recomienda que incluyan fotografías, dibujos, gráficas o promociones de vacaciones para hacer su folleto más interesante.

B. **El primer borrador.** Cada miembro del grupo es responsable de encontrar información sobre una sección específica de su folleto y traerla por escrito a clase para discutirla y mejorarla junto con sus compañeros(as). Usen la información que prepararon en **A** para escribir un primer borrador como parte del grupo. Pongan toda la información relacionada con la misma pregunta en un párrafo. En grupo, preparen una introducción pequeña para su folleto que capte todo lo que se encuentra en su folleto.

C. **Ahora, a compartir.** Ahora con su grupo ustedes son responsables de pulir el primer borrador entre sus compañeros(as). Comenten sobre el título, el contenido y el estilo de cada sección de su folleto y escuchen los comentarios de sus compañeros sobre su sección. Si hay errores de ortografía o de gramática, corríjanlos.

D. **La versión final.** Prepara una versión final de su folleto con fotos y/o dibujos y entrégalo.

# Nos hablaron de... ¡la poesía nicaragüense!

## ¿Eres buen observador?

### Estuvieron en Nicaragua y lo pasaron fenomenal.
### ¿Quieres saber 20 cosas que hicieron?

1. Visitaron la catedral de León y sus 17 iglesias coloniales.
2. Recorrieron las ruinas de León Viejo.
3. Visitaron el Santuario de la Inmaculada Concepción (El Viejo Chinandega).
4. Hicieron ecoturismo en el volcán Cosigüina (Chinandega).
5. Sintieron la emoción de subir al volcán Momotombo.
6. Hicieron surfing en la Laguna de Xiloa.
7. Visitaron Diriamba, cuna del Güegüense, y degustaron el Mondongo de Masatepe.
8. Bucearon en la Laguna de Apoyo (Masaya).
9. Se divirtieron al comprar artesanía en los Pueblos Blancos: Catarina, San Juan de Oriente, Diriá y Diriombo.
10. Durmieron en Masaya y asistieron a los Jueves de Verbenas en el Mercado de Artesanías.
11. Consiguieron ascender al cráter del volcán Masaya.
12. Recorrieron en coche la Ciudad Colonial de Granada, la más antigua de América Latina en tierra firme.
13. Disfrutaron de la Bahía de San Juan del Sur y sus playas vírgenes.
14. Hicieron ecoturismo en río San Juan y descansaron un fin de semana en Solentiname.
15. Visitaron en Managua las Huellas de Acahualinca, el Teatro Rubén Darío, el Palacio de la Cultura, las Ruinas de la Catedral y la Catedral nueva.
16. Ascendieron hasta la Peña de la Cruz en Jinotega.
17. Siguieron senderos excitantes al visitar el Salto de la Estanzuela, la Reserva Tisey y la Laguna de Miraflor en Estelí.
18. Se zambulleron en las aguas termales de Boaco.
19. Navegaron por el río Escondido, de Ciudad Rama hasta Bluefields.
20. Sintieron la frescura y la suavidad de las arenas blancas de Corn Island en el Caribe Sur Nicaragüense.

Instituto Nicaragüense de Turismo INTUR        www.visitanicaragua.com
Centro de Información Turística
Managa, Nicaragua

## Ahora, ¡a analizar!

Indica si estas personas hicieron o no lo que se dice a continuación.

1. Sí____ No____ Hicieron ecoturismo en varios lugares de Nicaragua.
2. Sí____ No____ Hicieron deportes acuáticos.
3. Sí____ No____ No visitaron ningún edificio famoso.
4. Sí____ No____ No subieron a ningún volcán.
5. Sí____ No____ Adquirieron artesanía en al menos dos ciudades distintas.

# ¿Qué se dice...?  CD3, Track 20

## Al hablar de lo que hicieron otros

Querida Isabel,

Fijate que ya empiezo a hablar con el voseo tan típico de Centroamérica. ¡Cualquiera diría que es contagioso!

Bueno, pues te quería contar que ayer, durante nuestro viaje de Managua a Masaya, uno de los guías nos habló de algunos poetas nicaragüenses, y quiero compartir con vos lo que aprendí, porque sé que a vos te encanta la poesía, especialmente por lo que me dijiste de la poesía de Ernesto Cardenal. El guía leyó el poema «Oración por Marilyn Monroe» y la verdad es que me emocioné mucho. Te recomiendo que lo leás.

Pues mirá, el guía nos habló de Rubén Darío, un poeta del siglo diecinueve y principios del veinte, que sintió el llamado a la poesía desde muy niño. También dijo que Darío publicó sus primeros poemas con solo doce años. ¡Imaginate! Y ya de adulto, Darío llegó a ser conocido como el máximo exponente del movimiento literario llamado modernismo —una literaria que se caracteriza por el gusto por lo fantástico, lo exótico, un lenguaje refinado y musical y el uso de los símbolos para evocar emociones. Rubén Darío murió en 1916, pero su poesía sigue siendo muy importante para todos los que hablamos español.

También nos habló de un poeta muy interesante que se llama Joaquín Pasos. Este poeta murió en 1947, con apenas treinta y tres años, pero escribió bastantes poemas muy vanguardistas. Como Darío, también empezó a escribir desde muy joven, con catorce años, porque sintió la poesía de las calles de Managua, donde vivió temporalmente durante su infancia. Qué querés que te diga... ¡La creatividad de estos nicaragüenses es impresionante! Cuando murió, sus amigos agruparon sus obras y siguieron el plan que el mismo Joaquín diseñó antes de morir: *Poemas de un joven que no ha viajado nunca* (con poemas sobre países que nunca visitó); *Poemas de un joven que no ha amado nunca* (que incluye sus poemas de amor) y *Poemas de un joven que no sabe inglés* (con sus poemas en inglés, que aprendió desde niño sin maestro). ¿Podés creerlo? Fue un genio el tipo. Y a propósito, el guía nos recomendó su poema «Canto de guerra de las cosas».

El guía también nos habló de Gioconda Belli, una poeta nicaragüense que reside en California. Es novelista y poeta. Siguió los estudios de periodismo en los Estados Unidos, y luego regresó a Nicaragua. Durante algunos años formó parte del gobierno sandinista que derrocó al dictador Somoza, pero en 1994 prefirió salir del gobierno por desacuerdos con los sandinistas. Durante esos años siguió escribiendo y consiguió pronto reconocimiento internacional. El guía me recomendó una novela suya muy famosa que se llama *La mujer habitada* y hoy mismo Santiago me la pidió y voy a comprársela por Internet. Estoy deseando leerla. Te la prestaré por si la querés leer.

---

### ¿Sabías que...?

Nicaragua es conocida en Latinoamérica como «la tierra de los poetas». Ser poeta en este país es como ser médico o profesor universitario. Uno de los poetas más reconocidos de las letras hispanas de todos los tiempos es el nicaragüense Rubén Darío (Félix Rubén García-Sarmiento,1867–1916). Fue el líder del movimiento literario hispanoamericano conocido como el modernismo, que floreció hacia principios del siglo XX. Entre sus obras más famosas se cuentan *Azul* (1888) y *Prosas profanas y otros poemas* (1895).

**En tu opinión:** ¿Por qué crees que hay tanto respeto hacia los poetas en Nicaragua? En general, ¿qué se opina de poetas en los Estados Unidos? ¿Se considera una buena profesión? ¿Por qué sí o por qué no? ¿En qué crees que consiste el modernismo? ¿Por qué crees eso?

---

## Ahora, ¡a hablar!

A. **Lo que hicimos.** Vuelve a escribir estas oraciones para recordar lo que se habló en *¿Qué se dice... ?* sobre estos poetas nicaragüenses tan famosos.

    EP 10.5

1. Rubén Darío (sentir) el llamado a la poesía desde muy niño.
2. El modernismo (elegir) la pasión, el arte visual y los ritmos de la música.
3. Joaquín Pasos (morir) con apenas treinta y tres años.
4. Los amigos de Joaquín Pasos (seguir) el plan establecido por Joaquín para sus obras.
5. Gioconda Belli, en 1994, (preferir) salir del gobierno por divergencias con los sandinistas.
6. Gioconda Belli (conseguir) pronto reconocimiento internacional.

**B. ¡Qué día!** Ayer un amigo tuyo tuvo un día fatal. Cuéntale a tu compañero(a) lo que le pasó. Luego tu compañero(a) te va a contar lo que le pasó a su amigo.

**MODELO** En primer lugar, no / (seguir) mis consejos.
**En primer lugar, no siguió mis consejos.**

1. Le (pedir) dinero prestado a su papá.
2. Le (mentir) diciendo que lo necesitaba para comprar libros para sus clases.
3. Luego (sentirse) mal por haber mentido.
4. En lugar de decir la verdad, (preferir) seguir con la mentira.
5. A continuación (entrar) en un restaurante y (pedir) la langosta más cara del menú.
6. El mesero se la (servir) con una botella de vino chileno Carménère.
7. Su padre (saberlo) todo y (preferir) no decir nada hasta por la noche.

**C. Las cosas de la vida.** Con tu compañero(a), hablen de las cosas interesantes de su vida. Hazle preguntas a partir de estos hechos. Recuerda las palabras que puedes usar para preguntar: qué, cuándo, cómo, dónde, por qué, a quién, con quién.

conseguir el primer empleo
pedir a un chico o una chica salir con él o ella
vestirse con traje formal
reírse en una situación un poco inapropiada
morirse su mascota favorita
despedirse de su mejor amigo para venir a la universidad
seguir el ejemplo de un héroe o persona importante

**D. Mi actor/actriz favorito(a).** ¿Conoces al actor de origen nicaragüense José Solano? Con un(a) compañero(a), hablen de él y luego hablen de sus actores favoritos. Mencionen qué premios recibieron, por qué lo consiguieron, si se divirtieron haciéndolo, etcétera.

José Solano

## Y ahora, ¿por qué no conversamos?

**E. Extraño.** ¿De vez en cuando haces algo totalmente fuera de lo normal? Comparte estos momentos con tus compañeros(as) en grupos de tres o cuatro.

**MODELO** dormir... horas
**Generalmente duermo ocho horas, pero un día dormí quince horas porque...**

1. mentir
2. pedir dinero
3. reírse en clase
4. seguir a una persona
5. tener mucho miedo
6. vestirse de manera extravagante
7. ¿...?

**F. ¡Luces! ¡Cámara! ¡Acción!** Tú y tu amigo(a) están hablando de su escritor (cuentista, novelista, poeta) favorito. Cada uno trata de impresionar al otro con lo mucho que saben de la vida de su escritor favorito. Dramaticen la conversación y la clase va a decir cuál de los dos conoce mejor a las personas que describen.

# Saber comprender

## Estrategias para ver y escuchar: ver y escuchar «de abajo hacia arriba»

*In **Paso 1** of this chapter, you learned that listening "from the bottom up," or listening for grammatical and linguistic structures that you already know, can greatly help comprehension when you know nothing about the material you are listening to. You learned, for example, that listening to verb endings can tell you not only who is carrying out the action, but when it is occurring. Listening for adjectives can tell you what people or things are like.*

**Ver y escuchar «de abajo hacia arriba».** Practica el escuchar los adjetivos al ver el video. Presta atención especial a la descripción de los lugares y personas que aparecen en la segunda columna. Luego, indica qué adjetivo de la primera columna se usa para describir cada lugar o persona.

| | |
|---|---|
| 1. colonial | a. Rubén Darío |
| 2. nicaragüense | b. centro |
| 3. intelectual | c. catedral |
| 4. grande | d. calles |

# Nicaragua, ¡en la búsqueda de un futuro mejor!

## Al ver el video

Mira el video y al ver y escuchar la parte sobre la ciudad de León, presta atención especial a la descripción de Rubén Darío, el centro de la ciudad, la catedral y las calles para poder indicar qué adjetivos se usaron en cada descripción.

Fuente frente al Teatro Nacional Rubén Darío

## Después de ver el video

Ahora mira todo el video sobre Nicaragua y, según lo que ves, explica la relación que hay entre lo siguiente.

1. caballos / carros
2. León / Rubén Darío
3. la catedral metropolitana de León / Latinoamérica
4. el mercado de León / la iguana
5. Managua / tráfico
6. estatuas / guerra civil nicaragüense
7. al anochecer / la diversión en Managua

# El rincón de los lectores

## Estrategias para leer: versos y estrofas

*En el Capítulo 3 aprendiste que un verso es una línea de un poema y una estrofa es una agrupación de versos dentro de un poema. También aprendiste que un verso puede ser una oración completa, tanto como lo puede ser una estrofa. En algunos poemas, una oración puede ocupar varios versos y hasta varias estrofas.*

**Versos y estrofas.** Contesta estas preguntas sobre los versos y estrofas en este poema de Gioconda Belli.

1. ¿Cuántos versos tiene el poema «¿Qué sos Nicaragua?»?
2. ¿Cuántas estrofas tiene el poema?
3. ¿Cuántos versos hay en cada estrofa?
4. ¿Hay versos en «¿Qué sos Nicaragua?» que forman una oración completa? Explica.
5. ¿Hay estrofas que forman una oración completa? Explica.
6. ¿Cuántas oraciones completas hay en el poema? ¿Cuáles son?

**Pistas de contexto.** Practica usando las técnicas que ya sabes para reconocer las pistas de contexto en este poema. Busca las palabras de la columna A en la lectura y estudia el contexto de las oraciones donde las encuentres. Luego selecciona según el contexto las palabras de la columna B que tienen el mismo significado de cada palabra de la columna A.

| A | B |
|---|---|
| 1. pulidas | a. que tienen punta |
| 2. pisadas | b. mano cerrada |
| 3. pechos | c. voz muy alta algo esforzada |
| 4. puntudos | d. huellas de los pies |
| 5. gritos | e. partes del cuerpo femenino |
| 6. puño | f. suaves |

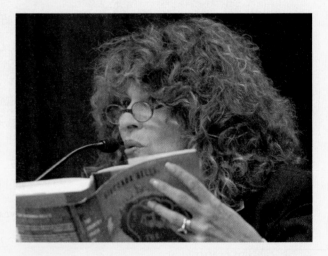

## La autora

**Gioconda Belli** (Managua, 1948), poeta, ensayista y narradora, participó activamente en la lucha contra la dictadura de Somoza. Tuvo que exiliarse en 1975 a Costa Rica y regresó a Nicaragua después del triunfo revolucionario en 1979. Participó en el gobierno del Frente Sandinista de Liberación Nacional (FSLN), hasta que en 1986 decidió dedicar todo su tiempo a su trabajo como escritora. Posteriormente, en 1994, descontenta con el FSLN como partido, lo abandonó. Actualmente vive en Santa Mónica, California. Su obra literaria incluye «Sobre la grama» (1974), «Línea de fuego» (1978), «Truenos y arcoiris» (1982), «De la costilla de Eva» (1986) y «Apogeo» (1997), las novelas *La mujer habitada* publicada en los Estados Unidos como *The Inhabited Woman* (1988) y *Sofía de los presagios* (1990), sus memorias, *El país bajo mi piel* (2003), y un libro sobre Juana la Loca, *El pergamino de la seducción* (2006). En 2008 publicó su novela *El infinito en la palma de la mano.*

## Lectura

# ¿Qué sos° Nicaragua?     *eres*

¿Qué sos
sino un triangulito de tierra
perdido en la mitad del mundo?

¿Qué sos
sino un vuelo de pájaros
guardabarrancos°     *el ave nacional de Nicaragua*
cenzontles°     *mockingbirds*
colibríes°?     *hummingbirds*

¿Qué sos
sino un ruido de ríos
llevándose las piedras **pulidas** y brillantes
dejando **pisadas** de agua por los montes?

¿Qué sos
sino **pechos** de mujer hechos de tierra,
lisos°, **puntudos** y amenazantes°?     *smooth;* que hacen sentir miedo

¿Qué sos
sino cantar de hojas en árboles gigantes
verdes, enmarañados° y llenos de palomas?     sin orden

¿Qué sos
sino dolor y polvo° y **gritos** en la tarde,     *dust*
«gritos de mujeres, como de parto°»?     *in childbirth*

¿Qué sos
sino **puño** crispado y bala en boca°?     *bullet ready to be used*

¿Qué sos, Nicaragua
para dolerme tanto?

## A ver si comprendiste

1. ¿Cómo define el poema a Nicaragua?
2. Relaciona ambas columnas por medio de las imágenes o metáforas que se transmiten en el poema.

   A. pisadas de agua por los montes      1. volcanes
   B. pechos de mujer hechos de tierra      2. lagos
   C. dolor y polvo y gritos en la tarde      3. guerra
   D. puño crispado y bala en boca      4. viento
   E. cantar de hojas en árboles gigantes      5. violencia

3. ¿Por qué crees que las opiniones de la poeta son tan fuertes?
4. Explica el título de este poema.

# Vocabulario

## Paso 1 CD3, Track 21

### Desastres naturales
| | |
|---|---|
| **desastre natural** *(m.)* | natural disaster |
| **erupción de volcán** *(f.)* | volcanic eruption |
| **incendios forestales** *(m. pl.)* | forest fires |
| **huracán** *(m.)* | hurricane |
| **maremoto** | tsunami |
| **tornado** | tornado |
| **zona sísmica** | earthquake zone |

### Emergencias
| | |
|---|---|
| **ambulancia** | ambulance |
| **ahogarse** | to drown |
| **ataque cardíaco** *(m.)* | heart attack |
| **caerse** | to fall down |
| **choque eléctrico** *(m.)* | electric shock |
| **emergencia** | emergency |
| **envenenamiento** | poisoning |
| **hemorragia** | hemorrhage |
| **lesión** *(f.)* | injury |
| **riesgo** | hazzard |
| **sofocar** | to smother, to put out |

### Víctimas
| | |
|---|---|
| **herido(a)** | wounded or injured person |
| **inconsciente** | unconscious |
| **lastimado(a)** | injured person |

### Tratamientos
| | |
|---|---|
| **botiquín de primeros auxilios** *(m.)* | first aid kit |
| **dosis** *(f.)* | dosage |
| **masaje cardíaco** *(m.)* | cardiac massage |
| **medicina** | medicine |

### Servicios de urgencia
| | |
|---|---|
| **autoridad** *(f.)* | authority |
| **Cruz Roja** | Red Cross |
| **cuerda** | rope |
| **extintor de incendios** *(m.)* | fire extinguisher |
| **mantener la calma** | to stay calm |
| **primeros auxilios** *(m. pl.)* | first aid |

| | |
|---|---|
| **reanimar** | to revive |
| **respiración artificial** *(f.)* | artificial respiration |
| **respirar** | to breathe |
| **salvavidas** *(f. pl.)* | life preserver |
| **servicios de emergencia/ urgencia** *(m. pl.)* | emergency services |
| **toxicología** | toxicology |

### Casa
| | |
|---|---|
| **escalera** | ladder; stairs, staircase |
| **estufa de gas** | gas stove |
| **fósforos** *(m. pl.)* | matches |
| **paquete** *(m.)* | package |
| **pasillo** | hall, hallway |
| **suelo** | floor |
| **toalla** | towel |
| **vecino(a)** | neighbor |

### Descripción
| | |
|---|---|
| **aconsejable** | advisable |
| **alerto(a)** | alert |
| **alto(a)** | high |
| **amenaza** | threat |
| **bajo(a)** | low |
| **de sol a sol** | from dawn to dusk |
| **destructivo(a)** | destructive |
| **elevado(a)** | elevated |
| **en caso de** | in case of |
| **encendido(a)** | lit up |
| **excesivo(a)** | excessive |
| **húmedo(a)** | wet, humid |
| **lento(a)** | slow |
| **mediano(a)** | medium |
| **peligro** | danger |
| **reciente** | recent |
| **salvo** | except |

### Números ordinales
| | |
|---|---|
| **primer(o)** | first |
| **segundo** | second |
| **tercer(o)** | third |
| **cuarto** | fourth |
| **quinto** | fifth |
| **sexto** | sixth |
| **séptimo** | seventh |
| **octavo** | eighth |
| **noveno** | ninth |
| **décimo** | tenth |

### Verbos
| | |
|---|---|
| **aconsejar** | to advise |
| **cubrir** | to cover |
| **insistir (en)** | to insist |
| **lanzar** | to throw, to hurl |
| **morirse** | to die |
| **observar** | to observe |
| **proporcionar** | to provide |
| **quedarse** | to stay, to remain |
| **reunirse** | to get together, to reunite |
| **romperse** | to break, to shatter |
| **sugerir** | to suggest |
| **verificar** | to verify |

## Paso 2 CD3, Track 22

### Accidente automovilístico
| | |
|---|---|
| **carro** | car |
| **chocar** | to crash |
| **chofer** *(m. f.)* | chauffeur |
| **conducir** | to drive |
| **culpa** | fault |
| **grúa** | wreaker, tow truck |
| **oxígeno** | oxygen |
| **pegar** | to hit |
| **peligro** | danger |
| **tener la culpa** | to be at fault, to be to blame |

### Descripción
| | |
|---|---|
| **afueras** | suburbs, outskirts |
| **entero(a)** | whole, entire |
| **extraño(a)** | strange |
| **indicio** | indication, sign |
| **interior** *(m.)* | interior |
| **sospechoso(a)** | suspicious |
| **turístico(a)** | tourist |

### Viajar
| | |
|---|---|
| **destinación** *(f.)* | destination |
| **llegada** | arrival |
| **placer** *(m.)* | pleasure |
| **reservación** *(f.)* | reservation |

### Expresiones indefinidas
| | |
|---|---|
| **alguien** | someone, anyone |
| **alguna vez** | sometime, ever |
| **alguno** | some, any |
| **o... o** | either . . . or |

## Expresiones negativas

| | |
|---|---|
| jamás | *never* |
| ni... ni | *neither . . . nor* |
| ninguno(a) | *none, not any* |

## Verbos

| | |
|---|---|
| andar | *to walk* |
| anticipar | *to anticipate* |
| anunciar | *to announce* |
| estar seguro(a) | *to be sure* |
| evitar | *to avoid* |
| haber *(aux. verb)* | *to have* |
| notar | *to notice* |
| producir | *to produce* |
| traducir | *to translate* |
| tratar de | *to try* |

## Palabras y expresiones útiles

| | |
|---|---|
| a tiempo | *on time* |
| actuación *(f.)* | *performance* |
| comunidad *(f.)* | *community* |
| guerra | *war* |
| incidente *(m.)* | *incident* |
| llaves de paso *(f. pl.)* | *water valves* |
| objeto | *object* |

| | |
|---|---|
| oportunidad *(f.)* | *opportunity* |
| por suerte | *luckily* |
| primitivista | *primitive or naïve art, characterized by vivid colors and simple figures* |
| si así es | *if so* |

## Paso 3   CD3, Track 23

### Poesía

| | |
|---|---|
| estrofa | *verse* |
| metáfora | *metaphor* |
| oración *(f.)* | *sentence* |
| pasión *(f.)* | *passion* |
| ritmo | *rhythm* |
| verso | *line of a poem* |

### Ladrón

| | |
|---|---|
| billetera | *wallet* |
| documentos de identidad *(m. pl.)* | *identification documents* |
| miedo | *fear* |
| pistola | *gun* |

## Descripción

| | |
|---|---|
| a continuación | *next, following* |
| anochecer | *dusk, nightfall* |
| apenas | *barely* |
| con el pie izquierdo | *on the wrong foot* |
| en lugar de | *in place of* |
| enorme | *enormous* |
| extravagante | *extravagant* |
| intelectual | *intelectual* |

## Verbos

| | |
|---|---|
| consistir | *to consist* |
| definir | *to define* |
| despedirse | *to take leave, to say good-bye* |
| perseguir (i,i) | *to pursue* |
| prestar | *to lend* |

## Palabras útiles

| | |
|---|---|
| caballo | *horse* |
| despertador *(m.)* | *alarm clock* |
| divergencia | *divergence* |
| estatua | *statue* |
| reconocimiento | *recognition* |
| respeto | *respect* |
| sandinistas | *Nicaraguan revolutionary group* |

# En preparación 10

### 10.1 Present subjunctive: Theory and forms

**Giving advice and making recommendations**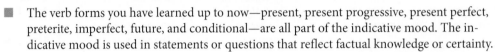

- The verb forms you have learned up to now—present, present progressive, present perfect, preterite, imperfect, future, and conditional—are all part of the indicative mood. The indicative mood is used in statements or questions that reflect factual knowledge or certainty.

- A second system of verb forms, the subjunctive mood, is used for statements or questions that reflect doubt, desire, emotion, or uncertainty. The subjunctive is so named because it is usually *subjoined* or *subservient* to another dominating idea. Because of their subservient nature, the subjunctive tenses normally occur in a secondary or dependent clause (a group of words with a subject and a verb) of a sentence, and are often introduced by **que.** The verb in the main clause is usually in the indicative.

   main clause (indicative) + **que** + dependent clause (subjunctive)
   Mamá quiere **que** ustedes **coman** con nosotros esta noche.

- To form the present subjunctive, personal endings are added to the stem of the **yo** form of the present indicative. The present subjunctive of -**ar** verbs take endings with -**e,** while -**er** and -**ir** verbs take endings with -**a.**

| -ar | preparar | | -er, -ir | correr | asistir |
|-----|----------|---|----------|--------|---------|
| -e | prepare | | -a | corra | asista |
| -es | prepares | | -as | corras | asistas |
| -e | prepare | | -a | corra | asista |
| -emos | preparemos | | -amos | corramos | asistamos |
| -éis | preparéis | | -áis | corráis | asistáis |
| -en | preparen | | -an | corran | asistan |

- Since the personal endings of the present subjunctive are always added to the stem of the **yo** form of the present indicative, verbs that have an irregular stem in the first person (e.g., **conozco, digo, hago, oigo, pongo, salgo, tengo, traigo, vengo, veo**) maintain that irregularity in all forms of the subjunctive.

| tener | venir | conocer | ver |
|-------|-------|---------|-----|
| tenga | venga | conozca | vea |
| tengas | vengas | conozcas | veas |
| tenga | venga | conozca | vea |
| tengamos | vengamos | conozcamos | veamos |
| tengáis | vengáis | conozcáis | veáis |
| tengan | vengan | conozcan | vean |

**Heinle GrammarTutorial:** Subjunctive Part I: Introduction; The Present Subjunctive

### ¡A practicar!

**¡Nunca se sabe!** Cristina, una estudiante de español, está haciendo su tarea de hoy, pero tiene problemas decidiendo si las siguientes frases usan verbos en indicativo o subjuntivo. Para ayudarla, marca los verbos en subjuntivo.

1. Es importante que los nicaragüenses reciban los beneficios de su trabajo.
2. Muchos nicaragüenses no reciben el fruto de su trabajo.
3. Las mujeres de este rancho trabajan de sol a sol.
4. A las mujeres les exijen que trabajen de sol a sol.
5. Nicaragua es una tierra fértil para la agricultura y la poesía.
6. No es justo que, tras muchos años de intervencionismo, nos hayamos olvidado de Nicaragua.

---

«No hay mal que por bien no **venga**». (proverbio)

___ *Out of bad, some good things come.*

___ *Things always turn out to be OK.*

---

## 10.2 Subjunctive with expressions of persuasion

### Persuading

Whenever the verb in the main clause expresses a request, a suggestion, a command, or a judgment, the verb in the dependent clause is expressed in the subjunctive, provided there is a subject change. This is because the action in the dependent clause is nonfactual and yet to occur.

main clause (indicative) + **que** + dependent clause (subjunctive)

| | |
|---|---|
| El médico recomienda | que yo **corra** todos los días. |
| *The doctor recommends* | *that I run every day.* |
| También aconseja | que **comamos** menos carne. |
| *He also advises* | *that we eat less meat.* |
| Insiste en | que yo **deje** de fumar. |
| *He insists* | *that I stop smoking.* |

The following are some frequently used verbs of persuasion.

| | | | |
|---|---|---|---|
| aconsejar | *to advise* | preferir | *to prefer* |
| insistir (en) | *to insist* | recomendar | *to recommend* |
| permitir | *to permit* | sugerir | *to suggest* |

Heinle Grammar
**Tutorial:** Subjunctive
Part V: Desire;
Verbal expressions
**(tener, haber, deber)**

### ¡A practicar!

**A. ¡Problemas en el paraíso!** Paco y Lupita, una pareja de recién casados, acaban de mudarse a Ancón, Panamá. Desgraciadamente, ya tienen algunos problemas en su matrimonio. ¿Qué les sugiere el consejero matrimonial?

**MODELO**   recomendar / cambiar la rutina  **Recomienda que cambien la rutina.**

1. sugerir / salir más
2. aconsejar / no quedarse / casa / fines de semana
3. recomendar / tener / más paciencia
4. sugerir / no mirar / tanto / televisión
5. recomendar / hacer / viaje juntos

**B. ¡El primer baile!** Ángela va a asistir a su primer baile en la Universidad de Santa María la Antigua. ¿Qué le dicen sus padres?

1. tu madre y yo insistir / tú regresar / antes de la medianoche
2. yo recomendar / tú no beber / alcohol / fiesta
3. mamá y yo / insistir / ustedes / decir no a las drogas
4. tu madre preferir / tu amigo conducir / el coche al baile
5. yo insistir / tú / no fumar
6. nosotros querer / ustedes llamarnos / en caso de emergencia

---

«**Te recomiendo que** tomes una cucharada de tu misma medicina». (proverbio)

___ *I suggest you experience for yourself what you wish on others.*

___ *I recommend you taste some of my medicine.*

---

## 10.3 Irregular verbs in the preterite

### Describing what already occurred

In **Capítulo 4,** you learned the preterite of **ir, ser, poder,** and **tener** and in **Capítulo 6** you learned the preterite of **estar, decir,** and **hacer.** The following is a more complete list of irregular verbs in the preterite. Note that all have irregular stems, as well as unstressed first- and third-person singular verb endings.

| *i*-stem verbs | | |
|---|---|---|
| hacer: | **hic-*** | |
| querer: | **quis-** | -e, -iste, -o, -imos, -isteis, -ieron |
| venir: | **vin-** | |

| venir | |
|---|---|
| **vin**e | **vin**imos |
| **vin**iste | **vin**isteis |
| **vin**o | **vin**ieron |

| *u*-stem verbs | | |
|---|---|---|
| andar: | **anduv-** | |
| estar: | **estuv-** | |
| haber: | **hub-** | |
| poder: | **pud-** | -e, -iste, -o, -imos, -isteis, -ieron |
| poner: | **pus-** | |
| saber: | **sup-** | |
| tener: | **tuv-** | |

| saber | |
|---|---|
| **sup**e | **sup**imos |
| **sup**iste | **sup**isteis |
| **sup**o | **sup**ieron |

| *j*-stem verbs | | |
|---|---|---|
| conducir: | **conduj-** | |
| decir: | **dij-** | |
| producir: | **produj-** | -e, -iste, -o, -imos, -isteis, -eron |
| traducir: | **traduj-** | |
| traer: | **traj-** | |

| traer | |
|---|---|
| **traj**e | **traj**imos |
| **traj**iste | **traj**isteis |
| **traj**o | **traj**eron |

■ Note that any verb whose stem ends in **j** drops the **i** in the third-person plural ending of the preterite: **dijeron, produjeron,** and so on.

■ The preterite of **hay** is **hubo** *(there was, there were).* As in the present indicative, it has only one form, which is used for both singular and plural objects.

| | |
|---|---|
| **Hubo** un accidente en la carretera esta mañana. | *There was an accident on the highway this morning.* |
| ¿**Hubo** muchos heridos? | *Were there many injured?* |
| Afortunadamente, no **hubo** heridos. | *Fortunately, no one was injured.* |

* Remember that the **c** changes to **z** in the third-person singular to maintain the proper pronunciation.

**A. ¡Hubo un accidente!** ¿Cómo ocurrió? Para saber lo que ocurrió en el pueblo de San Juan del Sur, completa estas oraciones con el pretérito de los verbos entre paréntesis.

Elena y Esteban _tuvieron_ (tener) un accidente ayer. Esteban _perdió_ (perder) el control del carro y no _pudo_ (poder) parar a tiempo. Ellos _chocaron_ (chocar) con otro carro. Cuando la policía _llegó_ (llegar), _dijo_ (decir) que el otro chofer no había tenido la culpa (*had not been at fault*). Por suerte no _hubieron_ (haber) heridos. Ellos _tuvieron_ (tener) que dejar el carro allí y _anduvieron_ (andar) a casa.

**B. ¡Fue terrible!** Ahora Esteban está explicándole a su agente de seguros cómo ocurrió el accidente. Cambia los verbos entre paréntesis al pretérito para saber qué le dice Esteban.

¡ _____ (Ser) terrible! El chofer que iba delante de mí _____ (parar) de repente. Yo _____ (hacer) todo lo posible para evitarlo pero no _____ (poder) parar a tiempo. _____ (Perder) totalmente el control del carro. La policía _____ (decir) que fue por mi culpa. Mi señora _____ (estar) muy nerviosa por varios días después del accidente. Ah, _____ (yo / traer) la descripción del accidente que nos pidió escribir.

«El que **hizo** la ley, **hizo** la trampa». (proverbio)

___ *Laws are written to be broken.*
___ *The persons that write the laws also provide the prisons.*

## 10.4 Negative and indefinite expressions
### Denying information and referring to nonspecific people and things

| Negative and indefinite expressions | | | |
|---|---|---|---|
| nada | nothing | algo | something, anything |
| nadie | no one, nobody | alguien | someone, anyone |
| ninguno | none, not any | alguno | some, any |
| nunca | never | alguna vez | sometime, ever |
| jamás | never | siempre | always |
| tampoco | neither | también | also |
| ni... ni | neither . . . nor | o... o | either . . . or |

■ **Alguno** and **ninguno** are adjectives and therefore must agree with the words they modify. As with all numbers ending in -**uno**, the -**uno** ending becomes -**ún** when it precedes a masculine singular noun: **algún, ningún.**

¿Tiene usted **algunos** amigos bomberos?
No, no tengo **ningún** amigo bombero.

*Do you have any friends who are firefighters?*
*No, I don't have any friends who are firefighters.*

¿Conoce usted a **alguna** persona en esta foto?

*Do you know anyone in this photo?*

■ Unlike English, a double negative construction is used in Spanish quite often. Whenever a negative word follows the verb, another negative word (usually **no**) must precede the verb.

**Ni** oí **nada, ni** vi a **nadie.**
**No** recuerdo **ningún** momento.
**Nadie** está en la casa.
**No** hay **nadie** en la casa.

*I neither heard anything nor did I see anyone.*
*I don't remember (even) one moment.*
*No one is in the house.*
*There isn't anyone in the house.*

**Heinle Grammar**
**Tutorial:** Negation

## ¡A practicar!

**A. Primeras informaciones.** Temprano en la mañana hubo un gran incendio en Granada, ciudad que está a orillas del lago de Nicaragua. Para saber cuáles fueron las primeras preguntas que hicieron los bomberos, completa estas preguntas y respuestas con las expresiones indefinidas y negativas apropiadas.

1. —¿Hay todavía _____ en el interior?
   —No, no hay_____.
2. —¿Está seguro que no hay _____ en el interior?
   —Sí, lo estoy.
3. —¿Hay aquí _____ testigo?
   —No, no hay _____ testigo; solo yo.
4. —Señor, ¿usted no vio _____ a la víctima _____ a nadie sospechoso?
   —No, no vi a la víctima ni _____ a nadie sospechoso.
5. —¿Está seguro de que **no** ha entrado _____ persona?
   —Estoy seguro: no vi a _____.

**B. ¡Contradicciones!** El problema con los testigos es que con frecuencia se contradicen *(they contradict each other)*. ¿Cómo contradice Salvador a Lupe? ¿Qué dice?

LUPE: Vi a alguien cerca de la casa.
SALVADOR: Yo no vi a _____.
LUPE: Noté algo extraño.
SALVADOR: Yo no noté _____.
LUPE: Siempre hay problemas en este barrio.
SALVADOR: Al contrario, _____.
LUPE: Yo sé que hay algunos testigos.
SALVADOR: No, no hay _____.
LUPE: Oí algo extraño a las diez y media.
SALVADOR: Yo no oí _____.
LUPE: Vi a un hombre o a un muchacho entrar en el edificio.
SALVADOR: Yo no vi _____.

---

«**Nunca** digas: de esta agua no he de beber». (proverbio)

___ *Never say that this water is not good to drink.*

___ *Never say never.*

---

## Paso 3

## 10.5 Preterite of stem-changing *-ir* verbs

### Talking about past events

In **Capítulo 6,** you learned that -**ar** and -**er** stem-changing verbs in the present indicative tense are regular verbs in the preterite. However, all -**ir** verbs whose stems change in the present indicative also have a stem change in the *second-person* formal and the *third-person* singular and plural forms of the preterite. In these verbs, there is only a single-vowel change: **e → i** or **o → u**.

| seguir (e → i) | | dormir (o → u) | |
|---|---|---|---|
| seguí | seguimos | dormí | dormimos |
| seguiste | seguisteis | dormiste | dormisteis |
| siguió | siguieron | durmió | durmieron |

Following are some frequently used stem-changing -**ir** verbs. Note that the present-tense stem change is given first, followed by the preterite stem change.

| | | | |
|---|---|---|---|
| conseguir (i, i) | *to obtain* | preferir (ie, i) | *to prefer* |
| despedir (i, i) | *to fire, to discharge* | reírse\* (i, i) | *to laugh* |
| divertirse (ie, i) | *to have a good time* | repetir (i, i) | *to repeat* |
| dormir (ue, u) | *to sleep* | seguir (i, i) | *to follow, to continue* |
| mentir (ie, i) | *to lie* | sentir (ie, i) | *to feel, to hear* |
| morir (ue, u) | *to die* | servir (i, i) | *to serve* |
| pedir (i, i) | *to ask (for)* | vestirse (i, i) | *to get dressed* |
| perseguir (i, i) | *to pursue* | | |

## ¡A practicar!

**Heinle Grammar Tutorial:** The Preterite Tense, Part III

**A. ¡Con el pie izquierdo!** Jaime, un estudiante de la Universidad Politécnica de Nicaragua, dice que ayer se levantó con el pie izquierdo. Veamos qué dice él.

> **MODELO** Anoche (acostarme) muy tarde.
> **Anoche me acosté muy tarde.**

1. No (dormir) muy bien.
2. Casi no (conseguir) descansar.
3. Por la mañana no (oír) el despertador.
4. (Vestirse) rápidamente.
5. (Preferir) ir a la universidad en autobús.
6. (Llegar) tarde a la parada y (perder) el autobús.
7. Cuando (llegar) finalmente (ver) que era sábado.
8. Cuando (regresar) a casa mis compañeros (reírse) de mí.

**B. ¡Un día fatal!** A veces es mejor no levantarse por la mañana. Ayer fue uno de esos días para Francisco, otro estudiante de la Universidad Politécnica de Nicaragua. Completa el párrafo con la forma correcta del verbo entre paréntesis para saber por qué.

Anoche Francisco _____ (dormir) muy mal. Por la mañana _____ (perder) el autobús para ir al trabajo y no _____ (conseguir) un taxi hasta las nueve y media. Obviamente, _____ (llegar) tarde al trabajo. Después de un día dificilísimo, al regresar a casa un ladrón lo _____ (seguir) y le _____ (pedir) la billetera. Se la _____ (llevar) con todo su dinero y sus documentos de identidad. Francisco casi _____ (morirse) de miedo.

**C. ¡Sí, hay justicia!** Ahora la policía está interrogando al ladrón que le robó la billetera a Francisco. Completa el párrafo con la forma correcta del verbo entre paréntesis para saber qué dice el ladrón.

¡Fue facilísimo! Yo _____ (repetir) lo que siempre hago cuando se presenta la oportunidad. _____ (Yo / seguir) al señor por dos cuadras. Como no había *(there was)* nadie en la calle, le _____ (decir) que tenía una pistola y le _____ (pedir) la billetera. Cuando él _____ (sentir) mi pistola a su lado, casi se muere de miedo. Yo _____ (reírme) de lo fácil que fue y _____ (despedirme) cortésmente. Desafortunadamente, ustedes _____ (seguirme) y aquí estoy.

> «No pidas a quien **pidió**, ni sirvas a quien **sirvió**». (proverbio)
> ___ *Beggars can't be choosers.*
> ___ *Don't expect handouts from the nouveau rich.*

\* Note that **reír** drops an **e** in the third-person singular and plural: **rio, rieron.**

### CAPÍTULO 11

# Costa Rica...
# naturalmente mágica

## In this chapter, you will learn how to . . .

- describe what you and others used to do.
- discuss your youth.
- tell what happened while something else was going on.
- talk about what you have or have not done.

## Comunicación

### ¿QUÉ SE DICE...?

- Al hablar del pasado
- Al hablar de lo que pasó mientras ocurrían otras cosas
- Al hablar de lo que (no) has hecho

## Cultura

### ¿SABÍAS QUE...?

Sitio del 5% de las especies de flora y fauna mundial
Ecoturismo
Franklin Chang-Díaz

### NOTICIERO CULTURAL

Costa Rica: un paraíso natural

### VIDEO CULTURAL

Costa Rica, ¡tierra de bosques y selvas, paz y armonía!

### EL RINCÓN DE LOS LECTORES

«La leyenda de Iztarú», una leyenda costarricense

## En preparación

## Destrezas

### ¡A ESCUCHAR!
Recognizing verb endings

### ¡A VER!
Anticipating

### ¡A ESCRIBIR!
Stating facts

### ¡A LEER!
Identifying the main idea

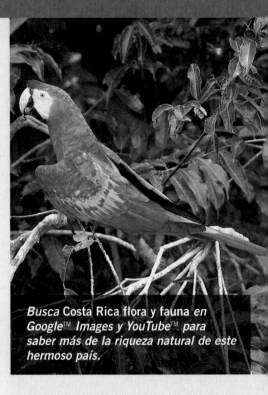

*Busca* Costa Rica flora y fauna *en Google*™ *Images y YouTube*™ *para saber más de la riqueza natural de este hermoso país.*

*Busca* Costa Rica ecología *en Google*™ *Images y YouTube*™ *para aprender algo del impresionante compromiso de esta pequeña nación con la ecología.*

*Busca* Costa Rica volcán *en Google*™ *Images y YouTube*™ *para ver la gran variedad de volcanes en este pequeño país.*

# ¡Las fotos hablan!

**A que ya sabes...** Indica si los siguientes datos, referentes a Costa Rica, son ciertos (C) o falsos (F). Si no estás seguro(a), puedes adivinar.

C F 1. Tiene la pirámide más alta de Centroamérica.

C F 2. Tiene más de 50 volcanes.

C F 3. Un 25% de su territorio es desierto.

C F 4. Tiene una flora y fauna tropical.

C F 5. Tiene varios programas ecoeducativos para jóvenes.

# La vida era hermosa

**TAREA**

Antes de empezar este *Paso*, estudia la lista de vocabulario de la página 379 y escucha el corte 28 de tu Text Audio CD3. Luego estudia *En preparación*.

1er día  11.1 Imperfect of regular verbs, páginas 380–382

2do día  11.2 Imperfect of **ser**, **ir**, and **ver**, páginas 382–383

Haz por escrito los ejercicios de *¡A practicar!* correspondientes.

## ¿Eres buen observador?

**Áreas de anidamiento**

**Las Tortugas y Lugares de Desove**

| Especie | Lugar | Temporada |
|---------|-------|-----------|
| Verde | Parque Nacional Tortuguero | Jul. - Oct. |
| Baula | Todas las Costas del Caribe<br>Parque Nacional Baulas<br>Playa Naranjo (Pacífico Norte) | Feb. - Jun. |
| Pico de Lora | Todas las Costas del Caribe | Dic. - Abr. |
| Carey | Refugio de Fauna Silvestre<br>Ostional<br>Playa Grande | Ago. - Set. |

## Ahora, ¡a analizar!

1. ¿Cuántas especies de tortugas hay en Costa Rica? ¿Cuáles son?
2. ¿Cuáles desovan (ponen sus huevos) en un solo lugar? ¿Cuáles desovan en varios lugares?
3. ¿En qué temporadas desovan las tortugas verdes? ¿Las carey? ¿En qué meses lo hacen?
4. ¿Qué especies desovan por temporadas más largas? ¿En qué meses desovan esas especies?
5. ¿Dónde desovan más las tortugas, en la costa del océano Pacífico o en la del mar Caribe?

# ¿Qué se dice...?  CD3, Track 24

## Al hablar del pasado

QUICO: Cuando era estudiante de secundaria vivíamos en San José. Era estudiante en el Colegio La Salle. Estudiaba mucho, no faltaba a mis clases y hacía mi tarea a tiempo; siempre sacaba buenas calificaciones. Jugaba al fútbol para el equipo del colegio y hacía mis quehaceres en casa. Pero más que nada me gustaba pasar los fines de semana acampando con mis amigos en los parques nacionales. Costa Rica tiene una gran cantidad de parques nacionales, reservas biológicas y refugios para fauna... en total unos 160 parques, reservas y refugios...

GINGER: ¡Es increíble! Porque Costa Rica es mucho más pequeña que el estado de Maine, ¿verdad? Pero con todas esas opciones, ¿cómo decidías adónde ir los fines de semana?

QUICO: Ah, eso era fácil... ¡a la playa! Nos encantaba ir a la playa de noche. Muchas veces veíamos las tortugas marinas que venían a desovar. Para mí ese era uno de los espectáculos más impresionantes de la naturaleza. Creo que esa fue una experiencia fundamental para mí, y por eso decidí que quería dedicarme a estudiar y a cuidar animales toda mi vida.

QUICO: Mis papás me decían que teníamos mucha suerte de vivir en Costa Rica, porque es un paraíso natural. Yo pensaba que todo el mundo era como Costa Rica, pero mis padres me dijeron que no, que había muchos países que apenas tenían animales, o que eran como desiertos.

## ¿Sabías que...?

En Costa Rica, país con un territorio equivalente a más o menos la mitad del estado de Ohio, se encuentra el 5 por ciento de todas las especies de plantas y animales del mundo, en total, entre 500.000 y un millón de especies de flora y fauna. Esto incluye 50.000 especies de insectos, 1.000 especies de orquídeas, más especies de helechos *(ferns)* que en todo México y Norteamérica, 208 especies de mamíferos, 850 especies de pájaros y 200 especies de reptiles. Además, tiene unos 55 volcanes, varios de ellos todavía activos.

**En tu opinión:** ¿Por qué crees que hay tanta variedad en la flora y fauna de Costa Rica? ¿Más o menos cuántas especies de pájaros hay en tu estado? ¿De reptiles? ¿Cómo crees que sería tu estado si el 5% de todas las especies de flora y fauna del planeta creciera allí?

## Ahora, ¡a hablar!

EP 11.1, 11.2

**A. Antes yo...** Indica si los siguientes comentarios son ciertos (**C**) o falsos (**F**) según el *¿Qué se dice...?*

Cuando era estudiante en el Colegio La Salle, Quico...

C F 1. tocaba la trompeta en una banda.
C F 2. pensaba que Costa Rica era un país típico.
C F 3. faltaba a clases con frecuencia.
C F 4. nunca hacía sus quehaceres.
C F 5. escribía para el periódico escolar.
C F 6. veía el desovar de las tortugas.

EP 11.1

**B. ¡Sigue mi ejemplo!** El profesor José Páez, uno de los profesores de la Universidad de Costa Rica en San José, le está explicando a su hijo cómo llegó a ser profesor. ¿Qué dice que hacía cuando estaba en la escuela secundaria?

**MODELO**      estudiar / cuatro horas / todo / días
         **Yo estudiaba cuatro horas todos los días.**

1. pasar / mucho tiempo con / familia
2. siempre ayudar / mamá por / noche
3. no salir / con / amigos / fines / semana
4. no tomar / bebidas alcohólicas
5. leer / muchos libros
6. practicar / muchos deportes y tocar / banda mi escuela
7. no fumar / ni usar / drogas

EP 11.1, 11.2

**C. Recuerdos.** Durante los años de la escuela secundaria generalmente se vive una vida muy activa. Pregúntale a tu compañero(a) con qué frecuencia hacían él (ella) y sus amigos lo siguiente.

**MODELO**      hablar por teléfono
     Tú: **¿Con qué frecuencia hablaban por teléfono?**
     Compañero(a): **Nosotros hablábamos por teléfono todos los días.**

**Vocabulario útil**

a menudo
cada cuatro semanas
casi nunca
cuando es posible
horas y horas
todas las tardes
todos los domingos
todos los fines de semana

1. jugar videojuegos
2. ir a ver partidos al estadio o a la cancha
3. ver deportes en la televisión
4. hablar por teléfono con sus padres
5. hacer las compras para toda la familia
6. irse de vacaciones fuera de la ciudad

**D. En la primaria.** Cuando estabas en la escuela primaria, tu vida era diferente. Compara tu vida actual con la de tu infancia respondiendo a las preguntas de tu compañero(a).

MODELO          Ahora trabajo mucho.
COMPAÑERO(A): **Y antes, ¿trabajabas mucho?**
          TÚ: **Antes no trabajaba nunca.**

1. Ahora sufro de estrés.
2. Ahora tengo muchas responsabilidades.
3. Ahora tengo que ganar dinero.
4. Ahora duermo [...] horas.
5. Ahora soy muy responsable.
6. Ahora veo poca televisión.

**E. Lo que hacían.** Ginger está recordando lo que su familia acostumbraba a hacer los domingos de verano cuando iban al parque. Con un(a) compañero(a), describan lo que la familia de Ginger hacía. Luego digan lo que sus familias hacían los domingos de verano cuando eran niños.

## Y ahora, ¿por qué no conversamos?

**F. Y tú, ¿qué hacías?** La vida cambia constantemente. ¿Qué pasaba en tu vida hace unos tres o cuatro años? Escribe cinco cosas que hacías y compártelas con un(a) compañero(a).

MODELO    **En 2006 yo asistía a la escuela secundaria. Vivía en Trenton y trabajaba en un supermercado los fines de semana...**

**G. De joven.** Pregúntale a tu compañero(a) si cuando era más joven...

1. estudiaba mucho y si era buen estudiante.
2. participaba en muchas actividades. ¿Cuáles?
3. le gustaban los deportes y a cuáles jugaba.
4. le gustaba la música y si tocaba algún instrumento.
5. hacía quehaceres domésticos, y cuáles eran.

**H. ¡Luces! ¡Cámara! ¡Acción!** Es el año 2020 y ahora eres padre o madre y le quieres dar un buen ejemplo a tu hijo(a). Le dices lo que hacías cuando asistías a la universidad. Acuérdate que tienes que darle un buen ejemplo; exagera lo bueno si es necesario. Dramatiza la situación con un(a) compañero(a) de clase.

**I. ¡Nuestra comunidad!** En tu universidad o comunidad, entrevista a alguna persona hispana, preferiblemente costarricense, y pregúntale por su país, por la ecología y el cuidado que su gobierno y la gente tiene con el legado natural de su país. Pregúntale cómo se relaciona la gente en su país de origen con el medio ambiente, y si piensa que en los Estados Unidos la vida es tan cercana a la naturaleza o menos o más que en su país.

## Un paso atrás, dos adelante

### Capítulo 10

**Repasemos.** En el Capítulo 10 aprendiste a hablar de desastres naturales y de lo que ocurrió. Repasa lo que sabes, completando el siguiente texto con las palabras necesarias.

**Un buen susto**

TU AMIGO(A): ¡Estoy todavía impresionado(a) con el terremoto que _____ [pretérito = **ocurrir**] anoche!

TÚ:  ¿Sí? Yo no _____ [pretérito = **sentir**] _____ [*negative expression*] terremoto, ni me _____ [pretérito = **despertar**]. ¿A qué hora _____ [pretérito = **ocurrir**]?

TU AMIGO(A): A las tres de la mañana, más o menos, la cama _____ [pretérito = **comenzar**] a moverse y no _____ [pretérito = **saber**] qué hacer. Yo _____ [pretérito = **levantarse**] rápidamente y_____ [pretérito = **traer**] a mi hijo debajo de la cama. No puedo creer que no _____ [pretérito = **sentir**] _____ [*negative expression*].

TÚ:  Pues no. Y tú ¿debajo de la cama? ¿Pero los dos _____ [pretérito = **caber**] ahí debajo?

TU AMIGO(A): Pues yo no _____ [pretérito = **caber**], pero _____ [pretérito = **poner**] a mi hijo a salvo y yo _____ [pretérito = **esperar**].

TÚ:  Pues hay _____ [*indefinite expression = some*] especialistas que sugieren que nosotros no _____ [subjuntivo = **estar**] debajo de los objetos grandes, sino que _____ [subjuntivo = **quedarse**] al lado de ellos para mayor seguridad.

# Saber comprender  CD3, Track 25

## Estrategias para escuchar: reconocer las terminaciones de verbos

*In **Capítulo 10** you learned that when you come upon people who are already having a conversation, you may have to employ the "from the bottom up" method of listening until you discover the topic of their conversation and are able to join in. Take a moment to review the new verb endings you studied in **En preparación 11.1**. Then, as you listen to Quico talking with three friends, identify the conversations that talk about the past.*

**Reconocer las terminaciones de verbos.** Con un(a) compañero(a), escuchen estas tres conversaciones. Luego indiquen si las conversaciones hablan del pasado o no.

|  | **Habla del pasado** | **No habla del pasado** |
|---|---|---|
| Conversación 1 | (__) | (__) |
| Conversación 2 | (__) | (__) |
| Conversación 3 | (__) | (__) |

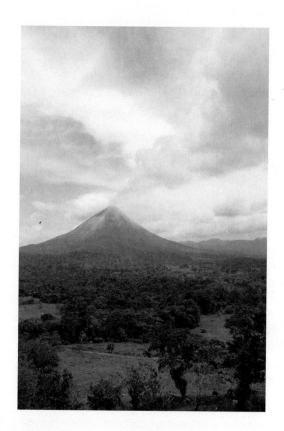

## Ahora, ¡a escuchar!

Ahora, con un(a) compañero(a), escuchen otra vez las conversaciones. Luego escriban un resumen de cada conversación.

Conversación 1 _____

Conversación 2 _____

Conversación 3 _____

🎵 *¡Dímelo tú! Playlist* Escucha: «Boceto para esperanza» de Mal País

# Costa Rica: un paraíso natural

### Antes de empezar, dime...

1. ¿Por qué crees que el país se llama «Costa Rica»? ¿Crees que se refiere a riqueza natural, mineral o cultural?
2. Inventa nombres para tres o cuatro estados de los Estados Unidos a los que se puede aplicar el adjetivo «rico(a)» por diferentes razones. Explica las razones.

**COSTA RICA**

**Nombre oficial**
República de Costa Rica

**Capital**
San José

**Población**
4.195.914 (julio 2008 est.)

**Unidad monetaria**
colón

**Índice de longevidad**
77,4 años

**Alfabetismo**
95 por ciento

La República de Costa Rica se sitúa en la parte meridional de América Central y tiene a Nicaragua al norte, el mar Caribe al este, Panamá al sudeste y el océano Pacífico al sur y al oeste. Su superficie es de 51.100 kms$^2$ (la mitad del estado de Virginia), y tiene más de cuatro millones de habitantes. La capital del país es San José.

Presidente Óscar Arias, premiado con el Premio Nobel de la Paz en 1987

Costa Rica se define a sí misma en su constitución de 1949 como una república democrática, y como tal, la democracia costarricense es una de las más consolidadas de América Latina. Tiene también el honor de ser el primer país del mundo en hacer la educación obligatoria y gratuita para todos, y en disolver el ejército (1 de diciembre de 1948) y dedicar ese presupuesto a la educación y la salud. El índice de alfabetización del país es del 95%.

La mayor riqueza de Costa Rica es la diversidad de su flora y fauna. A pesar de contar con solo el 0,03% del territorio mundial, Costa Rica posee el 5% de todas las especies del planeta con más de 9.000 variedades de plantas, entre ellas más de 1.300 especies de orquídeas.

En Costa Rica viven 850 especies de aves (más que en Estados Unidos y Canadá juntos), 205 especies de mamíferos, 383 especies de reptiles y anfibios y unas 2.000 especies de mariposas. El sistema de Parques Nacionales se extiende a casi todos los ecosistemas de Costa Rica, y ocupa el 24% del territorio del país.

La gran oferta ecoturística de Costa Rica encuentra su respuesta en los millones de turistas que visitan cada año el país, lo que hace de Costa Rica el destino más visitado de Centroamérica.

## Y ahora, dime...

Usa este diagrama Venn para comparar Costa Rica con los Estados Unidos. Indica las diferencias y lo que tienen en común con respecto a tamaño, educación, ejército, flora y fauna, parques nacionales, ecoturismo, etcétera.

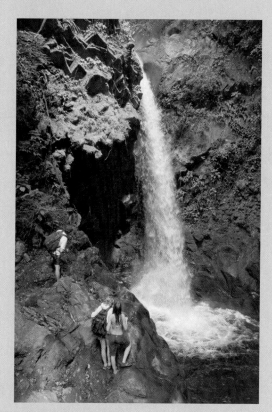

| Costa Rica | Costa Rica y los Estados Unidos | Los Estados Unidos |
|---|---|---|
| 1. | 1. | 1. |
| 2. | 2. | 2. |
| 3. | 3. | 3. |
| 4. | 4. | 4. |
| 5. | 5. | 5. |
| 6. | 6. | 6. |

**Datos interesantísimos sobre Costa Rica**

- Con ingresos de 1.900 millones de dólares al año en la industria turística, Costa Rica se destaca como el destino más visitado de América Central.
- Costa Rica da cobijo a 205 especies de mamíferos, 850 especies de aves, 169 especies de anfibios, 214 especies de reptiles y 130 especies de peces de agua dulce.
- El río Savegre, ubicado en San Isidro del General, es uno de los ríos más limpios del continente americano.
- En Costa Rica se explotan cinco fuentes de energía, en orden de importancia: hídrica, térmica, geotérmica, eólica y solar.
- La primera planta hidroeléctrica del país, llamada Aranjuez y ubicada en el centro de San José, entró en operación en 1884.
- Costa Rica es el país preferido por muchas compañías multinacionales para situar sus centrales de servicios dentro de la región, destacando Procter & Gamble, Coca-Cola, Intel, HP, Sykes y Dole.

**⬈ Por el ciberespacio... a Costa Rica**

Keywords to search:
*Historia de Costa Rica*
*Parques Nacionales de Costa Rica*
*Avifauna de Costa Rica*

To learn more about Costa Rica, go to the *¡Dímelo tú!* website at academic. cengage.com/spanish/dimelotu

# Cuando era niño era muy feliz en... ¡Costa Rica!

**TAREA**

Antes de empezar este *Paso,* estudia la lista de vocabulario de la página 379 y escucha el corte 29 de tu Text Audio CD3. Luego estudia *En preparación.*

1er día    11.3 Preterite and imperfect: Completed and continuous actions, páginas 383–384

2do día    11.4 Preterite and imperfect: Beginning/end and habitual/customary actions, páginas 384–385

Haz por escrito los ejercicios de *¡A practicar!* correspondientes.

## ¿Eres buen observador?

¡Irazú entra en erupción! Estaba lloviendo ceniza cuando llegamos a San José.

¡Monos aulladores! Caminábamos por la selva lluviosa cuando vimos los monos aulladores.

¡Un quetzal! ¡Un quetzal! No lo podía creer. Íbamos caminando cuando de repente vi un quetzal.

## Ahora, ¡a analizar!

1. ¿Qué efecto tuvo Irazú en San José cuando entró en erupción?
2. ¿Qué animales vieron los turistas mientras caminaban en la selva lluviosa en Costa Rica?
3. Si aullar es hacer un ruido fuerte de animal, ¿por qué crees que esos monos se llaman así?
4. ¿Qué no podía creer un turista cuando iba caminando por el bosque?
5. ¿Ocurrió algo interesante cuando estabas de vacaciones este verano? Si así es, ¿qué ocurrió?

# ¿Qué se dice...?  CD3, Track 26

## Al hablar de lo que pasó mientras ocurrían otras cosas

ANDREA: Cuando yo era niña tenía muchos amigos y jugábamos todo el tiempo. Un día fuimos de excursión a ver mariposas y orquídeas en una finca de mariposas cerca de San José. Yo gocé muchísimo con todas las mariposas tan exuberantes y de hermosos colores que había allí. Pero sin darme cuenta, mientras caminaba por uno de aquellos senderos... ¡aplasté una mariposa! Fue horroroso. ¡Me sentía tan culpable! Por suerte, uno de los cuidadores del parque estaba por allí y me vio, vino hasta donde estaba yo con la mariposa herida, y me animó diciéndome que no era culpa mía, que no era normal tener una mariposa en medio del sendero, que tal vez estaba enferma. Eso me hizo sentir todavía peor, pero no podía hacer nada. Fue una experiencia difícil de olvidar.

SIMONE: ¡Pobrecita! Seguro que pasaste un mal rato.

Pues yo también tuve una experiencia interesante aunque no tan traumática como la tuya en una de las excursiones que hicimos al volcán Poás. Como sabés, este volcán es uno de los tres volcanes del continente a los que se puede acceder por carretera, y que tiene uno de los cráteres más grandes del mundo. Pues bien, mientras subíamos en nuestro coche con mi papá y toda la familia, íbamos cantando canciones que conocíamos de la infancia. De pronto, dos de las llantas del coche reventaron al mismo tiempo, y como no teníamos recambio para cambiar las dos llantas, llamamos al servicio de ayuda en carretera, que dijo que ese día no podía venir, que teníamos que esperar hasta el día siguiente.

Como llevábamos comida, agua y ropa, no nos preocupamos demasiado, y pasamos toda la noche en el volcán. Pasamos toda la noche cantando y riéndonos; aquello fue pura vida... Cuando amaneció y vimos el volcán de cerca, me asusté un poco.

---

### ¿Sabías que...?

Costa Rica fue pionera en lo que se ha dado en llamar «ecoturismo» o turismo en el ambiente natural, con el menor impacto posible en el ambiente. La rica flora y fauna, playas y microclimas hacen de Costa Rica uno de los destinos ecoturísticos más importante del mundo. Con el ecoturismo, Costa Rica logró, por un lado, garantizar unos ingresos económicos importantes para el mantenimiento y protección de su biodiversidad, y por otro, beneficiar a las poblaciones ayudándolas a reducir su dependencia de otras actividades que podrían dañar la naturaleza. Como consecuencia, la experiencia de este paraíso natural sirve para que el mundo se plantee seriamente la necesidad de promover un turismo sostenible y que respete escrupulosamente el medio ambiente.

**En tu opinión:** ¿Crees que turismo y sostenible son una contradicción u oxímoron? ¿Crees que los Estados Unidos hacen lo suficiente para promover el ecoturismo en el continente? ¿Cuáles son algunos ejemplos? ¿Qué más podrían hacer?

## Ahora, ¡a hablar!

EP 11.3

**A. ¡No dormí en toda la noche!** Marcos, un estudiante de la Universidad de Costa Rica, faltó a todas sus clases esta mañana. Para saber por qué, selecciona el verbo correcto en cada oración.

1. Anoche yo (dormí / dormía) cuando un sonido muy fuerte me (despertó / despertaba).
2. El sonido que (oí / oía) (fue / era) la sirena de un coche de policía.
3. Como (tuve / tenía) que trabajar al día siguiente, (intenté / intentaba) dormirme cuando (sonó / sonaba) el teléfono.
4. Me (levanté / levantaba) para contestar el teléfono pero la llamada no (fue / era) para mí.
5. Como (tuve / tenía) mucho sueño, me (acosté / acostaba) otra vez.
6. Luego, el perro de mi vecino (empezó / empezaba) a hacer ruido y me (desperté / despertaba) otra vez.
7. Cuando (sonó / sonaba) el despertador, no lo (oí / oía) porque para entonces (dormí / dormía) profundamente.

EP 11.3

**B. Interrupciones.** Ernesto, el mejor amigo de Marcos en la Universidad de Costa Rica, tenía la intención de hacer muchas cosas ayer, pero las interrupciones no le dejaron terminar nada. Según Ernesto, ¿qué pasó?

**MODELO**   estudiar / historia / cuando / teléfono / sonar veinte veces
**Yo estudiaba historia cuando el teléfono sonó veinte veces.**

1. buscar / información / Internet / cuando / perder / la conexión por el resto de la noche
2. ordenar / cuarto / cuando / amigo / llegar / para irnos al centro
3. leer / libro muy interesante / cuando / novia / llamarme / para hablar de muchas cosas
4. manejar / tienda / cuando / llanta / pincharse
5. preparar / cena / cuando / amigos / invitarme a comer
6. nosotros mirar / televisión / cuando / electricidad / cortarse

EP 11.4

**C. ¡No era perfecto!** Jaime era un adolescente por lo general responsable, pero, como todos los jóvenes, también cometía errores. Di lo que hacía generalmente y tu compañero(a) va a decir qué errores cometió.

**MODELO**   generalmente (estudiar) mucho antes de un examen, ...
pero una vez no (abrir) el libro hasta después del examen
Tú: **Generalmente Jaime estudiaba mucho antes de un examen, ...**
Compañero(a): **pero una vez no abrió el libro hasta después del examen.**

1. siempre (ser) buen estudiante, ... pero un día (sacar) una F
2. siempre (respetar) el límite de velocidad, ... pero un día (recibir) una multa por exceso de velocidad
3. normalmente no (faltar) a clase, ... pero una semana (decidir) faltar a clase sin razón alguna
4. siempre (decir) la verdad, ... pero una vez (mentir) para salir de un problema
5. nunca (tomar) bebidas alcohólicas, ... pero una noche (tomar) un poco más de lo normal para él

**D. ¡No fue culpa mía!** Juan Carlos tiene mucho que mejorar, pero siempre tiene excusas. Con tu compañero(a), túrnense para decir qué le pasó la semana pasada.

MODELO      lunes: llegar tarde / la llanta reventarse
**El lunes llegó tarde porque la llanta del coche se reventó.**

1. lunes: llegar tarde / el despertador no sonar
2. martes: no ir a trabajar / estar enfermo
3. miércoles: no pagar los recibos del mes / no encontrar los cheques
4. jueves: no sacar el perro a pasear / no tener tiempo
5. viernes: no limpiar la casa / no encontrar los útiles de limpieza
6. sábado: dormir hasta las once de la mañana / el despertador no funcionar
7. domingo: no salir a correr por la mañana / tener que preparar el desayuno para su hermanito

**E. Un mal día.** Con tu compañero(a) decidan las razones por las no pudieron hacer hoy estas actividades que querían hacer. Sean creativos(as) y expliquen con detalle.

## Y ahora, ¿por qué no conversamos?

**F. ¿Mejores excusas?** ¿Qué excusas dan ustedes? Trabajando en grupos de tres, preparen una lista de posibles excusas para estas situaciones.

MODELO      ¿Por qué no fuiste al laboratorio ayer?
**Estaba demasiado cansado. Tuve que preparar un trabajo
(*paper*) para la clase de inglés.**

1. ¿Por qué faltaste al trabajo ayer?
2. ¿Por qué no asististe a clase anteayer?
3. ¿Por qué perdiste el avión el domingo?
4. ¿Por qué no fuiste a visitar a tu familia el sábado?
5. ¿Por qué faltaste al último examen?

**G. Esta es mi vida.** Tu vida va a servir de base para un cuento moderno. Escribe tu versión personal de tu propia vida. Luego compártela con un(a) compañero(a).

MODELO      **Había una vez un(a) muchacho(a) que se llamaba... Vivía en...**

**H. ¡Luces! ¡Cámara! ¡Acción!** Ayer fue el cumpleaños de una persona importante para ti y lo olvidaste completamente. ¡No lo (la) llamaste! ¡No le mandaste ni un correo electrónico ni una tarjeta de felicitación! Sabes que se sintió muy mal. Ahora hablas con ella (él) por teléfono para explicarle por qué no llamaste ayer. Dramatiza la situación con tu compañero(a).

# Escríbelo! 🖊️

## Estrategias para escribir: conseguir información específica

*En el capítulo anterior aprendiste los tres pasos importantes al escribir una composición: decidir qué información presentar sobre el tema, conseguir esa información y comunicar la información por escrito de una manera clara y organizada. Lo mismo ocurre con el reportaje periodístico. Para escribir un reportaje periodístico es necesario conseguir información específica y partir de hechos concretos y confiables. Es importante que el reportaje conteste siempre las siguientes preguntas esenciales: ¿qué?, ¿cuándo?, ¿dónde?, ¿cómo?, ¿por qué?, ¿quiénes?, ¿cuánto tiempo? y ¿cuáles fueron los resultados?*

## Ahora, ¡a escribir!

**Reportaje.** Elige un tema actual relacionado con el medio ambiente y que sea apropiado para reportar en el periódico local de tu ciudad. Puede ser un tema a favor o en contra de... el calentamiento global, la concentración de dióxido de carbono en la atmósfera, la basura y/o la falta de reciclaje, extinción masiva de animales (escoje uno específico), destrucción de los bosques, falta o destrucción de espacios naturales protegidos o uno que te interese a ti en particular.

**A. Conseguir información.** Pensando en el tema específico relacionado con el medio ambiente que vas a reportar, contesta las preguntas de reportaje mencionadas en las estrategias. Luego añade otra información que consideres pertinente a cada respuesta y otras ideas que debes investigar. Es importante que busques la información en Internet, entrevistes a personas nativo hablantes y leas libros de referencia como una enciclopedia, revistas, periódicos, etcétera.

**B. El primer borrador.** Usa las preguntas y la información que conseguiste en **B** para escribir un primer borrador. Pon toda la información relacionada con la misma idea en un párrafo. No te olvides de poner un título que llame la atención del público lector y que informe sobre lo que va a decir tu artículo.

**C. Ahora, a compartir.** Comparte tu primer borrador con dos o tres compañeros(as). Haz comentarios sobre el título, contenido y estilo de los reportajes de tus compañeros(as) y escucha los comentarios de ellos sobre tu reportaje. Fíjate, en particular, en cada uso del pretérito y del imperfecto. Si hay errores, menciónalos. Si necesitas hacer cambios basados en los comentarios de tus compañeros(as), hazlos ahora.

**D. La versión final.** Prepara una versión final de tu composición y entrégala.

# No lo he hecho... pero dónde mejor que en Costa Rica

## ¿Eres buen observador?

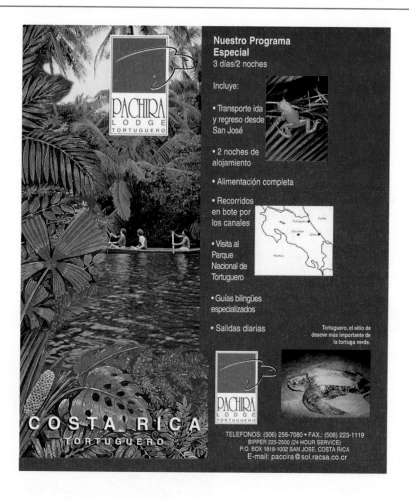

**TAREA**

Antes de empezar este *Paso*, estudia la lista de vocabulario de la página 379 y escucha el corte 30 de tu Text Audio CD3. Luego estudia *En preparación*.

1er día    11.5 Present perfect, páginas 386–387

Haz por escrito los ejercicios de *¡A practicar!* correspondientes.

## Ahora, ¡a analizar!

Beto y Arturo son dos estadounidenses que están de vacaciones en Costa Rica. Acaban de hacer el programa especial de Pachira Lodge en Tortuguero. Indica si han hecho lo siguiente o no.

sí   no   1. Han pasado dos noches y tres días en Tortuguero.
sí   no   2. Han jugado al golf en el campo de golf de Pachira Lodge.
sí   no   3. Han recibido tres comidas al día en el Lodge.
sí   no   4. Han escuchado a guías bilingües en sus salidas diarias.
sí   no   5. Han visitado el Parque Nacional de Tortuguero.
sí   no   6. Han recibido transporte gratis de ida y regreso al aeropuerto de San José.

## Al hablar de lo que (no) has hecho

LAURA: Hay muchas cosas que yo no he hecho todavía en la vida y que quiero hacer. Lo primero, las que dicen que son las tres cosas más importantes: escribir un libro, plantar un árbol y tener un hijo. Yo no he escrito ningún libro, aunque he escrito algunos poemas. Tampoco he plantado ningún árbol, aunque sí he plantado algunas plantas. Y tampoco he tenido ningún hijo... pero por ahora quiero sobre todo terminar mis estudios y hacer un viaje por Europa, que todavía no he visitado.

ANDRÉS: Pues yo tengo muchas ganas de visitar muchas cosas del país que hasta ahora no he visto. Para empezar, no he hecho todavía lo que llaman «canopy», o subir a la copa de los árboles en la selva. Me han dicho que es una experiencia inolvidable. Y tampoco he subido al volcán Irazú, ni he visto desde su cima los dos océanos, el Pacífico y el Atlántico. Ni he estado todavía en un descenso por el río Reventazón y me han dicho que es una aventura extraordinaria. Dicen mis amigos que lo han hecho que es excitante, pero que no es nada del otro mundo. Y, sin embargo, aún no me atrevo a hacerlo.

SIMONE: Pues te voy a invitar un día y vamos juntos. Yo lo he hecho, y te puedo decir que tiene algunos rápidos que son de la clase 6 (la clase 7 ya son imposibles). Pero no vas a tener ningún problema, porque yo soy una experta.

### ¿Sabías que...?

Franklin Chang-Díaz, un costarricense, fue el primer astronauta hispanoamericano en viajar en el transbordador espacial *Challenger*. Franklin nació en San José, Costa Rica, en una familia humilde: su padre era jefe de construcción, su madre ama de casa. En 1968, a los dieciocho años, Franklin viajó a los Estados Unidos con solamente cincuenta dólares en su bolsillo y sin saber inglés, y en 1977 ya había

terminado un doctorado en física del plasma en el Instituto de Tecnología de Massachusetts (MIT). Después de mucho esfuerzo personal, en 1981 logró ser astronauta. Fue el primer director latino del Laboratorio de Propulsión en el Centro Espacial Johnson, en Houston. Ha estado en órbita más de mil horas y ha igualado el récord mundial de salidas del planeta con su misión a bordo del *Endeavor*. Por ser un excelente ejemplo para todas las nuevas generaciones de ticos en el mundo, Costa Rica le ha premiado con el título de «ciudadano de honor».

**En tu opinión:** ¿Por qué crees que Franklin Chang-Díaz decidió ir a los Estados Unidos? ¿Cómo crees que logró ser astronauta? ¿Qué tuvo que hacer? En tu opinión, ¿qué responsabilidades tiene al ser el primer astronauta hispano?

# Ahora, ¡a hablar!

EP 11.5

**A.** **¡Falta tiempo!** Es diciembre en San José, y Ana María y Rafael están en los últimos días de su visita a Costa Rica. ¿Qué dicen que les falta hacer antes de regresar a los Estados Unidos?

> **MODELO**    visitar el volcán Poás
>
> **Todavía no hemos visitado el volcán Poás.**

1. ver el Museo Nacional
2. ir al Museo del Jade
3. pasear por el Parque Nacional Braulio Carrillo
4. estar en la Plaza de la Cultura
5. hacer la ruta del río Pacuare en canoa
6. escribir correos electrónicos a sus amigos en los Estados Unidos

EP 11.5

**B.** **¿Qué has hecho hoy?** Pregúntale a un(a) compañero(a) si ha hecho lo siguiente.

> **MODELO**    desayunar
>
> Tú: **¿Ya has desayunado?**
>
> Compañero(a): **No, todavía no he desayunado.** o **Sí, ya desayuné.**

1. hacer ejercicio
2. almorzar
3. hacer la cama
4. oír las noticias
5. leer el periódico
6. hacer las compras

EP 11.5

**C.** **¡Inolvidable!** Hay experiencias que dejan una impresión más profunda que otras. Con dos compañeros(as), túrnense para decir qué han hecho este año que consideran inolvidable. Pueden elegir entre las actividades de esta lista o añadir otras. Informen a la clase quién en su grupo ha tenido las experiencias más interesantes.

> **MODELO**    leer
>
> **He leído** *El ingenioso hidalgo, Don Quijote de la Mancha.*
> **Y he corrido mi primer maratón.**

| conocer | hacer | viajar |
|---|---|---|
| leer | aprender | terminar |
| ver | ir | olvidar |

*todavía yo no he*

EP 11.5

**D.** **¿Lo has hecho hoy?** Con tu compañero(a), digan cuáles de estas actividades han hecho hoy y cuáles no. Expliquen por qué las han hecho o no las han hecho.

*yo no he ido*    *yo no he puesto*    *yo no he visto*

*no he*    *yo no he hecho la cena*

### Y ahora, ¿por qué no conversamos?

 **E.** **Y tú, ¿qué has hecho?** Trata de recordar todo lo que has hecho esta semana. Prepara una lista y luego léesela a dos compañeros(as). Escriban en la pizarra todo lo que ustedes hayan hecho en común.

**F.** **¡Luces! ¡Cámara! ¡Acción!** Tú has llegado a ser una persona muy famosa. Ahora un(a) reportero(a) te va a entrevistar para saber los secretos de tu éxito. Cuéntale cómo has llegado a ser tan famoso(a). Dramatiza la situación con tu compañero(a).

## Saber comprender

### Estrategias para ver y escuchar: predecir lo que vas a ver y a escuchar

*In previous chapters you learned that anticipating what you are going to hear or see makes it much easier to understand. You also learned various techniques for anticipating or predicting what you will hear and see. You learned to predict based on*

1. *knowledge you may already have about the topic,*
2. *the title of the work, and*
3. *any visuals—art, photos—that accompany the work.*

## Costa Rica, ¡tierra de bosques y selvas, paz y armonía!

### Al ver el video

**Predecir.** Before viewing **Costa Rica, ¡tierra de bosques y selvas, paz y armonía!** use all three of these techniques for anticipating the content of the video. Write down two things that you think you will hear or see on this video based on what you already know about Costa Rica, two things that you predict you will see or hear based on the title, and two based on the photos. Then view the video and check to see if you anticipated correctly.

**Lo que predigo ver y escuchar basándome en...**

| Lo que ya sé de Costa Rica | El título del video | Las fotos |
|---|---|---|
| 1. _____ | _____ | _____ |
| 2. _____ | _____ | _____ |

## Después de ver el video

Ahora mira la selección del video sobre Costa Rica y explica el significado o la importancia de lo siguiente.

1. áreas protegidas
2. Sarchí
3. carretas de madera
4. taller Eloy Alfaro e hijos
5. finca de mariposas

# El rincón de los lectores

## Estrategias para leer: encontrar la idea principal

*Generalmente, cada párrafo comunica una idea principal. Al leer, es muy importante siempre reconocer la idea principal de cada párrafo. Con frecuencia esa idea se expresa en la primera o segunda oración del párrafo y se desarrolla con más detalle en las oraciones que siguen. Trata siempre de estar consciente de la idea principal de cada párrafo en las lecturas que hagas.*

**Encontrar la idea principal.** «La leyenda de Iztarú» (en la página 378) tiene cuatro párrafos. A continuación, expresamos en pocas palabras la idea principal del primer párrafo y del último. Lee las primeras oraciones del segundo y tercer párrafo y escribe brevemente la idea principal de esos dos párrafos. Luego lee la leyenda completa y verifica si identificaste las ideas principales correctamente.

Párrafo 1: Los líderes indígenas del norte y del sur de Costa Rica vivían en conflicto.

Párrafo 2: _____.

Párrafo 3: _____

Párrafo 4: Los habitantes de Guarco recibieron una maldición *(curse).*

## Lectura

*Esta hermosa leyenda, parte del rico folclore de Costa Rica, trata de explicar un fenómeno natural del país, el volcán Irazú.*

# La leyenda de Iztarú

Hace muchos años, antes de la llegada de los españoles a Costa Rica...

La parte Norte era gobernada por un cacique llamado Coo, de gran poder y experto agricultor. La parte Sur la gobernaba Guarco, cacique déspota invasor.

*defeating*
*el control*

Guarco y Coo sostenían una lucha por el dominio de todo el territorio (Valle Central del Guarco). La lucha fue grande; poco a poco, Guarco iba derrotando° la resistencia de Coo, hasta que este murió y dejó el mando° a Aquitaba, un enérgico y fuerte guerrero. Cuando Aquitaba vio que iba a ser derrotado por Guarco, tomó a su hija Iztarú, la llevó al monte más alto de la parte Norte de la región y la sacrificó a los dioses, implorando la ayuda para la guerra.

*stone*
*ran away /* *lado /río pequeño*
*defensive fences*

Estando en una dura batalla con Guarco, Aquitaba imploró la ayuda de «Iztarú» sacrificada. Del monte más alto salió fuego, ceniza, piedra° y cayeron sobre los guerreros de Guarco que huyeron°. Del costado° del monte salió un riachuelo° que se convirtió en agua caliente destruyendo los palenques° de Guarco.

*se extendió sobre*
*tile*

Una maldición cundió° y se decía que los habitantes de Guarco trabajarían la tierra, haciendo con ella su propio techo° (teja); el pueblo se llamó luego Tejar de Cartago, la región Norte Cot, y el monte alto volcán Irazú.

## A ver si comprendiste

1. ¿Quiénes eran Coo, Guarco y Aquitaba? ¿Qué ocurrió entre ellos?
2. ¿Quién era Iztarú? ¿En qué se transformó?
3. ¿Qué efecto tuvo esa transformación en los habitantes de Guarco?
4. La leyenda explica la existencia de ciertos lugares en la Costa Rica moderna. ¿Cuáles son esos lugares?

## Paso 1  CD3, Track 28

### La ecología
| | |
|---|---|
| bosque (bosque lluvioso) (m.) | forest (rain forest) |
| desovar | to lay eggs |
| especie (f.) | species |
| excursión (f.) | excursion |
| medio ambiente (m.) | environment |
| océano | ocean |
| pájaro | bird |
| reptil (m.) | reptile |
| tortuga | turtle |

### Diversión
| | |
|---|---|
| cancha | court |
| trompeta | trumpet |
| videojuego | video game |

### Enfermedad
| | |
|---|---|
| cirugía | surgery |
| droga | drug |
| ginecología | gynecology |

### Protesta
| | |
|---|---|
| contra | against |
| discriminación racial (f.) | racial discrimination |
| ejército | army |
| estrés (m.) | stress |

### Niñez
| | |
|---|---|
| escolar | school, scholastic |
| primaria | elementary school |
| quehaceres (m. pl.) | chores, tasks |

### Verbos
| | |
|---|---|
| dirigir | to direct |
| faltar | to be absent, to be missing |
| filmar | to film |
| ganar | to earn |
| invadir | to invade |
| obtener | to obtain, to get |

### Palabras útiles
| | |
|---|---|
| barril (m.) | barrel |
| doméstico(a) | domestic |
| ocasión (f.) | occasion |
| orgulloso(a) | proud |
| tamaño | size |
| unido(a) | united |
| variedad (f.) | variety |

## Paso 2  CD3, Track 29

### Selva
| | |
|---|---|
| llover a cántaros | to rain cats and dogs |
| mono(a) | monkey |
| paraguas (m.) | umbrella |
| selva lluviosa | rain forest |

### Volcanes
| | |
|---|---|
| ceniza | ash |
| entrar en erupción | to erupt |
| reventarse | to blow up |

### Coches
| | |
|---|---|
| exceso de velocidad (m.) | speeding |
| límite de velocidad (m.) | speed limit |
| llanta | tire |
| multa | fine |
| pinchar(se) | to puncture, to get a flat tire |

### Computadoras
| | |
|---|---|
| cortarse | to cut off |
| desconectar | to disconnect |
| electricidad (f.) | electricity |
| oprimir | to press |
| pantalla | screen |
| teclas (f. pl.) | keys |

### Ruidos
| | |
|---|---|
| aullar | to howl, to wail |
| sirena | siren |
| sonido | sound |
| sonar (ue) | to ring |

### Verbos
| | |
|---|---|
| dejar de | to stop, to quit (doing something) |
| sacar | to take out (your dog); to earn (a grade) |
| tranquilizarse | to calm down, to relax |

### Palabras y expresiones útiles
| | |
|---|---|
| anteayer (m.) | the day before yesterday |
| cheque (m.) | check |
| gente desconocida | strangers |
| llamada | telephone call |
| retraso | delay |
| sin razón | wrong |
| útiles de limpieza (m. pl.) | cleaning materials |

## Paso 3  CD3, Track 30

### Atletas
| | |
|---|---|
| atreverse | to dare |
| campo de golf | golf course |
| canoa | canoe |
| experto(a) | expert |
| hacer la ruta | to follow the trail |
| ida y regreso | round trip |
| maratón (m.) | marathon |

### Selva
| | |
|---|---|
| cima | top (of a mountain) |
| copa de los árboles | tree tops |
| plantar | to plant |

### Transbordador espacial
| | |
|---|---|
| astronauta (m.) | astronaut |
| descenso | descent |
| existencia | existence |
| éxito | success |
| inolvidable | unforgetable |
| transbordador espacial (m.) | space ship |
| transformación (f.) | transformation |
| transporte (m.) | transport |

### Verbos
| | |
|---|---|
| hacer la cama | to make the bed |
| hacer las compras | to go shopping |
| olvidar | to forget |
| transformarse | to transform oneself |

### Palabras y expresiones útiles
| | |
|---|---|
| bilingüe | bilingual |
| gratis | free |
| nada del otro mundo | not a big deal |
| postal (f.) | postcard |
| zoológico | zoo |

## Paso 1

### 11.1 Imperfect of regular verbs

#### Talking about past events

In **Capítulos 4, 6,** and **10,** you learned about the preterite. In this chapter, you will learn about another aspect of the past tense: the imperfect. You will also learn how to distinguish between the preterite and imperfect.

| *-ar* verb endings | trabajar |
|---|---|
| **-aba** | yo trabaj**aba** |
| **-abas** | tú trabaj**abas** |
| **-aba** | usted trabaj**aba** |
| **-aba** | él, ella trabaj**aba** |
| **-ábamos** | nosotros(as) trabaj**ábamos** |
| **-abais** | vosotros(as) trabaj**abais** |
| **-aban** | ustedes trabaj**aban** |
| **-aban** | ellos, ellas trabaj**aban** |

| *-er, -ir* verb endings | saber | escribir |
|---|---|---|
| **-ía** | yo sab**ía** | escrib**ía** |
| **-ías** | tú sab**ías** | escrib**ías** |
| **-ía** | usted sab**ía** | escrib**ía** |
| **-ía** | él, ella sab**ía** | escrib**ía** |
| **-íamos** | nosotros(as) sab**íamos** | escrib**íamos** |
| **-íais** | vosotros(as) sab**íais** | escrib**íais** |
| **-ían** | ustedes sab**ían** | escrib**ían** |
| **-ían** | ellos, ellas sab**ían** | escrib**ían** |

- Note that the first- and third-person singular endings are identical. Also, *all* the imperfect **-er** and **-ir** endings require a written accent.

- There are no stem-changing verbs in the imperfect.

- The imperfect of **hay** is **había** *(there was/were, there used to be),* from the infinitive **haber.**

- There are only three irregular verbs in the imperfect: **ser, ir,** and **ver.** They are presented in section 11.2.

**Heinle Grammar Tutorial:** The Imperfect Tense

# Uses of the imperfect

■ The imperfect has several English equivalents.

**Trabajaba** todos los días.
$\left\{\begin{array}{l}\text{\textit{I worked every day.}}\\\text{\textit{I used to work every day.}}\\\text{\textit{I was working every day.}}\\\text{\textit{I would work every day.}}\end{array}\right.$

■ Like the preterite, the imperfect is used to talk about an act that has already occurred. However, the imperfect focuses on the continuation of an act or an act in progress rather than on the completed act. Continuation includes repeated habitual action, background action, actions in progress, and certain physical, mental, or emotional states.

**Repeated habitual action**

| | |
|---|---|
| **Viajaba** mucho en el invierno. | *I would travel a lot in the winter.* |
| Nunca **dormía** más de ocho horas al día. | *I never slept more than eight hours a day.* |

**Actions in progress**

| | |
|---|---|
| El bebé **dormía** en el otro cuarto. | *The baby was sleeping in the other room.* |
| **Escuchaba** mi disco favorito mientras **limpiaba** la casa. | *I was listening to my favorite record while I cleaned the house.* |

**Background action**

| | |
|---|---|
| **Hacía** mucho calor, pero todos **estaban** trabajando. | *It was very hot, but everyone was working.* |

**Physical, mental, or emotional states**

| | |
|---|---|
| En esos días **estábamos** muy enamorados. | *In those days we were very much in love.* |
| Me **gustaban** mucho las exhibiciones de arte. | *I used to like art exhibits a lot.* |

## ¡A practicar!

**A. Hace diez años.** ¿Quiénes en el pasado hacían lo siguiente: tus padres, tú, tú y tus hermanos, etcétera?

1. _____ vivía con mis padres.
2. _____ no estudiábamos en la universidad.
3. _____ mayor trabajaba en un supermercado.
4. _____ me daban dinero.
5. _____ no conducía el coche de mis padres.
6. ¿Y _____ ? ¿Qué hacías hace diez años?

**B. Gente famosa.** Las personas famosas no tienen vida privada. Todos sabemos lo que hacen y dicen a cada minuto. ¿Qué hacían estas personas hace unos años?

MODELO  1986 / Tom Cruise / filmar película *Top Gun*
      **En mil novecientos ochenta y seis Tom Cruise filmaba la película *Top Gun*.**

1. 1960 / Martin Luther King, Jr. / protestar contra la discriminación racial
2. 1965 / los Beatles / cantar por todo el mundo
3. 1969 / Richard Nixon / dirigir el país
4. 1969 / Neil Armstrong / trabajar en la NASA
5. 1987 / el costarricense Óscar Arias Sánchez / ser propuesto para el Premio Nobel de la Paz
6. 1989 / los alemanes / celebrar la Alemania unida
7. 1990 / el sudafricano Nelson Mandela / viajar como hombre libre
8. 1996 / Bill Clinton / servir de presidente de los Estados Unidos
9. 2003 / George Bush / insistir en invadir Irak
10. 2008 / Hillary Clinton y Barak Obama / combatir por la nominación presidencial de los demócratas

---

«**Buscaba** el necio su asno y lo **llevaba** debajo». (proverbio)

\_\_\_\_ *Only fools search for the evident.*

\_\_\_\_ *It takes a fool to find a donkey.*

---

## 11.2 Imperfect of *ser, ir,* and *ver*

### Describing how you used to be, where you used to go, what you used to see

There are three irregular verbs in the imperfect.

Heinle Grammar
Tutorial: The
Imperfect Tense;
Verbal expressions
(**tener, haber, deber**)

| ser | | ir | | ver | |
|---|---|---|---|---|---|
| era | éramos | iba | íbamos | veía | veíamos |
| eras | erais | ibas | ibais | veías | veíais |
| era | eran | iba | iban | veía | veían |

### ¡A practicar!

**A. ¡Cómo nos cambia la vida!** Completa los espacios en blanco para saber cómo era la vida de Ana Rosa, una estudiante de la Universidad Latina en Costa Rica.

Antes, cuando mis hermanos y yo _____ (ser) pequeños y vivíamos con mis padres en Puntarenas, todo _____ (ser) más fácil. Primero, _____ (yo / ser) una buena estudiante y nunca _____ (ver) la televisión por la noche. Tampoco _____ (ir) a trabajar todos los fines de semana como trabajo ahora. A veces, cuando yo _____ (ver) que la ocasión lo _____ (permitir), mis amigos y yo _____ (ir) al cine durante el fin de semana y _____ (ver) películas divertidísimas. Bueno, es verdad que ahora nada es fácil, pero también sé que ahora soy una persona muy responsable.

**382** trescientos ochenta y dos ■ Capítulo 11 En preparación 11

**B. ¡Cuántos sacrificios!** Marta y Ramiro Roque se conocieron en la Universidad de Costa Rica. Lee lo que ellos dicen y completa con los verbos en imperfecto para saber cómo era su vida estudiantil en la universidad.

Nosotros _____ (ser) estudiantes de medicina y _____ (trabajar) en la Clínica Santa Rita en San José. Marta _____ (ser) estudiante de ginecología, y yo _____ (estudiar) cirugía. Nosotros _____ (ir) a la clínica dos o tres veces por semana pero no nos _____ (ver) mucho porque _____ (trabajar) en diferentes secciones. A pesar de que _____ (ser) novios, no _____ (poder) salir mucho juntos porque _____ (tener) que estudiar día y noche.

> «Cuando tú **ibas,** yo **venía**». (proverbio)
> ___ I have already been down that road.
> ___ Lead and I will follow.

---

## 11.3 Preterite and imperfect: Completed and continuous actions

### Describing completed actions and actions in progress in the past

You have learned that both the preterite and the imperfect are used to talk about the past, but there is a difference in how the two tenses are used. Compare the following.

- The preterite is used to describe completed past actions.

  La conferencia **duró** dos horas.    *The lecture lasted two hours.*
  **Hablé** con mis padres anoche.    *I spoke with my parents last night.*

- The imperfect is used to focus on continuation or actions in progress and background actions. It is also used to tell time in the past.

  Siempre **charlábamos** por horas.    *We always used to chat for hours.*
  El teléfono **sonaba** continuamente.    *The phone would ring continuously.*
  **Eran** las seis.    *It was 6:00.*

- When the preterite and imperfect are used in the same sentence, the imperfect often describes a continuous background action that is interrupted by a completed action expressed in the preterite.

  **Miraba** televisión cuando **llamaste.**    *I was watching television when you called.*
  Nos lo **dio** mientras **comíamos.**    *He gave it to us while we were eating.*

- The imperfect may be used to focus on a future event related to a situation planned in the past.

  Debo irme. Tita dijo que la clase    *I must leave. Tita said the class would begin*
  **empezaba** a las ocho.    *(was going to begin) at 8:00.*

**Heinle Grammar Tutorial:** The Preterite versus the Imperfect

### ¡A practicar!

**A. ¡Qué día!** Marcela Freire, una estudiante del Instituto Centroamericano para Asuntos Internacionales, tuvo un día muy malo ayer. Según ella, ¿qué le pasó? Para saberlo, pon los verbos entre paréntesis en pasado.

Ayer _era_ (ser) un día terrible. Para empezar, yo _estaba_ (estar) furiosa porque mi novio no me _llamaba_ (llamar) la noche anterior. Luego, cuando yo _salía_ (salir) de casa, _estaba_ (estar) lloviendo a cántaros. _Buscaba_ (Buscar) mi paraguas pero no lo _encontré_ (encontrar). Luego, _perdí_ (perder) el autobús y _tenía_ (tener) que esperar el siguiente. Cuando yo finalmente _llegué_ (llegar) a clase, la secretaria _anunció_ (anunciar) que la profesora _estaba_ (estar) enferma. ¡Qué día!

**B. ¡No más!** Tomás decidió no ir a clase de práctica en la Sinfónica Nacional de Jóvenes. Para saber por qué, pon los verbos en el pasado.

1. ya / ser tarde / cuando / despertarme
2. preparar / desayuno / cuando / teléfono / sonar
3. mientras / bañarse / agua / cortarse
4. cuando / salir / casa / perro / escaparse
5. estar manejando / y de repente / llanta / pincharse
6. mientras / cambiar / llanta / empezar a / llover
7. finalmente / decidir / regresar / casa

**C. ¿De veras?** Martín, estudiante de la Universidad Latinoamericana, también tuvo muchos problemas. Completa con los verbos en pasado para saber qué pasó.

Es verdad. Anoche mi computadora _dejaba_ (dejar) de funcionar. _era_ (Ser) las diez y yo _estaba_ (estar) preparando la tarea cuando _sonaba_ (sonar) el teléfono. _era_ (Ser) mi madre, y nosotros _____ (hablar) por una hora, más o menos. Cuando _____ (regresar) a la computadora, no _____ (haber) imagen en la pantalla. _____ (Oprimir) varias teclas (keys) pero sin ningún resultado. No _____ (descubrir) hasta esta mañana que mi compañero de cuarto la había desconectado.

---

«Hasta que **conocí** a la iguana, **no supe** los colores que **tenía**». (dicho popular)

✗ *Until you get to know someone well, you won't know their true colors.*

✓ *Because the iguana has many colors, one never knows its true color.*

---

## 11.4 Preterite and imperfect: Beginning/end and habitual/customary actions

### Describing the beginning or end of actions and habitual past actions

In section 11.3 you learned that the preterite focuses on completed actions and the imperfect focuses on actions in progress.

▪ Since the preterite focuses on completed actions, it often emphasizes the beginning or end of an act.

| | |
|---|---|
| Cuando **vi** a Carlota, **corrí** a saludarla. | *When I saw Carlota, I ran to greet her.* |
| **Salieron** corriendo. | *They left running. (They took off running.)* |
| De repente la computadora no **funcionó.** | *Suddenly the computer did not work. (It just stopped.)* |
| Me **sentí** muy mal después de la clase de informática. | *I felt very sick after computer science class. (But I got over it.)* |

**Heinle Grammar Tutorial:** The Preterite versus the Imperfect

▪ The imperfect is used to describe habitual or customary actions or events in progress.

| | |
|---|---|
| Siempre **daba** la misma excusa. | *I always gave the same excuse.* |
| Yo nunca **iba** a la biblioteca de noche. | *I never used to go to the library at night.* |

# ¡A practicar!

**A. ¡Excusas!** José Carlos no trata bien a su novia, pero siempre tiene una excusa. ¿Qué le dice a su novia?

1. Esta mañana cuando tú (llamaste / llamabas) yo no (contesté / contestaba) porque (estuve / estaba) en el baño.
2. Yo no te (llamé / llamaba) la semana pasada porque (desconectaron / desconectaban) mi teléfono.
3. La llanta de mi coche (se pinchó / se pinchaba) y por eso (llegué / llegaba) tarde.
4. Anoche (trabajé / trabajaba) hasta tan tarde que (decidí / decidía) no llamarte para no despertarte.
5. El sábado pasado no (fui / iba) a tu casa porque mi coche no (funcionó / funcionaba).
6. Ayer no te (invité / invitaba) a la fiesta porque tú no (conociste / conocías) a nadie.

**B. ¿Qué le voy a decir?** Mauricio Parra, estudiante del Instituto Monteverde en San José, no fue ayer a su clase de química. ¿Por qué? Para saberlo, pon los verbos en el pasado.

¡Qué horror! Yo no me acosté (acostarse) hasta muy tarde anoche. Esta mañana cuando me desperté (despertarse), ya eran (ser) las diez menos cinco. Mi clase de química empezaba (empezar) en cinco minutos. _____ (Decidir) no ir a clase. Más tarde _____ (hablar) con un compañero de clase y él me _____ (decir) que el profesor _____ (estar) furioso porque yo no había ido a clase. Ahora no sé qué le voy a decir al profesor.

**C. ¡Aguafiestas!** Pon los verbos entre paréntesis en el pasado para saber lo que ocurrió el sábado pasado en la fiesta de Enrique, en Cartago.

El sábado pasado Enrique _____ (organizar) una fiesta en su casa. Sus padres no _____ (estar) y él _____ (invitar) a muchísima gente. Todos nuestros amigos _____ (ir) y también _____ (llegar) gente desconocida. _____ (Haber) mucha comida y mucha cerveza. Todos _____ (bailar) y _____ (cantar) cuando a eso de la una de la mañana unos vecinos _____ (llamar) a la policía. La policía nos _____ (obligar) a terminar la fiesta. Enrique no les _____ (decir) nada a sus padres.

---

«Jugué con quien no **sabía** y me llevó lo que **tenía**». (proverbio)

___ *I played with an idiot and he had all the luck.*

___ *I gambled with a stranger and he took everything I had.*

---

## 11.5 Present perfect

### Talking about what people have or haven't done

As in English, the present perfect tense in Spanish is a compound past tense. It is formed by combining the present indicative of the auxiliary verb **haber** *(to have)* with the past participle.

| Present indicative | |
|---|---|
| **haber *(to have)*** | |
| yo **he** | nosotros(as) **hemos** |
| tú **has** | vosotros(as) **habéis** |
| usted **ha** | ustedes **han** |
| él, ella **ha** | ellos, ellas **han** |

| Present perfect tense | |
|---|---|
| **sentir *(to feel)*** | |
| he sentido | hemos sentido |
| has sentido | habéis sentido |
| ha sentido | han sentido |

\* Do not confuse the auxiliary verb **haber** with the verb **tener,** which is used to express possession.

■ The past participle of most verbs in English is formed by adding -*ed* to the verb; for example, *to travel* ⟶ *traveled, to study* ⟶ *studied, to open* ⟶ *opened.* In Spanish, past participles are formed by adding -**ado** to the stem of -**ar** verbs, and -**ido** to the stem of -**er** and -**ir** verbs.

| **viajar** | | **querer** | | **sentir** | |
|---|---|---|---|---|---|
| viaj**ado** | *traveled* | quer**ido** | *wanted* | sent**ido** | *felt* |

■ As in English, some Spanish verbs have irregular past participles; the following are those most frequently used.

| abrir | **abierto** | poner | **puesto** |
|---|---|---|---|
| cubrir | **cubierto** | resolver | **resuelto** |
| decir | **dicho** | romper | **roto** |
| escribir | **escrito** | ver | **visto** |
| hacer | **hecho** | volver | **vuelto** |
| morir | **muerto** | | |

Note that the past participles of verbs related to those listed are also irregular: **descubrir** *(to discover)* ⟶ **descubierto; maldecir** *(to curse)* ⟶ **maldicho; devolver** *(to return something)* ⟶ **devuelto;** and so on.

■ In general, the use of the present perfect tense in Spanish parallels its use in English.

| No me **he sentido** bien. | *I haven't felt well.* |
|---|---|
| **Han estado** muy enfermos. | *They have been very sick.* |
| Todavía no **se ha levantado**. | *He hasn't gotten up yet.* |
| No **hemos devuelto** los libros a la biblioteca. | *We haven't returned the books to the library.* |

Note that when used in the present perfect, the past participle is invariable; it does not agree in number or in gender with the noun. Reflexive and object pronouns are always placed before the conjugated form of the verb **haber.**

■ With few exceptions, **haber** functions only as an auxiliary verb. The verb **tener** is used to indicate possession or obligation.

| No **me he sentido** nada bien. | *I haven't felt well at all.* |
|---|---|
| **Tengo** que llamar al médico. | *I have to call the doctor.* |

**Heinle Grammar Tutorial:** The Present Perfect Tense

# ¡A practicar!

**A. ¡Qué organizado!** Cuando una persona organizada viaja, siempre prepara listas de lo que le queda por hacer. ¿Qué dice esta persona de lo que todavía no ha hecho?

**MODELO**  escribirles a mis tíos en Puerto Limón
**Todavía no les he escrito a mis tíos en Puerto Limón.**

1. ver el Jardín Lankaster  *todavía no he visto*
2. ir al Parque Bolívar, el zoológico de San José  *ido*
3. sacar fotos del Teatro Nacional  *sacado*
4. viajar a Cartago  *viajado*
5. hacer compras en el Mercado Nacional de Artesanía  *hecho*
6. visitar el Museo del Jade  *visitarelo.*

**B. ¡No he hecho nada!** Inevitablemente cuando llega el domingo por la tarde, descubrimos que no hemos hecho algunas cosas que pensábamos hacer durante el fin de semana. Pon los verbos en presente perfecto para ver unos ejemplos típicos.

1. Miguel no _ha ido_ (ir) de compras.
2. José no _ha hecho_ (hacer) la tarea.
3. Yo no les _he escrito_ (escribir) a mis padres.
4. Miguel y José no _han lavado_ (lavar) la ropa.
5. Nosotros no _hemos_ (poder) limpiar el garaje.  *podido*
6. Yo no _____ (abrir) los libros para estudiar.  *he abierto*
7. Tú no _____ (limpiar) tu cuarto.  *has limpiado*
8. Ustedes no _____ (llamar) a sus padres.  *ha llamado*

---

«La miel no **se ha hecho** para la boca del asno». (proverbio)

____ *Honey should be used to develop a donkey's taste.*

____ *This person is too ignorant to understand this.*

---

### CAPÍTULO 12

# Por los caminos del Inca... en Perú

## In this chapter, you will learn how to . . .

- describe what you will do on vacation.
- describe what you will do in the future.
- talk about what you would do if . . .
- give advice and instructions.
- give orders.

*Busca* Machu Picchu *en Google*™ *Images y YouTube*™ *para conocer en detalle la ciudad escondida de los incas.*

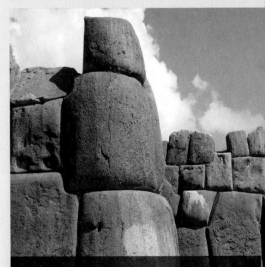

*Busca* fortaleza Sacsahuamán *en Google*™ *Images y YouTube*™ *para ver ejemplos del enorme talento arquitectónico de los incas.*

Busca Tumbas Reales de Sipán en Google™ Images y YouTube™ para visitar este impresionante sitio arqueológico descubierto en 1987.

# ¡Las fotos hablan!

**A que ya sabes...** Estas fotos vienen de un folleto que la agencia de viajes les mandó a Olga Montoya y sus amigos para familiarizarlos con algunos sitios que van a visitar en su viaje a Perú. Indica si Olga y sus amigos harán lo siguiente.

sí  no  1. Visitarán las Tumbas Reales de Sipán.

sí  no  2. Caminarán por la fortaleza de Sacsahuamán.

sí  no  3. Asistirán a un partido de fútbol en Lima.

sí  no  4. Viajarán a Machu Picchu.

sí  no  5. Comprarán réplicas de los ornamentos de oro y turquesa de Sipán.

# ¡Mañana empezaremos el camino del Inca!

## TAREA

Antes de empezar este *Paso*, estudia la lista de vocabulario de la página 411 y escucha el corte 6 de tu Text Audio CD4. Luego estudia *En preparación*.

1<sup>er</sup> día  12.1 Future tense of regular verbs, páginas 412–413

2<sup>do</sup> día  12.2 Future tense of verbs with irregular stems, páginas 413–414

Haz por escrito los ejercicios de *¡A practicar!* correspondientes.

## ¿Eres buen observador?

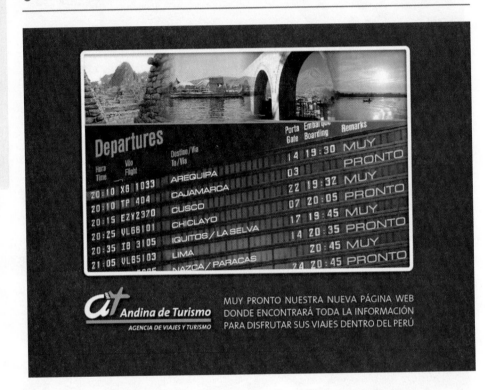

## Ahora, ¡a analizar!

Según Andina de Turismo, sus clientes, muy pronto,...

| | | |
|---|---|---|
| sí | no | 1. tendrán opciones para viajar de Perú a Colombia. |
| sí | no | 2. podrán disponer de viajes dentro del país. |
| sí | no | 3. viajarán a Cajamarca, Cuzco, Chiclayo... |
| sí | no | 4. disfrutarán. |
| sí | no | 5. visitarán la moderna capital de Perú. |
| sí | no | 6. irán a Machu Picchu por avión. |

# ¿Qué se dice...?

## Al hablar de lo que harás en las vacaciones

OLGA: Hola, Enrique.

ENRIQUE: Hola, Olga.

OLGA: Te llamo desde Perú. ¡Acabamos de llegar! ¡Lima es fantástica! Si el resto del Perú es igual de interesante, estoy segura de que pasaremos un mes estupendo.

ENRIQUE: Muy bien. Me alegro. ¿Qué planes tienes para estos días?

OLGA: Hoy y mañana estaremos aquí en Lima. Esta mañana visitamos la catedral en la Plaza de Armas. Es hermosa. No sabía que allí estaba la tumba de Francisco Pizarro. También veremos el Palacio Arzobispal. Es de lo mejor de la arquitectura colonial. Esta noche comeremos en un restaurante lindísimo en el hermoso distrito de Barranco. Ya hemos reservado.

ENRIQUE: Pues yo te recomiendo que pruebes el ceviche. Es excelente.

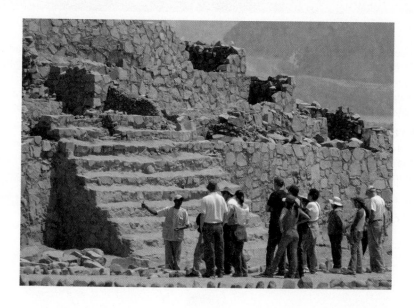

OLGA: ¡Ah! ¡Bien, gracias! Lo probaré y te diré qué me pareció. El miércoles visitaremos la ciudad sagrada de Caral. Gracias por recomendármela.

ENRIQUE: De nada. Recuerda que es la ciudad más antigua de Perú y de América.

OLGA: Sí, impresionante. ¡Sacaré todas las fotos que pueda! Seguro que me encantará.

ENRIQUE: Y después de Lima, ¿dijiste que irán a Cuzco?

OLGA: Sí, viajaremos por tren a Cuzco, la antigua capital de los incas. Dicen que es una ciudad única. Espero no sufrir de soroche, como me contaste.

ENRIQUE: No te preocupes. Seguro que no lo sufrirás.

OLGA: Y de Cuzco a... ¡Machu Picchu!

ENRIQUE: Te encantará. Es un lugar mágico. Si tienen tiempo, les recomiendo el camino del Inca, una antigua e impresionante ruta prehispánica que conecta Cuzco y Machu Picchu y que hoy en día se puede recorrer.

## ¿Sabías que...?

Debido a que Cuzco está a 3.399 metros (11.155 pies) sobre el nivel del mar, muchos turistas sufren de soroche *(altitude sickness)* durante su visita a la ciudad. En el aeropuerto de Cuzco hay tanques de oxígeno puro para los viajeros que llegan, y los hay también en la mayoría de los grandes hoteles. Los hoteles también sirven té de coca *(coca leaf tea)* 24 horas al día, que es lo que los indígenas beben para evitar el soroche.

**En tu opinión:** ¿Por qué será necesario proveer té de coca en la mayoría de los grandes hoteles? ¿Hay ciudades importantes en los Estados Unidos construidas a la altura de Cuzco? ¿Cuáles? ¿Qué efecto tendrá el té de coca en el cuerpo humano?

# Ahora, ¡a hablar!

**A. Compañeros de viaje.** En el *¿Qué se dice...?*, ¿quién dice lo siguiente, **él** (Enrique) o **ella** (Olga)?

EP 12.1

- **él ella** 1. Mañana estaremos todo el día en Lima.
- **él ella** 2. Te recomiendo el ceviche.
- **él ella** 3. Seguro que no sufrirás de soroche.
- **él ella** 4. Viajaremos por tren a Cuzco y Machu Picchu.
- **él ella** 5. Comeremos en un restaurante lindísimo que ya hemos reservado.

**B. ¡Cuzco!** Olga está entusiasmada y quiere saber todos los detalles de lo que harán en Cuzco. ¿Qué le dice el agente de viajes?

EP 12.1

**MODELO**  domingo: levantarse muy temprano
**El domingo se levantarán muy temprano.**

1. lunes: llegar a las 17:30 y dormir dos o tres horas: ser necesario para evitar el soroche
2. lunes: por la tarde caminar por la ciudad
3. martes: visitar la catedral y conocer el Palacio de Manco Cápac
4. martes: por la tarde viajar a la fortaleza de Sacsahuamán
5. miércoles: despertarse a las seis y viajar en tren a Lima

**C. Mis próximas vacaciones.** Entrevista a un(a) compañero(a) de clase para saber cómo y dónde pasará las próximas vacaciones.

EP 12.1, 12.2

1. ¿Adónde irá? ¿Cómo viajará? ¿Viajará en avión? ¿En tren? ¿En auto?
2. ¿Viajará solo(a)?
3. ¿Dónde se quedará? ¿Cuánto pagará por el alojamiento?
4. ¿Cuánto tiempo estará de vacaciones? ¿Se quedará en el mismo lugar o viajará a otros sitios?
5. ¿Dónde comerá? ¿Comerá en restaurantes de comida típica?
6. ¿Qué hará durante el día? ¿Y de noche?
7. ¿Sacará fotos? ¿Comprará muchos recuerdos?
8. ¿Llevará la cámara de video?

**D. Nuestros planes en Perú.** Con tu compañero(a), miren este mapa y decidan cuáles son sus planes para las próximas vacaciones de primavera. ¿Qué lugares visitarán? ¿Dónde se quedarán en Lima?, ¿Cuzco?, ¿Machu Picchu? ¿Qué harán en Sacsahuamán?, ¿en el lago Titicaca?, ¿en Machu Picchu? ¿Cuánto tiempo estarán en Perú? ¿Dónde sacarán las mejores fotos? ¿Subirán Huayna Picchu?

EP 12.1, 12.2

**E. ¡Qué futuro!** El futuro está siempre lleno de promesas, de proyectos y de sueños. ¿Cómo ves tu propio futuro? ¿Cuáles son tus proyectos? ¿Será tu vida mejor que ahora? Con un(a) compañero(a), comparen su vida de ahora con la que piensan tener dentro de diez años.

EP 12.1, 12.2

**MODELO**  trabajo
Tú: Ahora trabajo de mesero; dentro de diez años seré el dueño del restaurante.
Compañero(a): Y yo trabajo en la librería; dentro de diez años trabajaré para una editorial en Nueva York.

1. trabajo
2. estudios
3. coche
4. esposo(a) e hijos
5. vivienda (casa o apartamento)
6. bienes (coches, casas, propiedad, etcétera)

## Y ahora, ¿por qué no conversamos?

**F. Resoluciones.** En enero siempre empezamos el año con resoluciones y proyectos. ¿Cuáles serán tus resoluciones para el año próximo? Discútelas con un(a) compañero(a) y escucha mientras él (ella) te dice las suyas.

**G. ¡El año 2025!** ¿Qué te traerá el futuro? En grupos de tres o cuatro, digan qué creen que estarán haciendo en el año 2025. Decidan quién tendrá el futuro más interesante y cuéntenselo a la clase.

**H. ¡Luces! ¡Cámara! ¡Acción!** Tú sabes practicar el arte de la quiromancia (*palm reading*). Tu amigo(a) quiere saber lo que le espera en el futuro: el trabajo, el amor, la salud y la familia. Lee su palma y cuéntale el futuro. Dramatiza la situación con un(a) compañero(a) delante de la clase.

**I. ¡Nuestra comunidad!** En tu universidad o comunidad, entrevista a alguna persona de origen hispano, preferiblemente peruano, y hazle preguntas relacionadas con el futuro de su país de origen y de América Latina en general: ¿Superará las dificultades económicas? ¿Se acabarán las barreras raciales? ¿Progresará mucho en materia de democracia y derechos humanos? —y otras preguntas que se te ocurran.

### Un paso atrás, dos adelante

### Capítulo 11

En el Capítulo 11 aprendiste a hablar de cuando eras más joven, a narrar cosas del pasado y a hablar de lo que has hecho o no has hecho recientemente. Repasa lo que sabes, completando el siguiente texto con las palabras necesarias.

**Una semana loca**

Tu amigo(a): ¿Dónde _____ [**estar**] cuando te _____ [**llamar**] la semana pasada?

Tú: _____ [**Ir**] al Museo Nacional. _____ [**Haber**] una exhibición temporal con mariposas vivas del Valle Central. Se _____ [**llamar**] «El Jardín Secreto» y me _____ [**gustar**] muchísimo.

Tu amigo(a): ¿Y por qué no me _____ [**invitar**]?

Tú: Te _____ [**buscar**] por todo el barrio, pero todo el mundo me _____ [**decir**] lo mismo: «_____ [presente perfecto de **estar**] aquí esta mañana»; «lo _____ [presente perfecto de **ver**] en el supermercado esta tarde» ...pero, la verdad, no te _____ [**encontrar**] por _____ [*negative expression*] parte.

Tu amigo(a): Sí, _____ [presente perfecto de **estar**] muy ocupado(a).

🎵 **¡Dímelo tú!** *Playlist* Escucha: «Yo vengo a ofrecer mi corazón» de Tania Libertad

# Saber comprender 🎧

## Estrategias para escuchar: interpretar las pistas no verbales del contexto

*Interpreting what you hear often requires knowing more than just the meaning of individual words. For example, if you hear the words* **No he podido dormir** *without knowing the circumstances that prompted the speaker to say them, then you can't know whether the speaker just had a bad night's sleep due to illness or worries, or may simply be exaggerating to make a point. To understand fully the meaning of a conversation you must use numerous nonverbal cues as well as individual word meaning. In the remaining chapters you will be asked to interpret what you hear based not only on the meaning of the words, but on your own experience and cultural knowledge as well.*

**Interpretar las pistas no verbales del contexto.** Escucha el diálogo y trata de contestar estas preguntas. Basa tus respuestas en tu propia experiencia en viajes y en el conocimiento que ya tienes del Perú.

1. ¿Por qué no pudo dormir bien Olga?
   a. Hacía demasiado frío.
   b. Estuvo pensando en las actividades del día siguiente.

2. ¿Cuándo va a explicar Caral en detalle el guía?
   a. Explicará Caral en detalle en camino al sitio.
   b. Explicará Caral en detalle al llegar al sitio.
   c. Explicará Caral en detalle al caminar por el sitio.

3. ¿Cuál es más viejo, el Vaticano en Roma o Caral?
   a. El Vaticano es más viejo.
   b. Caral es más viejo.
   c. Caral y el Vaticano son de la misma época.

4. ¿Qué tiempo va a hacer durante la visita a Caral?
   a. Va a hacer sol.
   b. Va a llover.
   c. Va a hacer frío.

5. ¿Qué tienen en común Caral y el Vaticano?
   a. Fueron construidos durante la misma época.
   b. Los dos fueron centros religiosos.
   c. Los dos son centros cristianos.

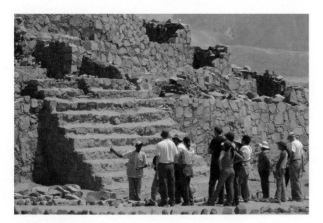

## Ahora, ¡a escuchar!

Con un(a) compañero(a), escucha otra vez la conversación y revisen las respuestas que escribieron en la sección anterior. Hagan las correcciones necesarias.

# Perú, donde la altura y la profundidad se fusionan

### Antes de empezar, dime...

1. ¿Cómo eran las civilizaciones indígenas en la región que ahora es los Estados Unidos? Describe su sociedad, arquitectura, ejércitos, etcétera.
2. ¿Cómo son los restos de esas civilizaciones? Describe algunas de sus ruinas.

**PERÚ**

**Nombre oficial**
República de Perú

**Capital**
Lima

**Población**
29.180.900 (julio 2008 est.)

**Unidad monetaria**
nuevo sol

**Índice de longevidad**
70,44 años

**Alfabetismo**
87,7 por ciento

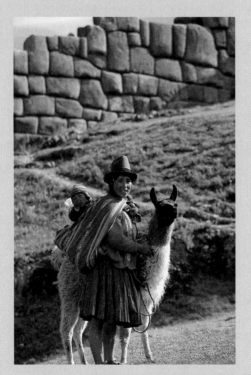

Cuando los españoles llegaron a Perú en 1531, los quechuas (también llamados incas) controlaban la cordillera andina desde Ecuador hasta Argentina. Los quechuas llamaban a su rey o emperador «el inca». La sociedad quechua o incaica estaba dividida en cuatro clases: los gobernantes, los nobles, la gente común y los esclavos. Esta sociedad mantuvo grandes ejércitos muy organizados, construyó edificios impresionantes y estableció un sistema de carreteras que se extendía de un extremo al otro del imperio incaico. Actualmente, la mayoría de sus descendientes viven en el altiplano de Ecuador, de Bolivia y de Perú, donde la lengua quechua todavía se habla extensamente.

La zona de Cuzco, la antigua capital del imperio de los incas, está situada en las mesetas andinas, al sureste de Lima, en el «corazón» mismo del antiguo imperio. Cuzco es una palabra quechua que significa ombligo *(navel)* en español y hace referencia a su localidad en el centro del universo. La ciudad y sus alrededores contienen innumerables ruinas preincaicas e incaicas que incluyen fortalezas como Sacsahuamán, el Templo del Sol y a unas cincuenta millas, la maravillosa ciudad escondida de los incas, Machu Picchu.

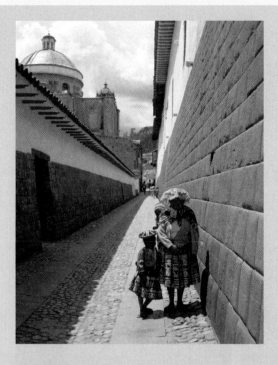

En la construcción de estas fortalezas se observa un ejemplo incomparable de cantería *(stone cutting)*: los bloques de granito están colocados uno sobre el otro sin haber utilizado cemento. Los expertos en el tema han llegado a decir que no existe otro tipo de construcción similar que pueda compararse con esta en cuanto a su calidad.

A pesar de ser la civilización incaica la que con más frecuencia se identifica con Perú, en el área peruana se destacaron otras grandes civilizaciones, como por ejemplo, la chavín con sus inmensos templos, la mochica con impresionantes pirámides y finas cerámicas, la chimú con su enorme capital en Chan Chan y sus magníficas obras de oro, la nazca, la huari, sicán y tantas más. La UNESCO ha declarado Patrimonio de la Humanidad a más de diez de estos sitios.

## Y ahora, dime...

1. ¿Cómo se comparan las civilizaciones indígenas precolombinas de los Estados Unidos con las de Perú? ¿Por qué crees que fueron tan distintas?
2. ¿Qué quiere decir «Cuzco» en español? Explica su significado.
3. Además de la civilización incaica, ¿cuáles son otras civilizaciones de importancia en Perú? De las varias civilizaciones mencionadas, ¿cuál te interesa más? ¿Por qué?

⊿ **Por el ciberespacio... a Perú**

Keywords to search:
 *templos de Chavín*
 *cerámica mochica*
 *oro de Chan Chan*
 *líneas de Nazca*

To learn more about Peru, go to the *¡Dímelo tú!* website at academic. cengage.com/spanish/dimelotu

# ¡Imagínate... un Perú todavía mejor!

**TAREA**

Antes de empezar este *Paso*, estudia la lista de vocabulario de la página 411 y escucha el corte 7 de tu Text Audio CD4. Luego estudia *En preparación*.

1er día    12.3 Conditional of regular and irregular verbs, páginas 414–416

Haz por escrito los ejercicios de *¡A practicar!* correspondientes.

## ¿Eres buen observador?

Plaza de San Martín

Catedral de Lima

El barrio de Miraflores

La playa en Lima

## Ahora, ¡a analizar!

**De visita en Lima.** A Olga y a sus amigos les falta hacer varias cosas en Lima. ¿Adónde (podrían / deberían / tendrían que) ir para hacer lo siguiente?

1. comprar un suéter de alpaca
2. sacar fotos de la estatua de San Martín
3. gozar del sol y la brisa del mar
4. comprar recuerdos de Lima
5. asistir a un servicio religioso

# ¿Qué se dice...?

## Al hablar de lo que harías

Hola, Enrique. Quería enviarte este mensaje y unas fotos para responderte a la pregunta que me hiciste un día sobre cuál sería mi mundo ideal. Viajando por Perú, viendo la grandeza del pasado incaico y la realidad de la pobreza de muchos indígenas hoy día, quiero responderte, y me gustaría conocer tu opinión también.

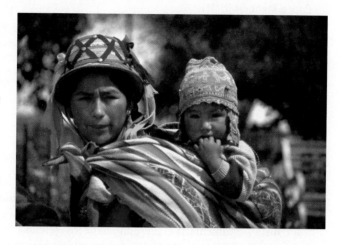

Para alguien como yo, interesada en la sociología y la historia, te diría que mi mundo ideal sería necesariamente utópico. Para empezar, mi primer objetivo sería erradicar el hambre en zonas desfavorecidas de la tierra. Para ello, cada uno de los países ricos debería contribuir con parte de su Producto Interior Bruto al desarrollo de los países pobres. Para asegurarnos de que el dinero que se envía a estos países no es utilizado para comprar armamento o llenar los bolsillos de los gobernantes, habría que crear una organización internacional para distribuir los fondos no solo en alimentos, sino también como préstamos sin intereses o de bajo interés para personas emprendedoras.

En un mundo ideal no tendrían espacio las guerras. Para ello, yo aglutinaría a cada nación en una asociación de naciones muy especial, por la cual los países se comprometerían a nunca invadirse los unos a los otros, y buscarían soluciones negociadas a todas las crisis. Crearía un organismo para arbitrar y encontrar soluciones a los conflictos actuales.

Siguiendo el modelo de la Unión Europea, obligaría a los gobiernos a mantener unos niveles económicos, prohibiría la pena de muerte y aseguraría el reparto de agua potable de zonas con más agua a zonas con menos agua. Obligaría a todas las corporaciones a emplear parte de sus ganancias en iniciativas sociales y de ayuda a los más necesitados, y controlaría el precio de las medicinas, especialmente aquellas que sirven para los problemas de los ancianos y los más pobres.

Perú ha sido clasificado por el Banco Mundial entre los 12 países más pobres del mundo, con más de 49 por ciento de su población viviendo con un dólar diario, y compartiendo con Bolivia y Haití el último lugar en consumo de calorías por persona en América Latina. El mapa de la pobreza elaborado por el Ministerio de Economía y Finanzas del Perú señala que la pobreza afecta a 56 por ciento de los 25 millones de peruanos, de los cuales 4,7 millones viven en situación extrema. Por otro lado, según el diario Las Américas, «la pobreza en Perú durante 2007 disminuyó en 5,2 puntos porcentuales respecto a 2006, según un informe del estatal Instituto Nacional de Estadística e Informática (INEI), avalado por el Banco Mundial (BM)».

**En tu opinión:** ¿Es lógico que un país rico en recursos como Perú tenga un índice tan alto de pobreza? ¿Por qué crees que ocurre eso? ¿Piensas que es lógico que los Estados Unidos tenga parte de su población viviendo en la pobreza también?

## Ahora, ¡a hablar!

EP 12.3

**A. ¿Lo haría?** Indica si Olga haría estas cosas según el *¿Qué se dice...?*

sí no 1. Crearía un comité para determinar cuáles de las guerras son útiles o no.
sí no 2. Formaría una nueva especie de Naciones Unidas.
sí no 3. Obligaría a los países ricos a ayudar a los países en desarrollo.
sí no 4. Aumentaría el presupuesto de los ejércitos.
sí no 5. Facilitaría préstamos de bajo interés para personas emprendedoras.

EP 12.3

**B. ¡Vamos a ayudar!** Tú y tu compañero(a) quieren ayudar a Olga a definir sus objetivos de cambiar el mundo. Tomen turnos en decir qué harían si pudieran ayudar.

MODELO      eliminar la deuda externa de los países en desarrollo
**Eliminaría la deuda externa de los países en desarrollo.**

1. potenciar la compra de productos de países en desarrollo
2. salir a manifestar contra el hambre en el mundo
3. dar a conocer la situación de los pobres del mundo
4. ir a ayudar como voluntario
5. rebajar el precio de las medicinas contra el SIDA
6. reducir los gastos militares a menos de la mitad
7. ¿...?

EP 12.3

**C. ¿Ocho soluciones?** Lo que para otros son propuestas, para ti y tu compañero(a) son soluciones. ¿Qué harían ustedes para erradicar la pobreza? Preparen un programa basándose en estas propuestas.

MODELO      reinterpretar / los derechos humanos en clave del siglo XXI
**Reinterpretaríamos los derechos humanos en clave del siglo XXI.**

1. erradicar / la pobreza extrema y el hambre
2. lograr / la educación primaria universal
3. establecer / la igualdad entre hombres y mujeres
4. reducir / la mortalidad de los menores de cinco años
5. mejorar / la salud materna
6. combatir / el SIDA y otras enfermedades
7. fomentar / la alianza mundial para el desarrollo humano
8. garantizar / la sostenibilidad del medio ambiente

**D. Mis buenos deseos.** Enrique y Miguel dicen que si ganaran la lotería, se comprarían una casa en Perú. ¿Qué harías tú?

EP 12.3

MODELO     dar
**Yo les daría dinero a todos los miembros de mi familia.**

1. ir
2. construir
3. no tener que
4. invertir / ahorrar
5. hacer
6. viajar
7. comprar
8. ayudar

**E. Si yo fuera rico.** Con tu compañero(a), digan qué harían con estas cosas si fueran multimillonarios(as).

EP 12.3

**Y ahora, ¿por qué no conversamos?**

**F. Los vecinos.** En nuestra sociedad hay personas con necesidades económicas, de asistencia y de otros tipos. Con tu compañero(a) hablen de estas personas, del tipo de necesidades que tienen y de lo que harían para ayudarlas.

**G. ¡Luces! ¡Cámara! ¡Acción!** Tú y tu compañero(a) están hablando sobre el tema de los viajes en el tiempo. Si pudieran viajar por el tiempo, ¿a qué época del tiempo viajarían? ¿Viajarían al mundo del futuro o del pasado? ¿Cómo sería ese mundo? ¿Cómo sería la sociedad? Dramaticen la conversación que tienen delante de la clase.

# Saber comprender

*In **Capítulo 10, Paso 3,** you learned that your previous knowledge of a topic can help you fill in the blanks when the topic of the video you are viewing is very familiar. This approach is known as listening "from the top down."*

# Los Andes, ¡donde lo nuevo y lo antiguo se entrelazan!

### Al ver el video

**Ver y escuchar «de arriba hacia abajo».** Tal vez tu conocimiento de los Andes no es muy extenso pero algo has de saber de esa majestuosa cordillera. Mira ahora el video **Los Andes, ¡donde lo nuevo y lo antiguo se entrelazan!** Luego combina el conocimiento que ya tenías de los Andes con lo que viste en el video para adivinar el significado de las palabras subrayadas.

1. Los Andes corren desde el <u>occidente</u> de Venezuela hasta el sur de Chile.
2. Los aimaras viven de la papa, un <u>alimento</u> nativo de los Andes.
3. Desde Quito se puede ver el <u>Pichincha</u> cubierto de nieve.
4. En los Andes, lo nuevo y lo antiguo <u>se entrelazan</u>.

### Después de ver el video

Ahora vuelve a mirar la sección del video sobre los Andes y anota tres cosas que aprendiste que no sabías antes y tres que ya sabías.

LOS ANDES

| Lo que no sabía | Lo que ya sabía |
|---|---|
| 1. | 1. |
| 2. | 2. |
| 3. | 3. |

# ¡Escríbelo!

## Estrategias para escribir: punto de vista

*Cuando escribimos, es importante pensar cuidadosamente en el punto de vista que vamos a desarrollar. El punto de vista afecta muchísimo el resultado final de lo que escribimos. Por ejemplo, ¿crees que el chofer responsable del accidente va a describir el accidente de la misma manera que la víctima o que algún testigo? ¡Es dudoso! Lo más probable es que va a haber tres versiones distintas y los tribunales tendrán que decidir el caso.*

**Punto de vista.** Ahora vuelve al *Noticiero cultural* de este capítulo, «Perú, donde la altura y la profundidad se fusionan». ¿Desde qué punto de vista se escribió esta lectura? ¿Quién es el narrador?

**Cambiando el punto de vista.** Piensa cómo cambiaría una lectura si el punto de vista fuera distinto. Por ejemplo, indica en una o dos oraciones cómo crees que las siguientes personas describirían al Perú precolombino. Luego compara tu trabajo con el de dos compañeros(as) de clase.

| Un conquistador español | Un quechua en Perú ahora | Atahualpa, el último emperador de los incas |
|---|---|---|
| 1. | 1. | 1. |
| 2. | 2. | 2. |
| 3. | 3. | 3. |
| 4. | 4. | 4. |
| ... | ... | ... |

## Ahora, ¡a escribir!

**A. En preparación.** Prepara una lista con tres características distintas de la sociedad del Perú precolombino. Luego descríbelas desde el punto de vista de un conquistador español, de un indígena quechua en Perú ahora o de Atahualpa, el emperador inca.

| Características | Punto de vista de un conquistador | Punto de vista de un quechua en Perú ahora o de Atahualpa |
|---|---|---|
| 1. | 1. | 1. |
| 2. | 2. | 2. |
| 3. | 3. | 3. |
| 4. | 4. | 4. |
| ... | ... | ... |

**B. El primer borrador.** Usa la información que preparaste en la actividad anterior para decidir si vas a escribir sobre Cuzco desde el punto de vista de un conquistador español, de Atahualpa, el último emperador de los incas, o de un quechua de Perú de ahora. Escribe el primer borrador de una breve composición titulada «Cuzco: el centro del universo inca». No olvides que todo lo que relates tiene que ser desde el punto de vista de tu personaje.

**C. Ahora, a compartir.** Comparte tu primer borrador con dos o tres compañeros(as). Haz comentarios sobre el contenido y el punto de vista de las composiciones de tus compañeros(as) y escucha sus comentarios sobre tu trabajo. ¿Es lógico y consistente el punto de vista? Haz comentarios sobre los errores de estructura, ortografía o puntuación. Fíjate específicamente en el uso del pretérito, del imperfecto, del futuro y del condicional. Indica todos los errores de tus compañeros(as) y luego decide si necesitas hacer cambios en tu composición, teniendo en cuenta los errores que ellos te indiquen a ti.

**D. La versión final.** Prepara la versión final de tu composición y entrégasela a tu profesor(a). Escribe la versión final en la computadora, siguiendo las instrucciones recomendadas por tu instructor(a).

# ¡No te diviertas demasiado... en Perú!

## ¿Eres buen observador?

**TAREA**

Antes de empezar este *Paso*, estudia la lista de vocabulario de la página 411 y escucha el corte 8 de tu Text Audio CD4. Luego estudia *En preparación*.

1er día  12.4 **Tú** commands: A second look, páginas 416–417

Haz por escrito los ejercicios de *¡A practicar!* correspondientes.

### Consejos para viajar a Perú

Para tu viaje a Perú, te recomendamos:

#### Para las ciudades

- Lima (La Ciudad de los Reyes) presenta muchos atractivos coloniales pero sobre todo Lima cuenta con una fabulosa infraestructura de restaurantes, hostales, centros comerciales, etcétera. Hay que tener en cuenta la seguridad. No te separes de tu grupo salvo en zonas garantizadas por los guías. Lima tiene más de ocho millones de habitantes y es una ciudad muy grande que fácilmente nos puede confundir. Sigue al guía y no tendrás de qué preocuparte.
- Ciudades como Arequipa, Cuzco, Ica, Puno, Huaraz, son más pequeñas, pero las medidas de seguridad no están de más. No pierdas de vista tus cámaras o equipaje de mano.
- No uses servicios por debajo del estándar de precios y calidad ya que puedes ser estafado fácilmente. Recuerda que pagando lo justo recibirás lo justo.
- No cambies dinero en la calle, ni lleves grandes cantidades de dinero en el bolso.

#### Para las excusiones

- Si vas por caminatas de un día, simplemente lleva un gorro o sombrero, ropa de acuerdo al lugar donde te encuentres. Lleva también un paraguas o casaca, ya que por las tardes, sobre todo en la sierra, suele haber fuertes vientos.
- Si vas por más de un día, como a Camino del Inca o a los senderos de Huaraz, ten cuidado con lo que llevas, ya que muchas cosas pueden pesar demasiado y ser incómodas. Lleva solo lo que los guías recomiendan para cada zona o dificultad.

#### Para la aventura

- Si vas a hacer canotaje, lleva más de una muda de ropa completa, también unos buenos anteojos sobre todo oscuros para evitar el reflejo del sol en las aguas. Todo debe estar bien asegurado a tu cuerpo, ya que no tendrás manos para sujetarlos, sobre todo pon mucha atención a la charla previa de tu monitor.
- Si vas de caminata por más de un día, una buena bolsa de dormir te ayudará mucho; empaca lo necesario: unas buenas botas y un impermeable para las lluvias sobre todo en la sierra.
- Si haces bicicleta de montaña, lleva unos buenos anteojos que protejan tus ojos.

Por lo demás no te preocupes, los guías se encargarán de todo: comida, bicicletas, cascos, protectores, carpas...

## Ahora, ¡a analizar!

Indica si este anuncio te dice que hagas o no hagas lo siguiente.

- sí  no  1. A la menor oportunidad, sepárate de tu grupo para disfrutar de la ciudad.
- sí  no  2. Para la selva, olvídate de los repelentes de mosquitos.
- sí  no  3. Si vas de excursión por más de un día, ten cuidado con el peso de las cosas que llevas.
- sí  no  4. Si haces canotaje, sujeta bien con las manos las cosas, para evitar perderlas.
- sí  no  5. Lleva anteojos de sol si haces bicicleta de montaña o canotaje.

# ¿Qué se dice...?

## Al hablar de lo que otras personas deben hacer

Querido Enrique:

Casi al final de mi impresionante viaje por Perú, quisiera compartir contigo unas cuantas fotos más y algunas sugerencias para ser un buen turista en este maravilloso país.

- En un sitio arqueológico, siempre mantente en los senderos.
- No dejes nada detrás de ti al realizar tu recorrido, excepto tus huellas.
- No recojas objetos ni muestras o restos de los edificios. Si estás en la selva, no recojas muestras de flora o fauna, incluyendo flores, semillas y rocas.
- Si visitas la selva, evita molestar a los animales que observas, especialmente si están cortejándose, desovando o alimentándose. No proporciones comida de ningún tipo a los monos u otros animales silvestres.
- Contrata guías locales, compra artesanías locales y hazte cliente de los hoteles y restaurantes de las zonas que visitas.

De pesca en el lago Titicaca

Puente inca moderno

- Apoya los proyectos que benefician las comunidades locales.
- Nunca compres plantas o animales silvestres.
- Compra solo artesanías hechas a base de productos naturales que son producidos específicamente para su comercialización o aquellos fabricados con recursos renovables, como la madera.

- Sé sensible a las tradiciones y a la cultura locales y trata de interactuar con la gente de los lugares que visitas. De esta manera la actividad del turismo será una experiencia positiva para todas las personas involucradas.
- Apoya los programas de conservación.

El cóndor pasa

El escritor peruano Mario Vargas Llosa nació en Arequipa, Perú, en el año 1936. Empezó a escribir en los años cincuenta, pero no logró su fama hasta 1963 cuando escribió su gran novela *La ciudad y los perros* que fue traducida inmediatamente a más de veinte idiomas y recibió el Premio Biblioteca Breve y el Premio de la Crítica (1963). En el año 1966 publicó su segunda gran obra, *La casa verde.* Sus novelas más recientes son *La fiesta del chivo* (2000), *El paraíso en la otra esquina* (2003), *Travesuras de la niña mala* (2006) y el ensayo *El viaje a la ficción.* Vargas Llosa, aparte de ser un escritor que ha alcanzado gran fama internacional, también ha tenido participación activa en la vida política del Perú. Fue candidato a la presidencia en las elecciones de 1990, en las cuales triunfó el ingeniero Alberto Fujimori.

**En tu opinión:** ¿Por qué crees que Vargas Llosa recibió el Premio de la Crítica Española en 1963, con tan solo 27 años de edad? ¿Sabes de autores en los Estados Unidos que han recibido premios importantes por sus obras literarias? ¿Por qué crees que el célebre Vargas Llosa perdió las elecciones contra el desconocido Alberto Fujimori? ¿Sabes si algún presidente de los Estados Unidos fue escritor antes de ascender a la presidencia?

## Ahora, ¡a hablar!

**A. ¿Quién?** Indica si Olga aconseja esto o no en el *¿Qué se dice...?*    EP 12.4

sí   no   1. No te salgas de la ruta establecida.
sí   no   2. Recoge objetos y rocas para regalar a tus amigos.
sí   no   3. Apoya los programas de conservación.
sí   no   4. Haz hogueras para calentarte y para evitar los mosquitos.
sí   no   5. No seas respetuoso con la gente local.
sí   no   6. No compres productos locales.

**B. ¡Por fin a Perú!** Tú vas a estudiar en la Universidad San Marcos en Lima, y la oficina    EP 12.4
de estudios en el extranjero de tu universidad te da algunas recomendaciones sobre seguridad. ¿Qué te recomienda?

**MODELO**    llamar a los Estados Unidos una vez por semana
**Llama a los Estados Unidos una vez por semana.**

1. salir siempre con otros amigos(as) y regresar con ellos(as)
2. mantener informada a tu familia de dónde y cómo estás
3. no tomar taxis de noche solo(a)
4. hacer la tarea todos los días y practicar tu español en todo momento
5. ser prudente y respetuoso(a)
6. divertirse y no comparar constantemente

**C. ¡No más, por favor!** Tu familia y tus amigos también tienen consejos que darte (un poquito más radicales). Di lo que tu familia te dice y tu compañero(a) va a decir lo que tus amigos dicen.

MODELO    no beber el agua
          **No bebas el agua.** o
          **Solo bebe agua embotellada.**

**Tu familia:**

1. no salir solo(a) de noche
2. no ir a las discotecas
3. no acostarse tarde
4. no caminar por las calles solo(a) de noche
5. no gastar dinero
6. llamar, escribir y enviar correos electrónicos todos los días

**Tus amigos**

7. ser responsable
8. comprar un teléfono celular
9. salir con un(a) chico(a) peruano(a)
10. divertirte
11. ir a clase todos los días
12. escribirme en español

**D. ¡Cuídate!** Un amigo que viaja contigo en Cuzco se enferma y quiere saber qué debe hacer para mejorarse. Aconséjalo.

MODELO    **No comas nada sólido.**

**Sugerencias**

beber té caliente                    no salir del cuarto
llamar al médico                     pedir sopa de pollo
no beber agua sin purificar          tomar una aspirina

**E. ¡Compórtate bien!** Con tu compañero(a), traten de poner orden en esta escuela diciéndole a cada niño lo que debe o no debe hacer.

## Y ahora, ¿por qué no conversamos?

**F. Viaje a Machu Picchu.** Tú y un(a) compañero(a) están viajando por Sudamérica, visitando y explorando diferentes lugares. Ahora están en las famosas cataratas de Iguazú y quieren viajar por Uruguay, Argentina, Chile y Bolivia para llegar a Machu Picchu. Piensan hacer ocho escalas *(stopovers)* en su viaje. ¿Quién va a llegar primero? Para avanzar una escala, tienes que contestar la pregunta de tu compañero(a) correctamente. Tus preguntas están aquí; las de tu compañero(a) están en el Apéndice A.

1. ¿Cuál es la capital de Bolivia?
2. ¿Cuál es la capital de Ecuador?
3. Nombra tres países atravesados por la cordillera de los Andes.
4. Nombra dos países que tienen frontera con Colombia.
5. ¿De qué nacionalidad era Eva Perón?
6. ¿Quién escribió *¡Dímelo tú!*? Nombra uno de los autores.
7. ¿Cuántos países de habla hispana hay en Centroamérica?
8. ¿Cómo se llama la capital de Perú?
9. ¿Cuál es el país de habla hispana más pequeño de Sudamérica?
10. Nombra dos culturas indígenas de México.
11. Nombra el país en el que se intentó construir un canal similar al de Panamá.
12. Nombra cinco países de Sudamérica y sus capitales.

**G. ¡Luces! ¡Cámara! ¡Acción!** Tú acabas de regresar de tu viaje al Perú y ahora todos tus amigos te consideran un(a) experto(a). Tu mejor amigo(a) piensa visitar el mismo lugar que visitaste y te pide consejos. Con un(a) compañero(a), escriban el diálogo. Luego dramatícenlo delante de la clase.

# El rincón de los lectores 

## Estrategias para leer: usar pistas del contexto

*En el capítulo previo aprendiste a usar pistas de contexto cuando no sabes el significado de una palabra. Aprendiste que varias cosas te pueden ayudar a entender una palabra clave desconocida.*

- *el contenido de la oración*
- *no preocuparse por saber el significado específico; basta con tener una idea general del significado*
- *fijarse en la puntuación y la estructura*
- *identificar las palabras clave y no preocuparse por palabras desconocidas que no sean clave*

**Usar pistas del contexto.** Ahora lee el segundo párrafo de la lectura («Bill Gates visitó de incógnito...») y prepara una lista de las palabras desconocidas cuyo significado no sabes. Luego, dentro de las palabras desconocidas que identificaste, decide cuáles son palabras clave y cuáles no. Trata de identificar el significado de las palabras clave siguiendo uno de los procesos mencionados arriba.

| Palabras desconocidas | Palabras clave desconocidas | Significado de palabras clave |
|---|---|---|
| 1. | 1. | 1. |
| 2. | 2. | 2. |
| ... | ... | ... |

# Los multimillonarios y famosos visitan Machu Picchu

Muchos son los multimillonarios y famosos que últimamente se están dejando ver por Machu Picchu. La semana pasada lo hicieron Cameron Díaz y la pareja Brody-Pataky. Esta semana le ha tocado el turno a Bill Gates. ¿Será que la ciudad escondida de los incas se ha convertido en un destino de moda entre los multimillonarios y famosos?

Bill Gates visitó de incógnito la milenaria ciudadela inca el sábado, donde no pudo evitar ser reconocido por periodistas locales, informó el domingo la prensa limeña. Gates recorrió la edificación del siglo XV, descubierta un 24 de junio de 1911, acompañado de una reducida comitiva de amistades antes de retornar al Cuzco, la antigua capital del imperio inca situada a 100 kilómetros del lugar. En ese lugar asistió, en la explanada de Sacsahuamán, a las celebraciones de la tradicional fiesta del Dios Sol que marca el inicio del solsticio de invierno. En quechua esta fiesta se conoce como «Inti Raymi».

La presencia del cofundador de Microsoft coincide con la de la actriz estadounidense y estrella de Hollywood, Cameron Díaz, que participa en un documental del programa de televisión «4 Real» de la cadena MTV, de Canadá. La actriz norteamericana Cameron Díaz llegó a la ciudad peruana del Cuzco, en una visita que le permitirá conocer lugares históricos y turísticos como la famosa ciudadela de Machu Picchu y la celebración andina del «Inti Raymi».

La famosa actriz llegó el pasado miércoles por la mañana al aeropuerto de Cuzco, donde fue recibida por el responsable de una empresa privada de seguridad que protegerá a la actriz durante su permanencia en la antigua capital del imperio de los incas. Cameron Díaz se alojó en el hotel Libertador de Cuzco, en el centro histórico de la ciudad, y recorrió posteriormente ante la sorpresa de los transeúntes y turistas. La actriz visitó la Plaza de Armas cuzqueña y observó un desfile de alegorías de la Escuela de Bellas Artes de la ciudad.

El actor norteamericano Adrien Brody, ganador del Óscar por la película *El pianista*, también se encuentra en Perú desde hace una semana para acompañar a su novia Elsa Pataky en el rodaje de la película que la actriz está rodando en el departamento norteño de Piura.

Ahora en Perú, en lugar de hippies con ponchos peruanos, se ven modelos que son fotografiadas para las revistas de modas. En las inmediaciones del Machu Picchu y del Valle Sagrado de Cuzco, los turistas pueden recibir masajes con piedras calientes o inscribirse en sesiones de yoga al atardecer, tras una agotadora caminata.

## A ver si comprendiste

1. ¿A qué época pertenece Machu Picchu?
2. ¿Dónde está situado Machu Picchu?
3. ¿Cómo se llama la fiesta del inicio del solsticio de invierno en Perú?
4. ¿Qué famosos han visitado últimamente Machu Picchu y Cuzco?
5. ¿Qué crees que atrae a los famosos que visitan Perú?
6. ¿Crees que este turismo es más rentable para los peruanos que el turismo de mochila y bolsa de dormir? Explica tu respuesta.

# Vocabulario

## Paso 1 CD4, Track 6

### Viajar en Perú
| | |
|---|---|
| alojamiento | housing |
| cámara | camera |
| cámara de video | video camera |
| espectáculo | show, exhibition |
| fortaleza | fortress |
| precolombino(a) | pre-Columbian |
| restos (m. pl.) | remains |
| sitio | site |
| vivienda | housing |

### Descripción
| | |
|---|---|
| antiguo(a) | old, ancient |
| arriba | above |
| lindo(a) | pretty, lovely |
| próximo(a) | next |
| solo(a) | alone |

### Propiedad
| | |
|---|---|
| bienes (m. pl.) | wealth, property, goods |
| propiedad (f.) | property |
| tierra | soil |

### Verbos
| | |
|---|---|
| cultivar | to cultivate |
| disponer | to arrange, to prepare |
| quejarse | to complain |
| reservar | to reserve |

### Palabras y expresiones útiles
| | |
|---|---|
| dentro | inside, within |
| editorial (f.) | publisher |
| opción (f.) | option |
| otra vez | again |
| región (f.) | region |

## Paso 2 CD4, Track 7

### Un mundo ideal
| | |
|---|---|
| alianza mundial (f.) | world alliance |
| derechos humanos (m. pl.) | human rights |
| desarrollo humano | human development |
| igualdad (f.) | equality |
| salud (f.) | health |
| salud materna (f.) | maternal health |
| sostenibilidad (f.) | sustainability |
| universal | universal |

### Pobreza
| | |
|---|---|
| deuda | debt |
| disminución (f.) | decrease, reduction |
| en desarrollo | under developmet, developing |
| mortalidad (f.) | mortality |
| pobreza | poverty |
| SIDA (m.) | AIDS |

### Para combatir la pobreza
| | |
|---|---|
| aglutinar | to put together |
| aumentar | to increase |
| combatir | to combat |
| crear | to create |
| dar a conocer | to make known |
| erradicar | to erradicate |
| facilitar | to facilitate |
| fomentar | to promote, to encourage |
| formar | to form |
| garantizar | to guarantee |
| manifestar | to demonstrate |
| mejorar | to better |
| potenciar | to increase the power of |
| reducir | to reduce |
| reinterpretar | to reinterpret |

### Viajar
| | |
|---|---|
| agencia de viaje | travel agency |
| compra | purchase |
| gozar | to enjoy |
| hacer la maleta | to pack a suitcase |
| hospedar | to lodge, to put up |
| maleta | suitcase |

### Banco
| | |
|---|---|
| comité (m.) | committee |
| emprendedor(a) | enterprising |
| interés (m.) | interest |
| invertir | to invest |
| presupuesto | budget |
| servicio | service |
| valer | to be worth |

### Palabras útiles
| | |
|---|---|
| de esa manera | that way |
| en clave de | having . . . as key |
| externo(a) | external |
| mitad (f.) | half |
| religioso(a) | religious |

| | |
|---|---|
| siglo | century |
| sin duda | without a doubt |
| útil | useful |

## Paso 3 CD4, Track 8

### Viajar
| | |
|---|---|
| aduana | customs |
| anteojos de sol (m. pl.) | sunglasses |
| atravesar | to traverse, to cut across |
| bolsa de dormir | sleeping bag |
| capital (f.) | capital |
| canotaje (m.) | rowing, rafting |
| cordillera | mountain range |
| frontera | border |
| moneda | money, coin |
| mosquito | mosquito |
| repelente (m.) | repellent |

### Descripción
| | |
|---|---|
| pesado(a) | heavy |
| prudente | prudent |
| rentable | profitable |
| respetuoso(a) | respectful |
| situado(a) | located |
| sólido(a) | solid |

### Verbos
| | |
|---|---|
| apoyar | to support |
| atraer | to attract |
| calentar | to warm up |
| intentar | to attempt, to try |
| purificar | to purify |
| sujetar | to fasten |

### Palabras y expresiones útiles
| | |
|---|---|
| conservación (f.) | conservation |
| época | epoch, period |
| hoguera | bonfire |
| inicio | beginning |
| roca | rock |
| sierra | mountain range |
| solsticio | solstice |

### EL ESPAÑOL... de los Andes
| | |
|---|---|
| alpaca | alpaca |
| andino(a) | Andean |
| anticuchos | barbequed pieces of marinated beef heart |
| ceviche (m.) | raw fish marinated in lemon juice |
| cuy (m.) | guinea pig |
| incaico(a) | Inca, Incan |
| soroche (m.) | altitude sickness |
| té de coca (m.) | coca leaf tea |

# En preparación 12

## 12.1 Future tense of regular verbs

### Talking about the future

■ In English, the future is usually expressed with the auxiliary verbs *will* or *shall: I will/shall see you later.* The future tense in Spanish is formed by adding the endings **-é, -ás, -á, -emos, -éis,** and **-án** to the infinitive of most **-ar, -er,** and **-ir** verbs.

| estar | |
|---|---|
| estar**é** | estar**emos** |
| estar**ás** | estar**éis** |
| estar**á** | estar**án** |

| ser | |
|---|---|
| ser**é** | ser**emos** |
| ser**ás** | ser**éis** |
| ser**á** | ser**án** |

| ir | |
|---|---|
| ir**é** | ir**emos** |
| ir**ás** | ir**éis** |
| ir**á** | ir**án** |

**Heinle Grammar Tutorial:** The Future Tense

| | |
|---|---|
| Este verano no **viajaré.** | *This summer I will not travel.* |
| En el invierno **iremos** a hacer andinismo en Perú. | *In the winter we will go mountain climbing in Peru.* |

■ There are other ways to talk about future time in Spanish. Remember that the present indicative and **ir a** + *infinitive* are also used to express future time.

| | |
|---|---|
| Carlos **llega** mañana a las diez. | *Carlos will arrive tomorrow at ten.* |
| Te **veo** más tarde. | *I'll see you later.* |
| **Vamos a ver**la esta noche. | *We are going to see her tonight.* |
| Ella **va a traer**los. | *She is going to bring them.* |

### ¡A practicar!

**A. ¡Qué planes tengo!** Andrés acaba de graduarse y antes que nada quiere pasar las vacaciones en Perú. ¿Qué planea hacer?

MODELO      (yo) / pasar / vacaciones / Perú
              **Pasaré las vacaciones en Perú.**

1. primero ir / a descansar / playas / Santa María
2. estar / Lima / dos semanas
3. divertirme / todas las noches / discotecas
4. visitar Cuzco / donde poder / ver la fortaleza de Sacsahuamán
5. caminar / toda la ciudad / y ver / mucho de la antigua capital
6. regresar / los Estados Unidos / agosto

**B. ¡Me escaparé!** Unos amigos peruanos están hablando de lo que harán después de graduarse. Cambia los verbos al futuro para saber lo que dicen.

1. Yo _____ (ir) a visitar las ruinas de Chan Chan en el norte del país.
2. Alicia y yo _____ (descansar) y _____ (tomar) sol en las playas de Paracas.
3. Gloria y María _____ (viajar) a Machu Picchu.
4. José _____ (quedarse) aquí para descansar.
5. Cecilia y Roberto _____ (volver) a Arequipa durante el verano.
6. Fernando dice que _____ (visitar) a sus parientes en Ica. _____ (Estar) allá todo un mes.

---

«Aborrece y **serás** aborrecido; quiere y **serás** querido». (proverbio)

___ You will be treated the same way you treat others.

___ If you hate or love others, you will feel the same way.

---

## 12.2 Future tense of verbs with irregular stems

### Talking about the future

The future tense of the following verbs is formed by adding the future tense endings to irregular stems.

| Future tense: Irregular verbs | | |
|---|---|---|
| decir: | **dir-** | |
| haber: | **habr-** | |
| hacer: | **har-** | |
| poder: | **podr-** | -é |
| poner: | **pondr-** | -ás |
| querer: | **querr-** | -á |
| saber: | **sabr-** | -emos |
| salir: | **saldr-** | -éis |
| tener: | **tendr-** | -án |
| valer: | **valdr-** | |
| venir: | **vendr-** | |

| poder | |
|---|---|
| podré | podremos |
| podrás | podréis |
| podrá | podrán |

Note that a majority of the irregular stems are derived by eliminating the vowel of the infinitive ending or replacing it with a **d**.

**Tendremos** que visitar Chan Chan.
Los invitados **vendrán** de todas partes.
¿Quiénes **harán** el chuño?

*We will have to visit Chan Chan.*
*The guests will come from all over.*
*Who will make chuño?*

**Heinle Grammar Tutorial:** The Future Tense

### ¡A practicar!

**A. ¡Hay tanto que hacer!** Eva y Adolfo piensan hacer su primer viaje a Perú dentro de un mes. Ahora, Eva está explicándole a su mejor amiga lo que todavía le queda por hacer. ¿Qué dice Eva? Para saberlo, pon los verbos en el futuro.

Yo _____ (tener) que comprar los boletos del vuelo muy pronto. Adolfo, nuestros padres y yo _____ (hacer) la lista de todos los lugares que vamos a visitar. Mamá _____ (ponernos) en contacto con unos parientes en Lima. Mis tías _____ (darme) una lista de regalos que quieren que les compre. Adolfo _____ (poder) visitar a unos amigos suyos en Cuzco. Y mis abuelos dicen que _____ (venir) a despedirnos el día de nuestra salida.

**B. ¡Los días pasan volando!** La mejor amiga de Eva tiene algunas ideas de cómo ayudarla. Pon los verbos entre paréntesis en el futuro para saber qué le sugiere.

Yo _____ (poder) ir contigo a comprar los boletos. Podemos ir mañana por la tarde porque yo _____ (salir) del trabajo a las dos de la tarde. También nosotras _____ (tener) tiempo de ir a casa a cenar. Te _____ (hacer) una cena especial. Probablemente no _____ (haber) otra oportunidad de estar solas antes de tu viaje.

---

«Madruga y **verás**, trabaja y **tendrás**». (proverbio)

____ *Early to bed and early to rise makes a man healthy, wealthy, and wise.*

____ *The early bird catches the worm.*

---

## Paso 2

## 12.3 Conditional of regular and irregular verbs

### Stating what you would do

■ The conditional is used to state conditions under which an action may be completed. In English, the conditional is expressed with *would: I would go if . . .* In Spanish, the conditional is formed by adding the endings **-ía, -ías, -ía, -íamos, -íais,** and **-ían** to the infinitive of most **-ar, -er,** and **-ir** verbs.

| estar | |
|---|---|
| estaría | estaríamos |
| estarías | estaríais |
| estaría | estarían |

| ser | |
|---|---|
| sería | seríamos |
| serías | seríais |
| sería | serían |

| ir | |
|---|---|
| iría | iríamos |
| irías | iríais |
| iría | irían |

Yo **iría** a un concierto de la peruana Tania Libertad.

Allí **podría** escuchar la música de Ciro Hurtado también.

*I would go to one of the concerts of the Peruvian Tania Libertad.*

*There I would also be able to listen to Ciro Hurtado's music.*

The conditional of the following verbs is formed by adding the conditional endings to irregular stems. Note that the irregular stems of these verbs are identical to those of the irregular future tense verbs.

| Conditional: Irregular verbs | | |
| --- | --- | --- |
| decir: | **dir-** | |
| haber: | **habr-** | |
| hacer: | **har-** | |
| poder: | **podr-** | -ía |
| poner: | **pondr-** | -ías |
| querer: | **querr-** | -ía |
| saber: | **sabr-** | -íamos |
| salir: | **saldr-** | -íais |
| tener: | **tendr-** | -ían |
| valer: | **valdr-** | |
| venir: | **vendr-** | |

| hacer | |
| --- | --- |
| haría | haríamos |
| harías | haríais |
| haría | harían |

**Haría** todo lo posible por conseguir entradas al concierto.
Tú **podrías** ir conmigo.

*I would do everything possible to get tickets to the concert.*
*You could go with me.*

**Heinle Grammar Tutorial:** The Conditional Tense

## ¡A practicar!

**A. ¡Yo lo haría así!** Tu mejor amigo(a) desea viajar este verano pero no tiene la mínima idea adónde. Quiere saber adónde irías tú y qué harías en el viaje. ¿Qué le dices?

**MODELO**     primero, buscar información por Internet
**Primero, buscaría información por Internet.**

1. sin duda, yo decidir viajar a Perú
2. llamar a varias agencias de viaje
3. empezar a trabajar más horas
4. de esa manera, ahorrar más dinero
5. también tomar una clase de historia de Cuzco o de Perú
6. luego, comprar mis boletos
7. hacer mis maletas
8. irme a Perú por todo un mes

**B. ¡Me encantaría ir contigo!** Ahora que todos los planes están hechos, tu mejor amigo insiste en que hagas el viaje a Perú con él. ¿Qué tendrían que hacer para poder viajar juntos?

**MODELO**     Los dos (tener) que trabajar más horas.
**Los dos tendríamos que trabajar más horas.**

1. Mi amigo y yo (hablar) con nuestros amigos peruanos.
2. Los dos (tener) que organizar nuestro presupuesto *(budget)*.
3. Los dos (poder) tomar la clase de historia de Perú juntos.
4. Yo definitivamente (tomar) otra clase de español.
5. Mi amigo y yo (practicar) español veinticuatro horas al día.
6. Yo (saber) exactamente qué lugares visitar.

**C.** **¡Nunca!** Como es la primera vez que tu amigo(a) viaja tan lejos, sus padres están un poco preocupados. Tú los llamas para convencerlos. Completa los espacios con los verbos en condicional para saber qué les dices.

¡ _____ (Ser) una excelente oportunidad para hacernos bilingües! Nosotros(as) _____ (practicar) más que nunca. _____ (Hablar) continuamente con los miembros de la familia donde nos vamos a hospedar y también _____ (tener) amplia oportunidad de hablar con la gente en la calle, porque _____ (tomar) el autobús a la universidad todos los días. Claro que ya estando allí, _____ (viajar) a Bolivia y a Ecuador, y si nuestro presupuesto lo permitiera, _____ (ir) también al Cono Sur, a Chile, Argentina y Uruguay.

---

«Menos lobos **irían** en la banda...» (proverbio)

\_\_\_\_ *Perhaps there were not enough musicians in the band.*

\_\_\_\_ *Perhaps you are stretching the truth.*

---

## Paso 3

## 12.4 *Tú* commands: A second look

### Requesting, advising, and giving orders to people

■ In **Capítulo 9,** you learned that affirmative **tú** commands are identical to the third-person singular of the present indicative.

| | |
|---|---|
| **Llama** a la agencia de viajes. | *Call the travel agency.* |
| **Haz**\* las reservaciones. | *Make the reservations.* |
| **Pide** información sobre Sipán. | *Ask for information about Sipán.* |

■ To form a negative **tú** command, drop the final **-o** from the first-person singular of the present indicative and add **-es** to **-ar** verbs and **-as** to **-er** and **-ir** verbs.

| Negative *tú* commands | | | |
|---|---|---|---|
| tomar: | tomø | No **tomes** cerveza. | *Don't drink beer.* |
| comer: | comø | No **comas** nada. | *Don't eat anything.* |
| dormir: | duermø | No **duermas** aquí. | *Don't sleep here.* |
| salir: | salgø | No **salgas** hoy. | *Don't go out today.* |

■ Reflexive and object pronouns must precede the verb in negative commands and must follow and be attached to the verb in affirmative commands. When two pronouns are present in a sentence, the reflexive pronoun always comes first, and the indirect-object pronoun always precedes the direct-object pronoun.

**Heinle Grammar Tutorial:** Informal Commands

| | |
|---|---|
| **Llámanos** cuando lleguen y no **te olvides** de llamar a tus abuelos. | *Call us when you arrive and don't forget to call your grandparents.* |
| ¡Ah, el pasaporte! **Tráemelo,** por favor. | *Oh, the passport! Bring it to me, please.* |

\*You have also learned that there are eight irregular affirmative **tú** commands: **di, pon, sal, ten, ven, haz, ve,** and **sé.**

## ¡A practicar!

**A. ¡El soroche!** Es tu primer día en Cuzco y tu amigo(a) sufre de soroche. ¿Qué consejos le das?

1. quedarte / en casa
2. hablar / con el médico
3. tomar / té de coca
4. descansar / todo el día
5. no salir / y no hacer / nada en la casa
6. acostarte / y no levantarte
7. dormir / todo el día
8. si suena el teléfono / no contestarlo

**B. ¡Estás enfermo(a)!** Ahora tu amigo(a) de cuarto está hablando por teléfono con su mamá. ¿Qué le dice ella?

1. no comer / nada
2. no mirar / televisión
3. no leer / mucho
4. no tomar / cerveza
5. no salir / al frío
6. no hacer / ejercicios pesados

**C. ¡Instrucciones!** Los padres de tu amigo(a) tienen instrucciones muy específicas para ti. ¿Qué te dicen?

**MODELO**       servirle sopa de pollo dos veces al día
**Sírvele sopa de pollo dos veces al día.** o
**Sírvesela dos veces al día.**

1. tomarle la temperatura cada cuatro horas
2. no hablarle si se siente cansado(a)
3. darle una aspirina cada seis horas
4. no despertarlo(la) si suena el teléfono
5. prepararle té todo el día
6. servirle un vaso de agua fresca cada media hora

---

«**Haz** el bien y **no mires** a quien». (proverbio)

___ *Be nice to everybody.*

___ *One good deed deserves another.*

---

### CAPÍTULO 13

# Y el techo del mundo... ¡Bolivia!

## In this chapter, you will learn how to . . .

- give advice.
- lead a group in aerobic exercise.
- tell someone what to do or not to do.
- express fear, joy, sadness, pity, surprise, or hope.

## Comunicación

### ¿QUÉ SE DICE...?
- Al dar consejos
- Al hablar de tonificar el cuerpo
- Al sugerir y recomendar

## Cultura

### ¿SABÍAS QUE...?
La hoja de coca
Carnaval de Oruro
Bolivia y el acceso al mar

### NOTICIERO CULTURAL
Bolivia: un potosí de cultura y biodiversidad

### VIDEO CULTURAL
Bolivia, en el corazón de Sudamérica y del mundo

### EL RINCÓN DE LOS LECTORES
*Juvenal Nina* (fragmento) de Gaby Vallejo

## En preparación
### PASO 1
13.1  Present subjunctive: Review of theory and forms
### PASO 2
13.2  **Usted** and **ustedes** commands
13.3  Present subjunctive of irregular verbs and **ojalá**
### PASO 3
13.4  Subjunctive with expressions of emotion
13.5  Subjunctive with impersonal expressions

## Destrezas

### ¡A ESCUCHAR! & ¡A VER!
Interpreting key words

### ¡A ESCRIBIR!
Being persuasive

### ¡A LEER!
Outlining a historical reading

*Busca* Carnaval Oruro *en Google*™ *Images y YouTube*™ *para disfrutar de esta festividad con más de 50.000 danzantes.*

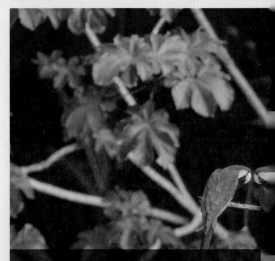

*Busca* Madidi Bolivia *en Google*™ *Images y YouTube*™ *para saber más sobre una de las áreas protegidas más ricas del planeta.*

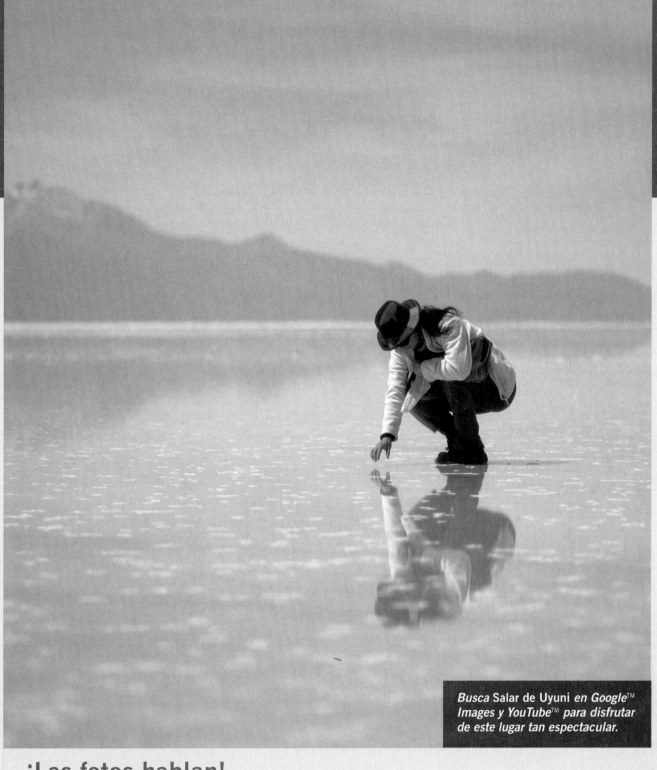

Busca **Salar de Uyuni** *en Google*™ *Images y YouTube*™ *para disfrutar de este lugar tan espectacular.*

# ¡Las fotos hablan!

**A que ya sabes...** Completa los siguientes comentarios sobre Bolivia basando tus respuestas en estas fotos.

1. En Bolivia se mezcla...
   a. lo natural y lo folclórico.    b. lo industrial y lo indígena.    c. lo moderno, industrial e indígena.
2. El Parque Nacional Madidi en Bolivia...
   a. es una gran reserva natural.    b. es una salina.    c. es una ciudad.
3. El Carnaval de Oruro...
   a. es una tradición moderna de baile y disfraz.    b. es un movimiento social de Bolivia.
   c. es una ocasión tradicional y religiosa donde lucen preciosos disfraces.

# ¡Te recomiendo que visites Bolivia!

**TAREA**

Antes de empezar este *Paso*, estudia la lista de vocabulario de la página 442 y escucha el corte 13 de tu Text Audio CD4. Luego estudia *En preparación*.

1<sup>er</sup> día   13.1 Present subjunctive: Review of theory and forms, páginas 444–445

Haz por escrito los ejercicios de *¡A practicar!* correspondientes.

## ¿Eres buen observador?

**Te invitamos a hacerte socio de la Asociación Estudiantil Masculina ZTE**

## Ahora, ¡a analizar!

Los socios de la Asociación Estudiantil Masculina ZTE hacen varias actividades, algunas muy buenas para la salud, otras no tan buenas. ¿Qué consejos les puedes dar?

**Les recomiendo / sugiero / aconsejo / insisto en / digo que...**

| | | |
|---|---|---|
| tomen más agua | duerman más | coman muchas verduras |
| no fumen | bajen de peso | coman más pescado |
| no beban bebidas alcohólicas | bailen más | no tomen tanta cerveza |
| coman más verduras | jueguen más deportes | corran más |

# ¿Qué se dice...?

CD4, Track 9

## Al dar consejos

NARCISO: No me lo vas a creer: ¡Nos vamos a Bolivia!

DAVID: ¿En serio? ¡Me muero de envidia!

AMAYA: ¡Estamos contentísimos!

NARCISO: Pues sí, antes de empezar a trabajar, hemos decidido tomarnos un año libre y pasarlo en Bolivia.

DAVID: Me parece una idea genial. Pero, ¿por qué Bolivia?

NARCISO: Elegimos Bolivia porque es un país que todavía no ha sido arruinado completamente por la modernidad y porque tiene una grandiosa herencia indígena.

DAVID: ¿Y dónde piensan vivir?

AMAYA: Primero pasaremos unos meses en La Paz. Luego en Cochabamba, Sucre y finalmente en Santa Cruz.

DAVID: La Paz es hermosa y hay tanto que ver y hacer ahí. Además es ideal para visitar Copacabana y el lago Titicaca, y también Tiwanaku. Pero mucho cuidado con el soroche. El aeropuerto de La Paz, llamado El Alto, está a cuatro mil metros o trece mil cien pies de altura. Se recomienda tomar dos tazas de mate de coca en cuanto se llega al hotel y descansar inmediatamente durante un par de horas antes de salir a caminar por la ciudad. También se le puede pedir al médico una receta de pastillas para el mal de altura antes de salir de los Estados Unidos.

AMAYA: No te preocupes. Ya he hablado con el médico del soroche y nos ha recetado unas pastillas precisamente para eso. Pero cuéntame algo de Copacabana, Titicaca y Tiwanaku.

DAVID: El lago Titicaca es el lago navegable más alto del mundo. Allí hay dos islas muy visitadas. Una es la Isla del Sol y la otra, la Isla de la Luna. La leyenda cuenta que Manco Cápac (o Manko Qhapaj), el primer inca, y su esposa Mama Ocllo, aparecieron por primera vez en la Isla del Sol con el encargo de Inti, el dios Sol, de fundar el imperio incaico. Copacabana, a orillas del lago, es donde se encuentra el santuario de la Virgen de Copacabana, patrona de Bolivia. Ahí se pueden tomar pequeñas embarcaciones para visitar las dos islas.

NARCISO: Y Tiwanaku, ¿queda lejos de La Paz?

DAVID: No, queda bastante cerca, a menos de dos horas de la ciudad de La Paz. Pueden visitar Tiwanaku y les recomiendo que lo hagan porque es verdaderamente fascinante. Imagínense, la cultura incaica perduró por unos cien años, la tiwanacota más de mil años. ¡Es impresionante!

El cultivo de la coca está muy extendido en Bolivia. Los indígenas del altiplano consumen las hojas secas de coca desde épocas remotas para soportar mejor los efectos de la altura y para darles fortaleza física. Es muy común tomar una taza de mate de coca, trimate (manzanilla, anís y coca) u otra combinación con hojas de coca. Desde siempre, la hoja de coca ha sido utilizada dentro de la medicina casera para combatir el dolor de estómago, el mal de altura y el cansancio. Pero esta hoja también se utiliza para elaborar la cocaína, droga ilegal. Actualmente se intenta controlar su producción ofreciendo incentivos a los agricultores para que reemplacen esas plantaciones por otros cultivos, como el del café y el de frutas.

**En tu opinión:** ¿Por qué crees que el mate de coca tiene tantos usos medicinales? ¿El hecho de que se usa también para elaborar la cocaína justifica la erradicación del cultivo de la hoja de coca?

## Ahora, ¡a hablar!

EP 13.1

**A. ¡El primer coche!** Jaime, un joven boliviano, acaba de recibir su licencia de manejar. Según él, ¿qué consejos recibe de su familia?

MODELO    mamá (insistir) en que nunca (manejar) después de tomar alcohol
          **Mi mamá insiste en que nunca maneje después de tomar alcohol.**

1. padres (recomendarme) que siempre (usar) cinturón de seguridad
2. papá (insistir) en que siempre (observar) los límites de velocidad
3. hermano mayor (sugerirme) que siempre (guardar) coche en el garaje
4. hermana (insistir) en que nunca (beber) alcohol si tengo que manejar
5. papá (aconsejarme) que (lavar) con frecuencia el coche
6. padres (decirme) que siempre (tener) la llanta de repuesto en el coche

EP 13.1

**B. ¡En el techo del mundo!** Narciso y Amaya acaban de llegar a La Paz. Ahora están hablando con el administrador de su hotel. ¿Qué recomendaciones les hace?

MODELO    **Les recomiendo que se sienten a tomar una o dos tazas de mate de coca.**

|  |  |
|---|---|
| | sentarse a tomar una o dos tazas de mate de coca |
| | acostarse y descansar un par de horas |
| aconsejar | no caminar demasiado estos primeros días |
| insistir en | comer ligero los primeros días |
| sugerir | evitar la comida de la calle |
| recomendar | seguir tomando mate de coca a lo largo de su estadía |
| | no salir a caminar solos de noche |
| | gozar de nuestra ciudad |

EP 13.1

**C. El primer semestre.** El primer semestre en la universidad puede ser una experiencia algo traumática para algunas personas. ¿Qué le aconsejas a un(a) nuevo(a) estudiante que acaba de entrar a la Universidad Mayor de San Simón de Cochabamba?

MODELO    estudiar todos los días un poco
          **Te recomiendo que estudies todos los días un poco.**

1. participar activamente en las clases
2. limitar tu vida social
3. entregar los trabajos a tiempo
4. organizar grupos de estudio
5. administrar tu tiempo
6. leer muchísimo
7. mantener una vida sana

**D. ¡Únete a nosotros!** Con un(a) compañero(a), miren estos dibujos y escriban diálogos entre la monitora y los clientes del Club Deportivo Azuero. Usen verbos como **recomendar, sugerir, querer, desear**... Estén preparados para presentar los diálogos a la clase.

EP 13.1

## Y ahora, ¿por qué no conversamos?

**E. Doctor Sabelotodo.** Tú y tu compañero(a) trabajan para el doctor Sabelotodo, un señor que da consejos en un periódico de su comunidad. ¿Qué consejos puede darles a estas personas? Sugieran varios consejos para cada situación.

**Vocabulario útil**

| | | |
|---|---|---|
| aconsejar | permitir | recomendar |
| insistir | preferir | sugerir |

1. Una pareja quiere saber cómo se puede tener un matrimonio feliz.
2. Una joven de dieciocho años necesita conseguir un buen trabajo inmediatamente.
3. Tres compañeros de cuarto quieren saber cómo pueden sacar buenas notas. ¡Es urgente!
4. Dos amigos quieren vivir juntos; necesitan consejos para poder vivir sin problemas.
5. Un joven acaba de divorciarse. Está muy deprimido.

**F. ¿Nosotros? ¿Consejeros?** Todos tenemos problemas: de salud, de dinero, de trabajo o de lo que sea. En grupos de tres, preparen una descripción por escrito de dos o tres problemas típicos de estudiantes universitarios y dénsela a su profesor(a). Él (Ella) va a redistribuir las listas para que cada grupo haga varias recomendaciones a fin de solucionar los problemas de su nueva lista.

**G. Sueños.** Todos tenemos sueños que queremos que se hagan realidad algún día. Con un(a) compañero(a), comparte tus sueños. Tu compañero(a) va a darte algunos consejos que te ayudarán a lograr lo que quieras.

MODELO    Tú: **Yo quiero vivir en una mansión grande y elegante.**
COMPAÑERO(A): **Te sugiero que trabajes mucho y ahorres mucho dinero o que te cases con un(a) millonario(a).**

**H.** **¡Luces! ¡Cámara! ¡Acción!** Tú y tu compañero(a) de cuarto están hablando con un(a) amigo(a) que tiene problemas serios debido al alcohol, las drogas o el tabaco. ¿Qué consejos le dan? Dramatiza la situación con dos compañeros(as) de clase.

**I.** **¡Nuestra comunidad!** En tu universidad o comunidad, entrevista a una persona de origen sudamericano, boliviano si es posible. Puedes entrevistar a más de una persona si fuera necesario para obtener mayor información. Pregúntale sobre la situación económica, los desafíos y su opinión sobre el nivel de vida en ese país. Informa a la clase de lo que aprendiste.

## Un paso atrás, dos adelante

## Capítulo 12

**Repasemos.** En el Capítulo 12 aprendiste a hablar de lo que harás en el futuro en general o durante unas vacaciones en particular; aprendiste también a hablar de lo que harías en diferentes situaciones, y a dar consejos y órdenes a los demás. Repasa lo que sabes, completando el siguiente texto con las palabras necesarias.

### Un plan ilusionante

Tu amigo(a): Entonces, ¿cuándo _____ [futuro de **tomar**] las vacaciones este año? Yo las _____ [futuro de **hacer**] en agosto.

Tú: Y yo también. Y creo que _____ [futuro de **ir**] a Perú. ¿Y tú?

Tu amigo(a): Yo no lo _____ [presente perfecto de **pensar**] todavía, pero sí, creo que a mí también _____ [condicional de **gustarme**] ir a Perú.

Tú: Si quieres podemos ir juntos; _____ [*command* de **pensar**] en una fecha y podemos comprar el billete para ir juntos.

Tu amigo(a): Muy bien. ¿Y qué lugares _____ [condicional de **gustarte**] visitar en Perú? Yo no _____ [condicional de **perderme**] Cuzco ni las ruinas de Machu Picchu por nada del mundo.

Tú: Yo tampoco; además, mi profesor de español nos _____ [presente perfecto de **hablar**] muy bien de la reserva de la biosfera del Manú.

Tu amigo(a): Muy bien, pues _____ [futuro de **visitar**] ese lugar también.

Tú: ¡Perfecto!_____ [*command* de **llamarme**] cuando encuentres unos billetes a buen precio. _____ [*command* de **recordar**] que soy vegetariano(a) y que prefiero la ventana al hacer la reserva del avión.

Tu amigo(a): De acuerdo, lo _____ [futuro de **tener**] presente.

# Saber comprender

## Estrategias para escuchar: interpretar palabras clave

In **Capítulo 12** you learned that understanding what you hear can involve more than just the words you hear; nonverbal cues are as essential as specific words. Often, little of the necessary meaning of a speech event is encoded in the words and grammar alone. Rather, the linking together of certain key words **(palabras clave)** with your prior knowledge and experience becomes essential to the process of understanding. This is especially important when you don't recognize every word you hear. The dialogue you will now hear portrays expectant parents returning from a prenatal parenting class in Santa Cruz. This dialogue contains some vocabulary with which you will not be familiar. Use the various listening strategies you have learned: listening for cognates and letting what you know about prenatal classes help you.

**Interpretar palabras clave.** Escucha este diálogo con un(a) compañero(a). Mientras escuchan, escriban en una hoja de papel todas las palabras clave que no entiendan y que consideren necesarias para poder interpretar el diálogo. Luego escuchen el diálogo otra vez y traten de identificar el significado de esas palabras en base a las palabras cognadas que reconozcan y en base a lo que ya saben de clases para futuros padres.

## Ahora, ¡a escuchar!

Indica ☑ todo lo que los nuevos padres aprendieron en sus clases.

- ☐ bañar al nene con esponja
- ☐ bañarlo en la tina
- ☐ cambiarle los pañales de tela
- ☐ cambiarle los pañales desechables
- ☐ cargarlo
- ☐ cuidarlo cuando está enfermo
- ☐ darle de comer al nene
- ☐ distintas posiciones para cargarlo
- ☐ evitar que llore
- ☐ hacerle masajes con loción
- ☐ sostenerle la cabeza
- ☐ vestirlo

# Bolivia: un potosí de cultura y biodiversidad

**BOLIVIA**

**Nombre oficial**
República de Bolivia

**Capitales**
La Paz (capital administrativa) y
Sucre (capital constitucional)

**Población**
9.247.816 (julio 2008 est.)

**Unidad monetaria**
boliviano

**Índice de longevidad**
66,53 años

**Alfabetismo**
86,7 por ciento

## Antes de empezar, dime...

1. ¿Cómo puede influir la composición demográfica de un país en su destino o en su futuro? ¿Puedes dar ejemplos de esto?
2. ¿Qué influencia ha tenido en los Estados Unidos el hecho de ser el resultado de una mezcla de pueblos y de razas? ¿Crees que lo beneficia o perjudica?
3. ¿Los habitantes nativo-americanos han influido en los países latinoamericanos de la misma manera en que han influido en los Estados Unidos? ¿Por qué sí o por qué no?

Bolivia, cuyo nombre proviene del libertador Simón Bolívar, es un país del tamaño de California y Texas juntos. Limita con Brasil al este, con Perú y Chile al oeste, y al sur con Paraguay y Argentina. La altura media del Altiplano, situado en la cordillera andina, es de 3.558 metros (11.663 pies). En esta región vive la mitad de la población de Bolivia, repartida en las ciudades de La Paz, Oruro y Potosí.

Bolivia tiene algo más de nueve millones de habitantes, de los cuales el 55% es indígena, el 30% es mestizo y el 15% de origen europeo. Bolivia tiene cerca de 40 grupos indígenas. Los principales son los quechuas (2.5 millones), los aimaras (2 millones), los chiquitanos (180.000) y los guaraníes (125.000). La comunidad afroboliviana, formada por descendientes de esclavos traídos a Bolivia a través de Brasil, representa el 0.5% de la población.

Bolivia es una rica combinación de naturaleza y cultura. Es uno de los ocho países con mayor biodiversidad del planeta: altiplano, selva amazónica, altas cumbres nevadas, valles interandinos, desiertos blancos... así también como ciudades catalogadas como «Patrimonio Cultural de la Humanidad».

La impresionante y atractiva riqueza de mineral de plata del Cerro de Potosí dio lugar a que esa ciudad tuviera en el año 1611 alrededor de 160.000 habitantes y se constituyera en una de las cinco urbes más importantes de la época en todo el mundo. Todavía hoy se dice en español «vale un potosí» cuando queremos decir que algo es muy valioso. Desgraciadamente, es precisamente esa tremenda riqueza del territorio boliviano lo que atrajo a los europeos y luego a los poderosos hacendados, a despojar a uno de los países más ricos del mundo de todo lo que tenía, convirtiéndolo así en uno de los más pobres.

En diciembre de 2005, Evo Morales fue elegido presidente de Bolivia. Evo Morales es aimara, y dado que los aimaras representan solo un 25% de la población de Bolivia, se puede afirmar que las diferencias étnicas no jugaron un papel importante en las elecciones. Fueron más bien las diferencias sociales y económicas las que hicieron que una gran mayoría de indígenas de distintos grupos votara por el líder indígena aimara, quien ganó con el más amplio margen de votos desde que se restauró la democracia en Bolivia. El candidato Evo Morales obtuvo casi el 54% de los votos y asumió al mando el 22 de enero de 2006. Es el segundo mandatario boliviano en la historia de la República elegido por mayoría absoluta de votos (el primero fue Víctor Paz Estensoro en 1960).

Morales ha despertado interés en el mundo por ser el primer mandatario de origen indígena en la historia de Bolivia, y por su propuesta de realizar cambios radicales en las estructuras bolivianas. Aunque su gobierno no ha podido todavía cumplir la mayoría de sus promesas por la resistencia de los burócratas y la burguesía de Bolivia, Evo Morales mantiene su popularidad y su presencia inspira a los indígenas de América Latina.

---

**Datos interesantísimos sobre Bolivia**

- Bolivia tiene dos capitales, La Paz, la sede de gobierno con el poder legislativo y ejecutivo, y Sucre, la capital con el poder judicial.
- Junto con Paraguay, Bolivia es uno de los dos países americanos que no tiene costas.
- La mina de plata Pailaviri, la más antigua e importante del Cerro Rico de Potosí, se explota continuamente desde 1545.
- La temperatura del agua del lago Titicaca (11 grados Celsius, 51 grados Farenheit) modifica el clima a su alrededor, calentando su entorno y permitiendo los cultivos agrícolas a esa increíble altura.
- Butch Cassidy y Sundance Kid fueron ejecutados en Bolivia en 1907 después de robar una mina, y Ernesto Che Guevara fue ejecutado en Bolivia en 1967 cuando trató de iniciar guerrillas revolucionarias.
- La cultura tiwanacota es considerada una de las más importantes del período precolombino ya que por casi tres milenios (2800 años) logró avances significativos en la ciencia, el arte, la arquitectura y las técnicas de cultivo.

## Y ahora, dime...

1. ¿De dónde recibe su nombre Bolivia?
2. ¿Cuáles son las principales etnias de Bolivia?
3. ¿Qué atrajo a los españoles y a los hacendados a regiones como Potosí?
4. ¿Fueron las razones étnicas la mayor razón por la que Evo Morales ganó las elecciones? Si no, ¿cuáles fueron principalmente las razones?
5. ¿Ha cumplido Evo Morales sus promesas electorales? ¿Por qué sí o por qué no?

**⊡ Por el ciberespacio... a Bolivia**

Keywords to search:

*quechuas y aimaras*
*biodiversidad boliviana*
*Cerro de Potosí*
*Evo Morales*

To learn more about Bolivia, go to the *¡Dímelo tú!* website at academic. cengage.com/spanish/dimelotu

# A tonificar el cuerpo... en Cochabamba

**TAREA**

Antes de empezar este *Paso*, estudia la lista de vocabulario de la página 442 y escucha el corte 14 de tu Text Audio CD4. Luego estudia *En preparación*.

1er día  13.2 **Usted** and **ustedes** commands, páginas 445–446

2do día  13.3 Present subjunctive of irregular verbs and **ojalá**, páginas 446–447

Haz por escrito los ejercicios de *¡A practicar!* correspondientes.

## ¿Eres buen observador?

### Ahora, ¡a analizar!

Indica cuáles de estas son instrucciones que Nico Rada usaría en su programa de ejercicios aeróbicos en el canal 4 de ATB de Cochabamba.

- ☑ Levanten los brazos.
- ☐ Caminen por 20 minutos.
- ☑ Salten en un pie.
- ☑ Levanten y bajen la cabeza.
- ☑ Sigan el ritmo de la música.
- ☑ Estiren las piernas.
- ☑ Respiren profundamente.
- ☐ Tomen un refresco.
- ☑ Doblen las rodillas.
- ☐ Corran alrededor del cuarto.
- ☑ Den vuelta a las manos.
- ☑ Suban la pierna izquierda.

# ¿Qué se dice...?  CD4, Track 11

## Al hablar de tonificar el cuerpo

INSTRUCTORA: Primero, respiren profundamente. Adentro, afuera, otra vez, adentro, afuera. Bien, bien, ahora, flexionen las rodillas, pero mírenme. Quiero que lo hagan correctamente. Así es, uno, dos, tres, cuatro. Ahora ustedes, uno, dos, tres... Bueno. Extiendan los brazos y giren las manos diez veces, uno, dos, tres... A ver, ustedes, miren hacia adelante. Inspiren por la nariz y expiren por la boca. Extiendan los brazos un poco más. Así es.

Ahora todos, doblen las rodillas, brazo contrario, escuchen la música y sigan el ritmo. Uno, dos, tres, cuatro. Uno,... Bien. Lleven el talón al glúteo. Flexionen los codos. Muy bien. Sigan el ritmo y mantengan la respiración. Así es. ¡Fantástico! Tomen aire. Suban los brazos arriba. Expulsen el aire.

Alternen los pasos, rodilla arriba y talón al glúteo. Ahora relájense un poco.

Muy bien, es todo por hoy. Recuerden que mañana la clase será de abdominales y glúteos. Cuídense.

AMAYA: ¡Ay! Estoy muerta. Ojalá la clase de spinning sea más fácil que esta.

NARCISO: Yo estoy molido. No sé si me quedaré para spinning.

DAVID: Anímense. Ojalá tengamos a Pepi de instructora hoy.

IRENE: ¡Ay, qué flojos están todos! Les digo que tienen que sufrir un poco si quieren tonificar el cuerpo. Ojalá se esfuercen más en la próxima clase.

## ¿Sabías que...?

En el año 2002, la UNESCO reconoció el valor y la importancia del Carnaval de Oruro en Bolivia confiriéndole el título de «Obra Maestra del Patrimonio Oral e Intangible de la Humanidad». Este carnaval tiene su origen en un festival precolombino que recibió influencia cristiana, la cual se puede apreciar hoy en día. Esta celebración es un evento grandioso que agrupa a más de 28.000 bailarines y unos 10.000 músicos que vienen de los distintos departamentos del país para venerar a la Virgen. Las danzas más representativas incluyen la Diablada, que representa la lucha entre el bien y el mal, y la Morenada y los Caporales que representan a los esclavos traídos del África y a sus capataces. Todos ellos recorren unos cuatro kilómetros por las calles de la ciudad de Oruro y terminan en el templo del Socavón, frente al altar de la Virgen de la Candelaria. Por tradición, los bailarines le hacen a ella la promesa de danzar por tres años o más. El Carnaval de Oruro es la mayor expresión folclórica de Bolivia y una de las más grandes representaciones del arte popular y de la cultura tradicional andina.

**En tu opinión:** ¿Cómo explicas que una celebración indígena precolombina acabe por ser una importante celebración cristiana? ¿Cuánto tiempo crees que dura un desfile con casi 50.000 músicos y bailarines? ¿Hay algo parecido en los Estados Unidos?

🔎 **Por el ciberespacio... a Bolivia**
Keywords to search:
  *Folclore boliviano*
  *Carnavales de Bolivia*
  *Fiestas de Bolivia*

To learn more about Bolivian festivals, go to the *¡Dímelo tú!* website at academic.cengage.com/spanish/dimelotu

EP 13.2

**A.** **Instructora de aeróbicos.** Raquel es instructora de ejercicios aeróbicos en el gimnasio Formas de Cochabamba. ¿Qué les dice a sus alumnos al empezar?

**MODELO** relajarse / inspirar y luego expirar profundamente
**Relájense; inspiren y luego expiren profundamente.**

*levanten*
1. con el ritmo de la música / levantar los brazos / luego bajarlos  *bajenlos*

*giren*
2. todos juntos / girar la cintura a la izquierda / y luego a la derecha

*suban*
3. lentamente / subir la pierna izquierda / y luego bajarla  *bajenla*

*levanten*
4. con energía / levantar los brazos / luego girar las manos  *giren*

5. sin perder el ritmo de la música / subir los hombros / y luego bajarlos
*suban*                              *bajenlos*

**B.** **Anatomía.** En el colegio de Fe y Alegría de Oruro, los niños están en su clase de anatomía. ¿Cómo crees que contestan cuando la profesora les pide que digan para qué sirven las siguientes partes del cuerpo?

**MODELO** **La boca sirve para comer y para hablar.**

| | |
|---|---|
| 1. las manos | 4. los ojos |
| 2. los oídos | 5. los dientes |
| 3. los pies | 6. las piernas |

**A propósito...**

Recuerda que, en español, al contrario que en inglés, no nos referimos a las partes del cuerpo con pronombres posesivos, excepto cuando expresamos muchísimo dolor o sorpresa. En su lugar, usamos verbos reflexivos o pronominales. En español decimos: «Me lavo las manos» *(I wash my hands)* o «Me duelen los dedos» *(My fingers hurt).*

EP 13.2

**C.** **¡Excesos!** Los excesos son malos para la salud. ¿Qué daño *(damage)* causan estos malos hábitos? ¿Qué les aconsejas a estas personas?

**MODELO** El señor Vidal fuma dos cajetillas de cigarrillos al día.
**Fumar es malo para la garganta y los pulmones.**
**No fume tanto.** [o simplemente] **No fume.**

1. La señorita Ramírez toma mucho café.  *no tome*
2. El profesor Durán grita mucho.  *no grite*
3. La señorita Carrillo corre sin zapatos.  *no corra*
4. El doctor Ruiz levanta cosas pesadas.  *no hagan*
5. La señora Rodríguez lee con poca luz.
6. El señor Humanes bebe mucho licor.
7. El señor Duarte pasa muchas horas frente a la computadora.
8. La profesora Gertel escucha música a todo volumen.

**D. ¡Ya no aguanto!** Después de la clase de aeróbicos en el gimnasio Formas, Martín está molido. ¿Qué está pensando?

> **MODELO**  espalda: ojalá no ser nada grave
> **¡Ay, la espalda! Ojalá no sea nada grave.**

1. cuello: ojalá no tener que ir al médico
2. piernas: ojalá poder ir a bailar esta noche
3. cabeza: ojalá la instructora tener una aspirina
4. pies: ojalá no estar hinchados
5. brazos: ojalá poder ir a nadar este fin de semana
6. manos: ojalá no me impedir escribir esta tarde

**E. ¡Ahora ustedes!** Tú y tu compañero(a) están dando el examen para titularse como profesores de Educación Física. El examen incluye los siguientes dibujos, y ustedes tienen que escribir las órdenes que un instructor de ejercicios aeróbicos usaría para cada ejercicio. Indiquen también los beneficios de cada uno de ellos para quienes los hacen. Su profesor(a) les va a pedir que lean algunos de sus diálogos en voz alta.

## Y ahora, ¿por qué no conversamos?

**F. «¿Aeroteleadicto?»** Hay personas no muy activas que prefieren mirar televisión todo el día en vez de hacer ejercicio. ¿Pueden tú y dos compañeros(as) crear un programa de ejercicios diseñado especialmente para ese tipo de gente? Sean creativos al diseñar ejercicios «aeroteleadictos» y prepárense para presentarlos a la clase.

**G. ¡Luces! ¡Cámara! ¡Acción!** Tú y un(a) amigo(a) acaban de terminar su primera clase de ejercicios aeróbicos y los dos están molidos. Están tan cansados que ahora debaten si deben continuar o no con la clase. Dramatiza la situación con un(a) compañero(a). Hablen de cómo se sienten y si deben continuar o no.

# Saber comprender

## Estrategias para ver y escuchar: interpretar palabras clave

*In the previous **Paso** you learned that linking together certain key words **(palabras clave)** with your prior knowledge and experience can be essential to the understanding process when listening to unfamiliar language. The same is true when listening to unfamiliar language as you view a video. Draw on knowledge you already have about Bolivia to help you understand the video narrative.*

**Interpretar palabras clave.** Di la palabra o frase que mejor explique el significado de las palabras en negrilla *(bold)*. Usa toda la información sobre Bolivia que has aprendido en esta clase o en otros lugares al interpretar estas palabras.

1. En esta zona, en la **frontera** con Perú, está el lago Titicaca.
2. La mayoría de los aimaras **habita** en el Altiplano, mientras que los quechuas viven principalmente en los valles.
3. Estos sombreros de origen inglés son muy populares entre muchas indígenas **andinas**.
4. Se consideran un elemento importante del **vestuario** femenino.

# Bolivia, en el corazón de Sudamérica y del mundo

## Después de ver el video

Ahora vuelve a mirar la selección del video sobre Bolivia y anota tres cosas que aprendiste que no sabías antes y tres que ya sabías.

BOLIVIA

| Lo que no sabía | Lo que ya sabía |
|---|---|
| 1. | 1. |
| 2. | 2. |
| 3. | 3. |

# ¡Escríbelo!

## Estrategias para escribir: persuadir

*Muchas veces necesitamos escribir un artículo o un pequeño ensayo para dar información sobre un tema, y al mismo tiempo para persuadir a los lectores sobre el aspecto positivo o negativo de nuestras ideas. Al escribir este tipo de ensayo necesitamos presentar ambos argumentos, el positivo y el negativo, y después indicar por qué uno tiene más valor (validity) que el otro. Normalmente los temas más controvertidos son los que inspiran este tipo de escritura.*

**Persuadir.** Con dos compañeros, haz una lista de temas de actualidad que sean interesantes en el momento de escribir este tipo de composición. Algunas sugerencias son: los efectos de fumar, de tomar bebidas alcohólicas, la controversia sobre la eutanasia, etcétera.

Ahora en los mismos grupos, decidan y escriban algunas razones a favor y en contra de dos de los temas en la lista que acaban de hacer.

De los dos temas seleccionados en el ejercicio anterior decide cuál te interesa más defender o atacar. Basándote en las respuestas dadas a favor o en contra, organiza la explicación de cada argumento. Cuando termines tendrás cuatro listas: una que da razones a favor, una que explica el porqué, otra que da razones en contra y una cuarta que también explica el porqué. Por ejemplo:

**Fumar**

| A favor | ¿Por qué? | En contra | ¿Por qué? |
|---|---|---|---|
| 1. Bueno para la imagen. | 1. Es algo más adulto. Muestra independencia. | 1. Malo para la salud. | 1. Causa cáncer. Puedes morir. |
| 2. Conformidad con el grupo. | 2. Todos los amigos fuman. | 2. Molesta a muchas personas. | 2. No se permite en muchos lugares. Afecta dónde puedes sentarte. |
| 3. ... | 3. ... | 3. ... | 3. ... |

## Ahora, ¡a escribir!

A. **El primer borrador.** Basándote en la lista que tienes del ejercicio anterior decide cuál es tu opinión personal sobre el tema. Ahora organiza la información que tienes en párrafos, enfatizando la parte que tú crees que tiene más valor. Agrega una oración como conclusión al final de la composición para cerrar lo que has escrito y convencer una vez más al lector de tu posición. Puedes usar frases como las siguientes:

- Para terminar yo creo que...
- Antes de terminar quiero repetir que...
- Personalmente no me cabe la menor duda de que...
- Tenemos que tener conciencia de...
- Lo más importante es aceptar que...

**B. Ahora, a compartir.** Intercambia tu composición con dos compañeros(as) para saber su reacción. Cuando leas las de tus compañeros(as) dales sugerencias sobre posibles cambios para mejorar sus argumentos. Si encuentras errores, menciónalos.

**C. Ahora, a revisar.** Agrega la información que consideres necesaria para tu composición. No te olvides de revisar los errores que mencionaron tus compañeros(as).

**D. La versión final.** Ahora que tienes todas las ideas revisadas y las correcciones hechas, saca una copia en limpio en la computadora y entrégasela a tu profesor(a).

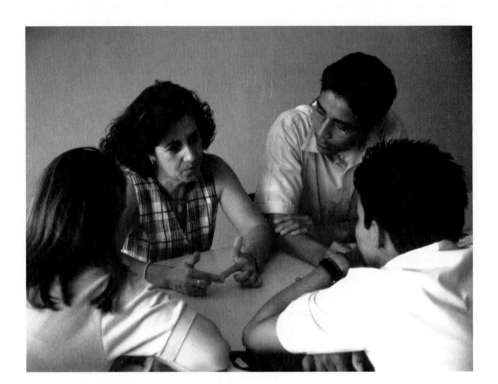

# PASO 3

# Me alegro de que disfruten de... ¡Bolivia!

## ¿Eres buen observador?

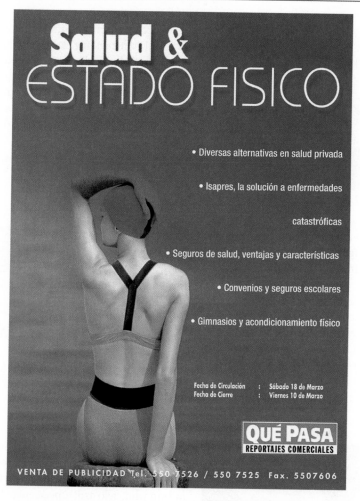

**Salud & ESTADO FÍSICO**

- Diversas alternativas en salud privada
- Isapres, la solución a enfermedades catastróficas
- Seguros de salud, ventajas y características
- Convenios y seguros escolares
- Gimnasios y acondicionamiento físico

| Fecha de Circulación | : | Sábado 18 de Marzo |
| Fecha de Cierre | : | Viernes 10 de Marzo |

**QUÉ PASA**
**REPORTAJES COMERCIALES**

VENTA DE PUBLICIDAD Tel. 550 7526 / 550 7525 Fax. 5507606

### TAREA

Antes de empezar este *Paso*, estudia la lista de vocabulario de las páginas 442–443 y escucha el corte 15 de tu Text Audio CD4. Luego estudia *En preparación*.

1er día    13.5 Subjunctive with expressions of emotion, páginas 447–448

2do día    13.6 Subjunctive with impersonal expressions, páginas 448–449

Haz por escrito los ejercicios de *¡A practicar!* correspondientes.

## Ahora, ¡a analizar!

¿Cuál es tu reacción a esta revista?

| | |
|---|---|
| Es interesante que...<br>Es lógico que...<br>Me sorprende que...<br>Temo que...<br>Es evidente que... | debo aprovecharme de los gimnasios.<br>Isapres no va a solucionar todas las enfermedades catastróficas.<br>ofrezcan diversas alternativas en salud privada.<br>incluyan convenios y seguros escolares.<br>expliquen las ventajas y características de los seguros de salud. |

## ¿Qué se dice...?

### Al sugerir y recomendar

Querida Amaya: No sabes cuánto me alegro de que tú y Narciso hayan decidido ir a vivir a Bolivia. Yo tengo grandes recuerdos de allí. Me preguntas qué te aconsejo que hagan en Bolivia. Una de mis recomendaciones es que visiten la Chiquitanía donde se encuentran las reducciones o misiones establecidas por los jesuitas a principios del siglo XVII.

Estas reducciones son comunidades que tienen como base la educación y la capacitación de los indígenas para desarrollar su propia industria agrícola, ganadera y textilera al igual que su arte y música. Les sorprenderá ver que las reducciones han sido totalmente restauradas y que siguen funcionando como en el pasado.

Van a ver que las iglesias conservan el arte original, que es verdaderamente impresionante. Y no se pierdan los conciertos de música barroca interpretada por jóvenes y niños chiquitanos. Esta música es única en el mundo porque representa la fusión de la música barroca que trajeron los españoles con la nativa y es interpretada con instrumentos hechos por ellos mismos.

También les aconsejo que vayan al Salar de Uyuni para ver los impresionantes lagos de sal, con un hotel hecho de sal construido ahí mismo y un cielo azul espectacular. Si tienen tiempo, les sugiero que tomen unos tres días más y viajen desde el salar hasta las lagunas de colores. Allí podrán ver la laguna colorada, la verde y la negra; también les encantará ver los famosos flamencos rosados y el majestuoso volcán Llicancahur como fondo del paisaje.

Espero que puedan visitar también el Chapare en Cochabamba, una provincia tropical con pozas y ríos de agua cristalina, un bellísimo criadero de orquídeas, mucha fruta y vegetación. Y les propongo también que vayan al parque Madidi en Rurrenabaque en el departamento del Beni, que es la mayor reserva ecológica de América.

Bolivia es uno de los dos países de las Américas que, junto con Paraguay, no tiene acceso al mar. De hecho, Bolivia perdió su territorio costero en una guerra con Chile llamada la guerra del Pacífico (1879–1884). Desde entonces, esta situación impide que Bolivia se beneficie de las riquezas marítimas y hace difícil el acceso al comercio internacional, que todavía hoy depende en gran parte del mar. Recientemente los gobiernos de La Paz y de Santiago iniciaron conversaciones bilaterales, con una agenda en la que Chile aceptó, por primera vez, incluir la antigua demanda de Bolivia por una salida al litoral del Pacífico.

**En tu opinión:** ¿Cómo crees que se sienten los ciudadanos de un país que no tiene acceso al mar? ¿Cuáles son las consecuencias para la economía y la vida de ese país? ¿Qué cambiaría en los Estados Unidos si no tuviera las dos costas, la del Atlántico y la del Pacífico?

## Ahora, ¡a hablar!

**A. Emociones.** Tus padres se interesan mucho en lo que tú haces. ¿Qué sienten cuando saben esto de ti?

EP 13.4

MODELO      haces ejercicio todos los días: mis padres (alegrarse)
**Mis padres se alegran de que haga ejercicio todos los días.**

1. sales a correr todos los días: mi padre (estar contento)
2. vas al médico: mi madre (sorprenderse)
3. no comes carne: mi padre (alegrarse)
4. tomas vitaminas: mis padres (estar sorprendidos)
5. no dejas de fumar: mi padre (estar furioso)
6. quieres bajar de peso: mi madre (temer)

**B. ¡Lo sentimos!** Alfonso acaba de empezar sus estudios en la Universidad Salesiana de Cochabamba. Ahora que vive lejos de su familia y de sus amigos, todos reaccionan de manera diferente ante su ausencia. Según Alfonso, ¿cuál es la preocupación y la reacción de cada uno?

EP 13.4

MODELO      mi papá / tener miedo / no dedicarme bastante a los estudios
**Mi papá tiene miedo de que no me dedique bastante a los estudios.**

1. mis padres / temer / salir de noche demasiado
2. mi novia / esperar/ escribirle todos los días
3. mi mamá / tener miedo / enfermarme
4. mi hermano / alegrarse / yo ya no estar en casa
5. mi hermanita / sentir / yo no poder jugar con ella
6. mi mejor amigo / temer / yo cambiar demasiado

**C. Recomendaciones.** El doctor Gastón Cornejo trabaja en la Clínica Los Olivos de Cochabamba. ¿Qué les aconseja a sus pacientes cuando se presentan con los siguientes problemas? Selecciona la recomendación más apropiada para cada problema indicado aquí.

EP 13.5

| Problemas | Recomendaciones |
|---|---|
| 1. estrés | a. No es bueno que coma mucha carne. |
| 2. cáncer | b. Es necesario que se opere cuanto antes. |
| 3. presión alta | c. Es importante que tome ocho vasos de agua al día. |
| 4. ataque al corazón | d. Es malo que trabaje demasiado. |
| 5. cálculos en la vesícula | e. Es bueno que corra o camine al menos una hora al día. |
| 6. problemas respiratorios | f. Es peligroso que fume. |
| | g. Es urgente que deje de tomar bebidas alcohólicas. |

**D. ¡Necesitas un cambio!** ¿Qué le sugieren tú y tu compañero(a) a un(a) amigo(a) que está deprimido(a) y que sufre mucho de estrés?

> **MODELO**   ser necesario: buscar un nuevo trabajo
> **Es necesario que busques un nuevo trabajo.**

1. ser bueno: no pensar tanto en las responsabilidades
2. ser obvio: deber pedir unas vacaciones
3. ser importante: empezar un programa de ejercicio
4. ser evidente: no dormir lo suficiente
5. ser urgente: hacer meditación
6. ser cierto: necesitar divertirse más
7. ser increíble: no salir más los fines de semana

**E. ¡No puedo hacerlo!** No estamos siempre dispuestos a hacer sacrificios, ni siquiera cuando se trata de mejorar nuestra salud. Con un(a) compañero(a), decidan qué les pueden aconsejar a estas personas que dicen que no pueden cambiar.

> **MODELO**   No puedo tomar ocho vasos de agua cada día. ¡No me gusta el agua!
> **Es necesario que tomes ocho vasos de agua al día. También sugerimos que le pongas un poco de limón al agua.**

1. No me gusta hacer ejercicio. Prefiero ver la televisión.
2. No puedo comer verduras. ¡Las detesto!
3. No puedo seguir una dieta rígida. ¡Me encanta comer!
4. No puedo correr. Hace demasiado calor en el verano y demasiado frío en el invierno.
5. No puedo hacer ejercicio regularmente. Estoy muy ocupado. Simplemente no tengo tiempo.
6. No puedo dormir ocho horas al día. Tengo muchas obligaciones sociales.

**F. ¡Una sesión dura!** Después de una sesión dura de ejercicio, estas personas tienen bastantes dudas sobre alcanzar sus objetivos. ¿Qué piensan? Con dos compañeros(as), escriban los pensamientos de cada personaje, sus dudas y certezas. Informen a la clase de sus conclusiones.

## Y ahora, ¿por qué no conversamos?

**G. Para mejorar.** Ahora, en los mismos grupos de tres, denle consejos a cada persona del dibujo de la actividad anterior. Hagan varias recomendaciones sobre lo que pueden hacer para mejorar su condición física.

**H. Problemas sociales.** Somos animales sociales y como tales a veces tenemos problemas con la gente que nos rodea *(surrounds us)*. ¿Qué problemas tienes con las siguientes personas y situaciones? Comparte tus problemas con dos compañeros(as). Tus compañeros(as) van a analizar la situación y te van a dar consejos.

> **MODELO**         jefe
>
>         Tú: **Mi jefe es una persona muy difícil. Es imposible satisfacerlo.**
> COMPAÑERO(A): **Es obvio que tu jefe es un dictador. Tememos que un día explotes en la oficina. Es mejor que cambies de trabajo o que pidas cambiar de oficina.**

1. compañeros de trabajo
2. padres
3. esposo(a) o novio(a)
4. profesores
5. tu trabajo
6. tus altos pagos de hipoteca

**I. ¡Luces! ¡Cámara! ¡Acción!** Con dos compañeros(as), dramaticen la siguiente situación: Dos amigos que solo llevan tres meses de casados te confiesan que ya están cansados de la rutina del matrimonio. Escucha sus problemas y aconséjalos.

# El rincón de los lectores

## Estrategias para leer: esquemas

*Generalmente cuando leemos cuentos o novelas, es importante recordar los detalles importantes que leímos. Los esquemas nos ayudan a organizar y recordar lo que leemos. La forma más fácil de hacer un esquema de información es sacar una lista de los acontecimientos más importantes y debajo de cada acontecimiento anotar los hechos más importantes relacionados con el acontecimiento. Por ejemplo, un esquema de la información en los dos primeros párrafos de esta lectura podría ser el siguiente:*

I. *Isla del Sol*
   A. *en el lago Titicaca*

II. *Pachakamaj*
   A. *ha prometido mostrar la fundación del imperio incaica*
   B. *señala brotando de la tierra*
      1. *hombre corpulento con vara de oro en mano*
      2. *mujer morena*

**Esquema.** Prepara ahora un esquema del resto de la lectura. Luego compara tu esquema con el de dos compañeros(as) y según lo que ellos tienen en su esquema, haz cualquier cambio que te parezca necesario en el tuyo.

## La autora

**Gaby Vallejo** nació en Cochabamba en 1941 y es una de las escritoras bolivianas contemporáneas más premiada y reconocida internacionalmente. Entre sus novelas, destacan *Hijo de Opa*—llevada al cine con el título *Los hermanos Cartagena*—, *La sierpe empieza en cola*, *Encuentra tu ángel y tu demonio* y *Del placer y la muerte*. También son famosos sus relatos para niños, entre los que destacan *Juvenal Nina*, *Mi primo es mi papá*, *Con los ojos cerrados*, *Detrás de los sueños* y *Amor de colibrí*.

En esta novela, el protagonista, Juvenal Nina, es un niño quechua que a invitación del dios de los incas, Pachakamaj, hace un viaje mágico al pasado para ponerse en contacto con sus raíces ancestrales.

En el capítulo IV, Pachakamaj transforma a Juvenal en Piki o pulga (*flea*) antes de ir a la Isla del Sol.

## Lectura

# Juvenal Nina

### Novela para niños (fragmento)

Pachakamaj y Piki Nina se dirigen a la Isla del Sol del lago Titicaca. Pachakamaj ha prometido a Piki mostrarle la fundación del Imperio Incaico y su relación con el sol.

—Piki Nina, allá a la derecha—señala Pachakamaj. Como brotando° de la tierra, entre niebla, polvo° de oro, tierra, un hombre corpulento°, color canela°, con una vara° de oro en la mano, parece moverse lentamente, como despertando, como naciendo de la tierra. Una mujer también morena que parece su hermana o esposa, está unida a él por la otra mano. Se mueven lentamente al principio y luego cobrando fuerzas°, se elevan por los aires.

—Irán—dice Pachakamaj—en busca de un lugar para fundar el imperio y sólo sabrán cuando la vara de oro se hunda° en la tierra. Así lo ha ordenado el Inti.

apareciendo
*dust* / grande / marrón-claro / palo

*in crescendo*

se entierre, se clave

Calla Piki. Le parece que es un niño con suerte. Ha visto a Manco Kapaj y su esposa surgir° de la tierra de la Isla del Sol, pero algo le preocupa, algo que ha comprendido: Pachakamaj le lleva siempre al pasado que tiene que ver con el sol. Está por preguntarle por qué, pero Pachakamaj que todo sabe, dice —sólo verás el mundo antiguo del Inti, te lo dije al principio.

aparecer, nacer

Entonces Piki recuerda que sí había oído decir eso, al emprender° el viaje y que lo había olvidado con el primer susto. Ahora sí, ya sabe que donde el sol era un dios, un astro° importante y sagrado, ahí seguiría viajando.

iniciar<br>estrella

Sabes Pikinina, aún hoy, con todas esas cosas que los hombres de tu tiempo llaman científicas, el sol sigue siendo la más importante fuente de energía y de vida.

Entonces Piki salta sobre una piedra con mucho sol y echado, patas arriba°, sonríe, calentándose con los rayos del dios Inti.

*legs up in the air*

## A ver si comprendiste

Contesta las siguientes preguntas.

1. ¿Qué eventos le muestra Pachakamaj a Piki Nina?
2. ¿Por qué le muestra estos eventos?
3. ¿Cómo sabrán Manco Kapaj y su esposa dónde fundar el imperio incaico?
4. ¿Qué preocupa a Piki Nina y qué le responde Pachakamaj?
5. ¿Qué es el sol para el hombre moderno, y qué es para los incas, según Pachakamaj y esta narración?

*¡Dímelo tú! Playlist* Escucha: «Contigo somos más» de Tupay Bolivia

# Vocabulario

## Paso 1 CD4, Track 13

**Dieta y ejercicio**

| | |
|---|---|
| caminar | to walk |
| cinturón | belt |
| comer ligero | to eat lightly |
| pastillas | pills |

**Lugares y viajes**

| | |
|---|---|
| allí (adv.) | over there |
| embarcación (f.) | vessel |
| estadía | stay |
| garaje (m.) | garage |
| límite (m.) | boundary, limit |
| llanta de repuesto | spare tire |
| luna | moon |
| navegable | navigable |
| orilla | shore, bank |
| permanecer | to stay, to remain |
| quedar lejos | to be located far away |
| velocidad (f.) | speed |

**Tradiciones**

| | |
|---|---|
| fundar | to found |
| guardar | to save, to put away |
| herencia | inheritance, heritage |
| imperio | empire |
| modernidad (f.) | modern times |
| patrón (patrona) | patron saint |
| perdurar | to remain, to last |
| santuario | sanctuary |

**Extremos**

| | |
|---|---|
| bastante | enough, plenty |
| arruinado(a) | bankrupt, ruined |
| finalmente | finally |

**Palabras y expresiones útiles**

| | |
|---|---|
| además | besides |
| ¿En serio? | Really? |
| encargo | order, commission |
| envidia | envy |
| genial | brilliant |
| precisamente | precisely |
| quedarse | to remain, to stay |
| verdaderamente | really |

## Paso 2 CD4, Track 14

**Ejercicio**

| | |
|---|---|
| doblar | to bend |
| estar molido(a) | to be exhausted |
| estar muerto(a) | to be dead tired |

| | |
|---|---|
| estirar | to stretch |
| expirar | to breathe out |
| expulsar | to expel |
| extender | to open up, to spread |
| flexionar | to flex |
| girar | to turn, to go around |
| inspirar | to breathe in |
| mantener | to maintain |
| relajarse | to relax |
| saltar | to jump |
| spinning | spinning, indoor cycling |

**El cuerpo**

| | |
|---|---|
| abdominal (m.) | abdominal muscle |
| boca | mouth |
| cabeza | head |
| codo | elbow |
| cuello | neck |
| dedo | finger |
| espalda | back |
| estómago | stomach |
| garganta | throat |
| glúteo | gluteus |
| hombro | shoulder |
| mano (f.) | hand |
| mentón (m.) | chin |
| nariz (f.) | nose |
| oído | inner ear |
| ojo | eye |
| oreja | outer ear |
| pecho | chest |
| pierna | leg |
| pulmones (m. pl.) | lungs |
| rodilla | knee |
| talón (m.) | heel |
| tobillo | ankle |

**Aeróbicos**

| | |
|---|---|
| adelante (adv.) | forward |
| adentro (adv.) | inside |
| afuera (adv.) | outside |
| aire (m.) | air |
| al frente (adv.) | forward, to the front |
| alternar | to alternate |
| animarse | to cheer up |
| bajar | to lower |
| levantar | to raise |

**Palabras y expresiones útiles**

| | |
|---|---|
| ¡Así es! | That's right! |
| ¡Ay! | Oh dear! |
| ¡Fantástico! | Fantastic! |

| | |
|---|---|
| a todo volumen | volume at full blast |
| constante | persevering |
| consumir | to consume |
| hacia (adv.) | toward |
| hinchado(a) | swollen |
| impedir | to prevent |
| licor (m.) | liquor |
| luz (f.) | light |
| molestar | to bother |
| picante | hot, spicy |
| recordar | to remember |
| vaso de agua | glass of water |

## Paso 3 CD4, Track 15

**Problemas de salud**

| | |
|---|---|
| ataque al corazón (m.) | heart attack |
| cálculo en la vesícula | gallbladder stone |
| cáncer (m.) | cancer |
| enfermarse | to get sick |
| operarse | to undergo surgery |
| presión alta (f.) | high blood pressure |
| respiratorio | respiratory |

**Opiniones impersonales**

| | |
|---|---|
| Es cierto... | It is true... |
| Es evidente... | It is evident... |
| Es importante... | It is important... |
| Es imposible... | It is impossible... |
| Es increíble... | It is unbelievable... |
| Es indudable... | It is unquestionable... |
| Es lógico... | It is logical... |
| Es necesario... | It is necessary... |
| Es obvio... | It is obvious... |
| Es posible... | It is possible... |
| Es probable... | It is probable... |
| Es una pena... | It is a shame... |

**Paisajes y lugares**

| | |
|---|---|
| cielo | sky |
| criadero | farm, breeding place |
| flamenco | flamingo |
| fondo | background |
| laguna | lagoon |
| majestuoso(a) | majestic |
| paisaje (m.) | landscape |
| poza | deep pool |
| río | river |
| salar (m.) | salt flat |

**La misión**

| | |
|---|---|
| **agrícola** | *agricultural* |
| **barroco(a)** | *baroque* |
| **fusión** *(f.)* | *merger* |
| **ganadero(a)** | *livestock farmer* |
| **industria** | *industry* |
| **interpretar** | *to perform* |
| **jesuita** | *Jesuit* |
| **misiones** *(f.)* | *missions* |
| **nativa** | *native* |
| **reducción** *(f.)* | *South American Jesuit mission* |
| **restaurar** | *to restore* |
| **textil** *(m.)* | *textile* |

**Palabras y expresiones útiles**

| | |
|---|---|
| **a principios** | *at the beginning, early on* |
| **capacitación** *(f.)* | *training* |
| **colorado(a)** | *red* |
| **cristalina** | *crystal clear* |
| **cuanto antes** | *as soon as possible* |
| **espectacular** | *spectacular* |
| **propio(a)** | *own, self* |
| **recomendación** *(f.)* | *reference, recommendation* |
| **única en el mundo** | *unique* |

**Verbos**

| | |
|---|---|
| **alegrarse** | *to be glad* |
| **conservar** | *to preserve* |
| **desarrollar** | *to develop* |
| **interpretar** | *to perform* |
| **pedir** | *to ask* |
| **perderse** | *to miss* |
| **proponer** | *to propose, to suggest* |
| **sentir** | *to regret, to feel sorry* |
| **temer** | *to fear* |
| **urgente** | *urgent* |

# En preparación 13

## 13.1 Present subjunctive: Review of theory and forms

### Persuading

In **Capítulo 10** you learned that to form the present subjunctive, personal endings are added to the stem of the **yo** form of the present indicative. The present subjunctive of **-ar** verbs takes endings with **-e**, while **-er** and **-ir** verbs take endings with **-a**.

| -ar | cocinar |
|-----|---------|
| -e | cocine |
| -es | cocines |
| -e | cocine |
| -emos | cocinemos |
| -éis | cocinéis |
| -en | cocinen |

| -er, -ir | comer | decidir |
|----------|-------|---------|
| -a | coma | decida |
| -as | comas | decidas |
| -a | coma | decida |
| -amos | comamos | decidamos |
| -áis | comáis | decidáis |
| -an | coman | decidan |

■ You also learned that, since the personal endings of the present subjunctive are always added to the stem of the **yo** form of the present indicative, verbs that have an irregular stem in the first person (e.g., **conozco, digo, hago, oigo, pongo, salgo, tengo, traigo, vengo, veo**) maintain that irregularity in all forms of the subjunctive.

| decir | traer | permanecer |
|-------|-------|------------|
| diga | traiga | permanezca |
| digas | traigas | permanezcas |
| diga | traiga | permanezca |
| digamos | traigamos | permanezcamos |
| digáis | traigáis | permanezcáis |
| digan | traigan | permanezcan |

■ Finally, you learned that the subjunctive is used in subordinate clauses when the verb in the main clause expresses a request, a suggestion, a command, a judgment, or a doubt.

main clause (indicative) + **que** + dependent clause (subjunctive)

| | | |
|---|---|---|
| Mi papá recomienda | que | yo **estudie** ingeniería. |
| También aconseja | que | **trabaje** en una compañía este verano. |
| Insiste en | que | yo solo me **dedique** a mis estudios en el invierno. |

## ¡A practicar!

**A. ¡Que la pasen bien!** Berta y Francisco están preparando un viaje a Bolivia, y consultan con una amiga que vivió varios años allí. ¿Qué les dice?

> **MODELO** recomendar / visitar el lago Titicaca
> **Les recomiendo que visiten el lago Titicaca.**

1. sugerir / leer sobre la historia de Bolivia antes de viajar    *les sugiere que lean*
2. aconsejar / informarse sobre las distintos grupos indígenas de Bolivia    *yo les aconsejo que se informen*
3. recomendar / aprender mucho de las tradiciones de los bolivianos    *les recomiendo que aprendan*
4. sugerir / hablar con todo el mundo en Bolivia    *les sugiere que hablen.*
5. aconsejar / visitar el santuario de Copacabana a orillas del Titicaca.

**B. El choque cultural.** Berta y Francisco leyeron en un libro sobre vivir en un país extranjero, y ahora están contándole lo que leyeron a su amiga.

> **MODELO** recomendar / no comparar constantemente
> **Nos recomienda que no comparemos constantemente.**

1. recomendar/ tener una mentalidad abierta    *ves*
2. aconsejar / dar tiempo a la nueva realidad
3. insistir / intentar descubrir los valores de la nueva cultura
4. aconsejar / aceptar el choque cultural como algo natural
5. recomendar / salir del círculo de amigos de nuestro país

---

«El caballo grande, **ande** o no ande». (dicho popular)

___ *Size matters.*

___ *Only big horses know how to trot!*

---

## Paso 2

## 13.2 *Usted* and *ustedes* commands

### Telling people what to do or not to do

The present subjunctive is used to form both affirmative and negative **usted** and **ustedes** commands.

| | |
|---|---|
| **Respiren** profundamente. | *Breathe deeply.* |
| Eva, no **baje** los brazos. | *Eva, don't lower your arms.* |
| **Levanten** las piernas. | *Raise your legs.* |

As you learned with **tú** commands, object pronouns always precede negative commands but are attached to the end of affirmative commands.

| | |
|---|---|
| **Levántenlas.** | *Raise them.* |
| Eva, no las **doble.** | *Eva, don't bend them.* |

## ¡A practicar!

**A. ¡Con la experta en nutrición!** Marta Escobar es una experta en nutrición en la Clínica Los Olivos de Cochabamba. Ahora está aconsejando a un paciente que acaba de operarse de la vesícula. ¿Qué le aconseja?

> **MODELO** dejar inmediatamente el café
> **Deje inmediatamente el café.**

1. comer muchas verduras
2. tomar ocho vasos de agua todos los días
3. no hacer ningún ejercicio
4. no consumir ni condimentos ni picantes
5. evitar las ensaladas
6. venir a verme en dos semanas

**B. ¡Levanten los brazos!** Los instructores de ballet del Instituto Laredo en Cochabamba hacen ejercicios que practican siempre. Cambia los verbos a mandatos para aprender una de estas rutinas.

MODELO       levantar la pierna izquierda
              **Levanten la pierna izquierda.**

1. levantar los brazos *Levanten*    6. estirar los brazos al frente *Estiren*
2. respirar profundamente *respiren*    7. abrir los brazos *abrian*
3. doblar las rodillas *doblen*    8. escuchar el ritmo *escuchen*
4. estirar las piernas *estiren*    9. correr con el ritmo de la música *corran*
5. hacerlo otra vez *les hagan Haganlo*    10. tomar un descanso *tomen*

> «Aguas de abril, **vengan** mil». (proverbio)
>
> ____ *April showers are most beneficial.*
>
> ____ *It normally rains a lot in April.*

# 13.3 Present subjunctive of irregular verbs and *ojalá*

## Expressing hope

■ The following six verbs have irregular subjunctive forms.

| dar | estar | haber |
|-----|-------|-------|
| dé* | esté | haya |
| des | estés | hayas |
| dé* | esté | haya |
| demos | estemos | hayamos |
| deis | estéis | hayáis |
| den | estén | hayan |

| ir | saber | ser |
|-----|-------|-----|
| vaya | sepa | sea |
| vayas | sepas | seas |
| vaya | sepa | sea |
| vayamos | sepamos | seamos |
| vayáis | sepáis | seáis |
| vayan | sepan | sean |

As in the preterite, verbs that end in -**car**, -**gar**, and -**zar** undergo a spelling change in the present subjunctive in order to maintain the consonant sound of the infinitive. For example, note the spelling change in **buscar, jugar,** and **almorzar.**

**c → qu** *in front of* **e**      **buscar:** bus**que**, bus**que**s, bus**que**, bus**que**mos, bus**qué**is, bus**que**n

**g → gu** *in front of* **e**      **jugar:** jue**gue**, jue**gue**s, jue**gue**, ju**gue**mos, ju**gué**is, jue**gue**n

**z → c** *in front of* **e**      **almorzar:** almuer**ce**, almuer**ce**s, almuer**ce**, almor**ce**mos, almor**cé**is, almuer**ce**n

*The accents on the first- and third-person singular forms of **dar** are necessary in order to distinguish them from the preposition **de.**

■ **Ojalá*** expresses hope and is always followed by the subjunctive. **Tal vez** *(perhaps)* and **quizá(s)** *(maybe)* are followed by the subjunctive when the speaker wishes to express doubt about something.

Ojalá (que) me **llame** esta noche.　　　*I hope he calls me tonight.*
Quizá **vayamos** al centro mañana.　　　*Maybe we'll go downtown tomorrow.*

Note that **que** does not usually follow the expressions **tal vez** or **quizá(s)**; however, the use of **ojalá** versus **ojalá qué** varies from one region to another and is a matter of personal choice.

## ¡A practicar!

**A. ¡Gimnasia!** Hoy Martina asiste a su primera clase de gimnasia en la escuela de verano de la Universidad del Valle en Cochabamba. ¿Qué está pensando?

MODELO　　　no ser muy difícil
　　　　　　　**Ojalá no sea muy difícil.**

1. no cansarme mucho ~~Ojalá no me canse~~
2. saber hacer todos los movimientos ~~sepa hacer~~
3. haber buena música
4. no estar molida después de la clase ~~no esté~~
5. la instructora darnos instrucciones claras ~~nos demos~~
6. no tener que correr ~~no~~

**B. ¡Ya no aguanto!** ¿Qué dudas expresa Martina en la clase de ejercicio?

MODELO　　　tal vez los ejercicios no (ser) muy difíciles hoy
　　　　　　　**Tal vez los ejercicios no sean muy difíciles hoy.**

1. tal vez nosotros (poder) usar el jacuzzi hoy
2. quizá Sergio y Elena no (estar) aquí todavía
3. ojalá nosotros (ser) más constantes en el futuro
4. tal vez yo no (saber) los movimientos
5. tal vez la profesora (traer) agua fresca a la clase hoy
6. ojalá todos los estudiantes (llegar) a tiempo hoy

---

«**Ojalá** que llueva café». (canción de Juan Luis Guerra)

____ *If only it would rain coffee.*
____ *Maybe it will rain at the coffee plantation.*

---

## Paso 3

## 13.4 Subjunctive with expressions of emotion

### Expressing emotion

Whenever an emotion such as fear, joy, sadness, pity, or surprise is expressed in the main clause of a sentence, the subordinate clause will be expressed in the subjunctive mood.

| Main Clause | Subordinate Clause |
| --- | --- |
| **Tememos** | que Ricardo Javier no **venga** hoy. |
| **Me alegro (de)** | que **estemos** aquí. |
| **Siento** mucho | que ella **esté** enferma. |
| Les **sorprende** | que el instructor **sea** tan joven. |

*The expression **ojalá** comes from the Arabic expression *ua xa Alah (I hope, May God grant)*. The Arabs invaded the Spanish peninsula in the year 711 and controlled large regions of Spain until 1492, almost 800 years. The influence of Arabic on the Spanish language is quite extensive, seen in particular in nouns beginning with **al**, the Arabic equivalent of *the*: **alfombra**, **almohada** *(pillow)*, **algodón** *(cotton)*, **alfalfa**, **álgebra**, **almuerzo**...

- If the subject of both clauses is the same, an infinitive is used instead of a subjunctive clause.

| | |
|---|---|
| ¿Esperas **ganar** el premio? | *Do you hope to win the award?* |
| Me alegro de **poder** estar aquí. | *I am glad to be able to be here.* |

- Here are some frequently used expressions of emotion.

| | |
|---|---|
| **alegrarse (de)** | *to be glad* |
| **esperar** | *to hope* |
| **estar contento(a) (de)** | *to be happy (about)* |
| **estar furioso(a)** | *to be furious* |
| **sentir (ie, i)** | *to regret, to feel sorry* |
| **sorprenderse (de)** | *to be surprised (at, about)* |
| **temer** | *to fear* |
| **tener miedo (de)** | *to be afraid (of)* |

## ¡A practicar!

**A. ¡Deprimida!** La pobre Anita, una chica de Sucre, Bolivia, está últimamente muy deprimida. ¿Qué le dice su mejor amiga?

1. Espero que tú _____ (confiar = *to trust*) en mí.
2. Temo que tú no _____ (decirme) todo.
3. Me sorprende que tu familia no _____ (escucharte).
4. Estoy contenta de que nosotras _____ (ser) amigas.
5. Me alegro de que tú _____ (ir) a consultar con una consejera.
6. Espero que ella _____ (ayudarte) mucho también.

**B. ¡Me siento muy cansado!** Fernando viaja mucho entre La Paz y Potosí, debido a su trabajo. Ya casi no tiene energía para continuar. ¿Qué piensan sus amigos Martín y Marcela?

1. Martín / estar contento / Fernando / sentirse bien
2. Marcela / temer / Fernando / enfermarse más
3. ellos / tener miedo / Fernando / no ir al médico
4. Marcela / esperar / Fernando / seguir los consejos del médico
5. Martín / sorprenderse / Fernando / continuar viajando
6. ellos / alegrarse / Fernando / pensar en buscar un nuevo trabajo

> «Escribir es para mí como hacer ganchillo: siempre temo que se me **vaya** a escapar un punto». (Isabel Allende)
>
> ___ *When writing and needing to escape the grind, I turn to crocheting.*
>
> ___ *Writing to me is like crocheting; there's always the fear of skipping an important stitch (or point).*

## 13.5 Subjunctive with impersonal expressions

### Expressing opinions

Most impersonal expressions are formed with the third-person singular of the verb **ser** followed by an adjective; for example, **es importante, es triste,** and **es bueno.** Note that in impersonal expressions, the subject *it* is understood.

- If an impersonal expression in the main clause expresses a certainty, such as **es cierto, es seguro, es verdad, es obvio,** then the indicative is used in the following clause.

| | |
|---|---|
| **Es obvio** que **vas** a mejorarte. | *It's obvious that you are going to get better.* |
| **Es verdad** que el consejero **está** de vacaciones. | *It's true that the counselor is on vacation.* |

The following are some frequently used impersonal expressions of certainty:

| | |
|---|---|
| Es cierto... | Es obvio... |
| Es evidente... | Es seguro... |
| Es indudable... | Es verdad... |

■ All other impersonal expressions are followed by the subjunctive when a specific person is the subject in the subordinate clause. If no person is specified, then the infinitive is used.

**Es increíble** que **tengan** tantas clases.     *It's incredible that they have so many classes.*
**Es mejor** que yo no **vaya** a clase hoy.     *It's better that I not go to class today.*
**Es imposible llegar** a tiempo.     *It's impossible to arrive on time.*

Some frequently used impersonal expressions often followed by the subjunctive include the following:

| | |
|---|---|
| Es importante... | Es natural... |
| Es imposible... | Es necesario... |
| Es increíble... | Es posible... |
| Es lógico... | Es probable... |
| Es mejor... | Es una pena... |

## ¡A practicar!

**A. ¿Y en un año?** El médico del centro hospitalario nos dice que estamos en buena forma. ¿Pero qué nos dice en el siguiente examen anual?

1. Es imposible que Uds. _____ (tener) buena salud si continúan fumando.
2. Es obvio que tú _____ (estar) siguiendo mis consejos.
3. Es mejor que Uds. _____ (buscar) un lugar para correr.
4. Es evidente que Uds. _____ (necesitar) salir de la rutina diaria.
5. Es indudable que tú _____ (hacer) un buen ejercicio si caminas todos los días.
6. Es cierto que Uds. _____ (ir) a sentirse bien si toman bastante agua.

**B. ¿Qué me dices?** Tu compañero(a) de la clase de arte del Instituto Nacional está muy aburrido(a) con su rutina diaria. ¿Qué le dices?

1. no ser bueno / tú quedarte en casa todos los días
2. ser increíble / también tú ser un fanático del cine
3. ser necesario / nosotros comprar los boletos ahora
4. ser una pena / los boletos ser tan caros
5. ser obvio / ser una buena película
6. ser cierto / trabajar con muy buenos actores

---

«No es bueno que el hombre **esté** solo». (Libro del Génesis)

___ *No man is an island.*

___ *A man by himself does no good.*

---

### CAPÍTULO 14

# ¡Lo mejor de Cuba: su gente, su música y... el béisbol!

## In this chapter, you will learn how to . . .

- express fears, hopes, and opinions.
- describe people.
- refer to unknown entities.
- relate future events.

## Comunicación

### ¿QUÉ SE DICE...?
- Al expresar opiniones
- Al referirse a algo improbable
- Al hablar de hechos seguros o inciertos

## Cultura

### ¿SABÍAS QUE...?
La perla de las Antillas y el dólar
El béisbol en el Caribe
La música cubana

### NOTICIERO CULTURAL
Cuba, nuestro vecino cercano más alejado

### VIDEO CULTURAL
Cuba, una joya del Caribe, tierra de música y poesía

### EL RINCÓN DE LOS LECTORES
La tradición oral: los refranes

## En preparación

**PASO 1**
14.1  Subjunctive with expressions of doubt, denial, and uncertainty

**PASO 2**
14.2  Subjunctive in adjective clauses

**PASO 3**
14.3  Subjunctive in adverb clauses

## Destrezas

**¡A ESCUCHAR!**
Decoding simultaneous conversations

**¡A VER!**
Listening "from the top down"

**¡A ESCRIBIR!**
Narrating chronologically

**¡A LEER!**
Interpreting proverbs and sayings

*Busca* Cuba béisbol juegos olímpicos *en Google™ Images y YouTube™ para* ver a este gran equipo llevarse el oro olímpico en 1992, 1996 y 2004.

*Busca* músicos cubanos *en Google™ Images y YouTube™ para conocer a algunos de los mejores músicos del mundo.*

*Busca* gente cubana *en Google™ Images y YouTube™ para conocer algo de esta gente encantadora.*

# ¡Las fotos hablan!

**A que ya sabes...** Indica si estás de acuerdo o no con los siguientes comentarios.

sí   no   1. Los cubanos son muy aficionados a los deportes, en particular al béisbol.

sí   no   2. La cultura afrocubana ha tenido mucha influencia en la música cubana.

sí   no   3. En Cuba, como en los Estados Unidos, todavía hay mucha discriminación contra los afrocubanos.

sí   no   4. La música cubana ha tenido mucha influencia en la música hispana en general.

sí   no   5. En las Olimpiadas de 1996, el equipo cubano obtuvo la medalla de oro en béisbol, al derrotar al equipo estadounidense.

# Estando tan en forma, ¡dudo que no ganemos!

**TAREA**

Antes de empezar este *Paso*, estudia la lista de vocabulario de la página 474 y escucha el corte 20 de tu Text Audio CD4. Luego estudia *En preparación*.

1<sup>er</sup> día   14.1 Subjunctive with expressions of doubt, denial, and uncertainty, páginas 476–477

Haz por escrito los ejercicios de *¡A practicar!* correspondientes.

## ¿Eres buen observador?

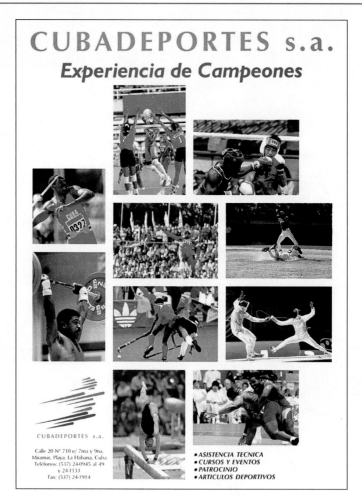

## Ahora, ¡a analizar!

1. Esta propaganda es para…
   a. campeones.
   b. las Olimpiadas.
   c. servicios para atletas.
2. Según este anuncio, en Cuba se practica…

   a. el tenis.
   b. la natación.
   c. el béisbol.
   d. el boxeo.

   e. el baloncesto.
   f. el esquí.
   g. el salto de altura.
   h. el levantamiento de pesas.

   i. el fútbol.
   j. la gimnasia.
   k. la lucha libre.
   l. el voleibol.
3. ¿Cuáles de estos deportes has practicado? ¿Cuáles te gustaría practicar?

# ¿Qué se dice...? 🎧 CD4, Track 16

## Al expresar opiniones

DAVID: Buenas tardes, señoras y señores, nos encontramos en este momento en el Palacio de los Deportes de Vistalegre, en La Habana, donde se están disputando los Juegos Panamericanos. Les habla David Sánchez...

MERCEDES: y Mercedes Romero.

DAVID: Mercedes, ¿cómo ves la competición hasta ahora?

MERCEDES: De momento dudo que el atletismo cubano repita aquí la hazaña de superar el resultado de 10 medallas de oro alcanzado en 2005 en Winnipeg.

DAVID: ¿Y no crees que Osleidys Menéndez, la campeona mundial de 23 años, repetirá medalla de oro en lanzamiento de jabalina femenino?

MERCEDES: Osleidys es una de nuestras esperanzas más claras, pero dudo que este año esté a la misma altura de otras ocasiones.

DAVID: Vamos a confiar en que sí.

MERCEDES: Muy esperada es la carrera de 110 metros con vallas, con el prometedor Dayron Robles. Si Dayron está en buen momento, dudo que haya quien compita con él. Es un atleta excepcional.

DAVID: Bien reñido será el lanzamiento de martillo femenino con la campeona mundial Yipsi Moreno y sus rivales nacionales Yunaika Crawford y Aldenay Vasallo. Pienso que alguna de estas atletas tiene posibilidades concretas de medalla.

MERCEDES: Es posible que Yipsi Moreno parta con algo de ventaja, por tener la experiencia de competir bajo la presión de este tipo de competiciones.

DAVID: ¿Y qué me dices de nuestra escuadra de voleibol? ¿No crees que tenemos la oportunidad de repetir medalla en estos juegos?

MERCEDES: Siento tener que ser pesimista, pero dudo que nuestra escuadra supere esta vez a la de la República Dominicana.

DAVID: Pues como ven, señoras y señores televidentes, el desafío está ahí, pero vamos a confiar en que nuestros atletas estén a la altura de las circunstancias, como suelen estar.

Cuba, la más grande de las islas de las Antillas y frecuentemente llamada «la perla de las Antillas», está a menos de 100 millas de los Estados Unidos. A pesar de esta corta distancia, es el país de toda Latinoamérica más alejado o distanciado de los Estados Unidos. Desde 1958, cuando el movimiento revolucionario de Fidel Castro tomó control, estableció el comunismo y nacionalizó propiedades e inversiones privadas en la isla, los Estados Unidos rompió relaciones diplomáticas con el gobierno cubano y estableció el bloqueo comercial que hasta ahora se mantiene. La escasez de dólares sigue causando serios problemas. Sin embargo, el número de dólares que llega a la isla es tal que el gobierno ha permitido el establecimiento de unos pequeños negocios privados que se basan en dólares y no en la moneda nacional. Por ejemplo, en el Vedado, una de las zonas más elegantes de La Habana, los restaurantes llamados paladares solo aceptan dólares.

**En tu opinión:** ¿Por qué crees que a Cuba se le ha llamado «la perla de las Antillas»? ¿Qué efecto ha tenido el bloqueo comercial impuesto por los Estados Unidos a Cuba? ¿Por qué crees que, después de casi 50 años, los Estados Unidos todavía no ha terminado el bloqueo? ¿Cómo se explica el uso de dólares en Cuba, dado el bloqueo?

## Ahora, ¡a hablar!

**A. ¡Viva el deporte!** Escucha a tu compañero(a) leer los siguientes grupos de palabras. Usando el vocabulario del dibujo, identifica la palabra que no pertenece al grupo y el deporte que se asocia con las otras tres palabras.

**MODELO**

COMPAÑERO(A): pelota, bate, salvavidas, lanzador

TÚ: **El salvavidas no pertenece a este grupo; estas palabras están relacionadas con el béisbol.**

1. bate, pelota, lanzador, patear
2. nieve, esquí, boxeador, invierno
3. boxeo, cesto, jugador, pelota
4. cancha, bate, red, tenis
5. arquero, cesto, gol, arco
6. piscina, lanzador, zambullirse, salvavidas

El tenis — la red

El básquetbol / El baloncesto — el cesto — la jugadora

el vigilante/ el salvavidas — zambullirse — La natación — la piscina

El esquí

el boxeador — El boxeo

el lanzador — el bate — la pelota — El béisbol

el árbitro — el referí — el arco/ la meta — el portero/ el arquero — patear — El fútbol

**B. Boxeo.** Ricardo y su amiga Lourdes, dos jóvenes cubanos, están viendo una pelea de boxeo en la televisión. A Lourdes no le gusta mucho el boxeo. ¿Qué le dice a su amigo Ricardo?

EP 14.1

MODELO       ser increíble / gustarte / tanto el boxeo
             **Es increíble que te guste tanto el boxeo.**

1. yo creer / boxeo / ser inhumano
2. ser probable / los golpes / dañar irreversiblemente el cerebro
3. yo no pensar / ser / un deporte saludable
4. yo no dudar / algunas de las peleas / estar arregladas
5. ser imposible / un boxeador / no terminar / medio loco
6. yo estar seguro de / los organizadores / ganar / la parte mayor del dinero

**C. ¿Y ustedes?** ¿Qué opinan ustedes del boxeo? Con tu compañero(a), túrnense para expresar sus opiniones sobre lo siguiente.

EP 14.1

MODELO              Las peleas están arregladas.
COMPAÑERO(A): **Yo pienso que las peleas están arregladas.**
        TÚ: **Dudo que las peleas estén arregladas.**

**Vocabulario útil**

| | | | |
|---|---|---|---|
| estar seguro(a) | (no) dudar | ser cierto | ser posible |
| (no) creer | (no) pensar | ser imposible | ser probable |

1. El boxeo es malo para la salud.
2. Los golpes dañan el cerebro.
3. Las peleas de boxeo siempre están arregladas.
4. Todos los deportistas están interesados en el dinero.
5. El boxeo es el deporte más cruel del mundo.
6. El boxeo es más cruel que las corridas de toros.

**D. ¿Y tú qué piensas?** Con tu compañero(a) hablen de sus opiniones de estos deportes, de sus jugadores, posiciones y todo lo que sepan de ellos. Luego decidan de cuál, según ustedes, es más cruel/divertido/popular/absurdo/difícil/violento… e informen a la clase de sus conclusiones.

EP 14.1

## Y ahora, ¿por qué no conversamos?

**E. ¡Debate!** ¿Es la competencia buena o mala para los niños? En grupos de tres, preparen una lista de argumentos a favor o en contra. Luego, en grupos de seis, lleven a cabo su debate. Informen a la clase quién ganó y cuáles fueron los argumentos más válidos.

**F. ¡Más debate!** Trabajen en grupos de cuatro. Dos de cada grupo deben defender las opiniones que aparecen a continuación y los otros dos deben oponerse. Al terminar, cada grupo debe decidir quién ganó el debate o si empataron.

1. El fútbol es el deporte más interesante de todos.
2. La corrida de toros combina atletismo y arte.
3. El fútbol americano es demasiado violento.
4. El tenis es un deporte solo para los ricos.
5. El golf es aburrido y absurdo.

**G. ¡Luces! ¡Cámara! ¡Acción!** Tú eres el (la) entrenador(a) de un equipo de tu universidad (tú decides qué deporte). Esta noche tu equipo va a participar en el primer partido del campeonato estatal. Ahora un(a) reportero(a) te entrevista y te pregunta acerca de las dudas, incertidumbres y esperanzas que tienes en cuanto a tu equipo. Dramatiza la situación con un(a) compañero(a).

**H. ¡Nuestra comunidad!** En tu universidad o comunidad, entrevista a una persona de origen hispano, preferiblemente cubano, acerca de sus gustos y sus opiniones sobre el mundo del deporte en su país de origen y en particular, en su comunidad. Informa a la clase sobre los resultados de tu entrevista.

### Un paso atrás, dos adelante

### Capítulo 13

**Repasemos.** En el Capítulo 13 aprendiste a dar consejos, a liderar los ejercicios aeróbicos de un grupo y a decirle a otros lo que tienen o no tienen que hacer. Aprendiste también a expresar temor, alegría, tristeza, pesar, sorpresa o esperanza. Repasa lo que sabes, completando el siguiente texto con las palabras necesarias.

**En el gimnasio**

Tú: Vamos, amigos, ánimo. ¡_____ [mandato: **levantar**] los brazos! ¡_____ [mandato: **seguir**] el ritmo de la música!

Tu AMIGO(A): Yo ya no _____ [verbo **poder**] más; estoy agotado(a).

Tú: Venga, ánimo, solo _____ [verbo **faltar**] cinco minutos más y nos vamos a tomar unos refrescos.

Tu AMIGO(A): Me temo que en cinco minutos _____ [futuro de **estar**] muerto(a).

Tú: No _____ [mandato: **hablar**]; _____ [mandato: **concentrarse**]. A ver, todos, _____ [mandato: **respirar**] profundamente… Necesito un voluntario que _____ [subjuntivo de **repetir**] este movimiento conmigo. Así, muy bien. Me alegro de que ustedes _____ [subjuntivo de **tener**] tanta energía.

Tu AMIGO(A): ¿Energía?

# Saber comprender

## Estrategias para escuchar: descifrar conversaciones simultáneas

*When listening to three or more people speak, there usually is more than one conversation taking place at the same time. The listener has to sort out the various comments based on what he or she knows about the people speaking and about the topics being addressed. In the conversation that you will now hear, Ricardo and Lourdes are playing dominoes with Esteban and Niurka. While Ricardo and Esteban concentrate on their game, Lourdes and Niurka converse about other things as they play along. Listen to them talk now, keeping all of this in mind, and try to piece the various conversations together.*

**Descifrar conversaciones simultáneas.** Escucha la conversación entre Ricardo, Lourdes, Esteban y Niurka mientras juegan dominó. Identifica si Ricardo y Esteban (**RE**) o Lourdes y Niurka (**LN**) conversan de los siguientes temas.

_____ del juego de dominó
_____ del boxeo
_____ del peinado
_____ de Taína Elegante
_____ de Martí
_____ de Lola Carrera

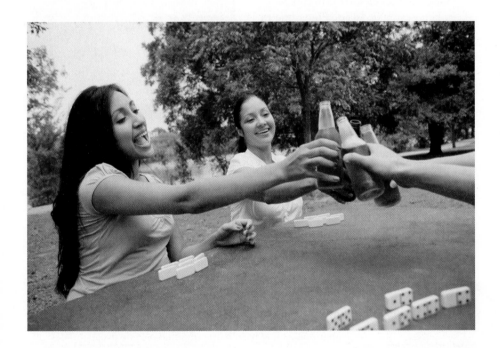

## Ahora, ¡a escuchar!

Vuelve a escuchar la conversación entre Ricardo, Lourdes, Esteban y Niurka y contesta las siguientes preguntas.

1. ¿Quién fue el primero en jugar? ¿Qué números sacó?
2. Lourdes fue la segunda, ¿le tocó buena mano?
3. ¿De qué conversaban Lourdes y Niurka? ¿Ricardo y Esteban?
4. ¿Quién crees que iba a ganar el juego de dominó? ¿Por qué crees eso?

 ***¡Dímelo tú! Playlist*** Escucha: «Ojalá» de Silvio Rodríguez

# Cuba, nuestro vecino cercano más alejado

Cuba y Puerto Rico fueron las últimas colonias de España en América. Ambas fueron anexionadas por los Estados Unidos como resultado de la guerra de 1898. El 20 de mayo de 1902 se hizó la bandera cubana en el Castillo del Morro de La Habana y se declaró la independencia cubana. Cuba nació con una enmienda en su constitución, la llamada Enmienda Platt, que cedía el derecho a los Estados Unidos a intervenir en Cuba, a tres bases navales en territorio cubano y a la posesión de Isla de Pinos, que en 1922 fue devuelta tras reclamaciones del Congreso cubano.

La primera mitad del siglo XX significó un período de mucha inestabilidad política y social para Cuba. Durante la segunda mitad del siglo XX Cuba llegó a ser conocida como «la madre del extranjero y la madrastra del cubano» debido al favoritismo que el gobierno cubano, bajo el poder del dictador militar Fulgencio Batista, dio a los intereses extranjeros, en particular el de los Estados Unidos. Fue en oposición a Batista que se estableció el movimiento guerrillero dirigido por el joven abogado Fidel Castro, quien tomó control del gobierno el 31 de diciembre de 1958. Algunos años más tarde, proclamó a Cuba república socialista.

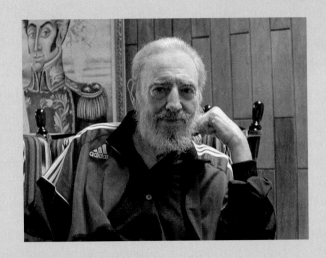

La revolución cubana no fue apoyada por todos los cubanos y cerca de un 10% de la población ha ido saliendo de la isla, concentrándose la mayoría en Miami, Florida. Entre los emigrantes que abandonaron el país, había una mayoría de profesionales: abogados, médicos, arquitectos, ingenieros, etcétera. Esto, junto con el embargo impuesto por los Estados Unidos y la caída de los gobiernos comunistas de la Unión Soviética, ha dejado el futuro del país con un rumbo incierto. En 2008, Fidel Castro, aquejado de una enfermedad y de edad avanzada, cedió el poder a su hermano Raúl Castro, abriéndose la posibilidad de un cambio en el régimen cubano. En 2008 la Unión Europea, con la objeción de los Estados Unidos, levantó las restricciones comerciales y las sanciones impuestas sobre Cuba en 2003, cuando el gobierno de Fidel Castro encarceló a 75 disidentes y provocó la congelación de las relaciones diplomáticas de alto nivel con Europa.

Mientras tanto, es irónico que La Habana, la ciudad capital latino-americana más cercana geográficamente a los Estados Unidos, sea la que al mismo tiempo se encuentra más alejada políticamente.

**CUBA**

**Nombre oficial**
República de Cuba

**Capital**
La Habana

**Población**
11.423.952 (julio 2008 est.)

**Unidad monetaria**
peso cubano

**Índice de longevidad**
77,27 años

**Alfabetismo**
99,8 por ciento

---

**Datos interesantísimos sobre Cuba**

- En Cuba la palabra *Mambí* se reserva exclusivamente para los soldados que pelearon en contra de España en la Guerra de Independencia de 1895–1898.
- La tasa de mortalidad infantil en Cuba en 2006 era del 5,3 por mil, la segunda más baja de las Américas, después de Canadá.
- Las raíces de la rica música cubana están en los cabildos, una especie de clubes sociales formados por esclavos africanos traídos a la isla.
- Changó y Yemayá son algunas de las divinidades (orishás) de la santería cubana, una mezcla de catolicismo y pensamiento mágico inspirado por las familias africanas traídas a la isla.
- La Nueva Trova Cubana es el nombre de un movimiento cultural y musical muy fértil que se generó en Cuba a fines de la década de los 60 e inicios de los 70.
- Debido a la gran cantidad de inmigrantes de esa región, el español de Cuba tiene mucha influencia del español hablado en las Islas Canarias.

---

## Y ahora, dime...

Contesten estas preguntas en parejas.

1. ¿Fue Cuba, como Puerto Rico, una colonia de los Estados Unidos? ¿Lo es todavía?
2. ¿Por qué fue llamada Cuba «la madre del extranjero y la madrastra del cubano» durante la segunda mitad del siglo XX?
3. ¿Qué significa que casi un 10% de la población ha salido de Cuba?
4. ¿Cuál es la actitud de la Unión Europea frente a las sanciones a Cuba? ¿Cuál es la reacción de los Estados Unidos?
5. ¿Por qué es irónico que Cuba y los Estados Unidos estén tan alejados políticamente?

⬈ **Por el ciberespacio... a Cuba**
Keywords to search:
*Fidel Castro*
*historia de Cuba*
*exilio cubano*
*futuro de Cuba*
To learn more about Cuba, go to the ¡*Dímelo tú!* website at academic. cengage.com/spanish/dimelotu

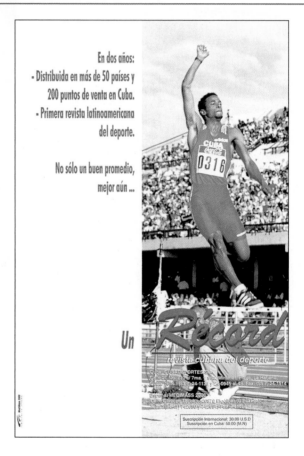

## PASO 2

# ¡Cuba! ¡Cuba! ¡Cuba!...
# ¡Jonrón!

**TAREA**

Antes de empezar este *Paso*, estudia
la lista de vocabulario de la página
474 y escucha el corte 21 de
tu Text Audio CD4. Luego estudia
*En preparación.*

1ᵉʳ día    14.2 Subjunctive in
adjective clauses, páginas
477–479

Haz por escrito los ejercicios de
*¡A practicar!* correspondientes.

## ¿Eres buen observador?

### Ahora, ¡a analizar!

1. El propósito de este anuncio es hacer propaganda para…
   a. una revista deportiva.    b. récords de atletas cubanos.
   c. el partido comunista.

2. Probablemente el deporte más popular en Cuba de «Récord» es…
   a. el fútbol.    b. el béisbol.    c. el atletismo.

3. «Récord» se puede comprar…
   a. solo en países donde se habla español.    b. solo en Cuba.
   c. en más de cincuenta países.

4. Cuando se mencionan estas personas en «Récord», ¿de qué deporte(s) hablan?
   a. bateador    b. entrenador    c. lanzador    d. árbitro    e. nadador    f. corredor

5. La última edición de «Récord» incluía un artículo sobre un deporte muy popular en Cuba, el buceo. El artículo probablemente mencionó…
   a. un cesto y un árbitro.    b. un bate y una pelota.    c. peces tropicales.

# ¿Qué se dice...? 🎧 CD4, Track 18

## Al referirse a algo improbable

NIURKA: ¡Jonrón! ¡Bravo, Ramón Ángel! No hay quien batee la pelota como Ramón Ángel. ¡Qué partidazo!

ESTEBAN: Ni quien corra tanto como él. ¡Arriba Cuba! ¡Eso sí que es verdad! Es el mejor bateador de todos los equipos que compiten en los pana- mericanos. Si continúan reclutando jugadores que sean tan buenos como Ramón Ángel, no creo que haya nadie que nos derrote. Creo que ganaremos todos los partidos del campeonato.

ESTEBAN: ¡Idiota!

LOURDES: Lo que necesitamos es un árbitro que sepa lo que hace.

NIURKA: ¡Claro! ¡Y que además sea imparcial y que sepa algo de pelota! Creo que estos no tienen ni idea. Este deporte requiere árbitros experimentados y que tengan el control del juego en todo momento. ¡Estos parece que no han arbitrado un partido de béisbol en su vida!

ESTEBAN: Ricardo, ¿crees que el año que viene encontrarán un entrenador que tenga tanta experiencia como Germán?

RICARDO: La experiencia no es la única cosa necesaria. Buscan a alguien que sepa ser buen líder también. Alguien que mantenga la cabeza fría en mo- mentos difíciles y sepa hablarle claramente a los jugadores.

ESTEBAN: Yo no creo que tengan dificultad en encontrar a alguien. El puesto está muy bien pagado.

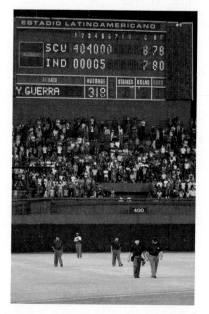

NIURKA: ¡Campeones! ¡Campeones! ¡Olé! ¡Olé! ¡Olé! ¡Viva Cuba! Te lo dije: para ganar este campeo- nato necesitamos que el equipo mantenga la calma en los momentos complicados, y sepa atacar como mejor sabe: con agresividad.

ESTEBAN: Sí, Niurka. ¡Campeones! ¡Qué alegría! Llama a casa para que pongan unos refrescos a enfriar.

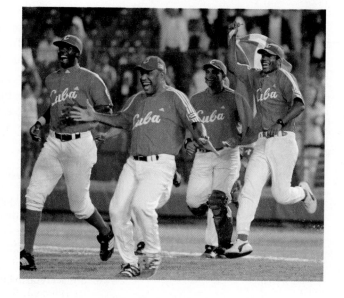

En algunos países de Hispanoamérica, el béisbol es un deporte muy popular, en particular por todo el Caribe: Cuba, la República Dominicana, Puerto Rico, México, Venezuela y América Central. En efecto, todos los equipos de las grandes ligas estadounidenses mandan a sus ojeadores *(recruiters)* a estos países latinos en busca de nuevos jugadores. En Cuba el béisbol (llamado juego de pelota) es tan popular que, con frecuencia, hasta Fidel Castro dejaba la política a un lado para tomar el bate.

**En tu opinión:** ¿Por qué crees que hay tanta afición al béisbol en estos países y que surgen tan excepcionales beisbolistas de los países caribeños? ¿Crees que es comparable con los Estados Unidos, dada la gran diferencia en el número de habitantes?

## Ahora, ¡a hablar!

EP 14.2

**A. ¿Qué opinan?** Esteban, Niurka, Ricardo y Lourdes expresan varias opiniones en *¿Qué se dice...?* Indica cuáles de las siguientes son opiniones que expresaron.

| sí | no | |
|----|----|---|
| sí | no | 1. No hay bateador como Ramón Ángel. |
| sí | no | 2. Es imposible que encuentren un entrenador con mucha experiencia. |
| sí | no | 3. El equipo cubano será campeón por muchos años. |
| sí | no | 4. Necesitan un árbitro que sea imparcial y sepa algo de béisbol. |
| sí | no | 5. Lo único que necesita un buen entrenador es mucha experiencia. |
| sí | no | 6. El puesto para el nuevo entrenador está muy bien pagado. |

EP 14.2

**B. ¡Qué desastre!** Hoy el equipo cubano de Camagüey está jugando muy mal y está perdiendo. ¿Qué dice el público?

MODELO    no hay nadie / estar en forma
**No hay nadie que esté en forma.**

1. no hay nadie / jugar bien
2. necesitamos un lanzador / saber / tirar *(pitch)* la pelota
3. no hay ningún jugador / poder correr rápido
4. el equipo necesita un entrenador / ser cubano / y comprender a los cubanos
5. no hay nadie / manejar bien el bate
6. necesitan buscar un entrenador / tener más experiencia

EP 14.2

**C. Se solicita...** Tú y tu compañero(a) son parte del comité para contratar a nuevos entrenadores para este curso académico del departamento de Educación Física de su universidad. Turnándose como entrevistador(a) y entrevistado(a), informen y respondan de acuerdo al modelo.

MODELO    instructor(a) de golf: tener diez años de experiencia
TÚ: **Buscamos un(a) instructor(a) de golf que tenga diez años de experiencia.**
COMPAÑERO(A): **Yo tengo once años de experiencia.**

**Vocabulario útil**

buscamos    necesitamos    se solicita    deseamos contratar    se ofrece un puesto

1. entrenador(a) para el equipo de fútbol: haber jugado en ligas profesionales
2. instructor(a) de tenis: tener experiencia en otras superficies
3. profesor(a) de educación física: interesarse en entrenar a los discapacitados
4. entrenador(a) para el equipo de béisbol: estar dispuesto(a) a viajar mucho
5. médico(a): tener cinco años o más de experiencia en medicina deportiva
6. dos secretarios(as): poder trabajar noches, sábados y domingos

**D. Atletas.** Tú quieres saber si tu compañero(a) conoce personalmente a atletas de talento. Hazle preguntas usando las siguientes frases.

> MODELO  ser campeón mundial de tenis
>
> Tú: **¿Conoces a alguien que sea campeón mundial de tenis?**
>
> Compañero(a): **Sí, conozco a alguien que es campeón mundial de tenis.** o **No, no conozco a nadie que sea campeón mundial de tenis, pero conozco a un campeón de fútbol.**

1. practicar alpinismo
2. participar en maratones
3. ser entrenador(a) profesional
4. jugar al fútbol profesionalmente
5. haber ganado una medalla olímpica
6. ser boxeador(a) profesional
7. practicar artes marciales

**E. Muy interesante.** Tu compañero(a) está considerando una carrera en algún deporte de élite y te pregunta qué función tiene cada persona protagonista de estas actividades deportivas. Hazle preguntas como: ¿Quién tiene que… entrenar a los jugadores, ser muy imparcial, animar a los jugadores, siempre estar en forma, manejar el equipo? ¿Quién es responsable de… batear, reclutar, derrotar al otro equipo, correr un maratón, ganar el campeonato, conseguir becas para los jugadores?

## Y ahora, ¿por qué no conversamos?

**F. ¡Revolución!** Imagínate que tú y tus compañeros(as) tienen el poder de crear un nuevo negocio o una nueva universidad. En grupos de tres o cuatro decidan qué tipo de personas van a formar parte de su nueva aventura.

1. Queremos un rector/jefe que…
2. Buscamos profesores/secretarios/trabajadores que…
3. Ofrecemos becas/pagas extras a estudiantes/trabajadores que…
4. Necesitamos atletas/personas que…
5. No queremos a nadie que…

**G. Gimnasio.** Tú y unos(as) amigos(as) deciden abrir un nuevo gimnasio y necesitan emplear a mucha gente. En grupos de tres o cuatro, decidan qué tipo de empleados necesitan y qué experiencia debe tener cada uno.

MODELO      **Necesitamos algunos instructores de ejercicios aeróbicos que sepan animar a la gente.**

**H. ¡Luces! ¡Cámara! ¡Acción!** Eres el (la) director(a) de una escuela secundaria y te reúnes con los jefes de los departamentos de música, historia, matemáticas y lenguas extranjeras. Cada jefe explicará sus necesidades para el próximo año y tú decidirás cuántos nuevos puestos habrá. En grupos de cinco, dramaticen esta situación delante de la clase.

# ¡Escríbelo!

## Estrategias para escribir: orden cronológico

*Cuando escribimos ensayos históricos, como la breve historia de Cuba en el Noticiero cultural del Paso 1, usualmente seguimos un orden cronológico. Es decir, empezamos con el primer incidente que ocurrió, luego mencionamos el segundo, el tercero, etcétera, hasta el final. Después del final, expresamos alguna opinión personal y global sobre el tema.*

**A. Orden cronológico.** ¿Usó la cronología el autor del Noticiero cultural del Paso 1? Para decidirlo, contesten las preguntas que siguen en grupos de tres o cuatro.

1. ¿Empieza la lectura con el primer incidente que ocurrió? Si es así, ¿cuál es?
2. ¿Continúa con el segundo, el tercero, el cuarto, etcétera? Prepara una lista de todos los incidentes en el mismo orden que se mencionan. ¿Es un orden cronológico?
3. En tu opinión, ¿incluye todos los incidentes importantes en la historia de Cuba? ¿Por qué crees eso?
4. ¿Qué criterio crees que usó el autor para decidir qué partes de la cronología iba a incluir y qué partes tendría que excluir?

**B. Lista de ideas.** Ahora en los mismos grupos, preparen una lista de temas apropiados para ensayos históricos. Mencionen por lo menos diez temas. Luego, individualmente decide cuál de los temas vas a desarrollar y prepara una lista de todos los incidentes importantes relacionados con tu tema. Pon la lista en orden cronológico.

## Ahora, ¡a escribir!

**A. El primer borrador.** Basándote en la lista que tienes del ejercicio anterior, decide cuál es la información más importante y desarróllala en varios párrafos, dando detalles donde te parezca apropiado. Agrega algunas oraciones para expresar tus opiniones como conclusión de lo que has escrito.

**B. Ahora, a compartir.** Intercambia tu ensayo con el de otros dos compañeros(as) para saber su reacción. Cuando leas los de tus compañeros(as), dales sugerencias sobre posibles cambios para mejorar su desarrollo cronológico. Si encuentras errores, menciónalos.

**C. Ahora, a revisar.** Agrega la información que consideres necesaria para tu ensayo. No te olvides de revisar los errores que mencionaron tus compañeros(as).

**D. La versión final.** Ahora que tienes todas las ideas revisadas y las correcciones hechas, saca una copia en limpio en la computadora y entrégale la composición a tu profesor(a).

# ¡Tal vez consiga el puesto... en Cuba!

**TAREA**

Antes de empezar este *Paso*, estudia la lista de vocabulario en las páginas 474–475 y escucha el corte 22 de tu Text Audio CD4. Luego estudia *En preparación*.

1er día   14.3 Subjunctive in adverb clauses, páginas 479–481

Haz por escrito los ejercicios de *¡A practicar!* correspondientes.

## ¿Eres buen observador?

Recién graduados: escuchen los consejos
de nuestra tradición oral...

Poderoso caballero es don Dinero.
Aunque la mona se vista de seda, mona se queda.
Antes de que te cases, mira lo que haces.
Trabajos hacen al hombre sabio.
Antes de hablar, pensar.

## Ahora, ¡a analizar!

¿A cuál de los refranes del póster se refiere lo siguiente?

a. El matrimonio es cosa seria; no debes considerarlo hasta que estés bien seguro(a) y preparado(a).
b. La gente sigue siendo igual, aunque se disfrace para aparentar lo que no es.
c. El dinero da autoridad, control e influencia. Cuando seas rico(a) lo notarás.
d. Es mejor no decir nada si no tienes nada que decir.
e. Por mucho que estudies, la experiencia de la vida te va a enseñar más.

# ¿Qué se dice...?  CD4, Track 19

## Al hablar de hechos seguros o inciertos

LOURDES: Bueno, el curso termina. Hagamos planes para el año que viene. ¿Quién quiere empezar?

RICARDO: Yo, yo. A ver, a mí me gustaría encontrar trabajo fuera de La Habana. No sé, tal vez como voluntario en algún lugar, sin remuneración, con tal de que tenga la oportunidad de practicar lo aprendido este año, aunque sea en el campo.

LOURDES: ¡Umm! ¿Trabajo sin remuneración? Eso no debe ser ningún problema...

NIURKA: Poderoso caballero es don Dinero.

LOURDES: Pues yo, tan pronto como termine mi carrera de medicina me conseguiré un puesto que pague bien. Con tal de que pueda desarrollar mis altos conocimientos médicos...

NIURKA: Modestia aparte, dirás...

ESTEBAN: Pues yo sigo entrenando para las competencias de natación. Mi sueño es llegar a las Olimpiadas. Aunque tenga otras ofertas para dedicarme a la abogacía, voy a intentar ser un deportista profesional, y ganarme la vida practicando el deporte que me gusta.

RICARDO: Oye, tú, pero eso en Cuba es complicado, ¿no te parece?

NIURKA: Nada es imposible.

LOURDES: Tendrás que entrenar veinticuatro horas al día antes de que te den un puesto en el equipo olímpico. Ya sabes que los deportes de élite son muy competitivos... Y tú, Niurka, ¿qué tienes pensado?

NIURKA: Yo, tan pronto como termine me voy para Miami, a visitar a mi hermano. Mi mamá ya está allá, y tengo muchas ganas de juntarme con ellos.

LOURDES: ¿Pero ya pensaste qué hacer en caso de que te denieguen la visa?

NIURKA: No me la van a denegar. De hecho, ya me la concedieron. La pedí con anticipación para irme en cuanto termine. Ya sabes: más vale prevenir que lamentar.

RICARDO: ¡Qué bien, Niurka! Bueno,... ¿por qué no vamos a tomar un helado en Copelia?

LOURDES: ¡Ay, sí! Me encantan los batidos de mamey que hacen allí.

No cabe duda que la música cubana es una de las más apreciadas en el mundo entero. Muchos de los ritmos latinos bailables más populares tienen su origen en la fascinante mezcla africana latina que es parte de toda música cubana. La rumba, el mambo, la conga, el bolero, la guaracha, la habanera, la danza, el danzón, el son, la nueva trova... todos son ritmos de origen cubano.

**En tu opinión:** ¿Por qué crees que es tan popular la música cubana? ¿Sabes si es popular en los Estados Unidos? ¿Por qué crees que la música africana ha tenido tanta influencia en la música cubana? ¿Qué influencia ha tenido en la música estadounidense? ¿Cuáles de los ritmos cubanos conoces? ¿Los sabes bailar?

## Ahora, ¡a hablar!

**EP 14.3**

**A.** **¿Quién?** Según el *¿Qué se dice... ?*, ¿quién piensa hacer lo siguiente, Ricardo (**R**), Lourdes (**L**) o Esteban (**E**)?

1. **R   L   E**   1. Buscará un empleo aunque sea sin remuneración.
2. **R   L   E**   2. Tomará un batido de mamey con tal que la lleven a Copelia.
3. **R   L   E**   3. Tan pronto como termine buscará un puesto en medicina.
4. **R   L   E**   4. Tendrá que entrenar veinticuatro horas al día antes de conseguir su sueño.
5. **R   L   E**   5. Intentará ser deportista de élite aunque tenga ofertas para dedicarse a la abogacía.

**EP 14.3**

**B.** **Decisiones.** Ricardo se va a graduar este verano y quiere viajar durante unos seis meses antes de empezar su vida profesional. Ahora está pensando en las cosas a tener en cuenta antes de viajar por un período tan largo. ¿Qué piensa?

**MODELO**   viajar / a menos que / ofrecerme un buen puesto
**Viajaré a menos que me ofrezcan un buen puesto.**

1. salir / antes de que / mi novia y yo decidir casarnos
2. poder ir / con tal de que / mi padre prestarme dinero
3. no ir solo / a menos de que / mi amigo Jorge no poder viajar
4. visitar a mis parientes / para que / mis padres estar contentos conmigo
5. no hacer planes / antes de que / todos mis papeles estar en orden
6. no confirmar mis reservaciones / sin que / mi amigo y yo estar seguros de ir

**EP 14.3**

**C.** **¿Me aceptarán?** Esteban todavía no sabe si lo van a llamar para el equipo cubano. A pesar de todo, como es tan optimista, ya está haciendo planes. ¿En qué está pensando?

**MODELO**   Celebraré con mis amigos en cuanto (recibir) las noticias.
**Celebraré con mis amigos en cuanto reciba las noticias.**

1. Empezaré a entrenar siete días por semana tan pronto como (tener) la oferta.
2. Nosotros recibiremos nuevos uniformes en cuanto (llegar) a las Olimpiadas.
3. El entrenador dijo que haremos un viaje por Europa cuando (terminar) las Olimpiadas.
4. Yo me sentiré muy orgulloso aunque nuestro equipo no (ganar).
5. Tendré que comprarles recuerdos a todos mis parientes tan pronto como (llegar) a la ciudad olímpica.
6. Pero seguiré con mi vida diaria hasta que (saber) que me han aceptado.

**D. ¡Por fin!** Tú y tus amigos(as) van a graduarse en menos de un mes. En grupos de tres o cuatro, discutan todo lo que piensan hacer.

EP 14.3

MODELO    **Tan pronto como me gradúe, viajaré a Sudamérica.**
          **Viajaré por tres meses a menos que…**

**E. ¿Para qué?** Los seres humanos tenemos la capacidad de complicarnos la vida por diferentes razones. Dile a tu compañero(a) para qué haces lo siguiente y escucha mientras te dice para qué lo hace él (ella).

EP 14.3

MODELO    trabajar
      TÚ: **Yo trabajo para que mis hijos coman bien.**
COMPAÑERO(A): **Pues yo trabajo para comprarme un coche nuevo.**

1. hacer ejercicio
2. trabajar
3. estudiar
4. peinarme
5. (no) estar a dieta
6. tener tarjetas de crédito
7. participar en deportes
8. ¿…?

**F. A menos que…** Tu compañero(a) tiene grandes planes para el futuro, pero tú tienes tus dudas. Juntos discutan las posibilidades de conseguir sus objetivos si cumplen algunas condiciones, que van a inventar. No olviden usar: a menos que, antes de que, con tal que, para que, sin que, tan pronto como, en cuanto, cuando, aunque, hasta que.

EP 14.3

## Y ahora, ¿por qué no conversamos?

**G. Cuestiones sociales.** Nuestro bienestar en el futuro depende de nuestra sociedad. En grupos de cuatro, debatan estas importantes cuestiones sociales que afectarán la calidad de nuestra vida futura. Dos de cada grupo deben defender las opiniones y los otros dos deben oponerse.

1. Se deben legalizar las drogas.
2. El gobierno debe controlar el precio de la gasolina.
3. La medicina debe ser socializada.
4. Se debe incluir la educación sexual en las escuelas secundarias.

**H. Pasos importantes.** La graduación no es el único paso importante en la vida. Hay otras decisiones que nos esperan a lo largo de la vida. ¿Qué piensan hacer tú y tu compañero(a) en las siguientes situaciones?

**MODELO**    Cuando consigamos trabajo…
**Cuando consigamos trabajo podremos comprarnos carro nuevo.**

1. Tan pronto como nos graduemos…
2. Cuando tengamos bastante dinero…
3. En cuanto consigamos un buen puesto de trabajo…
4. En cuanto nos casemos…
5. Cuando tengamos hijos…
6. Después de que nos jubilemos…

**I. ¡Luces! ¡Cámara! ¡Acción!** Acabas de recibir una oferta de trabajo en una buena compañía pero hay algunos inconvenientes: está lejos de donde vives, el horario es pésimo, el sueldo no te convence y no ofrecen un buen plan de seguro médico. Ahora estás hablando con el (la) gerente de la compañía y tratas de conseguir mejores condiciones. Dramatiza esta situación con un(a) compañero(a).

# Saber comprender

### Estrategias para ver y escuchar: ver y escuchar «de arriba hacia abajo»

*In **Capítulo 9, Paso 2,** you learned that when listening "from the top down" to a video you are viewing, you can listen casually to the general flow, picking out the occasional specific words that convey the gist of what is being said and letting your knowledge of the topic fill in the blanks on everything else.*

**Ver y escuchar «de arriba hacia abajo».** Even if you've never been to Cuba, you probably know quite a bit about it. Use the knowledge you already have as you view the first part of the video, **Cuba, una joya del Caribe, tierra de música y poesía.** Then, in your own words tell what the underlined words in the following sentences probably mean.

1. Por todas partes se ve la palma real, el hermoso y fuerte árbol nacional.
2. Recorrer La Habana es volver a tiempos antiguos y a la vez volver a los años 50 y 60.
3. …carteles de temas revolucionarios y pequeñas figuras llamadas «muñequitas» que representan a los dioses de la religión africana yoruba.
4. El Malecón es una larga avenida paralela al mar bañada por el sol y las brisas tropicales.
5. El enorme espacio abierto se presta para desfiles y otras celebraciones oficiales.

# Cuba, una joya del Caribe, tierra de música y poesía

## Después de ver el video

Ahora mira el resto del video sobre Cuba y anota tres cosas que aprendiste que no sabías antes y tres que ya sabías de la economía de Cuba, La Habana y la política en Cuba.

LA ECONOMÍA DE CUBA

| Lo que no sabía | Lo que ya sabía |
|---|---|
| 1. | 1. |
| 2. | 2. |
| 3. | 3. |

LA HABANA

| Lo que no sabía | Lo que ya sabía |
|---|---|
| 1. | 1. |
| 2. | 2. |
| 3. | 3. |

LA POLÍTICA EN CUBA

| Lo que no sabía | Lo que ya sabía |
|---|---|
| 1. | 1. |
| 2. | 2. |
| 3. | 3. |

# El rincón de los lectores

## Estrategias para leer: interpretación de refranes

*Los refranes dan excelentes consejos, pero los dan con muy pocas palabras y, con frecuencia, con humor. Por eso, al interpretar un refrán, es muy importante entender cada palabra y, a la vez, pensar más ampliamente en el significado del refrán. No basta solo con saber el significado literal de las palabras. Siempre hay que pensar en cómo ese significado se aplica a una variedad de situaciones.*

**Interpretación de refranes.** En el *¿Qué se dice…?* de este *Paso,* Niurka dice «Poderoso caballero es don Dinero».

En tu opinión, ¿cuál es el significado literal de este refrán?

    a. Para ser caballero, hay que tener dinero.
    b. El Sr. Dinero tiene mucho poder.
    c. Un caballo fuerte hace rico a su dueño.

Ahora, en tu opinión, ¿cuál es el significado que Niurka intenta comunicar al decirlo?

    a. *It takes money to be a true gentleman.*
    b. *Money is power.*
    c. *Beware of powerful men, as they will take your money.*

## Lectura

# La tradición oral: los refranes

Los refranes, o proverbios, forman una parte muy importante de la tradición oral hispana. Estos dichos, que representan la sabiduría colectiva de la comunidad hispana, en muy pocas palabras ofrecen consejos relacionados con todos los aspectos de la vida.

Dentro de la cultura hispana, las personas mayores, en particular los ancianos, parecen tener a mano un refrán apropiado para cualquier situación que se presente. Y de los ancianos, lo aprenden los jóvenes. Lo vimos y oímos en el diálogo de esta lección cuando Lourdes habla de todo lo que podrá hacer cuando tenga dinero y Niurka comenta con el refrán: «Poderoso caballero es don Dinero». También hemos leído muchos refranes a lo largo de las páginas de ¡Dímelo tú!

Es así como se mantiene viva la rica tradición oral hispana. De boca en boca pasan los refranes de una generación a otra. Y a lo largo del camino se van añadiendo más y más, siempre anónimamente y siempre contándolos oralmente. Lo más bonito de los refranes es el saber cuándo usarlos para que se ajusten a la situación de una manera muy natural.

## A ver si comprendiste

**A. Refranes populares.** A continuación aparecen seis refranes muy populares. Trata de relacionar cada refrán de la columna de la izquierda con su significado de la columna de la derecha. Luego, piensa en una situación en que podrías usar cada refrán.

1. A buen hambre, no hay pan duro.
2. Por la boca muere el pez.
3. No hay mal que por bien no venga.
4. Dime con quién andas y te diré quién eres.
5. Lo barato es caro, y lo caro barato.
6. Quien mucho duerme, poco aprende.

a. Algo bueno siempre resulta de una situación mala.

b. Las personas perezosas no avanzan en la vida.

c. Las personas que hablan demasiado, cometen más errores.

d. Si pagas poco debes esperar menos calidad.

e. Toda la comida es deliciosa para una persona que no ha comido en mucho tiempo.

f. Todos seleccionamos amigos que son como nosotros.

**B. Más refranes.** Ahora, con un(a) compañero(a), escriban el significado de cada uno de estos refranes. Luego piensen en situaciones donde podrían usarlos. ¿Pueden pensar en un refrán en inglés que tenga el mismo significado?

1. Saber es poder.     2. Quien más tiene, más quiere.

3. El tiempo es oro.

4. Más vale poco que nada.

5. Las noticias malas tienen alas.

6. No hay enemigo chico.

7. Más sabe el loco en su casa que el cuerdo en la ajena. (Cada uno es rey en su casa.)

8. En abril, aguas mil.

# Vocabulario

## Paso 1 CD4, Track 20

### Deportes
| | |
|---|---|
| boxeo | *boxing* |
| esquí *(m.)* | *skiing* |
| gimnasia | *gymnastics* |
| levantamiento de pesas | *weight lifting* |
| lucha libre | *wrestling* |
| natación *(f.)* | *swimming* |
| salto de altura | *high jumping* |

### Deportes: personas
| | |
|---|---|
| aficionado(a) | *fan, supporter* |
| árbitro(a) | *umpire, referee* |
| arquero(a) | *goalie, goalkeeper* |
| atleta *(m./f.)* | *athlete* |
| boxeador *(m.)* | *boxer* |
| entrenador(a) | *coach, trainer* |
| lanzador(a) | *pitcher* |
| organizador(a) | *organizer* |
| salvavidas *(m./f.)* | *lifeguard, lifesaver* |

### Deportes
| | |
|---|---|
| arco | *goal* |
| bate *(m.)* | *bat* |
| campeón (campeona) | *champion* |
| cesto | *basket* |
| competencia | *competition* |
| empate *(m.)* | *tie* |
| gol *(m.)* | *goal* |
| golpe *(m.)* | *strike, hit* |
| juego | *game* |
| liga | *league* |
| Olimpiadas | *Olympics* |
| patear | *to kick* |
| pelea | *fight* |
| pelota | *ball* |
| red *(f.)* | *net* |

### Descripción
| | |
|---|---|
| alejado(a) | *distant, far away* |
| arreglado(a) | *arranged, fixed* |
| impuesto(a) | *imposed* |
| inhumano(a) | *inhuman* |
| saludable | *healthy* |
| violento(a) | *violent* |

### Relacionado a Cuba
| | |
|---|---|
| afrocubano(a) | *Cuban of African decent* |
| bloqueo | *blockade* |

| | |
|---|---|
| colonia | *colony* |
| perla | *pearl* |

### Expresiones impersonales
### Es...
| | |
|---|---|
| absurdo(a) | *It's absurd* |
| cierto | *It's true* |
| injusto | *It's unjust* |
| irónico | *It's ironic* |

### Verbos y expresiones verbales
| | |
|---|---|
| creer | *to believe* |
| dañar | *to damage, to hurt* |
| derrotar | *to defeat, to beat* |
| dudar | *to doubt* |
| estar en forma | *to be in shape* |

### Palabras útiles
| | |
|---|---|
| cerebro | *brain* |
| influencia | *influence* |
| irreversiblemente | *irreversibly* |
| sanción *(f.)* | *sanction* |

## Paso 2 CD4, Track 21

### Deportes
| | |
|---|---|
| alpinismo | *mountain climbing* |
| artes marciales *(m. pl.)* | *martial arts* |
| atletismo | *track and field* |
| buceo | *scuba diving* |

### Relacionado a deportes
| | |
|---|---|
| bateador(a) | *batter (baseball)* |
| batear | *to bat* |
| campeón mundial | *world champion* |
| campeonato | *championship* |
| deportivo(a) | *pertaining to sports* |
| entrenar | *to coach, train* |
| jonrón *(m.)* | *home run* |
| ligas juveniles | *junior leagues* |
| medalla | *medal* |
| olímpico(a) | *olympic* |
| reclutar | *to recruit* |
| superficie *(f.)* | *surface* |
| tirar la pelota | *to pitch a ball* |

### Profesional y negocios
| | |
|---|---|
| directiva | *board of directors* |
| instructor(a) | *instructor* |
| profesional | *professional* |
| propaganda | *propaganda* |

| | |
|---|---|
| rector *(m.)* | *university president* |
| tesorero(a) | *treasurer* |

### Descripción
| | |
|---|---|
| comunista | *communist* |
| discapacitado(a) | *handicapped* |
| dispuesto(a) | *willing* |
| enérgico(a) | *energetic* |
| imparcial | *impartial* |

### Verbos
| | |
|---|---|
| animar | *to encourage, to cheer* |
| contratar | *to hire* |
| manejar | *to manage* |
| solicitar | *to solicit* |

### Palabras y expresiones útiles
| | |
|---|---|
| beca | *scholarship* |
| edición *(f.)* | *edition* |
| estar dispuesto(a) | *to be inclined to* |
| fama | *fame* |

## Paso 3 CD4, Track 22

### Conjunciones
| | |
|---|---|
| a menos que | *unless* |
| aunque | *although* |
| con tal (de) que | *provided (that)* |
| cuando | *when* |
| después (de) que | *after* |
| en caso (de) que | *in case* |
| en cuanto | *as soon as* |
| hasta que | *until* |
| para que | *so that* |
| sin que | *without, unless* |
| tan pronto como | *as soon as* |

### Buscar empleo
| | |
|---|---|
| decisión *(f.)* | *decision* |
| duro(a) | *hard, difficult* |
| escala de pagos | *pay scale* |
| remuneración *(f.)* | *pay (for a service)* |
| seguro | *insurance* |
| sueldo | *salary* |

### Descripción
| | |
|---|---|
| batido de leche | *shake; milk shake* |
| calidad *(f.)* | *quality* |
| igual | *same* |
| pésimo(a) | *dreadful, terrible* |
| poderoso(a) | *powerful* |

| socializado(a) | socialized |
| uniforme | uniform |

**Verbos y expresiones verbales**

| aparentar | to seem |
| cometer errores | to make mistakes |
| confirmar | to confirm |
| considerar | to consider |

| convencer | to convince |
| denegar | to turn down, to refuse |
| disfrazar | to disguise |
| firmar | to sign |
| graduarse | to graduate |
| jubilarse | to retire |
| legalizar | to legalize |

**Palabras útiles**

| ala | wing |
| caballero | gentleman |
| gasolina | gasoline |
| mamey (m.) | tropical fruit |
| orden (m.) | order |
| poder (m.) | power |
| refrán (m.) | saying |

# En preparación 14

## 14.1 Subjunctive with expressions of doubt, denial, and uncertainty

### Expressing doubt, denial, and uncertainty

■ When the main clause of a sentence expresses doubt, denial, or uncertainty, the subjunctive must be used in the subordinate clause whenever there is a change of subject.

| Main clause | Subordinate clause |
|---|---|
| **Dudo** | que **podamos** ir con ustedes. |
| **No creo** | que ellos **tengan** las entradas. |
| **Es probable** | que yo no **vaya.** |

In spoken Spanish it is becoming acceptable to use the subjunctive even when there is no change of subject.

**Dudo** que (yo) **pueda** hacerlo esta tarde.  *I doubt that I can do it this afternoon.*

■ Remember that expressions of certainty, including those denying doubt, are followed by the indicative mood.

**Estoy seguro** de que **llegan** hoy.  *I'm sure they arrive today.*
**No dudamos** que **tienes** el dinero.  *We don't doubt that you have the money.*

BUT:
**Es probable** que **vengan** solos.  *It is probable that they will come alone.*

■ The verbs **creer** and **pensar** are usually followed by the subjunctive when they are negative or in a question. They are followed by the indicative when used in the affirmative form.

**No creo** que **estén** bien entrenados.  *I don't believe they are well trained.*
   *(They don't appear to be and probably aren't.)*

**¿Crees** que lo **acepten** los aficionados?  *Do you believe that the fans will accept him?*
   *(They may not.)*

**Pienso** que **están** en el partido.  *I think (believe) they are at the game.*

⟐ Google™ y YouTube™ BUSCA: Spanish subjunctive doubt/denial/uncertainty

**Heinle Grammar Tutorial:** The Present Subjunctive

## ¡A practicar!

**A. Domingo deportivo.** Celia está mirando su programa deportivo favorito en la tele, *Domingo deportivo*, en su casa en Bahía Girón. Ella es fanática de los deportes. ¿Qué dice cuando mira los diferentes eventos?

> **MODELO**   Natación   no creer / su entrenador / ser tan bueno como el nuestro
> **No creo que su entrenador sea tan bueno como el nuestro.**

Béisbol
1. ser lógico / el equipo cubano / tener tanto éxito
2. ser probable / nuestro equipo / ganarle a los Estados Unidos en las Olimpiadas

Boxeo
3. ser cierto / Cuba / tener excelentes boxeadores
4. yo no dudar / esta pelea / terminar en un empate

Voleibol
5. yo no creer / ese equipo / ganar hoy
6. ser increíble / ellos / jugar tan mal

Fútbol
7. yo dudar / nuestro equipo / estar en forma para este partido
8. ser increíble / los árbitros / ser tan injustos

**B. ¡Cálmate!** Tu amigo Raúl está muy nervioso por el partido de béisbol de esta noche, en La Habana. ¿Qué dice momentos antes del partido?

1. ser obvio / ese bateador / no saber nada
2. ser probable / nuestro lanzador favorito / no poder jugar esta noche
3. estar seguro / nuestro equipo / ya estar cansado
4. ¿creer tú / ellos / tener mejores jugadores?
5. nosotros no dudar / ese jugador / ser excelente

---

«Por muy manso que **sea** el oso, sigue siendo peligroso». (refrán)

\_\_\_\_ *One need not fear a tame bear.*

\_\_\_\_ *Appearances may be deceiving.*

---

## Paso 2

## 14.2 Subjunctive in adjective clauses

### Referring to unfamiliar persons, places, and things

Sometimes a clause is used as an adjective to describe a person, place, or thing. For example, in the following sentence the adjective clause describes **mujer.**

**Adjective clause**

> Conozco a una mujer **que ganó cinco medallas de oro.**

The verb of the adjective clause may be in the subjunctive or in the indicative.

■ If the antecedent—the person, place, or thing being described—is indefinite (either non-existent or not definitely known to exist), the verb in the adjective clause must be in the subjunctive.

| | |
|---|---|
| Busco un entrenador que **hable** ruso. | *I am looking for a coach who speaks Russian. (I'm not sure the person exists.)* |
| Necesitamos una secretaria que **sepa** taquigrafía. | *We need a secretary who knows shorthand.* |
| Voy a solicitar un puesto que **ofrezca** más dinero. | *I'm going to apply for a job that offers more money.* |

If, on the other hand, the antecedent is known to exist, then the verb in the adjective clause must be in the indicative.

| | |
|---|---|
| Busco al entrenador que **habla** ruso. | *I am looking for the coach who speaks Russian. (I know the person.)* |
| Contratamos a un secretario que **sabe** taquigrafía y contabilidad. | *We hired a secretary who knows shorthand and bookkeeping.* |
| Voy a solicitar el puesto que **ofrece** el mejor salario. | *I'm going to apply for the job that offers the highest salary.* |

Note that the mood (indicative or subjunctive) used in adjective clauses indicates whether the speaker is talking about a fact or something hypothetical or abstract.

Negative antecedents always refer to the nonexistent. Therefore, the verb in an adjective clause modifying a negative antecedent must be in the subjunctive.

| | |
|---|---|
| No hay nadie que **esté** dispuesto a trabajar los fines de semana. | *There isn't anyone who is willing to work on weekends.* |
| No encuentro **a** nadie que **sepa** hablar japonés. | *I can't find anyone who knows how to speak Japanese.* |

**Google™** y **YouTube™** BUSCA: Spanish subjunctive adjective clauses

**Heinle Grammar Tutorial:** The Subjunctive in Adjective Clauses

The personal **a** is not usually used before an indefinite direct object. **Nadie** and **alguien,** however, always take the personal **a** when used as direct objects.

| | |
|---|---|
| Buscamos un entrenador que **sepa** comunicar bien con los atletas. | *We are looking for a coach who knows how to communicate with the athletes.* |
| Buscamos **a** alguien que **sepa** relacionarse con la prensa. | *We are looking for someone who knows how to work with the press.* |

## ¡A practicar!

**A. Nuevo personal.** El Comité Cubano de las Olimpiadas está discutiendo lo que el equipo cubano va a necesitar para las siguientes Olimpiadas. ¿Qué dicen ellos?

1. necesitamos / entrenador / ser muy enérgico
2. necesitamos / entrenador / dirigir a los Atléticos
3. buscamos / lanzador / tener experiencia
4. buscamos / lanzador / jugar ahora con los Gigantes
5. necesitamos / bateadores / venir de las ligas juveniles
6. buscamos / bateadores / ya tener fama

**B. Club deportivo.** Esteban está hablando con su jefe porque él y algunos colegas han decidido crear el Club Deportivo Guantánamo. Según él, ¿qué tipo de personas necesitan para administrar el club?

1. necesitar un presidente que / poder trabajar bien con la directiva y los jugadores
2. tener que encontrar un vicepresidente que / ser responsable y trabajar bien con el presidente
3. para tesorero (*treasurer*) / necesitar a alguien que / saber contabilidad (*bookkeeping*)
4. para secretario / necesitar una persona que / saber bastante de informática
5. también querer nombrar a alguien que / representarnos ante el Comité Deportivo Nacional

**C. Los jefes nos apoyan.** Ahora Esteban le está contando a su amigo Ricardo lo que les dijo su jefe a él y a sus compañeros. ¿Qué les dijo?

Mi jefe nos dijo que los administradores del hotel estarán a favor de que _____ (nosotros / organizar) un club que _____ (preocuparse) por los intereses deportivos de los trabajadores. Cree que debemos nombrar a una persona que _____ (hablar) con los administradores en seguida. Dijo que hay una persona en la administración que _____ (tener) mucha experiencia en esos asuntos *(matters)*. Y como yo soy una persona que _____ (interesarse) mucho en los deportes y en el bienestar de todos, yo puedo ser el representante. ¡Ah! También dijo que el representante debe ser una persona que _____ (ser) muy activa y que siempre _____ (informar) a la mesa directiva sobre las actividades del grupo.

---

«Por septiembre, quien **tenga** trigo que siembre». (refrán)

____ *Wheat must be planted by September.*

____ *By September, all wheat fields should be harvested.*

---

## Paso 3

## 14.3 Subjunctive in adverb clauses

### Stating conditions

■ In Spanish, certain conjunctions are *always* followed by the subjunctive. Note that they are used to relate events that may or may not happen. Thus, a doubt is implied, requiring the subjunctive.

| Conjunctions that always require subjunctive | | | |
|---|---|---|---|
| a menos que | unless | en caso (de) que | in case |
| antes (de) que | before | para que | so that |
| con tal (de) que | provided (that) | sin que | without, unless |

Nosotros ganaremos **a menos que se lastime** José Antonio.

*We'll win unless José Antonio gets injured.*

Yo iré con ustedes **con tal que** Niurka no **conduzca**.

*I'll go with you provided Niurka doesn't drive.*

- Certain adverbial conjunctions may be followed by either the subjunctive or the indicative. The subjunctive follows these expressions when describing a future or hypothetical action or something that has not yet occurred. The indicative is used to describe habitual or known facts.

| Conjunctions that may require subjunctive | | | |
|---|---|---|---|
| aunque | *although* | en cuanto | *as soon as* |
| cuando | *when* | hasta que | *until* |
| después (de) que | *after* | tan pronto como | *as soon as* |

| Habitual | Future action |
|---|---|
| Siempre lo hace cuando **llega.** *He always does it when he arrives.* | Lo hará **cuando llegue.** *He will do it when he arrives.* |

| Factual | Hypothetical |
|---|---|
| Lo aceptará aunque **tendrá** que jugar con otro equipo. *He will accept it although he will have to play with another team.* | Lo aceptará aunque **tenga** que jugar con otro equipo. *He will accept it although he may have to play with another team.* |

⬈ **Google**™ y **YouTube**™ BUSCA: Spanish subjunctive adverbial clauses

**Heinle Grammar Tutorial:** The Subjunctive in Adverbial Clauses

- When the focus is on an event rather than on a participant, a preposition and an infinitive are used rather than a conjunction and the subjunctive.

Llámame **antes de venir.**
Lo haré **sin decirle.**

*Call me before coming.*
*I'll do it without telling him.*

## ¡A practicar!

**A. Dilema.** A veces cambiar o no cambiar de trabajo se transforma en un verdadero dilema. Nina acaba de recibir una nueva oferta y está tratando de decidir si debe permanecer *(remain)* en Bahía Girón o trasladarse a Santiago de Cuba. ¿Qué dice?

1. Tendré que decidir pronto para que mi jefe _____ (buscar) a una nueva persona.
2. Se lo comunicaré a mi novio a menos que él ya lo _____ (saber).
3. Voy a empezar a regalar varios muebles en caso de que yo _____ (decidir) aceptar.
4. No haré ninguna decisión sin que ellos me _____ (explicar) bien la escala de pagos.
5. Se lo contaré a mis padres en cuanto yo _____ (tomar) una decisión.
6. Pero no firmaré hasta que mi novio y mis padres me _____ (decir) que es una buena decisión.

**B. El regreso.** Mario ha estado viviendo en La Habana, debido a una práctica profesional de seis meses. Ha llegado ahora el momento de regresar a Bahía Girón y se le está transformando en un gran dilema. Veamos qué decide finalmente.

1. No decidiré hasta que _____ (hablar) con mi novia.
2. Será más fácil tan pronto como _____ (saber) si me van a dar trabajo en Bahía Girón.
3. Lo hablaré con mi familia después de que la decisión _____ (estar) tomada.
4. Tendré más posibilidades cuando _____ (graduarme) y ya tenga el título en mano.
5. Alquilaré el nuevo apartamento aunque todavía no _____ (haberme) decidido.
6. Creo que me quedaré en La Habana a menos que mi novia _____ (insistir) en que regrese.

**C. Vacaciones.** Ahora Antonio y Raúl están planeando salir de vacaciones a Guantánamo. Antonio, como siempre, es muy organizado. ¿Qué le dice a Raúl?

ANTONIO: Saldremos en cuanto _____ (regresar / tú) del banco.

RAÚL: Bien. Pero no regresaré hasta que _____ (poder) cerrar mi cuenta de ahorros.

ANTONIO: No importa con tal que tú _____ (estar) aquí antes de las tres y media.

RAÚL: No te preocupes. La guagua no sale hasta las cuatro y media, a menos que _____ (haber) cambiado el horario.

ANTONIO: Tienes razón. Pero yo prefiero estar en la estación temprano para que nosotros _____ (poder) conseguir buenos asientos (*seats*).

---

«Bueno que seas tambor, **con tal que seas** el que toque mejor». (refrán)

____ *A good drummer can only get better if he works at it.*

____ *No matter what you do, be the best at it.*

# Ahora, ¡a hablar! Y ahora, ¿por qué no conversamos?

## Capítulo 1, Paso 1

**Y ahora, ¿por qué no conversamos?**

E. **¿Son los mismos?** Alicia, Carmen, José y Daniel son estudiantes de la clase de español de tu compañero(a) de cuarto. Tú también tienes unos amigos que se llaman Alicia, Carmen, José y Daniel. La descripción de tus amigos aparece (*appears*) aquí. La descripción de los amigos de tu compañero(a) aparece en la página 28. ¿Son la misma (*same*) persona? (*To decide if they are the same person, ask your partner questions. Do not look at each other's descriptions.*)

**MODELO** ¿Es Alicia de El Salvador?
**Sí, es salvadoreña.** *o* **No, no es salvadoreña.**

ALICIA: de San Salvador, introvertida, no perezosa, muy seria y muy paciente
CARMEN: de San José, muy seria, tímida, inteligente, muy estudiosa y algo conservadora
JOSÉ: de Tegucigalpa, muy activo pero muy serio, no sociable y muy serio
DANIEL: de Managua, muy atlético pero un poco tímido, activo, estudioso y algo serio

## Capítulo 1, Paso 3

**Y ahora, ¿por qué no conversamos?**

G. **¿Son diferentes?** Este dibujo y el dibujo en la página 42 son similares pero tienen cinco (5) diferencias. Descríbele este dibujo a tu compañero(a) y él/ella va a describirte el otro dibujo hasta encontrar (*until you find*) las diferencias. No se permite ver el dibujo de tu compañero(a) hasta completar esta actividad.

**Vocabulario útil**

| | |
|---|---|
| bailar | hablar con amigos(as) |
| estudiar | escuchar música |
| mirar la tele | hablar por teléfono |
| escribir una carta | tomar un refresco |

# Capítulo 3, Paso 1

## Ahora, ¡a hablar!

**C. ¿Dónde es y cuándo es?** Este mapa indica el nombre y las fechas de algunos de los festivales más populares de España. El mapa de la página 101 indica el nombre de las ciudades donde son los festivales. Tu compañero(a) te va a preguntar qué fiestas hay en diferentes ciudades y cuáles son las fechas. Antes de contestar, pregunta a tu compañero(a) dónde está la ciudad que menciona. Escribe el nombre de cada ciudad en el mapa. Al final, compara con el mapa de tu compañero(a) para ver si todas las ciudades y fiestas corresponden. No se permite comparar mapas hasta terminar esta actividad.

**MODELO**

COMPAÑERO(A): **¿Qué fiesta hay en Barcelona?**

TÚ: **¿Dónde está Barcelona?**

COMPAÑERO(A): **Está en el noreste de España.**

TÚ: **La fiesta de Sant Jordi.**

COMPAÑERO(A): **¿Y cuándo es?**

TÚ: **Es el 23 de abril.**

*Tú escribes junto a Sant Jordi, 23 de abril:* **Barcelona**

*Tu compañero(a) escribe junto a Barcelona:* **Sant Jordi, 23 de abril**

# Capítulo 3, Paso 2

## Y ahora, ¿por qué no conversamos?

**F. ¿Cuántas diferencias hay?** ¿Cuántas diferencias hay entre este dibujo y el de tu compañero(a) en la página 110? Describe tu dibujo para ver cuántas diferencias puedes encontrar con el dibujo de tu compañero(a). Recuerda que no se permite mirar el dibujo de tu compañero(a) hasta terminar esta actividad.

**MODELO**   **Sí, cuatro personas están bailando y una señora está cocinando.**

# Capítulo 3, Paso 3

## Y ahora, ¿por qué no conversamos?

**E.** **¡Qué cambiados están!** Estos son Daniel y Gloria después de estudiar un año en la Universidad de Salamanca. En la página 117, tu compañero(a) tiene un dibujo de Daniel y Gloria antes de ir a estudiar a España. Describan a las personas que aparecen en sus dibujos para saber cómo son los cambios *(changes)*. No se permite mirar el dibujo de tu compañero(a) hasta terminar esta actividad.

### Vocabulario útil

| | | |
|---|---|---|
| cambiado(a) | corto(a) | delgado(a) |
| diferente | formal | guapo(a) |
| hermoso(a) | honesto(a) | informal |
| lacio(a) | limpio(a) | rizado(a) |
| rubio(a) | sucio(a) | |

MODELO      **Daniel ya no es hippie. Ahora está muy elegante. Gloria está muy elegante también.**

# Capítulo 4, Paso 2

## Y ahora, ¿por qué no conversamos?

**E.** **En el escaparate.** Tú estás de compras en la Ciudad de México y quieres comprar todas las prendas de esta lista. Por desgracia, muchas prendas no tienen etiqueta *(price tag)*. Pregúntale a tu compañero(a) los precios que quieres saber y dale los precios que él o ella necesita basándote en el dibujo. El escaparate de tu compañero(a) está en la página 141. No se permite mirar el escaparate de tu compañero(a) hasta terminar esta actividad.

**Tú quieres comprar:**

1. pijamas para tu hermana
2. un traje para ti
3. botas para tu papá
4. pantalones para tu hermano
5. un vestido para tu mamá

# Capítulo 5, Paso 1

### Ahora, ¡a hablar!

**D. Amigos dispares.** Este es el cuarto de tu amigo Ernesto. Tu compañero(a) tiene el dibujo del cuarto de tu amiga Rosana. Usa este dibujo para describir cómo es el cuarto de Ernesto y en qué condición está. Tu compañero(a) va a usar el dibujo del cuarto de Roxana en la página 171 para describirlo y decir en qué condición está. Decidan cuál es más/menos lujoso y más/menos ordenado.

# Capítulo 5, Paso 3

## Ahora, ¡a hablar!

**A.** **¿Quién es quién?** ¿Cómo están relacionadas cada una de las personas con Dolores? Para practicar tu vocabulario de la familia en español, contesta las preguntas de tu compañero(a), que tiene la información en la página 184.

**MODELO**

COMPAÑERO(A): **¿Cómo están relacionadas Irene y Dolores?**

TÚ: **Irene es hermana de Dolores.**

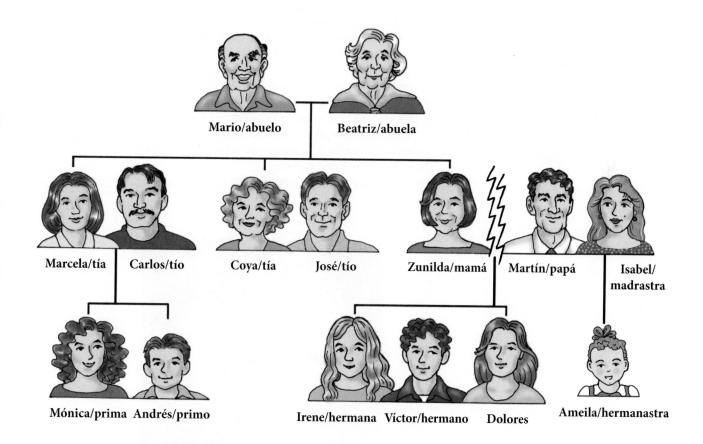

Mario/abuelo    Beatriz/abuela

Marcela/tía    Carlos/tío    Coya/tía    José/tío    Zunilda/mamá    Martín/papá    Isabel/madrastra

Mónica/prima    Andrés/primo    Irene/hermana    Víctor/hermano    Dolores    Ameila/hermanastra

# Capítulo 12, Paso 3

## Y ahora, ¿por qué no conversamos?

**F. Viaje a Machu Picchu.** Tú y un(a) compañero(a) están viajando por Sudamérica, visitando y explorando diferentes lugares. Ahora están en las famosas cataratas de Iguazú y quieren viajar por Uruguay, Argentina, Chile y Bolivia para llegar a Machu Picchu. Piensan hacer ocho escalas *(stopovers)* en su viaje. ¿Quién va a llegar primero? Para avanzar una escala, tienes que contestar la pregunta de tu compañero(a) correctamente. Tus preguntas están aquí, las de tu compañero(a) están en la página 409.

1. ¿Cuál es la capital de Paraguay?
2. ¿Cuál es la capital de Perú?
3. Nombra la isla que es estado libre asociado de Estados Unidos.
4. Nombra dos países que tienen frontera con Perú.
5. ¿De qué país es Diego Rivera?
6. ¿Quién escribió *Cien años de soledad*?
7. ¿En qué países de Sudamérica se habla español?
8. ¿Cómo se llama la moneda de Paraguay?
9. ¿Cuál es el país más grande de Sudamérica?
10. ¿Cómo se llaman las dos capitales de Bolivia?
11. ¿En qué país se comen porotos y ají?
12. Nombra cinco países de Centroamérica y sus capitales.

# Acentuación

In Spanish, as in English, all words of two or more syllables have one syllable that is stressed more forcibly than the others. In Spanish, written accents are frequently used to show what syllable in a word is the stressed one.

## Words without written accents

Words without written accents are pronounced according to the following rules:

**A.** Words that end in a vowel (**a, e, i, o, u**) or the consonants **n** or **s** are stressed on the next to last syllable.

**tar**des     ca**pi**tales     **gran**de     es**tu**dia     **no**ches     **co**men

**B.** Words that end in a consonant other than **n** or **s** are stressed on the last syllable.

bus**car**     ac**triz**     espa**ñol**     liber**tad**     ani**mal**     come**dor**

## Words with written accents

**C.** Words that do not follow the two preceding rules require a written accent to indicate where the stress is placed.

ca**fé**     sim**pá**tico     fran**cés**     na**ción**     José **Pé**rez

## Words with a strong vowel (a, o, u) next to a weak vowel (e, i)

**D.** Dipthongs, the combination of a weak vowel (i, u) and a strong vowel (e, o, a), or two weak vowels, next to each other, form a single syllable. A written accent is required to separate dipthongs into two syllables. Note that the written accent is placed on the weak vowel.

| | | | | | |
|---|---|---|---|---|---|
| s**ei**s | estu**dia** | inter**ior** | **ai**re | **au**to | ci**u**dad |
| re**ír** | **dí**a | **rí**o | ma**íz** | ba**úl** | veinti**ún** |

# Monosyllable words

E. Words with only one syllable never have a written accent unless there is a need to differentiate it from another word spelled exactly the same. The following are some of the most common words in this category.

| Unaccented | Accented | Unaccented | Accented |
|---|---|---|---|
| como (*like, as*) | cómo (*how*) | que (*that*) | qué (*what*) |
| de (*of*) | dé (*give*) | si (*if*) | sí (*yes*) |
| el (*the*) | él (*he*) | te (*you D.O., to you*) | té (*tea*) |
| mas (*but*) | más (*more*) | tu (*your*) | tú (*you informal*) |
| mi (*my*) | mí (*me*) | | |

F. Keep in mind that in Spanish, the written accents are an extremely important part of spelling since they not only change the pronunciation of a word, but may change its meaning and/or its tense.

**publico** (*I publish*)          **público** (*public*)          **publicó** (*he/she/you published*)

# Los verbos regulares

## Simple tenses

| | Present Indicative | Imperfect | Preterite | Future | Conditional | Present Subjunctive | Past Subjunctive | Commands |
|---|---|---|---|---|---|---|---|---|
| hablar (to speak) | hablo | hablaba | hablé | hablaré | hablaría | hable | hablara | |
| | hablas | hablabas | hablaste | hablarás | hablarías | hables | hablaras | habla (no hables) |
| | habla | hablaba | habló | hablará | hablaría | hable | hablara | hable |
| | hablamos | hablábamos | hablamos | hablaremos | hablaríamos | hablemos | habláramos | hablemos |
| | habláis | hablabais | hablasteis | hablaréis | hablaríais | habléis | hablarais | hablad (no habléis) |
| | hablan | hablaban | hablaron | hablarán | hablarían | hablen | hablaran | hablen |
| aprender (to learn) | aprendo | aprendía | aprendí | aprenderé | aprendería | aprenda | aprendiera | |
| | aprendes | aprendías | aprendiste | aprenderás | aprenderías | aprendas | aprendieras | aprende (no aprendas) |
| | aprende | aprendía | aprendió | aprenderá | aprendería | aprenda | aprendiera | aprenda |
| | aprendemos | aprendíamos | aprendimos | aprenderemos | aprenderíamos | aprendamos | aprendiéramos | aprendamos |
| | aprendéis | aprendíais | aprendisteis | aprenderéis | aprenderíais | aprendáis | aprendierais | aprended (no aprendáis) |
| | aprenden | aprendían | aprendieron | aprenderán | aprenderían | aprendan | aprendieran | aprendan |
| vivir (to live) | vivo | vivía | viví | viviré | viviría | viva | viviera | |
| | vives | vivías | viviste | vivirás | vivirías | vivas | vivieras | vive (no vivas) |
| | vive | vivía | vivió | vivirá | viviría | viva | viviera | viva |
| | vivimos | vivíamos | vivimos | viviremos | viviríamos | vivamos | viviéramos | vivamos |
| | vivís | vivíais | vivisteis | viviréis | viviríais | viváis | vivierais | vivid (no viváis) |
| | viven | vivían | vivieron | vivirán | vivirían | vivan | vivieran | vivan |

## Compound tenses

| Present progressive | estoy | | |
|---|---|---|---|
| | estás | hablando | aprendiendo | viviendo |
| | está | | |

| Present perfect indicative | he | | |
|---|---|---|---|
| | has | hablado | aprendido | vivido |
| | ha | | |

| Past perfect indicative | había | | |
|---|---|---|---|
| | habías | hablado | aprendido | vivido |
| | había | | |

# Los verbos con cambios en la raíz

| Infinitive Present Participle Past Participle | Present Indicative | Past Imperfect | Preterite | Future | Conditional | Present Subjunctive | Past Subjunctive | Commands |
|---|---|---|---|---|---|---|---|---|
| pensar *to think* **e → ie** pensando pensado | **pienso** **piensas** **piensa** pensamos pensáis **piensan** | pensaba pensabas pensaba pensábamos pensabais pensaban | pensé pensaste pensó pensamos pensasteis pensaron | pensaré pensarás pensará pensaremos pensaréis pensarán | pensaría pensarías pensaría pensaríamos pensaríais pensarían | **piense** **pienses** **piense** pensemos penséis **piensen** | pensara pensaras pensara pensáramos pensarais pensaran | **piensa (no pienses)** **piense** pensemos pensad (no penséis) **piensen** |
| acostarse *to go to bed* **o → ue** acostándose acostado | me **acuesto** te **acuestas** se **acuesta** nos acostamos os acostáis se **acuestan** | me acostaba te acostabas se acostaba nos acostábamos os acostabais se acostaban | me acosté te acostaste se acostó nos acostamos os acostasteis se acostaron | me acostaré te acostarás se acostará nos acostaremos os acostaréis se acostarán | me acostaría te acostarías se acostaría nos acostaríamos os acostaríais se acostarían | me **acueste** te **acuestes** se **acueste** nos acostemos os acostéis se **acuesten** | me acostara te acostaras se acostara nos acostáramos os acostarais se acostaran | acuéstate (no te acuestes) acuéstese acostémonos acostaos (no os acostéis) acuéstense |
| sentir *to feel* **e → ie, i** sintiendo sentido | **siento** **sientes** **siente** sentimos sentís **sienten** | sentía sentías sentía sentíamos sentíais sentían | sentí sentiste **sintió** sentimos sentisteis **sintieron** | sentiré sentirás sentirá sentiremos sentiréis sentirán | sentiría sentirías sentiría sentiríamos sentiríais sentirían | **sienta** **sientas** **sienta** **sintamos** **sintáis** **sientan** | **sintiera** **sintieras** **sintiera** **sintiéramos** **sintierais** **sintieran** | siente (no sientas) sienta sintamos (no sintáis) sentid sientan |
| pedir *to ask for* **e → i, i** pidiendo pedido | **pido** **pides** **pide** pedimos pedís **piden** | pedía pedías pedía pedíamos pedíais pedían | pedí pediste **pidió** pedimos pedisteis **pidieron** | pediré pedirás pedirá pediremos pediréis pedirán | pediría pedirías pediría pediríamos pediríais pedirían | **pida** **pidas** **pida** **pidamos** **pidáis** **pidan** | **pidiera** **pidieras** **pidiera** **pidiéramos** **pidierais** **pidieran** | pide (no pidas) pida pidamos pedid (no pidáis) pidan |
| dormir *to sleep* **o → ue, u** durmiendo dormido | **duermo** **duermes** **duerme** dormimos dormís **duermen** | dormía dormías dormía dormíamos dormíais dormían | dormí dormiste **durmió** dormimos dormisteis **durmieron** | dormiré dormirás dormirá dormiremos dormiréis dormirán | dormiría dormirías dormiría dormiríamos dormiríais dormirían | **duerma** **duermas** **duerma** **durmamos** **durmáis** **duerman** | **durmiera** **durmieras** **durmiera** **durmiéramos** **durmierais** **durmieran** | duerme (no duermas) duerma durmamos dormid (no durmáis) duerman |

# Los verbos con cambios de ortografía

| Infinitive / Present Participle / Past Participle | Present Indicative | Past Imperfect | Preterite | Future | Conditional | Present Subjunctive | Past Subjunctive | Commands |
|---|---|---|---|---|---|---|---|---|
| comenzar (e → ie) *to begin* z → c before e comenzando comenzado | comienzo comienzas comienza comenzamos comenzáis comienzan | comenzaba comenzabas comenzaba comenzábamos comenzabais comenzaban | **comencé** comenzaste comenzó comenzamos comenzasteis comenzaron | comenzaré comenzarás comenzará comenzaremos comenzaréis comenzarán | comenzaría comenzarías comenzaría comenzaríamos comenzaríais comenzarían | **comience comiences comience comencemos comencéis comiencen** | comenzara comenzaras comenzara comenzáramos comenzarais comenzaran | comienza (**no comiences**) **comience** **comencemos** comenzad (**no comencéis**) **comiencen** |
| conocer *to know* c → zc before a, o conociendo conocido | **conozco** conoces conoce conocemos conocéis conocen | conocía conocías conocía conocíamos conocíais conocían | conocí conociste conoció conocimos conocisteis conocieron | conoceré conocerás conocerá conoceremos conoceréis conocerán | conocería conocerías conocería conoceríamos conoceríais conocerían | **conozca conozcas conozca conozcamos conozcáis conozcan** | conociera conocieras conociera conociéramos conocierais conocieran | conoce (**no conozcas**) **conozca** **conozcamos** conoced (**no conozcáis**) **conozcan** |
| pagar *to pay* g → gu before e pagando pagado | pago pagas paga pagamos pagáis pagan | pagaba pagabas pagaba pagábamos pagabais pagaban | **pagué** pagaste pagó pagamos pagasteis pagaron | pagaré pagarás pagará pagaremos pagaréis pagarán | pagaría pagarías pagaría pagaríamos pagaríais pagarían | **pague pagues pague paguemos paguéis paguen** | pagara pagaras pagara pagáramos pagarais pagaran | paga (**no pagues**) **pague** **paguemos** pagad (**no paguéis**) **paguen** |
| seguir (e → i, i) *to follow* gu → g before a, o siguiendo seguido | **sigo** sigues sigue seguimos seguís siguen | seguía seguías seguía seguíamos seguíais seguían | seguí seguiste siguió seguimos seguisteis siguieron | seguiré seguirás seguirá seguiremos seguiréis seguirán | seguiría seguirías seguiría seguiríamos seguiríais seguirían | **siga sigas siga sigamos sigáis sigan** | siguiera siguieras siguiera siguiéramos siguierais siguieran | sigue (**no sigas**) **siga** **sigamos** seguid (**no sigáis**) **sigan** |
| tocar *to play, to touch* c → qu before e tocando tocado | toco tocas toca tocamos tocáis tocan | tocaba tocabas tocaba tocábamos tocabais tocaban | **toqué** tocaste tocó tocamos tocasteis tocaron | tocaré tocarás tocará tocaremos tocaréis tocarán | tocaría tocarías tocaría tocaríamos tocaríais tocarían | **toque toques toque toquemos toquéis toquen** | tocara tocaras tocara tocáramos tocarais tocaran | toca (**no toques**) **toque** **toquemos** tocad (**no toquéis**) **toquen** |

# Los verbos irregulares

| Infinitive / Present Participle / Past Participle | Present Indicative | Past Imperfect | Preterite | Future | Conditional | Present Subjunctive | Past Subjunctive | Commands |
|---|---|---|---|---|---|---|---|---|
| andar *to walk* andando andado | ando andas anda andamos andáis andan | andaba andabas andaba andábamos andabais andaban | anduve anduviste anduvo anduvimos anduvisteis anduvieron | andaré andarás andará andaremos andaréis andarán | andaría andarías andaría andaríamos andaríais andarían | ande andes ande andemos andéis anden | anduviera anduvieras anduviera anduviéramos anduvierais anduvieran | anda (no andes) ande andemos andad (no andéis) anden |
| *dar *to give* dando dado | doy das da damos dais dan | daba dabas daba dábamos dabais daban | di diste dio dimos disteis dieron | daré darás dará daremos daréis darán | daría darías daría daríamos daríais darían | dé des dé demos deis den | diera dieras diera diéramos dierais dieran | da (no des) dé demos dad (no deis) den |
| *decir *to say; tell* diciendo dicho | digo dices dice decimos decís dicen | decía decías decía decíamos decíais decían | dije dijiste dijo dijimos dijisteis dijeron | diré dirás dirá diremos diréis dirán | diría dirías diría diríamos diríais dirían | diga digas diga digamos digáis digan | dijera dijeras dijera dijéramos dijerais dijeran | di (no digas) diga digamos decid (no digáis) digan |
| *estar *to be* estando estado | estoy estás está estamos estáis están | estaba estabas estaba estábamos estabais estaban | estuve estuviste estuvo estuvimos estuvisteis estuvieron | estaré estarás estará estaremos estaréis estarán | estaría estarías estaría estaríamos estaríais estarían | esté estés esté estemos estéis estén | estuviera estuvieras estuviera estuviéramos estuvierais estuvieran | está (no estés) esté estemos estad (no estéis) estén |
| haber *to have* habiendo habido | he has ha [hay] hemos habéis han | había habías había habíamos habíais habían | hube hubiste hubo hubimos hubisteis hubieron | habré habrás habrá habremos habréis habrán | habría habrías habría habríamos habríais habrían | haya hayas haya hayamos hayáis hayan | hubiera hubieras hubiera hubiéramos hubierais hubieran | he (no hayas) haya hayamos habed (no hayáis) hayan |
| *hacer *to make, to do* haciendo hecho | hago haces hace hacemos hacéis hacen | hacía hacías hacía hacíamos hacíais hacían | hice hiciste hizo hicimos hicisteis hicieron | haré harás hará haremos haréis harán | haría harías haría haríamos haríais harían | haga hagas haga hagamos hagáis hagan | hiciera hicieras hiciera hiciéramos hicierais hicieran | haz (no hagas) haga hagamos haced (no hagáis) hagan |

| Infinitive / Present Participle / Past Participle | Present Indicative | Past Imperfect | Preterite | Future | Conditional | Present Subjunctive | Past Subjunctive | Commands |
|---|---|---|---|---|---|---|---|---|
| ir | voy | iba | fui | iré | iría | vaya | fuera | ve (no vayas) |
| *to go* | vas | ibas | fuiste | irás | irías | vayas | fueras | vaya |
| yendo | va | iba | fue | irá | iría | vaya | fuera | vamos (no vayamos) |
| ido | vamos | íbamos | fuimos | iremos | iríamos | vayamos | fuéramos | id (no vayáis) |
|  | vais | ibais | fuisteis | iréis | iríais | vayáis | fuerais | vayan |
|  | van | iban | fueron | irán | irían | vayan | fueran |  |
| *oír | oigo | oía | oí | oiré | oiría | oiga | oyera | oye (no oigas) |
| *to hear* | oyes | oías | oíste | oirás | oirías | oigas | oyeras | oiga |
| oyendo | oye | oía | oyó | oirá | oiría | oiga | oyera | oigamos |
| oído | oímos | oíamos | oímos | oiremos | oiríamos | oigamos | oyéramos | oíd (no oigáis) |
|  | oís | oíais | oísteis | oiréis | oiríais | oigáis | oyerais | oigan |
|  | oyen | oían | oyeron | oirán | oirían | oigan | oyeran |  |
| poder | puedo | podía | pude | podré | podría | pueda | pudiera | puede (no puedas) |
| (o → ue) | puedes | podías | pudiste | podrás | podrías | puedas | pudieras | pueda |
| *can, to be able* | puede | podía | pudo | podrá | podría | pueda | pudiera | podamos |
| pudiendo | podemos | podíamos | pudimos | podremos | podríamos | podamos | pudiéramos | poded (no podáis) |
| podido | podéis | podíais | pudisteis | podréis | podríais | podáis | pudierais | puedan |
|  | pueden | podían | pudieron | podrán | podrían | puedan | pudieran |  |
| *poner | pongo | ponía | puse | pondré | pondría | ponga | pusiera | pon (no pongas) |
| *to place, to put* | pones | ponías | pusiste | pondrás | pondrías | pongas | pusieras | ponga |
| poniendo | pone | ponía | puso | pondrá | pondría | ponga | pusiera | pongamos |
| puesto | ponemos | poníamos | pusimos | pondremos | pondríamos | pongamos | pusiéramos | poned (no pongáis) |
|  | ponéis | poníais | pusisteis | pondréis | pondríais | pongáis | pusierais | pongan |
|  | ponen | ponían | pusieron | pondrán | pondrían | pongan | pusieran |  |
| querer | quiero | quería | quise | querré | querría | quiera | quisiera | quiere (no quieras) |
| (e → ie) | quieres | querías | quisiste | querrás | querrías | quieras | quisieras | quiera |
| *to like* | quiere | quería | quiso | querrá | querría | quiera | quisiera | queramos |
| queriendo | queremos | queríamos | quisimos | querremos | querríamos | queramos | quisiéramos | quered (no queráis) |
| querido | queréis | queríais | quisisteis | querréis | querríais | queráis | quisierais | quieran |
|  | quieren | querían | quisieron | querrán | querrían | quieran | quisieran |  |
| *saber | sé | sabía | supe | sabré | sabría | sepa | supiera | sabe (no sepas) |
| *to know* | sabes | sabías | supiste | sabrás | sabrías | sepas | supieras | sepa |
| sabiendo | sabe | sabía | supo | sabrá | sabría | sepa | supiera | sepamos |
| sabido | sabemos | sabíamos | supimos | sabremos | sabríamos | sepamos | supiéramos | sabed (no sepáis) |
|  | sabéis | sabíais | supisteis | sabréis | sabríais | sepáis | supierais | sepan |
|  | saben | sabían | supieron | sabrán | sabrían | sepan | supieran |  |

*Verbs with irregular *yo* forms in the present indicative

| Infinitive Present Participle Past Participle | Present Indicative | Past Imperfect | Preterite | Future | Conditional | Present Subjunctive | Past Subjunctive | Commands |
|---|---|---|---|---|---|---|---|---|
| *salir | salgo | salía | salí | saldré | saldría | salga | saliera | |
| *to go out* | sales | salías | saliste | saldrás | saldrías | salgas | salieras | sal (no salgas) |
| saliendo | sale | salía | salió | saldrá | saldría | salga | saliera | salga |
| salido | salimos | salíamos | salimos | saldremos | saldríamos | salgamos | saliéramos | salgamos |
| | salís | salíais | salisteis | saldréis | saldríais | salgáis | salierais | salid (no salgáis) |
| | salen | salían | salieron | saldrán | saldrían | salgan | salieran | salgan |
| ser | soy | era | fui | seré | sería | sea | fuera | |
| *to be* | eres | eras | fuiste | serás | serías | seas | fueras | sé (no seas) |
| siendo | es | era | fue | será | sería | sea | fuera | sea |
| sido | somos | éramos | fuimos | seremos | seríamos | seamos | fuéramos | seamos |
| | sois | erais | fuisteis | seréis | seríais | seáis | fuerais | sed (no seáis) |
| | son | eran | fueron | serán | serían | sean | fueran | sean |
| *tener | tengo | tenía | tuve | tendré | tendría | tenga | tuviera | |
| (e → ie) | tienes | tenías | tuviste | tendrás | tendrías | tengas | tuvieras | ten (no tengas) |
| *to have* | tiene | tenía | tuvo | tendrá | tendría | tenga | tuviera | tenga |
| teniendo | tenemos | teníamos | tuvimos | tendremos | tendríamos | tengamos | tuviéramos | tengamos |
| tenido | tenéis | teníais | tuvisteis | tendréis | tendríais | tengáis | tuvierais | tened (no tengáis) |
| | tienen | tenían | tuvieron | tendrán | tendrían | tengan | tuvieran | tengan |
| *traer | traigo | traía | traje | traeré | traería | traiga | trajera | |
| *to bring* | traes | traías | trajiste | traerás | traerías | traigas | trajeras | trae (no traigas) |
| trayendo | trae | traía | trajo | traerá | traería | traiga | trajera | traiga |
| traído | traemos | traíamos | trajimos | traeremos | traeríamos | traigamos | trajéramos | traigamos |
| | traéis | traíais | trajisteis | traeréis | traeríais | traigáis | trajerais | traed (no traigáis) |
| | traen | traían | trajeron | traerán | traerían | traigan | trajeran | traigan |
| *venir | vengo | venía | vine | vendré | vendría | venga | viniera | |
| (e → ie, i) | vienes | venías | viniste | vendrás | vendrías | vengas | vinieras | ven (no vengas) |
| *to come* | viene | venía | vino | vendrá | vendría | venga | viniera | venga |
| viniendo | venimos | veníamos | vinimos | vendremos | vendríamos | vengamos | viniéramos | vengamos |
| venido | venís | veníais | vinisteis | vendréis | vendríais | vengáis | vinierais | venid (no vengáis) |
| | vienen | venían | vinieron | vendrán | vendrían | vengan | vinieran | vengan |
| ver | veo | veía | vi | veré | vería | vea | viera | |
| *to see* | ves | veías | viste | verás | verías | veas | vieras | ve (no veas) |
| viendo | ve | veía | vio | verá | vería | vea | viera | vea |
| visto | vemos | veíamos | vimos | veremos | veríamos | veamos | viéramos | veamos |
| | veis | veíais | visteis | veréis | veríais | veáis | vierais | ved (no veáis) |
| | ven | veían | vieron | verán | verían | vean | vieran | vean |

*Verbs with irregular *yo* forms in the present indicative

# Supplemental Structures

The following structures are not actively taught in *¡Dímelo tú!* They are presented here for reference.

## 1. Perfect tenses

In **Capítulo 11** you learned that the present perfect tense is formed by combining the present indicative of the verb **haber** with the past participle. Similarly, the past perfect, future perfect, and conditional perfect tenses are formed by combining the imperfect, future, and conditional of **haber** with the past participle.

| Past perfect | | Future perfect | | Conditional perfect | |
|---|---|---|---|---|---|
| había<br>habías<br>había<br>habíamos<br>habíais<br>habían | + past<br>participle | habré<br>habrás<br>habrá<br>habremos<br>habréis<br>habrán | + past<br>participle | habría<br>habrías<br>habría<br>habríamos<br>habríais<br>habrían | + past<br>participle |

In general, the use of these perfect tenses parallels their use in English.

Dijo que **había vivido** allí seis años. *He said he had lived there six years.*
Para el año 2011, **habremos** *By the year 2011, we will have finished our*
 **terminado** nuestros estudios aquí.  *studies here.*
Yo lo **habría hecho** por ti. *I would have done it for you.*

The present perfect subjunctive and past perfect subjunctive are likewise formed by combining the present subjunctive and past subjunctive of **haber** with the past participle.

| Present perfect subjunctive | | Past perfect subjunctive | |
|---|---|---|---|
| haya<br>hayas<br>haya<br>hayamos<br>hayáis<br>hayan | + past<br>participle | hubiera<br>hubieras<br>hubiera<br>hubiéramos<br>hubierais<br>hubieran | + past<br>participle |

These tenses are used whenever the independent clause in a sentence requires the subjunctive and the verb in the dependent clause represents an action completed prior to the time indicated by the verb in the independent clause. If the time of the verb in the independent clause is present or future, the present perfect subjunctive is used; if the time is past or conditional, the past perfect subjunctive is used.

Dudo que lo **hayan leído.**
*I doubt that they have read it.*

Si **hubieras llamado,** no tendríamos este problema ahora.
*If you had called, we would not have this problem now.*

# 2. Past progressive tense

In **Capítulo 3** you learned that the present progressive tense is formed with the present indicative of **estar** and a present participle. The past progressive tense is formed with the imperfect of **estar** and a present participle.

| Past progressive tense | |
|---|---|
| estaba<br>estabas<br>estaba<br>estábamos<br>estabais<br>estaban | + present participle |

The past progressive tense is used to express or describe an action that was in progress at a particular moment in the past.

**Estábamos comiendo** cuando llamaste.
*We were eating when you called.*

¿Quién **estaba hablando** por teléfono?
*Who was talking on the phone?*

Another past progressive tense can also be formed with the preterite of **estar** and the present participle. However, its use is of much lower frequency in Spanish.

# 3. Probability in the past and in the future

Spanish uses both the future and conditional tenses to express probability or conjecture about present or past events or states of being.

¿Qué hora es?
*What time is it?*

No sé; **serán** las ocho.
*I don't know; it's probably 8:00.*

¿Qué **estarían** haciendo?
*I wonder what they were doing.*

**Estarían** divirtiéndose.
*They were probably having a good time.*

Note that the words *probably* and *I wonder* are not expressed in Spanish, as the verb tenses convey this idea.

# 4. Stressed possessive adjectives and pronouns

In **Capítulo 2** you learned to express possession using **de** or the possessive adjectives **mi(s), tu(s), su(s), nuestro(a, os, as), vuestro(a, os, as).** Possession may also be expressed using the stressed possessive adjectives equivalent to the English *of mine, of yours, of ours, of theirs.*

| Stressed possessive adjectives and pronouns | | | | | | |
|---|---|---|---|---|---|---|
| **mío** **míos** | **mía** **mías** | *my, (of) mine* | **nuestro** **nuestros** | **nuestra** **nuestras** | *our, (of) ours* | |
| **tuyo** **tuyos** | **tuya** **tuyas** | *your, (of) yours* | **vuestro** **vuestros** | **vuestra** **vuestras** | *your, (of) yours* | |
| **suyo** **suyos** | **suya** **suyas** | *its, his, (of) his* *hers, (of) hers* *your, (of) yours* | **suyo** **suyos** | **suya** **suyas** | *their, (of) theirs* *your, (of) yours* | |

**A.** As adjectives, the stressed possessives must agree in number and gender with the thing possessed.

| | |
|---|---|
| Una amiga **mía** viene a visitarme hoy. | *A friend of mine is coming to visit me today.* |
| ¿Qué hay en las maletas **suyas,** señor? | *What do you have in your suitcases, sir?* |
| El coche **nuestro** nunca funciona. | *Our car never works.* |

Note that stressed possessive adjectives *always* follow the noun they modify. Also note that the noun must be preceded by an article.

**B.** Stressed possessive adjectives can be used as possessive pronouns by eliminating the noun.

| | |
|---|---|
| ¿Dónde está **la suya,** señor? | *Where is yours, sir?* |
| **El nuestro** nunca funciona. | *Ours never works.* |

Note that both the article and possessive adjective must agree in number and gender with the noun that has been eliminated.

**C.** A stressed possessive pronoun may be used without the article after the verb **ser.**

| | |
|---|---|
| Esta maleta no es **mía,** señor. | *This suitcase is not mine, sir.* |
| ¿Es **suya,** señora? | *Is it yours, ma'am?* |

# 5. Prepositional pronouns

Pronouns used as objects of a preposition are identical to the subject pronouns with the exception of **mí** and **ti.**

| Prepositional pronouns | | | |
|---|---|---|---|
| **mí** | *me* | **nosotros(as)** | *us* |
| **ti** | *you* (fam.) | **vosotros(as)** | *you* (fam.) |
| **usted** | *you* | **ustedes** | *you* |
| **él** | *him* | **ellos** | *them* |
| **ella** | *her* | **ellas** | *them* |

| | |
|---|---|
| Esta carta no es **para ella,** es **para ti.** | *This letter is not for her, it's for you.* |
| Habló **después de mí.** | *She spoke after me.* |
| ¿Es posible que terminen **antes de nosotros?** | *Is it possible they will finish before us?* |

Note that **mí** has a written accent to distinguish it from the possessive adjective **mi.**

**A.** The prepositional pronouns **mí** and **ti** combine with the preposition **con** to form **conmigo** *(with me)* and **contigo** *(with you).*

| | |
|---|---|
| Si tú estudias **conmigo** esta noche, yo iré **contigo** al médico. | *If you study with me tonight, I'll go with you to the doctor.* |

**B.** The subject pronouns **yo** and **tú** follow the prepositions **como, entre, excepto,** and **según** instead of **mí** and **ti.**

| | |
|---|---|
| **Según tú,** yo no sé nada. | *According to you, I don't know anything.* |
| **Entre tú** y **yo,** tienes razón. | *Between you and me, you are right.* |

# 6. Demonstrative pronouns

Demonstrative adjectives may be used as pronouns. They used to be written with an accent mark to distinguish them from their demonstrative adjective counterparts. The new RAE (Real Academia Española) rule establishes that demonstrative pronouns should follow accent rules and therefore, not carry a written accent, unless there is ambiguity.

| | |
|---|---|
| Esta novela es excelente; **esa** es aburridísima. | *This novel is excellent; that one is extremely boring.* |
| Ese señor es el jefe, y **aquellos** son sus empleados. | *That gentleman is the boss, and those are his employees.* |

The neuter demonstratives **esto, eso,** and **aquello** are used to refer to a concept, an idea, a situation, a statement, or an unknown object.

| | |
|---|---|
| ¡**Esto** es imposible! | *This is impossible!* |
| ¿Qué es **eso?** | *What is that?* |

# 7. Past participles used as adjectives

The past participle may be used as an adjective, and like all adjectives in Spanish, it must agree in number and gender with the noun it modifies.

| | |
|---|---|
| Los coches **hechos** en Hungría y en Corea son más baratos. | *Cars made in Hungary and Korea are cheaper.* |
| Sí, pero yo prefiero uno **hecho** y **comprado** en los EE.UU. | *Yes, but I prefer one made and bought in the United States.* |

Frequently, the past participle is used as an adjective with the verb **estar.**

| | |
|---|---|
| Mira, tus lentes **están rotos.** | *Look, your glasses are broken.* |
| El despertador **estaba puesto.** | *The alarm was turned on.* |

# 8. Present subjunctive of stem-changing verbs

**A.** Stem-changing **-ar** and **-er** verbs follow the same stem changes in the present subjunctive as in the present indicative. Note that the stems of the **nosotros** and **vosotros** forms do not change.

| contar (ue) | |
|---|---|
| cuente | contemos |
| cuentes | contéis |
| cuente | cuenten |

| perder (ie) | |
|---|---|
| pierda | perdamos |
| pierdas | perdáis |
| pierda | pierdan |

**B.** Stem-changing **-ir** verbs follow the same pattern in the present subjunctive, except for the **nosotros** and **vosotros** forms. These change **e → i** or **o → u.**

| morir (ue) | |
|---|---|
| muera | muramos |
| mueras | muráis |
| muera | mueran |

| preferir (ie) | |
|---|---|
| prefiera | prefiramos |
| prefieras | prefiráis |
| prefiera | prefieran |

| pedir (i) | |
|---|---|
| pida | pidamos |
| pidas | pidáis |
| pida | pidan |

# 9. Present subjunctive of verbs with spelling changes

As in the preterite, verbs that end in **-car, -gar,** and **-zar** undergo a spelling change in the present subjunctive in order to maintain the consonant sound of the infinitive.

**A.** **-car:**      **c** changes to **qu** in front of **e**

     buscar:      bus**que**, bus**ques**, bus**que**...

**B.** **-zar:**      **z** changes to **c** in front of **e**

     almorzar:      almuer**ce**, almuer**ces**, almuer**ce**...

**C.** **-gar:**      **g** changes to **gu** in front of **e**

     jugar:      jue**gue**, jue**gues**, jue**gue**...

# 10. Past subjunctive: Conditional sentences with *si* clauses

The past subjunctive of *all* verbs is formed by removing the -**ron** ending from the **ustedes** form of the preterite and adding the past subjunctive verb endings: -**ra, -ras, -ra, -ramos, -rais, -ran.**\* Thus, any irregularities in the **ustedes** form of the preterite will be reflected in all forms of the past subjunctive. Note that the **nosotros** form requires a written accent.

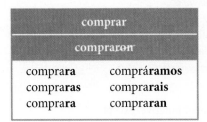

| comprar | | tener | | ser | |
|---------|---|-------|---|-----|---|
| compra~~ron~~ | | tuvie~~ron~~ | | fueron | |
| compra**ra** | comprá**ramos** | tuvie**ra** | tuvié**ramos** | fue**ra** | fué**ramos** |
| compra**ras** | compra**rais** | tuvie**ras** | tuvie**rais** | fue**ras** | fue**rais** |
| compra**ra** | compra**ran** | tuvie**ra** | tuvie**ran** | fue**ra** | fue**ran** |

A. The past subjunctive has the same uses as the present subjunctive, except that it generally applies to past events or actions.

Insistieron en que **fuéramos.** — *They insisted that we go.*
Era imposible que lo **terminaran** a tiempo. — *It was impossible for them to finish it on time.*

B. In Spanish, as in English, conditional sentences express hypothetical conditions usually with an *if*-clause: *I would go if I had the money.* Since the actions are hypothetical and one does not know if they will actually occur, the past subjunctive is used in the *if*-clause.

Iría a Perú si **tuviera** el dinero. — *I would go to Peru if I had the money.*
Si **fuera** necesario, pediría un préstamo. — *If it were necessary, I would ask for a loan.*

C. Conditional sentences in the present use either the present indicative or the future tense. The present subjunctive is never used in *if*-clauses.

Si me **invitas,** iré contigo. — *If you invite me, I'll go with you.*

---

\* An alternate form of the past subjunctive uses the verb endings -**se, -ses, -se, -semos, -seis, -sen.** This form is used primarily in Spain and in literary writing. It is not practiced in this text.

# Grammar Guide

For more detailed explanations of these grammar points, consult the Index on pages I-1–I-5 to find the places where these concepts are presented.

**ACTIVE VOICE (La voz activa)**  A sentence written in the active voice identifies a subject that performs the action of the verb.

| Juan | cantó | la canción. |
|------|-------|-------------|
| ***Juan*** | ***sang*** | ***the song.*** |
| **subject** | **verb** | **direct object** |

In the sentence above Juan is the performer of the verb **cantar.**

(*See also* **Passive Voice.**)

**ADJECTIVES (Los adjetivos)**  are words that modify or describe **nouns** or **pronouns** and agree in **number** and generally in **gender** with the nouns they modify.

Las casas **azules** son **bonitas.**
*The **blue** houses are **pretty.***

Esas mujeres **mexicanas** son mis **nuevas** amigas.
*Those **Mexican** women are my **new** friends.*

- **Demonstrative adjectives (Los adjetivos demostrativos)** point out persons, places, or things relative to the position of the speaker. They always agree in **number** and **gender** with the **noun** they modify. The forms are: **este, esta, estos, estas / ese, esa, esos, esas / aquel, aquella, aquellos, aquellas.** There are also neuter forms that refer to generic ideas or things, and hence have no gender: **esto, eso, aquello.**

| **Este** libro es fácil. | ***This** book is easy.* |
|--------------------------|--------------------------|
| **Esos** libros son difíciles. | ***Those** books are hard.* |
| **Aquellos** libros son pesados. | ***Those** books (**over there**) are boring.* |

Demonstratives may also function as **pronouns**, replacing the **noun** but still agreeing with it in **number** and **gender:**

| Me gustan esas blusas verdes. | *I like those green blouses.* |
|-------------------------------|-------------------------------|
| ¿Cuáles, **estas**? | *Which ones, **these**?* |
| No. Me gustan **esas**. | *No. I like **those**.* |

- **Stressed possessive adjectives (Los adjetivos posesivos acentuados)** are used for emphasis and follow the noun that they modifiy. These adjectives may also function as pronouns and always agree in **number** and in **gender.** The forms are: **mío, tuyo, suyo, nuestro, vuestro, suyo.** Unless they are directly preceded by the verb **ser,** stressed possessives must be preceded by the **definite article.**

| Ese perro pequeño es **mío.** | *That little dog is **mine.*** |
|-------------------------------|-------------------------------|
| Dame el **tuyo;** el **nuestro** no funciona. | *Give me **yours; ours** doesn't work.* |

- **Unstressed possessive adjectives (Los adjetivos posesivos no acentuados)** demonstrate ownership and always precede the **noun** that they modify.

| La señora Elman es **mi** profesora. | *Mrs. Elman is **my** professor.* |
|--------------------------------------|-----------------------------------|
| Debemos llevar **nuestros** libros a clase. | *We should take **our** books to class.* |

**ADVERBS (Los adverbios)** are words that modify **verbs, adjectives,** or other adverbs and, unlike **adjectives,** do not have **gender** or **number.** Here are examples of different classes of adverbs:

Practicamos **diariamente.**
Ellos van a salir **pronto.**
Jennifer está **afuera.**
No quiero ir **tampoco.**
Paco habla **demasiado.**

*We practice **daily.*** (adverb of manner)
*They will leave **soon.*** (adverb of time)
*Jennifer is **outside.*** (adverb of place)
*I don't want to go **either.*** (adverb of negation)
*Paco talks **too much.*** (adverb of quantity)

**AGREEMENT (La concordancia)** refers to the correspondence between parts of speech in terms of **number, gender,** and **person.** Subjects agree with their verbs; articles and adjectives agree with the nouns they modify, etc.

Toda**s** la**s** lengua**s** son interesante**s.**
**Ella** es bonit**a.**
**Nosotros somos** de España.

*All languages are interesting.* (number)
*She is pretty.* (gender)
*We are from Spain.* (person)

**ARTICLES (Los artículos)** precede nouns and indicate whether they are definite or indefinite persons, places, or things.

- **Definite articles (Los artículos definidos)** refer to particular members of a group and are the equivalent of *the* in English. The definite articles are: **el, la, los, las.**

  **El** hombre guapo es mi padre.
  **Las** mujeres de esta clase son inteligentes.

  ***The** handsome man is my father.*
  ***The** women in this class are intelligent.*

- **Indefinite articles (Los artículos indefinidos)** refer to any unspecified member(s) of a group and are the equivalent of *a(n)* and *some.* The indefinite articles are: **un, una, unos, unas.**

  **Un** hombre vino a nuestra casa anoche.
  **Unas** niñas jugaban en el parque.

  ***A** man came to our house last night.*
  ***Some** girls were playing in the park.*

**CLAUSES (Las cláusulas)** are subject and verb combinations; for a sentence to be complete it must have at least one main clause.

- **Main clauses** (Independent clauses) **(Las cláusulas principales)** communicate a complete idea or thought.

  Mi hermana va al hospital.

  *My sister goes to the hospital.*

- **Subordinate clauses** (Dependent clauses) **(Las cláusulas subordinadas)** depend upon a main clause for their meaning to be complete.

  Mi hermana va al hospital
  *My sister goes to the hospital*
  **main clause**

  cuando está enferma.
  *when she is ill.*
  **subordinate clause**

In the sentence above, *when she is ill* is not a complete idea without the information supplied by the main clause.

**COMMANDS (Los mandatos)** (*See* **Imperatives.**)

**COMPARISONS (Las formas comparativas)** are statements that describe one person, place, or thing relative to another in terms of quantity, quality, or manner.

- **Comparisons of equality (Las formas comparativas de igualdad)** demonstrate an equal share of a quantity or degree of a particular characteristic. These statements use a form of **tan(to)(ta)(s)** and **como.**

  Ella tiene **tanto** dinero **como** Elena.
  Fernando trabaja **tanto como** Felipe.
  Jim baila **tan** bien **como** Anne.

  *She has **as much** money **as** Elena.*
  *Fernando works **as much as** Felipe.*
  *Jim dances **as well as** Anne.*

- **Comparisons of inequality (Las formas comparativas de desigualdad)** indicate a difference in quantity, quality, or manner between the compared subjects. These statements use **más/menos… que** or comparative **adjectives** such as **mejor/peor, mayor/menor.**

  España tiene **más** playas **que** México.
  Tú hablas español **mejor que** yo.

  *Spain has **more** beaches **than** Mexico.*
  *You speak Spanish **better than** I.*

(*See also* **Superlative statements.**)

**CONJUGATIONS (Las conjugaciones)** represent the inflected form of the verb as it is used with a particular **subject** or **person.**

| | |
|---|---|
| Yo **bailo** los sábados. | *I dance* on Saturdays. (1st-person singular) |
| Tú **bailas** los sábados. | *You dance* on Saturdays. (2nd-person singular) |
| Ella **baila** los sábados. | *She dances* on Saturdays. (3rd-person singular) |
| Nosotros **bailamos** los sábados. | *We dance* on Saturdays. (1st-person plural) |
| Vosotros **bailáis** los sábados. | *You dance* on Saturdays. (2nd-person plural) |
| Ellos **bailan** los sábados. | *They dance* on Saturdays. (3rd-person plural) |

**CONJUNCTIONS (Las conjunciones)** are linking words that join two independent **clauses** together.

Fuimos al centro **y** mis amigos compraron muchas cosas.
*We went downtown **and** my friends bought a lot of things.*

Yo quiero ir a la fiesta, **pero** tengo que estudiar.
*I want to go to the party, **but** I have to study.*

**CONTRACTIONS (Las contracciones)** in Spanish are limited to preposition/article combinations, such as **de + el = del** and **a + el = al,** or preposition/pronoun combinations such as **con + mí = conmigo** and **con + ti = contigo.**

**DIRECT OBJECTS (Los objetos directos)** in sentences are the direct recipients of the action of the verb. Direct objects answer the questions *What?* or *Whom?*

| | |
|---|---|
| ¿Qué hizo? | *What did she do?* |
| Ella hizo **la tarea.** | *She did her **homework.*** |
| Y luego llamó **a su amiga.** | *And then called **her friend.*** |

(*See also* **Pronoun, Indirect Object, Personal *a*.**)

**EXCLAMATORY WORDS (Las palabras exclamativas)** communicate surprise or strong emotion. Like interrogative words, exclamatory also carry accents.

| | |
|---|---|
| ¡**Qué** sorpresa! | ***What** a surprise!* |
| ¡**Cómo** canta Miguel! | ***How well** Miguel sings!* |

(*See also* **Interrogatives.**)

**GENDER (El género)** is a grammatical feature of Romance languages that classifies words as either masculine or feminine. The gender of the word is sometimes used to distinguish meaning (**la papa** = *the potato,* but **el Papa** = *the Pope;* **la policía** = *the police force,* but **el policía** = *the policeman*). It is important to memorize the gender of nouns when you learn the nouns.

**GERUNDS (Los gerundios)** are the Spanish equivalent of the *-ing* verb form in English. Regular gerunds are created by replacing the **infinitive** endings (**-ar, -er/-ir**) with **-ando** or **-iendo**. Gerunds are often used with the verb **estar** to form the present progessive tense. The present progressive tense places emphasis on the continuing or progressive nature of an action.

| | |
|---|---|
| Miguel está **cantando** en la ducha. | *Miguel is **singing** in the shower.* |
| Me gusta **bailar.** | *I like **dancing**.* |
| Detesto **mirar** los anuncios de la televisión. | *I hate **watching** TV commercials!* |

(*See also* **Present Participle.**)

**IDIOMATIC EXPRESSIONS (Las frases idiomáticas)** are phrases in Spanish that do not have a literal English equivalent.

| | |
|---|---|
| Hace mucho frío. | *It is very cold.* (Literally, *It makes a lot of cold.*) |

**IMPERATIVES (Los imperativos)** represent the mood used to express requests or commands. It is more direct than the **subjunctive** mood. Imperatives are commonly called commands and fall into two categories: affirmative and negative. Spanish speakers must also choose between using formal commands and informal commands based upon whether one is addressed as **usted** (formal) or **tú** (informal).

| | |
|---|---|
| **Habla** conmigo. | **Talk** to me. (informal, affirmative) |
| **No me hables.** | **Don't talk to me.** (informal, negative) |
| **Hable** con la policía. | **Talk** to the police. (formal, singular, affirmative) |
| **No hable** con la policía. | **Don't talk** to the police. (formal, singular, negative) |
| **Hablen** con la policía. | **Talk** to the police. (formal, plural, affirmative) |
| **No hablen** con la policía | **Don't talk** to the police. (formal, plural, negative) |

(*See also* **Mood.**)

**IMPERFECT (El imperfecto)** The imperfect tense is used to make statements about the past when the speaker wants to convey the idea of 1) habitual or repeated action, 2) two actions in progress simultaneously, or 3) an event that was in progress when another action interrupted. The imperfect tense is also used to emphasize the ongoing nature of the middle of the event, as opposed to its beginning or end. Age and clock time are always expressed using the imperfect.

Cuando María **era** joven, ella **cantaba** en el coro.
*When María **was** young, she **used to sing** in the choir.*

Aquel día **llovía** mucho y el cielo **estaba** oscuro.
*That day **it was raining** a lot and the sky **was** dark.*

Juan **dormía** cuando sonó el teléfono.
*Juan **was sleeping** when the phone rang.*

(*See also* **Preterite.**)

**IMPERSONAL EXPRESSIONS (Las expresiones impersonales)** are statements that contain the impersonal subjects of *it* or *one*.

**Es necesario** estudiar.
**Se necesita** estudiar.

***It is necessary** to study.*
***One needs to** study.*

(*See also* **Passive Voice.**)

**INDEFINITE WORDS (Las palabras indefinidas)** are **articles, adjectives, nouns** or **pronouns** that refer to unspecified members of a group.

**Un** hombre vino.
**Alguien** vino.
**Algunas** personas vinieron.
**Algunas** vinieron.

***A** man came.* (indefinite article)
***Someone** came.* (indefinite noun)
***Some** people came.* (indefinite adjective)
***Some** came.* (indefinite pronoun)

(*See also* **Articles.**)

**INDICATIVE (El indicativo)** The indicative is a mood, rather than a tense. The indicative is used to express ideas that are considered factual or certain and, therefore, not subject to speculation, doubt, or negation.

Josefina **es** española.
(present indicative)

*Josefina **is** Spanish.*

(*See also* **Mood.**)

**INDIRECT OBJECTS (Los objetos indirectos)** are the indirect recipients of an action in a sentence and answer the questions *To whom?* or *For whom?* In Spanish it is common to include an indirect object **pronoun** along with the indirect object.

Yo **le** di el libro **a Sofía.**
Sofía **les** guardó el libro **para sus padres.**

*I gave the book **to Sofía.***
*Sofía kept the book **for her parents.***

(*See also* **Direct Objects** *and* **Pronouns.**)

**INFINITIVES (Los infinitivos)** are verb forms that are uninflected or not **conjugated** according to a specific **person.** In English, infinitives are preceded by *to: to talk, to eat, to live.* Infinitives in Spanish end in **-ar** (hablar), **-er** (comer), and **-ir** (vivir).

**INTERROGATIVES (Las formas interrogativas)** are used to pose questions and carry accent marks to distinguish them from other uses. Basic interrogative words include: **quién(es), qué, cómo, cuánto(a)(s), cuándo, por qué, dónde.**

¿**Qué** quieres?
¿**Cuándo** llegó ella?
¿**De dónde** eres?

***What** do you want?*
***When** did she arrive?*
***Where** are you from?*

(*See also* **Exclamatory Words.**)

**MOOD (El modo)** is like the word *mode,* meaning *manner* or *way.* It indicates the way in which the speaker views an action, or his/her attitude toward the action. Besides the **imperative** mood, which is simply giving commands, you learn two basic moods in Spanish: the **subjunctive** and the **indicative.** Basically, the subjunctive mood communicates an attitude of uncertainty or negation toward the action, while the indicative indicates that the action is certain or factual. Within each of these moods there are many **tenses.** Hence you have the present indicative and the present subjunctive, the present perfect indicative and the present perfect subjunctive, etc.

- **Indicative mood** (El indicativo) implies that what is stated or questioned is regarded as true.

| | |
|---|---|
| Yo **quiero** ir a la fiesta. | *I **want** to go to the party.* |
| ¿**Quieres** ir conmigo? | *Do **you want** to go with me?* |

- **Subjunctive mood** (El subjuntivo) indicates a recommendation, a statement of doubt or negation, or a hypothetical situation.

| | |
|---|---|
| Yo recomiendo que tú **vayas** a la fiesta. | *I recommend that **you go** to the party.* |
| Dudo que **vayas** a la fiesta. | *I doubt that **you'll go** to the party.* |
| No creo que **vayas** a la fiesta. | *I don't believe that **you'll go** to the party.* |
| Si **fueras** a la fiesta, te divertirías. | *If **you were to go** to the party, you would have a good time.* |

- **Imperative mood** (El imperativo) is used to make a command or request.

| | |
|---|---|
| ¡**Ven** conmigo a la fiesta! | ***Come** with me to the party!* |

(*See also* **Indicative, Imperative,** *and* **Subjunctive.**)

**NEGATION (La negación)** takes place when a negative word, such as **no,** is placed before an affirmative sentence. In Spanish, double negatives are common.

| | |
|---|---|
| Yolanda va a cantar esta noche. | *Yolanda will sing tonight.* (affirmative) |
| Yolanda **no** va a cantar esta noche. | *Yolanda will **not** sing tonight.* (negative) |
| Ramón quiere algo. | *Ramón wants something.* (affirmative) |
| Ramón **no** quiere **nada.** | *Ramón **doesn't** want **anything.*** (negative) |

**NOUNS (Los sustantivos)** are persons, places, things, or ideas. Names of people, countries, and cities are proper nouns and are capitalized.

| | |
|---|---|
| Alberto | *Albert* (person) |
| el pueblo | *town* (place) |
| el diccionario | *dictionary* (thing) |

**ORTHOGRAPHY (La ortografía)** refers to the spelling of a word or anything related to spelling such as accentuation.

**PASSIVE VOICE (La voz pasiva),** as compared to **active voice (la voz activa),** places emphasis on the action itself rather than the agent of the action (the person or thing that is indirectly responsible for committing the action). The passive **se** is used when there is no apparent agent of the action.

| | |
|---|---|
| Luis vende los coches. | *Luis sells the cars.* (active voice) |
| Los coches **son vendidos por** Luis. | *The cars **are sold by** Luis.* (passive voice) |
| **Se venden** los coches. | *The cars **are sold.*** (passive voice) |

(*See also* **Active Voice.**)

**PAST PARTICIPLES (Los participios pasados)** are verb forms used in compound tenses such as the **present perfect.** Regular past participles are formed by dropping the **-ar** or **-er/-ir** from the **infinitive** and adding -**ado** or -**ido**. Past participles are the equivalent of verbs ending in -*ed* in English. They may also be used as **adjectives,** in which case they agree in **number** and **gender** with their nouns. Irregular past participles include: **escrito, roto, dicho, hecho, puesto, vuelto, muerto, cubierto.**

| | |
|---|---|
| Marta ha **subido** la montaña. | *Marta has **climbed** the mountain.* |
| Hemos **hablado** mucho por teléfono. | *We have **talked** a lot on the phone.* |
| La novela **publicada** en 1995 es su mejor novela. | *The novel **published** in 1995 is her best novel.* |

**PERFECT TENSES (Los tiempos perfectos)** communicate the idea that an action has taken place before now (present perfect) or before a moment in the past (past perfect). The perfect tenses are compound tenses consisting of the verb **haber** plus the **past participle** of a second verb.

| | |
|---|---|
| Yo **he comido.** | *I **have eaten.*** (present perfect indicative) |
| Antes de la fiesta, yo ya **había comido.** | *Before the party **I had already eaten.*** (past perfect indicative) |
| Yo espero que **hayas comido.** | *I hope that **you have eaten.*** (present perfect subjunctive) |
| Yo esperaba que **hubieras comido.** | *I hoped that **you had eaten.*** (past perfect subjunctive) |

**PERSON (La persona)** refers to changes in the subject pronouns that indicate if one is speaking (first person), if one is spoken to (second person), or if one is spoken about (third person).

Yo hablo.   *I speak.* (1st-person singular)
Tú hablas.   *You speak.* (2nd-person singular)
Ud./Él/Ella habla.   *You/He/She speak(s).* (3rd-person singular)
Nosotros(as) hablamos.   *We speak.* (1st-person plural)
Vosotros(as) habláis.   *You speak.* (2nd-person plural)
Uds./Ellos/Ellas hablan.   *They speak.* (3rd-person plural)

**PREPOSITIONS (Las preposiciones)** are linking words indicating spatial or temporal relations between two words.

Ella nadaba **en** la piscina.   *She was swimming **in** the pool.*
Yo llamé **antes de** las nueve.   *I called **before** nine o'clock.*
El libro es **para** ti.   *The book is **for** you.*
Voy **a** la oficina.   *I'm going **to** the office.*
Jorge es **de** Paraguay.   *Jorge is **from** Paraguay.*

**PRESENT PARTICIPLE** (*See* **Gerunds.**)

**PRETERITE (El pretérito)** The preterite tense, as compared to the **imperfect tense**, is used to talk about past events with specific emphasis on the beginning or the end of the action, or emphasis on the completed nature of the action as a whole.

Anoche yo **empecé** a estudiar a las once y **terminé** a la una.
*Last night I **began** to study at eleven o'clock and **finished** at one o'clock.*

Esta mañana **me desperté** a las siete, **desayuné, me duché** y **vine** al campus para las ocho.
*This morning **I woke up** at seven, **I ate** breakfast, **I showered**, and **I came** to campus by eight.*

**PERSONAL A (La *a* personal)** The personal **a** refers to the placement of the preposition **a** before the name of a person when that person is the **direct object** of the sentence.

Voy a llamar **a** María.   *I'm going to call María.*

**PRONOUNS (Los pronombres)** are words that substitute for **nouns** in a sentence.

Yo quiero **este.**   *I want **this one.** (demonstrative—points out a specific person, place, or thing)*

**¿Quién** es tu amigo?   ***Who** is your friend? (interrogative—used to ask questions)*
Yo voy a llamar**la.**   *I'm going to call **her.** (direct object—replaces the direct object of the sentence)*

Ella va a dar**le** el reloj.   *She is going to give **him** the watch. (indirect object—replaces the indirect object of the sentence)*

Juan **se** baña por la mañana.   *Juan bathes **himself** in the morning. (reflexive—used with reflexive verbs to show that the agent of the action is also the recipient)*

Es la mujer **que** conozco.   *She is the woman **that** I know. (relative—used to introduce a clause that describes a noun)*

**Nosotros** somos listos.   ***We** are clever. (subject—replaces the noun that performs the action or state of a verb)*

**SUBJECTS (Los sujetos)** are the persons, places, or things that perform the action or state of being of a verb. The **conjugated** verb always agrees with its subject.

**Carlos** siempre baila solo.   ***Carlos** always dances alone.*
**Colorado** y **California** son mis estados preferidos.   ***Colorado** and **California** are my favorite states.*
**La cafetera** produce el café.   *The **coffee pot** makes the coffee.*

(*See also* **Active Voice.**)

**SUBJUNCTIVE (El subjuntivo)**   The subjunctive mood is used to express speculative, doubtful, or hypothetical situations. It also communicates a degree of subjectivity or influence of the main clause over the subordinate clause.

| | |
|---|---|
| No creo que **tengas** razón. | *I don't think that **you're** right.* |
| Si yo **fuera** el jefe, pagaría más a mis empleados. | *If I **were** the boss, I would pay my employees more.* |
| Quiero que **estudies** más. | *I want **you to study** more.* |

(*See also* **Mood, Indicative.**)

**SUPERLATIVE STATEMENTS (Las frases superlativas)**   are formed by adjectives or adverbs to make comparisons among three or more members of a group. To form superlatives, add a definite article (**el, la, los, las**) before the comparative form.

| | |
|---|---|
| Juan es **el más alto** de los tres. | *Juan is **the tallest** of the three.* |
| Este coche es **el más rápido** de todos. | *This car is **the fastest** of them all.* |

(*See also* **Comparisons.**)

**TENSES (Los tiempos)**   refer to the manner in which time is expressed through the **verb** of a sentence.

| | |
|---|---|
| Yo estudio. | *I study.* (present tense) |
| Yo estoy estudiando. | *I am studying.* (present progressive) |
| Yo he estudiado. | *I have studied.* (present perfect) |
| Yo había estudiado. | *I had studied.* (past perfect) |
| Yo estudié. | *I studied.* (preterite tense) |
| Yo estudiaba. | *I was studying.* (imperfect tense) |
| Yo estudiaré. | *I will study.* (future tense) |

**VERBS (Los verbos)**   are the words in a sentence that communicate an action or state of being.

Helen **es** mi amiga y ella **lee** muchas novelas.
*Helen **is** my friend and she **reads** a lot of novels.*

- **Auxiliary verbs (Los verbos auxiliares)** or helping verbs are verbs such as **estar** and **haber** used to form the present progressive and the present perfect, respectively.

  **Estamos** estudiando mucho para el examen mañana.
  *We are studying a lot for the exam tomorrow.*

  Helen **ha** trabajado mucho en este proyecto.
  *Helen **has** worked a lot on this project.*

- **Reflexive verbs (Los verbos reflexivos)** use reflexive **pronouns** to indicate that the person initiating the action is also the recipient of the action.

  Yo **me afeito** por la mañana.                    *I **shave (myself)** in the morning.*

- **Stem-changing verbs (Los verbos con cambios de raíz)** undergo a change in the main part of the verb when conjugated. To find the stem, drop the **-ar, -er,** or **-ir** from the **infinitive: dorm-, empez-, ped-.** There are three types of stem-changing verbs: **o** to **ue, e** to **ie** and **e** to **i.**

  | | |
  |---|---|
  | dormir: Yo d**ue**rmo en el parque. | *I sleep in the park.* (**o** to **ue**) |
  | empezar: Ella siempre emp**ie**za su trabajo temprano. | *She always starts her work early.* (**e** to **ie**) |
  | pedir: ¿Por qué no p**i**des ayuda? | *Why don't you ask for help?* (**e** to **i**) |

# Spanish-English Vocabulary

This vocabulary includes all the words and expressions listed as active vocabulary in *¡Dímelo tú!* The number following the English definition refers to the chapter and **paso** in which the word or phrase was first used actively. For example, an entry followed by **13.2** is first used actively in **Capítulo 13, Paso 2,** and an entry followed by the letters **PE** is first used actively in the preliminary chapter, **Para empezar.**

All words are alphabetized according to the 1994 changes made by the Real Academia: **ch** and **ll** are no longer considered separate letters of the alphabet.

Stem-changing verbs appear with the vowel change in parentheses after the infinitive: **(ie)**, **(ue)**, **(i)**, **(ie, i)**, **(e, i)**, **(ue, u)**, or **(i, i)**. Most cognates, conjugated verb forms, and proper nouns used as passive vocabulary in the text are not included in this glossary.

The following abbreviations are used:

*adj.* adjective *n.* noun
*adv.* adverb *pl.* plural
*art.* article *pp.* past participle
*conj.* conjunction *poss.* possessive

*dem.* **demonstrative** *prep.* **preposition**
*dir. obj.* **direct object** *pron.* **pronoun**
*f.* feminine *refl.* reflexive
*f.* feminine

*form.* formal *s.* singular
*indir. obj.* indirect object *subj.* subject
*interj.* interjection *v.* verb
*m.* masculine

## A

**a continuación** next, following 10.3
**a fines de** at the end of
**a la derecha** to the right 5.1
**a la izquierda** to the left 5.1
**a la parrilla** grilled 8.2
**a la plancha** griddle fried 8.2
**a la sal** covered with salt 8.2
**a la(s)** at 2.3
**a lo largo de** throughout 13.1
**a menos que** unless 14.3
**a menudo** frequently 8.3
**a orillas de** on the shores of
**a partir de** starting from
**a pie** walking, on foot 5.2
**a principios de** at the beginning of
**A propósito...** By the way . . .
**¿A qué hora?** At what time? 2.3
**A que ya sabes...** You probably already know that . . .
**a sus órdenes** at your service
**a tiempo** on time 10.2
**a** to, at *(with time)* 5.1
**a todo volumen** volume at full blast 13.2
**a veces** sometimes 5.2
**A.C. antes de Cristo** B.C. before Christ
**abajo** below
**abandonar** to abandon
**abogacía** law (profession)
**abogado(a)** lawyer 2.1
   **abogado(a) defensor** defense lawyer 6.3
**abrazarse** to embrace
**abril** *(m.)* April 2.3
**abrir** to open 3.2
**abstracto(a)** abstract 7.3
**abuelo(a)** grandfather (grandmother) 5.3
**abuelos** grandparents 5.3
**abundante** abundant 4.2
**aburrido(a)** boring 1.2

**aburrir** to bore 5.3
**abusar** to abuse, take advantage 7.2
**acabar** to finish 6.2
**acceso** access 13.3
**acceso a internet** Internet access 4.2
**accidente** accident 5.3
**aculturación** *(f.)* acculturation 9.1
**aceite de oliva** *(m.)* olive oil 3.3
**aceituna** olive 3.2
**acerca de** concerning, about
**aclarar** to clarify
**acogida** reception, welcome
**acompañar** to accompany 7.1
**aconsejable** advisable 10.1
**aconsejar** to advise 10.1
**acontecimiento** event, occurence
**acordarse** to remember 9.2
**acostarse (ue)** to go to bed 9.2
**acostumbrado(a)** accustomed
**acre** *(m.)* acre
**acrílico** acrylic 7.3
**actividad** *(f.)* activity 1.1
**activista** activist
**activo(a)** active 1.1
**actor** *(m.)* actor 2.1
**actriz** *(f.)* actress 2.1
**actuación** *(f.)* performance 10.2
**actuar** to act
**acuarela** watercolor 7.3
**acuerdos de paz** peace accords
**acusado(a)** accused 6.3
**acusar** to accuse 6.3
**adelante** forward, ahead
**adentro** in, inside, within
**adepto(a)** adept, capable
**adiós** good-bye PE
**adivinar** to guess 4.3
**administración** *(f.)* administration 4.1
**administrar** to administer 13.1
**admirar** to admire 7.1
**admitir** to admit 5.3

**adolescente** *(m. f.)* adolescent 2.1
**adónde** where (to)
**¿Adónde?** Where to? 2.2
**adorar** to adore 7.1
**adquirir** to acquire, to buy 10.3
**aduana** customs 12.3
**aeróbicos** aerobics
**aeropuerto** airport 6.1
**afectar** to affect 9.1
**afeitarse** to shave 9.2
**aficionado(a)** fan, supporter 14.1
**afirmación** *(f.)* affirmation, statement
**afirmar** to affirm, to state
**afortunado(a)** fortunate 4.3
**afrentar** to confront 6.2
**africano(a)** African
**afrocubano(a)** Cuban of African descent 14.1
**afuera** out, outside
**afueras** suburbs, outskirts 10.2
**agencia de viaje** travel agency 12.2
**agente de seguros** insurance agent
**aglutinar** bind
**agosto** *(m.)* August 2.3
**agotador(a)** exhausting, tiring
**agradable** pleasant, likeable
**agradecer** to appreciate 5.3
**agresividad** *(f.)* aggressiveness
**agresivo(a)** aggressive 4.2
**agrupación de ideas** *(f.)* cluster
**agrupar** to group, to gather
**agua** water 4.3
**agua dulce** drinkable water 4.3
   **agua mineral** mineral water 4.3
**aguacate** *(m.)* avocado 8.1
**aguafiestas** *(m. f.)* party pooper
**ahogarse** to drown 10.1
**ahora** now 5.2
**Ahora ¡a escribir!** Now, let's write!
**ahorrar** to save 9.2
**aislado(a)** isolated

**ajeno(a)** another's, someone else's
**ají** *(m.)* chili pepper 8.1
**ajiaco** chicken stew 7.1
**al** to the 1.3
**al aire libre** in the open air 9.1
**al ajillo** sautéed in garlic 8.1
**al contrario** on the contrary
**al frente** forward, to the front 13.2
**al lado de** beside 5.1
**ala** wing 14.3
**albergar** to house, to give shelter to
**alcanzar** to reach, to attain 6.2
**alcohólico(a)** with alcohol, alcoholic 3.3
**alegrarse** to be glad 13.3
**alegre** happy, lively 3.1
**alejado(a)** distant, far away 14.1
**alejarse** to move away, to withdraw
**alemán(alemana)** German 6.2
**alerto(a)** alert 10.1
**alfabetismo** literacy rate
**algo** somewhat 1.1; something 6.3
**algodón** *(m.)* cotton 4.2
**alguien** someone, anyone 10.2
**alguna vez** sometime, ever 10.2
**alguno** some, any 10.2
**alianza mundial** *(f.)* world alliance 12.2
**alimento** food, nourishment
**alma** *(m.)* soul
**almacén** *(m.)* store, shop 4.2
**almorzar (ue)** to eat lunch 4.1
**almuerzo** lunch
**¡Aló!** Hello! 2.2
**alojamiento** housing 12.1
**alojar** to lodge, to house, to accommodate
**alpinismo** mountain climbing 14.2
**alquilar** to rent 6.3
**alquiler** *(m.)* rent 4.2
**alrededores** *(m. pl.)* surrounding area
**alternar** to alternate
**alternativa** alternative 13.3
**altiplano** high plateau
**alto(a)** tall 1.1; high 10.1
**altura** height
**ama de casa** *(f.)* housekeeper
**amable** kind, nice 1.2
**amanecer** to dawn, to arrive at dawn
**amante** *(m. f.)* lover
**amar** to love 6.3
**amarillo(a)** yellow 4.1
**amazónico(a)** pertaining to the Amazon
**ambicioso(a)** ambitious 6.2
**ambiente** *(m.)* surrounding, ambience
**ambulancia** ambulance 10.1
**amenaza** threat 10.1
**amenazar** to threaten
**amigo(a)** friend PE
**amor** *(m.)* love 7.1
**ampliamente** amply, fully
**amueblado(a)** furnished 5.1
**añadir** to add
**ananá** pineapple 8.1
**anaranjado(a)** orange 4.1
**anatomía** anatomy 13.2

**andar** to walk 10.2
**anexionado(a)** annexed
**anidamiento** nesting
**animal** *(m.)* animal 2.1
**animal doméstico** *(m.)* pet 5.1
**animar** to encourage, to cheer 14.2
**animarse** to become animated or lively, to become encouraged
**año** year 2.3
**Año Nuevo** New Year 9.1
**anoche** last night 5.2
**anochecer** dusk, nightfall 10.3
**anotar** to write down, to jot down
**anteayer** *(m.)* the day before yesterday 11.2
**anteojos** glasses
**anteojos de sol** *(m. pl.)* sunglasses 12.3
**antepasados** *(m. pl.)* ancestors
**anterior** previous, before 6.3
**antes de** before 5.1
**anticipar** to anticipate 10.2
**antiguo(a)** old, ancient 12.1
**antipático(a)** unpleasant 1.2
**antropólogo(a)** anthropologist
**anunciar** to announce 10.2
**anuncio** advertisement, classified ad 6.3
**aparecer** to appear
**aparentar** to seem 14.3
**aparentemente** apparently 5.3
**apartamento** apartment 5.1
**apasionado(a)** enthusiastic, intense
**apellido** last name
**apenas** barely 10.3
**apio** celery 8.1
**apogeo** apogee, height
**aportar** to contribute 9.3
**apoyar** to support 12.3
**apreciado(a)** appreciated
**aprender** to learn 2.3
**apresurarse** to hurry
**apropiado(a)** appropriate
**aprovecharse** to take advantage 13.3
**aquejado(a)** afflicted, distressed
**aquel(la)** that over there 4.1
**aquellos(as)** those over there 4.1
**aquí** here 5.1
**árbitro(la)** umpire, referee 14.1
**árbol** *(m.)* tree 9.1
**arco** goal 14.1
**área (el área / las áreas)** area 8.3
**aretes** *(m.)* earrings 4.2
**argentino(a)** Argentine
**árido(a)** arid, dry
**armamento** armament, weapons
**armario** closet, wardrobe 5.1
**arpilleras** hand-sewn art scenes made of fabric 8.3
**arquero** goalie, goalkeeper 14.1
**arquitecto(a)** architect 2.1
**arquitectura** architecture 9.1
**arrasar** to raze, destroy 6.1
**arreglado(a)** arranged, fixed 14.1
**arrestar** to arrest 6.1
**arriba** above 12.1
**arrojar** to throw, to hurl, fling 9.2

**arroz** *(m.)* rice 8.2
**arruinado(a)** ruined, bankrupted
**arte** *(m.)* art 1.2
**artes marciales** *(m. pl.)* martial arts 14.2
**artesanía** handicrafts, crafts 6.3
**artesano(a)** artisan
**artículo** article 2.1
**artista** *(m. f.)* artist 2.1
**arvejas** *(f. pl.)* peas 8.1
**asado(a)** roasted 8.2
**asaltado(a)** assaulted, attacked
**asaltar** to assault, to attack
**ascendencia** ancestry, origin
**ascender** to ascend, to go up
**ascender la peña** to climb the rock/ boulder 10.3
**ascensor** elevator 5.1
**asegurarse** to make sure
**asesinar** to assassinate 8.3
**asesinato** assassination 6.3
**así** like that 6.3
**¡Así es!** That's right! 13.2
**asistente** *(m. f.)* assistant
**asistir** to attend, be present 3.2
**aspersión** *(f.)* sprinkling
**aspirina** aspirin 4.3
**astronauta** *(m.)* astronaut 11.3
**astrónomo(a)** astronomer 6.1
**atacar** to attack
**ataque cardíaco** *(m.)* heart attack 10.1
**atasco** traffic jam 3.3
**atender** to assist
**atento(a)** attentive
**aterrorizado(a)** terrified 3.1
**atleta** *(m. f.)* athlete 14.1
**atlético(a)** athletic 1.1
**atletismo** track and field 14.2
**atracción** *(f.)* attraction
**atractivo(a)** attractive 1.1
**atraer** to attract 12.3
**atravesar** to traverse, to cut across 12.3
**atreverse** to dare 11.3
**aullar** to howl, to wail 11.2
**aumentar** to increase 12.2
**aunque** although 14.3
**ausencia** absence
**auténtico(a)** authentic 4.3
**auto** car 4.1
**autobús** bus 4.1
**autopista** freeway
**autoridad** *(f.)* authority 2.1
**autorretrato** self-portrait 4.1
**ave** *(f.)* bird
**avergonzado(a)** embarrassed, ashamed 3.1
**avión** airplane 5.2
**¡Ay!** Oh dear! 13.2
**ayer** yesterday 4.3
**ayuda** help 3.2
**ayudante** *(m. f.)* helper
**ayudar** to help 7.2
**ayuntamiento** city hall
**azúcar** *(m.)* sugar 8.2
**azul** blue 4.1

# B

**bachillerato** bachelor's degree
**bahía** bay
**bailar** to dance *(infin.)* 1.2
**bailarín(balarina)** dancer 13.2
**baile** *(m.)* dance 7.1
**bajar de peso** lose weight 13.1
**bajar** to go down, to get off 5.2
**bajar** to lower 13.2
**bajarse** to get off 9.2
**bajo(a)** low 10.1
**balcón** balcony 5.1
**baloncesto** basketball 1.1
**bañarse** to bathe 9.2
**banco** bank 1.3
**banda** music band 1.3
**bandeja paisa** dish of steak, pork, beans, rice, sausage and friend egg 7.1
**bandera** flag
**bañera** shower 5.1
**baño** toilette, restroom 3.2
**bar** *(m.)* bar 3.3
**barato(a)** cheap, inexpensive 4.2
**barbadense** *(m. f.)* citizen of Barbados
**¡Bárbaro!** Super!, Fantastic!
**barrera** barrier
**barril** *(m.)* barrel 11.1
**barrio** neighborhood 4.3
**barroco(a)** baroque 7.3
**basarse en** to base oneself on
**básicamente** basically 7.3
**basta** enough
**Bastante bien.** Quite well. PE
**bastante** enough 13.3
**basura** trash 9.2
**batalla** battle
**bate** *(m.)* bat 14.1
**bateador(a)** batter (baseball) 14.2
**batear** to bat 14.2
**batido** shake; **(de leche)** milkshake 14.3
**bebé** *(m. f.)* baby 3.1
**beber** to drink 2.1
**bebida** drink 4.3
**beca** scholarship 14.2
**beige** beige 4.1
**béisbol** *(m.)* baseball 1.1
**beisbolista** *(m. f.)* baseball player 5.3
**bello(a)** lovely
**beneficio de la duda** benefit of the doubt 8.3
**beso** kiss 7.1
**biblioteca** library 1.3
**bibliotecario(a)** librarian 2.1
**bicicleta** bicycle 4.1
**bien** fine, well 4.3
    **Bien, gracias. ¿Y tú?** Fine, thank you. And you? PE
**bienes** *(m. pl.)* wealth, property, goods 12.1
**bienes raíces** *(m. pl.)* real estate
**bienestar** *(m.)* well-being
**bienvenido(a)** welcome
**¡Bienvenido(a)!** Welcome! PE
**bilingüe** bilingual 11.3

**billetera** billfold 10.3
**biografía** biography 6.1
**biología** biology 1.2
**biólogo(a) marino(a)** marine biologist
**bistec** *(m.)* steak 8.2
**blanco(a)** white 4.1
**bloque** *(m.)* block
**bloqueo** blockade 14.1
**blusa** blouse 4.1
**boca** mouth 13.2
**bocadillo** snack, tidbit 9.3
**boleto** ticket 7.2
**bolígrafo** pen 1.1
**boliviano** Bolivian currency
**boliviano(a)** Bolivian
**bolsa de dormir** *(f.)* sleeping bag 12.3
**bolsillo** pocket
**bombero** fireman 3.1
**bonito(a)** pretty 4.2
**bordado(a)** embroidered 4.2
**bordar** to embroider
**Borinquén** Puerto Rico, name before the Spaniards arrived
**borrador** *(m.)* draft
**bosque** *(m.)* forest 11.1
**bosque lluvioso** rainforest 11.1
**botas** boots 4.2
**botella de agua** bottle of water 2.2
**botiquín de primeros auxilios** *(m.)* first aid kit 10.1
**botón (botones)** button(s) 4.2
**boxeador** *(m.)* boxer 14.1
**boxeo** boxing 14.1
**brasileño(a)** Brazilian
**bravo(a)** brave 4.2
**brazo** arm 8.3
**breve** brief, short 8.3
**brindis** *(m.)* toast (with a drink)
**broma** joke
**bruto(a)** stupid, ignorant, brutish 5.3
**bucear** to scuba dive 10.3
**buceo** scuba diving 14.2
**Buenas noches.** Good evening. Good night. PE
**Buenas tardes.** Good afternoon. PE
**bueno(a)** good 1.2
**Buenos días.** Good morning. PE
**buscar** to look for *(infin.)* 1.2

# C

**caballero** gentleman 14.3
**caballo** horse 10.3
**cabeza** head 13.2
**cacique** *(m.)* chieftain
**cada** every, each 4.3
**cadena de televisión** TV network
**caerse** to fall down 10.1
**café** *(m.)* coffee house 1.3; coffee 2.2
**café cortado** espresso with a tad of milk 8.2

**cafetería** cafeteria 1.3
**caja** cash register
**cajetilla de cigarrillos** cigarette pack 13.2
**calamar** *(m.)* squid 8.1
**cálculo en la vesícula** gall bladder stone 13.3
**Calendario Azteca** Aztec Calendar 4.1
**calendario** calendar 2.3
**calentado(a)** heated
**calentamiento global** global warming 9.1
**calentar** to warm up 12.3
**calentito(a)** warm 8.2
**calidad** *(f.)* quality 14.3
**cálido(a)** warm 8.3
**caliente** hot 4.3
**calificaciones** *(f. pl.)* grades
**callado(a)** quiet 1.2
**callarse** to stop talking, become quiet 9.2
**calle** *(f.)* street 2.1
**calmadamente** calmly 5.3
**calmar** to calm
**calor** *(m.)* heat 9.1
**calzado** footwear
**cama** bed 9.2
**cama de matrimonio** double bed 5.1
**cámara** camera 12.1
**cámara de video** video camera 12.1
**camarero(a)** waiter 6.3
**cambiar** to change 5.2
**caminar** to walk 13.1
**caminata** walk; hike, trek
**camino** road, street
**camión** *(m.)* truck, (Mex.) bus 6.2
**camisa** shirt 4.1
**camiseta** T-shirt 4.1
**campeóna** champion 5.3
**campeón mundial** world champion 14.2
**campeonato** championship 14.2
**campo** countryside; field 1.3
**campo de golf** golf course 11.3
**caña de azúcar** sugar cane
**canadiense** *(m. f.)* Canadian
**canal** *(m.)* channel (TV, radio)
**canario** canary 9.3
**cáncer** *(m.)* cancer 13.3
**cancha** court 11.1
**canción** *(f.)* song 2.2
**cangrejo** crab 8.3
**canoa** canoe 11.3
**canotaje** *(m.)* rowing, rafting 12.3
**cansado(a)** tired 3.1
**cansancio** tiredness, fatigue
**cantante** *(m. f.)* singer 1.1
**cantar** to sing 3.2
**cantidad** *(f.)* quantity
**canto** song
**capacidad** *(f.)* capacity
**capacitación** training
**capataz** *(m.)* foreman, overseer
**capital** *(f.)* capital 12.3
**capitolio** capitol building 9.2
**característica** characteristic 13.3
**carátula** sleeve, jacket (of a record)
**cárcel** *(f.)* jail 6.3

**Caribe** Caribbean
**caribeño(a)** Caribbean
**carne** *(f.)* meat 7.2
**carne de puerco** pork 8.1
**carne de res** *(f.)* beef 8.1
**carnicería** butcher shop 9.3
**caro(a)** expensive 4.1
**carpa** tent
**carpintero** carpenter
**carrera** degree; career 1.3
**carretera** highway, road
**carro** car 10.2
**carta** letter 2.3
**cartera** purse 6.2
**cartón** *(m.)* cardboard
**casa** house 1.3
**casado(a)** married 5.3
**casarse** to get married 13.1
**casco** helmet
**casi** almost 7.2
**castillo** castle
**catarata** waterfall
**catedral** *(f.)* cathedral 4.1
**cazuela** casserole 8.2
**cebolla** onion 8.2
**ceder** to cede, to hand over
**celebrar** to celebrate 5.2
**celeste** light blue 9.3
**celular** cellular phone 1.3
**cementerio** cemetery
**cemento** cement
**cena** dinner 1.2
**cenar** to eat dinner 3.2
**ceniza** ash 11.2
**centro comercial** *(m.)* shopping center 2.1
**centro** downtown 5.1
**centroamericano(a)** Central American
**cerámica** ceramics 8.1
**cerca de** near 5.1
**cerebro** brain 14.1
**cero** zero 6.1
**cerrar** (ie) to close 4.1
**certeza** certainty
**cervecería** pub, brewery 9.3
**cerveza** beer 1.3
**cesto** basket 14.1
**ceviche** *(m.)* raw fish marinated in lemon juice 8.2
**chaleco** vest 4.2
**chamarra** jacket 4.2
**champán** *(m.)* champagne
**chantajear** to blackmail 9.3
**chaqueta** jacket 9.2
**chatear** to chat on the Internet 1.2
**che** amigo(a); hey, listen 5.1
**cheque** *(m.)* check 11.2
**chico(a)** boy / girl 3.1
**chimenea** fireplace 9.1
**chistoso(a)** funny 1.1
**chocar** to crash 10.2
**choclo** corn 8.1
**chocolate** *(m.)* chocolate 4.3
**chofer** *(m. f.)* chauffeur, driver 10.2
**choque cultural** *(m.)* cultural shock 13.1

**choque eléctrico** *(m.)* electric shock 10.1
**chorizo** sausage 3.2
**chubasco** squall, downpour
**ciclismo** bike racing 1.1
    **ciclismo de montaña** mountain biking 1.1
**cielo** sky 9.1
**ciencias empresariales** business management 1.2
**ciencias políticas** political science 1.2
**cierto(a)** true, certain
**cigarrillo** cigarette 3.3
**cima** summit, peak 11.3
**cine** movie theater 1.2
**cinta** tape 7.1
**cintura** waist 8.3
**cinturón de seguridad** *(m.)* safety belt 13.1
**círculo** circle
**cirugía** surgery 11.1
**cisterna** cistern, tank, reservior
**cita** date 7.1
**ciudad** *(f.)* city 1.1
    **ciudad natal** birthplace 1.1
**ciudadano(a)** citizen
**civilización** *(f.)* civilization 6.1
**claro(a)** clear 4.1
**¡Claro!** Of course!
**clase** *(f.)* class PE
**clasificados** *(pl.)* classified ads 6.2
**clave** *(f.)* key (answer), password
**cliente** *(m. f.)* client 2.1
**clima** *(m.)* climate 8.3
**clínica** clinic 2.1
**cobijo** covering; protection, shelter
**cobre** *(m.)* copper
**cocaína** cocaine
**coche** *(m.)* car 5.3
**cochera** garage 5.1
**cocina** kitchen 3.2
**cocina/estufa** stove 5.1
**cocinar** to cook 2.3
**cocinero(a)** cook 2.1
**cóctel de fruta** fruit cocktail 8.1
**codo** elbow 13.2
**cognado** cognate
**cohetes** *(m. pl.)* fireworks
**coincidir** to coincide
**col** *(f.)* cabbage 8.1
**colectivo** bus 5.2
**colina** hill
**collar** *(m.)* necklace 4.2
**colocado(a)** placed
**colocar** to place
**colombiano(a)** Colombian
**colonia** colony 14.1
**colonial** colonial 6.1
**color crema** light brown 4.1
**combatir** to combat 12.2
**combinar** to combine
**comedia** play, drama (theater)
**comedor** *(m.)* dining room 3.2
**comenzar** (ie) to begin 6.2
**comer** to eat *(infin.)* 1.2
**comer fuera** to eat out 2.3

**comercio** commerce
**cometer errores** to make mistakes 14.3
**cometer** to commit, to perpetrate
**comida** food, meal 1.3
**comida basura** junk food 8.2
**comisaría** police station 6.3
**comité** *(m.)* committee 12.2
**comitiva** procession, delegation
**como** as, since 5.2
**cómodo(a)** comfortable 4.1
**¿Cómo?** How? 2.2
**¿Cómo escribes tu nombre?** How do you spell your name? PE
**¿Cómo está? (usted)** How are you? (formal) PE
**¿Cómo estás? (tú)** How are you? (familiar) PE
**¿Cómo se llama usted?** What's your name? (formal) PE
**¿Cómo te llamas (tú)?** What's your name? (familiar) PE
**compañero(a)** companion, classmate, partner PE
    **compañero(a) de cuarto** roommate 1.1
    **compañero(a) de empleo** co-worker 2.2
**comparar** to compare 13.1
**compartir** to share 5.2
**compatibilidad** *(f.)* compatibility
**compatible** compitable
**competencia** competition 14.1
**competente** competent 6.3
**competición** *(f.)* competition
**competir** to compete 7.2
**completar** to complete
**complicar** to complicate
**compra** purchase 12.2
**comprar** to buy *(infin.)* 1.2
**comprender** to comprehend, understand 7.3
**¿Comprendes lo que se dice?** Do you understand what is said?
**comprometer** to compromise, to endanger
**comprometido(a)** engaged 7.1
**computadora** computer
**computadora portátil** portable computer 2.2
**común** common 5.3
**comunicación** communication 1.2
**comunicar** to communicate 5.2
**comunidad** *(f.)* community 10.2
**comunismo** Communism
**comunista** communist 14.2
**comunitario(a)** communal, public 5.1
**con** with 5.1
**con cuidado** carefully, with care 6.2
**con destino a** headed toward 5.2
**con el pie izquierdo** on the wrong foot 10.3
**con frecuencia** frequently 2.3
**con gas** carbonated 8.2
**con tal (de) que** provided (that) 14.3
**concebir** to conceive of, to imagine
**conciencia** conscience

**concierto** concert 1.3
**conducir** to drive 10.2
**conexión** (f.) connection
**confesar** to confess
**confiar** to confide, to trust 13.3
**confines** (m. f.) boundary, limits
**confirmar** to confirm 14.3
**confundido(a)** confused 5.2
**congelado(a)** frozen 9.1
**congelar** to freeze
**congestionado(a)** congested
**congrio** conger eel 8.2
**conjunto** group, collection 8.3
**conmigo** with me 6.2
**conocer** to know 7.3
**conocido(a)** known
**conocimiento** knowledge
**consecuencia** consequence 13.3
**conseguir (i, i)** to obtain, get 6.2
**consejero(a)** advisor 13.3
**consejo** advice 7.2
**consentimiento** consent, agreement
**conservación** (f.) conservation 12.3
**conservador(a)** conservative 1.1
**considerar** to consider 14.3
**consistir** to consist 10.3
**constantemente** constantly 4.1
**constar de** to consist of
**construir** to construct 6.2
**consultar** to consult 13.3
**contabilidad** accounting 1.2
**contagioso(a)** contagious
**contaminación** (f.) pollution 9.1
**contar (ue)** to count 4.1; to tell
    (a story) 8.3
**contemporáneo(a)** contemporary 7.3
**contento(a)** happy, pleased 3.1
**contestar** to answer 2.1
**contigo** with you 3.2
**continuar** to continue 5.2
**contra** against 11.1
**contradecir (i)** to contradict 6.3
**contraportada** back page
**contrastar** to contrast 4.1
**contratar** to hire 14.2
**contribuir** to contribute
**control de seguridad** (m.) security
    check
**controlar** to control 7.1
**convencer** to convince 14.3
**convenio** agreement (contractual)
**conversar** to chat, to converse 3.2
**convertirse** to become, to turn into
**copa de los árboles** treetops 11.3
**coquetear** to flirt 8.3
**corazón** heart 4.1
**corbata** necktie 4.2
**cordillera** mountain range 12.3
**corredor(a)** runner 5.3
**correo electrónico** email 1.3
**correr** to run 2.1
**correspondencia** mail 9.3
**corrida de toros** bullfight 3.3
**corriente** common

**cortado(a)** cut 8.2
**cortarse** to cut oneself 9.3; to cut off 11.2
**corte** (f.) court 2.1
**cortejar** to woo, court
**cortés** polite 7.1
**corteza** bark (of a tree)
**cortésmente** courteously 5.3
**corto(a)** short (length) 3.3
**corvina** sea bass 8.2
**cosa** thing 7.1
**cosecha** harvest
**cosmopolita** cosmopolitan 8.3
**costa** coast 8.3
**costado** side
**costar** to cost 2.2
**costarricense** (m. f.) Costa Rican
**crear** to create 12.2
**crecimiento** growth
**creer** to believe 14.1
**criarse** to be brought up
**criticar** to criticize
**crítico** critic
**crítico(a)** critical 5.3
**crucero** cruise 4.3
**cruel** cruel 3.3
**Cruz Roja** Red Cross 10.1
**cuaderno** notebook 1.3
**cuadra** block 9.3
**cuadrado** square
**cuadro** painting 4.1
**¿Cuál(es)?** Which one? Which? 2.2
**cualquiera** any, anybody 9.3
**cuando** when 14.3
**¿Cuándo?** When? 2.2
**¿Cuánto(a)?** How much? 2.2
**¿Cuántos(as)?** How many? 2.2
**cuanto antes** as soon as possible 13.3
**cuarto** room 1.3; quarter, 15-minute
    fraction of the hour 2.3; fourth 10.1
**cuarto de baño** bathroom 5.1
**cubrir** to cover 10.1
**cuchara** spoon 8.2
**cuchillo** knife 8.2
**cueca** Andean folk dance 8.3
**cuello** neck 13.2
**cuenta** bill 1.3
**cuentista** (m. f.) short story writer;
    storyteller
**cuento** short story 6.2
**cuerda** rope 10.1
**cuero** leather 9.2
**cuerpo** body 8.3
**cuidado** careful, be careful
**cuidadosamente** carefully 5.3
**cuidar** to take care of
**culinario(a)** culinary
**culpa** fault 10.2
**culpable** guilty, culpable
**cultivar** to cultivate 12.1
**cultivo** cultivation, crop
**culturalmente** culturally 5.3
**cumbre** (f.) summit, crest
**cumpleaños** birthday 5.2
**cumplir...años** to be . . . years of age

**D**

**D.C. después de Cristo** A.D. after Christ
**dañar** to damage, to hurt 14.1
**dar** to give 8.3
**dar a conocer** to make known 12.2
**dar la gana** to feel like
**dar problemas** to cause problems 8.3
**darse cuenta** to realize
**darse la mano** to shake hands
**datos** facts 7.3
**de** of, from 5.1
**de esa manera** that way 12.2
**de paseo** strolling
**de repente** suddenly 6.2
**de sol a sol** from dawn to dusk 10.1
**de vuelta** in return 7.2
**debajo de** under 5.1
**debatir** to debate
**deber** to be obliged, must, should 6.3
**década** decade
**decidir** to decide 2.1
**décimo** tenth 10.1
**decir (i)** to say; to tell 6.3
**decisión** (f.) decision 14.3
**declarar** to declare 6.1
**decorar** to decorate 3.2
**dedicarse** to dedicate oneself 13.3
**dedo** finger 13.2
**deducir** to deduct
**defender** to defend
**definir** to define 10.3
**degustar** to taste, to sample
**dejar de** to stop (doing something),
    to quit 11.2
**dejar** to leave 6.1
**del** from the 1.3
**delante de** in front of 5.1
**delatar** reveal, denounce 7.2
**delgado(a)** slim, thin 3.3
**delicioso(a)** delicious 3.3
**delineado(a)** delineated, outlined
**demás** other 8.3
**demasiado(a)** too much 13.1
**denegar** to turn down, to refuse 14.3
**densidad** (f.) density
**dentro** inside, within 12.1
**departamento** apartment 5.1
**dependiente(a)** salesperson 2.1
**deporte** (m.) sport 1.1
**deportes acuáticos** (m. pl.) aquatic
    sports 10.3
**deportista** (m. f.) athlete 9.1
**deportivo(a)** pertaining to sports 14.2
**deprimido(a)** depressed 13.1
**derecha** right 13.2
**derechos de la mujer** women's rights
**derechos humanos** (m. pl.) human
    rights 12.2
**derivado(a)** derived
**derrotar** to defeat, to beat 14.1
**desacuerdos** disagreements
**desafiante** challenging 1.3
**desafío** challenge

**desafortunadamente** unfortunately 6.2
**desaparecer** to disappear 4.1
**desaparecido(a)** disappeared
**desarollar** to develop
**desarrollo humano** human development 12.2
**desastre** disaster 5.1
**desastre natural** (*m.*) natural disaster 10.1
**desayunar** to eat breakfast 8.1
**desayuno** breakfast 8.1
**descansar** to rest 6.3
**descanso** rest, break 2.2
**descender** to descend
**descendiente** (*m. f.*) descendant
**descenso** decent 11.3
**descifrar** to decipher, to decode
**desconectar** to disconnect 11.2
**desconocido(a)** unknown
**descontento(a)** unhappy
**describir** to describe 1.2
**descripción** (*f.*) description
**descubierto(a)** discovered
**descubrimiento** discovery
**descubrir** to discover 4.3
**desde** from 5.2
**desear** to desire 8.1
**desempeñar(se)** to fulfill, to carry out
**desesperado(a)** desperate
**desfile** (*m.*) parade 13.2
**desgraciadamente** unfortunately
**desierto** desert 4.3
**deslizarse** to slide
**desocupado(a)** unoccupied
**desorganizado(a)** disorganized 1.2
**desovar** to lay eggs 11.1
**despedida** good-bye, farewell
**despedir (i, i)** to fire, dismiss 7.2
**despedirse** to take leave, to say good-bye 10.3
**desperdiciar** to waste, to squander
**despertador** alarm clock 10.3
**despertarse (ie)** to wake up 9.2
**despojar** to deprive, to dispossess
**déspota** (*m. f.*) despot, tyrant
**después (de) que** after 14.3
**después de** after 5.1
**destacar** to emphasize, to highlight
**destacarse** to stand out
**destinación** (*f.*) destination 10.2
**destino** destiny
**destructivo(a)** destructive 10.1
**destruir** to destroy 6.3
**detalle** (*m.*) detail
**determinar** to determine 7.2
**detestar** to detest 7.3
**detrás de** behind 5.1
**deuda** debt 12.2
**Día de Acción de Gracias** Thanksgiving 9.1
**día de la semana** (*m.*) day of the week 2.3
**Día de las Madres** Mother's Day 8.3
**Día de San Valentín** Valentine's Day 9.1
**diamante** (*m.*) diamond 6.1
**diariamente** daily 5.3

**diario** diary, newspaper 4.3
**diario(a)** daily 9.2
**días feriados** holidays
**dibujante** (*m. f.*) cartoonist
**dibujar** to draw 5.3
**dibujo** drawing
**diccionario** diccionary 2.2
**dichos** sayings
**diciembre** (*m.*) December 2.3
**dictador(a)** dictator 6.2
**dictadura** dictatorship 8.3
**dientes** (*m. pl.*) teeth 9.2
**dieta** diet 7.2
**diferencia** difference
**diferente** different 3.3
**difícil** difficult 1.2
**dignidad** (*f.*) dignity
**dinero** money 2.1
**dirección** (*f.*) address
**directiva** board of directors 14.2
**director(a) de escuela** school principal 2.1
**dirigir** to direct 11.1
**discapacitado(a)** handicapped 14.2
**disco** disc, record 7.3
**disco compacto** compact disc, CD 2.2
**discoteca** discotheque 1.3
**discriminación racial** (*f.*) racial discrimination 11.1
**discurso** lecture 5.3
**diseñar** to design 2.1
**disfrazar** to disguise 14.3
**disfrutar** to enjoy 5.3
**disminución** (*f.*) decrease, reduction 12.2
**disminuir** to diminish, to decrease 6.2
**disolver** to dissolve
**disparar** to fire (a gun), shoot 6.2
**dispares** uneven, unequal
**disparo** gunshot 6.2
**disponer** to arrange, to prepare 12.1; to have at one's disposal
**disponibilidad** availability 5.1
**disponible** available 5.1
**disposición** (*f.*) disposition, temperament
**dispositivo** device, mechanism
**dispuesto(a)** willing 14.2
**disputar** to dispute, to challenge
**distancia** distance 5.2
**distinguir** to distinguish 7.3
**distinto(a)** distinct, different 5.2
**distribuir** to distribute
**diurno** diurnal, day
**divergencia** divergence 10.3
**diversidad** (*f.*) diversity
**diversión** (*f.*) entertainment 4.2
**diverso(a)** diverse 13.3
**divertido(a)** funny, amusing 1.1
**divertirse (ie, i)** to have a good time, enjoy oneself 9.2
**divorciarse** to divorce 13.1
**doblar** to turn 9.3; fold
**doctor(a)** doctor 1.1
**documentos de identidad** (*m. pl.*) identification documents 10.3
**dólar** (*m.*) dollar

**dolor de estómago** stomachache
**doméstico(a)** domestic 11.1
**domicilio** domicile, residence 6.2
**domingo** (*m.*) Sunday 2.3
**dominicano(a)** Dominican
**¿Dónde?** Where? 2.2
**dormir (ue, u)** to sleep 4.1
**dormirse (ue)** to fall asleep 9.2
**dormitorio** bedroom 3.2
**dosis** (*f.*) dosage 10.1
**dramatizar** dramatize, role-play
**dramaturgo** (*m. f.*) playwright 9.1
**droga** drug 11.1
**ducha** shower 5.1
**ducharse** to shower, take a shower 9.2
**dudar** to doubt 14.1
**dueño(a)** owner 12.1
**durante** during 4.3
**durar** to last 2.3
**durazno** peach 8.1
**duro(a)** hard, difficult 14.3

## E

**ecología** ecology
**economía** economics 1.2; economy 13.3
**económico(a)** economical 6.2
**ecoturismo** ecotourism 10.3
**edición** (*f.*) edition 14.2
**edificar** to build 6.1
**edificio** building 2.1
**editorial** publisher 12.1
**educación** education 1.2
**educación física** physical education 1.2
**eficazmente** efficiently 5.3
**eficiente** efficient 9.2
**egoísta** egotistical 1.2
**ejecutar** to execute
**ejercicio** exercise 5.3
**ejército** army 11.1
**él** he, it (*m.*) 1.1
**El gusto es mío.** The pleasure is mine. PE
**el/la/los/las más** the most 7.1
**el/la/los/las menos** the least 7.1
**elaborar** to elaborate
**elección** (*f.*) election
**electricidad** (*m.*) electricity 11.2
**elegancia** elegance 8.3
**elegante** elegant 1.1
**elegantemente** elegantly 7.2
**elegir (i)** to choose 7.2
**elevado(a)** elevated 10.1
**élite** elite 7.3
**ella** she, it (*f.*) 1.1
**ellos(as)** they 1.2
**embajador(a)** ambassador
**embarcarse** to embark, to go aboard
**emergencia** emergency 10.1
**emigrar** to emigrate
**emisora** broadcasting station
**empacar** to pack
**empanada** turnover, pasty, pie 8.1
**empapado(a)** soaking wet 9.1

**empate** *(m.)* tie 14.1
**empezar (ie)** to begin 4.1
**empleado(a)** employee 2.1
**emplear** to employ, to hire
**empleo** job, employment 2.1
**empleo de tiempo parcial** part-time job
**emprendedor(a)** enterprising 12.2
**empresa** company, firm
**en caso de** in case of 10.1
**en caso (de) que** in case 14.3
**en clave de** having . . . as key 12.2
**en cuanto** as soon as 14.3
**en desarrollo** under development, developing 12.2
**en efectivo** in cash
**en efecto** actually
**en general** in general, generally speaking 1.2
**en lugar de** in place of 10.3
**en** on, in 5.1
**en torno a** around, about
**enamorado(a)** in love 5.3
**Encantado(a).** Delighted. PE
**encantar** to charm, to please highly 3.3
**encarcelar** to jail
**encargo** errand, task
**encender** to light
**encendido(a)** lit up 10.1
**encerrar** to enclose
**encima de** on top of 5.1
**escoger** to select
**encontrar (ue)** to find 4.1
**encuesta** survey
**energía** energy 13.2
**enérgico(a)** energetic 14.2
**enero** *(m.)* January 2.3
**enfermarse** to get sick 13.3
**enfermedad** *(f.)* illness 7.3
**enfermería** nursing 1.2
**enfermo(a)** sick 3.1
**enfrente de** facing, opposite 5.1
**enfriar** to cool
**engañar** to deceive
**enjabonarse** to lather oneself up
**enlace** *(m.)* linking
**enmienda** amendment
**enojarse** to get angry 5.3
**enólogo** oenologist, wine specialist
**enorme** enormous, huge 10.3
**ensalada** salad 8.1
**ensayar** to practice
**enseguida** right away
**enseñar** to teach; to show 2.1
**entender (ie)** to understand 4.1
**entero(a)** whole, entire 10.2
**entrada** entrance 5.2
**entrar** to enter 6.3
**entrar en erupción** to erupt 11.2
**entre** between 5.1
**entregar** to turn in 13.1
**entremés** *(m.)* appetizer 8.2
**entrenador(a)** coach, trainer 14.1
**entrenar** to coach, train 14.2
**entretenimiento** entertainment 6.2

**entrevista** interview 2.2
**entrevistar** to interview 2.1
**entusiasmado(a)** enthused 3.1
**envenenamiento** poisoning 10.1
**enviar** to send 1.2
**envidia** envy 13.2
**epidemia** epidemic
**época** epoch, period 12.3
**equipaje** *(m.)* baggage, luggage
**equipo** team 6.1; equipment
**¿Eres buen observador?** Are you a good observer?
**erosionado(a)** eroded
**erradicación** *(f.)* eradication 13.1
**erradicar** to eradicate 12.2
**error** *(m.)* error 2.1
**erupción de volcán** *(f.)* volcanic eruption 10.1
**Es...** 14.1
   **Es... absurdo(a)** It's absurd 14.1
   **Es... cierto** It's true 14.1
   **Es... injusto** It's unjust 14.1
   **Es... irónico** It's ironic 14.1
**escala de pagos** pay scale 14.3
**escalera** ladder; stairs, staircase 10.1
**escapar** to escape 6.3
**escaparate** *(m.)* display window 4.2
**escasez** *(f.)* scarcity
**esclavo(a)** slave
**escoger** to choose, to select 8.3
**escolar** school, scholastic 11.1
**escondido(a)** hidden
**¡Escríbelo!** Write it!
**escribir** to write 1.2
**escritor(a)** writer, author 2.1
**escritorio** desk 5.1
**escuadra** squad, squadron
**escuchar** to listen to *(infin.)* 1.2; (-ar verbs) 1.3
**escuela primaria** elementary school 6.2
**escultor(a)** sculptor
**escultura** sculpture 7.3
**ese(a)** that 4.1
**esforzarse** to strive, to exert much effort
**esfuerzo** effort
**esmeralda** emerald
**eso** (neuter) that 4.1
**esos(as)** those 4.1
**espacio** space
**espalda** back 13.2
**español(a)** Spaniard
**especial** special 1.1
**especialista** specialist 2.1
**especialmente** *(m.)* especially 3.1
**especie** *(f.)* species 11.1
**espectáculo** show, exhibition 12.1
**espejo** mirror
**esperanza** hope
**esperar** to wait 4.3
**espíritu** *(m.)* spirit
**esposo(a)** husband / wife 4.1
**esquema** *(m.)* outline
**esquí** *(m.)* skiing 14.1
**esquiador(a)** skier 5.3

**esquiar** to ski 1.2
**esquina** corner 9.3
**Esta es...** This is . . . *( f.)* PE
**establecer** to establish 6.3
**establecimiento** establishment
**estación** *(f.)* station 5.2
**estacionado(a)** parked 6.3
**estacionamiento** parking 4.1
**estaciones del año** *(f. pl.)* seasons
**estadía** stay 13.1
**estadidad** *(f.)* statehood
**estadio** stadium 9.2
**estado** state
**estadounidense** from the U.S. 1.1
**estafado(a)** swindled, cheated
**estancia** stay
**estándar** *(m.)* standard
**estar** to be 3.2
**estar de acuerdo** to agree, be in agreement 9.3
**estar de fiesta** to be having fun
**estar despejado** to have clear skies 9.1
**estar dispuesto(a)** to be inclined to 14.2
**estar en forma** to be in shape 14.1
**estar hecho(a) pedazos** to be falling apart 13.2
**estar molido(a)** to be exhausted 13.2
**estar muerto(a)** to be dead tired 13.2
**estar pasándolo en grande** to have a great time
**estar seguro** to be sure 10.2
**estatua** statue 10.3
**este** *(m.)* east 3.1
**Este es...** This is . . . *(m.)* PE
**este(a)** this 4.1
**estirar** to stretch 13.2
**esto** (neuter) this 4.1
**estofado** stew 8.1
**estómago** stomach 13.2
**estos(as)** these 4.1
**Estrategias para escuchar** Listening strategies
**estrecho(a)** narrow 8.3
**estrenar** to use for the first time
**estrés** *(m.)* stress 11.1
**estrofa** verse 10.3
**estudiante** *(m. f.)* student PE
**estudiar** to study 1.2
**estudioso(a)** studious 1.1
**estufa de gas** gas stove 10.1
**estupendo(a)** stupendous, great, terrific 1.2
**eterno(a)** eternal
**etiqueta** price tag
**étnico(a)** ethnic
**euro** European currency
**europeo(a)** European
**evento** event 6.2
**evidente** evident 13.3
**evitar** to avoid 10.2
**exactamente** exactly 5.3
**exagerar** to exaggerate
**examen** *(m.)* exam 3.1
**examinar** to examine 2.1
**excelente** excellent 7.2

**¡Excelente!** Excellent! PE
**excepción** (*f.*) exception
**excesivamente** excessively 5.3
**excesivo(a)** excessive 10.1
**exceso de velocidad** (*m.*) speeding 11.2
**excursión** (*f.*) excursion 11.1
**excusa** excuse 3.2
**exigente** demanding 8.2
**exiliado(a)** exiled
**existencia** existence 11.3
**éxito** success 11.3
**experiencia** experience 4.3
**experto(a)** expert 11.3
**expirar** to breathe out 13.2
**explanada** walkway
**explicar** to explain 2.1
**expresar** to express 7.3
**exquisito(a)** exquisite 3.3
**extender** to extend
**extendido(a)** estended
**extensamente** extensively
**externo(a)** external 12.2
**extinción** extinction 8.2
**extintor de fuegos** (*m.*) fire
　　extinguisher 10.1
**extraer** to extract
**extranjero(a)** foreigner 7.3
**extraño(a)** strange 10.2
**extraordinario(a)** extraordinary,
　　uncommon 4.3
**extravagante** extravagant 10.3
**extremo(a)** extreme 4.3
**extrovertido(a)** extroverted, outgoing 1.1

## F

**fábrica** factory 2.1
**fácil** easy 1.2
**facilitar** to facilitate 12.2
**facultad** (*f.*) college 1.2
**falda** skirt 4.1
**fallas** satirical cardboard figures
　　that are burned during the
　　Valencian fair 3.1
**falso(a)** false
**faltar** to be absent, to be missing 11.1
**fama** fame 14.2
**familiares** (*m. pl.*) relatives 7.1
**famoso(a)** famous 1.1
**¡Fantástico!** Fantastic! 13.2
**farmacéutico(a)** pharmacist 2.1
**fascinante** fascinating 8.3
**fascinar** to fascinate 3.3
**fauna** fauna, animal life 8.3
**febrero** (*m.*) February 2.3
**fecha** date 2.3
**feliz** happy, joyful 3.1
**feliz cumpleaños** happy birthday 8.1
**fenomenal** phenomenal 3.1
**feo(a)** ugly 1.1
**feria** fair 3.1
**festival** (*m.*) festival 7.1

**festival de cine** (*m.*) film festival 2.3
**fiambres** (*m. pl.*) cold cuts 8.1
**ficticio(a)** ficticious 9.1
**fidelidad** (*f.*) fidelity
**fiebre** (*f.*) fever
**fiesta** party 1.3
**fijo(a)** fixed, nonchangeable 5.2
**filmar** to film 11.1
**fin de semana** (*m.*) weekend 4.3
**fines** end, conclusion 3.1
**firmar** to sign 14.3
**fiscal** (*m. f.*) prosecutor 6.3
**física** physics 1.2
**flaco(a)** skinny 4.2
**flamenco** Spanish gypsy dance, music
　　and songs 3.1; flamingo
**flexionar** to bend
**flojo(a)** lazy
**flor** (*f.*) flower 7.1
**flora** flora, plant life 8.3
**florecer** to flower
**fomentar** to foment 12.2
**fondos** funds
**formal** formal 1.2
**formalmente** formally 7.2
**formar** to form 12.2
**formulario** form
**fortaleza** fortress 12.1
**forzado(a)** forced
**fósforos** (*m. pl.*) matches 10.1
**fotografía** photograph 4.3
**fotografiar** to photograph 6.1
**fotonovela** photo-illustrated soap
　　opera magazine 7.2
**fractura** fracture
**frase** (*f.*) phrase
**fraternidad** (*f.*) fraternity 1.3
**frecuencia** frequency 5.2
**frecuentemente** frequently 5.3
**freír** to fry 7.2
**fresa** strawberry 8.1
**fresco(a)** fresh 13.2
**frío** cold 2.3
**frito(a)** fried 8.1
**frontera** border 12.3
**frustrado(a)** frustrated 3.1
**fruta** fruit 7.2
**frutería** fruit store 9.3
**fuego** fire 6.2
**fuegos artificiales** fireworks
**fuente** (*f.*) fountain 4.3
**fuera** out, outside 5.3
**fuerte** strong 1.1
**fuerza** strength 8.3; force
**fumar** to smoke 1.2
**función** (*f.*) function 7.1
**funcionar** to function, to work 5.2
**fundado(a)** founded
**fundar** to found, to establish
**furioso(a)** furious 3.1
**fusión** (*f.*) fusion 9.3
**fútbol** (*m.*) soccer 1.1
**futbolista** (*m. f.*) soccer player 5.3
**futuro** future

## G

**gambas** prawns 3.2
**ganadero(a)** cattle rancher
**ganancias** profits, gains
**ganar** to win 4.3; to earn 11.1
**garaje** (*m.*) garage 3.2
**garantizar** to guarantee 12.2
**garganta** throat 13.2
**gaseosa** carbonated water 3.3
**gasolina** gasoline 14.3
**gastar** to spend 4.2
**gato(a)** cat 5.1
**géiser** (*m.*) geyser
**gemelo(a)** twin
**generalmente** generally 1.3
**generoso(a)** generous 8.3
**genial** brilliant
**genio** genius
**gente** (*f.*) people 2.1
**gente desconocida** (*f.*) strangers 11.2
**gentileza** kindness, genteelness 7.2
**gerente** (*m. f.*) manager
**gigante** giant
**gimnasia** gymnastics 14.1
**gimnasio** gymnasium 1.2
**ginecología** gynecology 11.1
**girar** to turn, to veer 9.3; to gyrate 13.2
**gitano(a)** gypsy
**glúteo** gluteus
**gobernado(a)** governed
**gobernador** governor
**gol** (*m.*) goal 14.1
**golf** (*m.*) golf 1.1
**golfista** (*m. f.*) golf player 5.3
**golpe** (*m.*) strike, hit 14.1
**golpe militar** (*m.*) military coup
**gordo(a)** fat 5.3
**gorro** cap
**gota** drop
**gotear** to leak
**gozar** to enjoy 12.2
**grabación** (*f.*) recording
**grados** (*m. pl.*) degrees (temperature) 9.1
**graduado(a)** graduate
**graduarse** to graduate 14.3
**grande** big, large 1.2
**grandioso(a)** grand, magnificent 8.3
**granito** granite 7.3
**gratis** free 11.3
**gratuito(a)** free
**grave** grave, serious 13.2
**grifo** faucet 9.2
**gris** gray 4.1
**gritar** to scream, to yell 6.3
**grosero(a)** coarse, crude 6.3
**grúa** wreaker, tow truck 10.2
**guantes** (*m. pl.*) gloves 8.1
**guapo(a)** good-looking, cute 3.3
**guardar** to store, to keep 13.1
**guerra** war 10.2
**guerrero** warrior
**guía** (*m. f.*) guide 4.1
**guión** (*m.*) outline, script

**guitarra** guitar 1.3
**gustar** to please 3.3
**gusto** taste, flavor 8.2

# H

**haber** there . . . to be 10.2
**habitación** *(f.)* room, bedroom 3.2
**habitantes** *(m. pl.)* inhabitants 8.3
**hábito** habit
**hablador(a)** talkative 1.2
**hablar** to talk, to speak *(infin.)* 1.2
**hace calor** *(m.)* to be hot (outside) 2.3
**hacendado(a)** landed; landowner, rancher
**hacer buen tiempo** to have nice
    weather 9.1
**hacer calor** to be hot 9.1
**hacer daño** to damage, to hurt
**hacer ejercicio** to do exercise 5.3
**hacer el papel** play the role
**hacer erupción** to erupt
**hacer frío** to be cold 9.1
**hacer la cama** to make the bed 11.3
**hacer las compras** to go shopping 11.3
**hacer la maleta** to pack a suitcase 12.2
**hacer la ruta** to follow the trail 11.3
**hacer meditación** to meditate 13.3
**hacer sol** to be sunny 9.1
**hacer** to do, to make 2.2
**hacer viento** to be windy 9.1
**hacia** towards
**haitiano(a)** Haitian
**hambre** *(m.)* hunger 4.3
**hamburguesa** hamburger 4.3
**Hasta la vista.** Good-bye. See you. PE
**Hasta luego.** See you later. PE
**Hasta mañana.** See you tomorrow. PE
**Hasta pronto.** See you soon. PE
**hasta que** until 14.3
**hasta** until 5.2
**hay** there is, there are
**hay neblina** it's foggy 9.1
**hechos** facts, deeds
**heladera** refrigerator 5.1
**helado** ice cream 8.1
**helado(a)** cold 8.1
**hembra** female 5.3
**hemorragia** hemorrhage 10.1
**herencia** inheritance
**herido(a)** wounded or injured person 10.1
**hermanastro(a)** stepbrother (stepsister) 5.3
**hermano(a)** brother (sister) 5.3
**hermanos** siblings 5.3
**hermoso(a)** beautiful, lovely 3.3
**héroe** *(m. f.)* hero 2.1
**hijo(a)** son (daughter) 5.3
**hijos** children 5.3
**hinchado(a)** swollen 13.2
**hipoteca** mortgage 13.3
**hispano(a)** Hispanic
**hispanohablante** *(m. f.)* Spanish speaker
**historia** history 1.2
**hoguera** bonfire 12.3

**hoja** leaf
**hoja de papel** sheet of paper 2.2
**¡Hola!** Hello! PE
**hombre** man 4.1
**hombro** shoulder 13.2
**hondureño(a)** Honduran
**honesto(a)** honest 3.3
**hora** hour, time 2.3
**horario** schedule 3.3
**horno** oven 5.1
**horroroso(a)** horrifying, awful 3.3
**hospedar** to lodge, to put up 12.2
**hospital** *(m.)* hospital 2.1
**hospitalario(a)** hospitable
**hueco** hollow
**huellas** footprints, tracks
**huésped** *(m. f.)* guest
**huevo** egg 8.2
**huipil** *(m.)* colorful Guatemalan woven
    blouse
**huir** to run away 6.2
**humano(a)** human 8.3
**húmedo(a)** wet, humid 10.1
**humilde** humble
**humo** smoke 3.3
**huracán** *(m.)* hurricane 10.1

# I

**ida y regreso** round trip 11.3
**ideal** ideal 7.3
**identidad** *(f.)* identity
**identificar** identify
**idioma** *(m.)* language 3.3
**ídolo** idol
**iglesia** church 7.3
**ignorar** to ignore 7.3
**igual** same 14.3
**igualdad** *(f.)* equality 12.2
**igualdad de oportunidad en el empleo**
    *(f.)* equal opportunity employment
**Igualmente.** Likewise. PE
**ilegítimo(a)** illegitimate 6.3
**imagen** *(f.)* image 7.2
**impaciente** impatient 1.1
**imparcial** impartial 14.2
**impartir** to grant, to concede
**impedir** to prevent 13.2
**imperio** empire
**impermeable** *(m.)* raincoat 4.2
**implementar** to implement 6.2
**imposible** impossible 5.1
**impresión** *(f.)* impression 8.3
**impresionante** impressive 6.1
**impresionar** to impress 7.1
**impresionista** impressionist 7.3
**impuesto(a)** imposed 14.1
**impuestos** taxes
**incaica** Inca, Incan
**incendio** fire 6.2
**incendios forestales** *(m. pl.)* forest fires 10.1
**incertidumbre** uncertainty, doubt
**incidente** *(m.)* incident 10.2

**incierto(a)** unsure
**incluido(a)** included 5.1
**incluir** to include 13.3
**incómodo(a)** uncomfortable
**incomparable** incomparable
**incompatibilidad** incompatibility
**inconsciente** unconscious 10.1
**increíble** unbelievable, incredible 6.1
**independencia** independence 6.2
**independiente** independent, self-reliant 1.2
**índice de longevidad** *(m.)* longevity index
**indicio** indication, sign 10.2
**indígena** indigenous, native 4.2
**inestable** unstable
**infancia** infancy 2.2
**infantil** childish
**infidelidad** *(f.)* infidelity 7.1
**influencia** influence 14.1
**informal** informal 1.2
**informalmente** informally 7.2
**informática** computer science 1.2
**informativo(a)** informative
**ingeniería** engineering 1.2
**inglés (ingleses)** English
**ingredientes** *(m. pl.)* ingredients 9.3
**inhumano(a)** inhuman 14.1
**iniciar** to initiate, to begin 8.3
**iniciativa** initiative 7.1
**inicio** beginning 12.3
**injustamente** unjustly 6.3
**inmediaciones** *(f. pl.)* environs, outskirts
**inmediatamente** immediately 5.3
**innovador(a)** innovator, creative
**inodoro** toilette, lavatory 9.2
**inolvidable** unforgettable 11.3
**inscribirse** to register, to enroll
**inscrito(a)** enrolled 6.2
**insistir (en)** to insist 10.1
**insoportable** unbearable 3.3
**inspiración** *(f.)* inspiration 8.3
**inspirar** to breathe in 13.2; to inspire
**instructor(a)** instructor 14.2
**instrumento** instrument 1.3
**insultar** to insult 6.3
**intelectual** intellectual 10.3
**inteligente** intelligent 1.1
**intenso(a)** intense
**intentar** to attempt, to try 12.3
**intercambio** student exchange
**interés** *(m.)* interest 12.2
**interesado(a)** interested 3.1
**interesante** interesting 1.1
**interesarse** to become interested 9.3
**interior** *(m.)* interior 10.2
**interminable** endless
**internacional** international 6.2
**interpretar** to interpret
**intervenir** intervene
**introvertido(a)** introverted, shy 1.1
**invadir** to invade 11.1
**invasor** *(m.)* invader
**inventario** inventory
**invernal** winter, wintery
**inversiones** *(f. pl.)* investments

**invertir** to invest 12.2
**investigar** to investigate 5.2
**invierno** winter 2.3
**invitado(a)** guest 3.1
**invitar** to invite 3.2
**ir** to go *(infin.)* 1.2
**ir de compras** to go shopping 4.1
**irrepetible** unrepeatable 4.3
**irreversiblemente** irreversibly 14.1
**irse** to go away 9.2
**isla** island 8.3
**isleta** small island
**italiano(a)** Italian
**itinerario** itinerary
**izquierda** left 13.2

## J

**jabalina** javelin
**jactarse** to boast, to brag 5.3
**jamaicano(a)** Jamaican
**jamás** never 10.2
**jamón** ham 3.2
**jamón serrano** Spanish smoked ham 3.2
**jardín** *(m.)* garden 3.2
**jaula** cage
**jeans** *(m.)* jeans 4.2
**jefe(a)** boss, leader 2.2
**jonrón** *(m.)* home run 14.2
**jornada** day's work, workday; journey
**jóven** young 5.3
**jubilarse** to retire 14.3
**juego** game 14.1
**juerguista** party animal
**jueves** *(m.)* Thursday 2.3
**juez** *(m.)* judge 2.1
**jugador(a)** player 5.3
**jugador(a) de béisbol** baseball player 2.1
**jugo** juice 8.2
**juicio** trial 6.3; sentence; verdict
**julio** *(m.)* July 2.3
**junio** *(m.)* June 2.3
**juntarse** to get together
**junto a** next to, by 5.1
**juntos** together 7.1
**jurar** to swear
**justificar** to justify 9.1
**justo(a)** just, fair, right
**juzgar** to judge 2.1
**juzgado(a)** judged 6.3

## K

**kilómetro** kilometer 8.3

## L

**laboratorio** laboratory 1.3
**lacio(a)** straight (hair) 3.3
**lácteo(a)** milky 8.1
**ladera arriba** uphill

**ladróna** thief 5.3
**lago** lake 8.1
**lamentar** to regret, to be sorry
**lámpara** lamp 5.1
**lana** wool 4.2
**langosta** lobster 8.1
**lanzador(a)** pitcher 14.1
**lanzar** to throw, to hurl 10.1
**lápiz** *(m.)* pencil 1.1
**larga distancia** long-distance 2.3
**largo(a)** long 8.3
**¡Las fotos hablan!** Photos speak!
**lastimado(a)** injured person 10.1
**Latinoamérica** Latin America 7.1
**lavabo** washbasin, sink 9.2
**lavadero** laundry 5.1
**lavadora** clothes washer
**lavaplatos** *(m. f.)* dishwasher
**lavar** to wash 1.3
**lavarse** to wash oneself 9.2
**lavavajillas** dishwasher
**Le presento a...** I'd like you to
  meet . . . (formal) PE
**le** to/for you (s. formal); to/for him, her,
  it 3.3
**leche** *(f.)* milk 1.2
**lechuga** lettuce 8.1
**leer** to read *(infin.)* 1.2
**legado** legacy
**legal** legal 2.1
**legalizar** to legalize 14.3
**legendario(a)** legendary 8.3
**lejos de** far from 5.1
**lempira** Honduran currency
**lenguas** languages
**lentamente** slowly 5.3
**lento(a)** slow 10.1
**león** *(m.)* lion
**les** to/for you (pl. formal); to/for them 3.3
**¡les encanta!** they love it! 2.1
**lesión** *(f.)* injury 10.1
**levantador(a) de pesas** weightlifter 5.3
**levantamiento de pesas** weightlifting 14.1
**levantar** to raise 13.2
**levantar pesas** to lift weights 5.2
**levantarse con el pie izquierdo** to get up
  on the wrong foot
**levantarse** to get up 9.2
**leyenda** legend 8.3
**liberal** liberal 1.1
**libre** free 2.3
**librería** bookstore 1.1
**libro** book 1.1
**licencia** license
**licencia de manejar** driver's license
**licuado** mixed, blended (drink) 9.2
**líder** *(m. f.)* leader
**liderazgo** leadership
**lienzo** canvas
**liga** league 6.2
**ligas juveniles** junior leagues 14.2
**ligero(a)** light 13.1
**limitación** *(f.)* limit 5.3
**limitar** to limit 13.1

**límite de velocidad** *(m.)* speed limit 11.2
**limpiar** to clean 1.3
**limpio(a)** clean 3.3
**lindo(a)** pretty, lovely 12.1
**línea** line 5.2
**línea aerea** airline 6.1
**línea ecuatorial** Equator
**linterna** flashlight
**lista** list
**listo(a)** smart, clever 1.2
**literatura** literature 9.1
**litoral** *(m.)* coast
**living** (m) living room 5.1
**llamada** telephone call 11.2
**llamar** to call *(infin.)* 1.2
**llamarse** to be named, to be called 9.2
**llamas** *(pl.)* flames 6.2
**llamativo(a)** showy, flashy
**llano(a)** flat, even
**llanta** tire 11.2
**llanta de repuesto** spare tire 13.1
**llanura** flat plain
**llave** *(f.)* key 6.2
**llave maestra** *(f.)* master key
**llaves de paso** water valves 10.2
**llegada** arrival 10.2
**llegar** to arrive 2.3
**llevar** to carry; to take; to wear 1.3
**llevar a cabo** to carry out, to see through
**llevarse** to take away 9.2
**llorar** to cry
**llover (ue)** to rain 9.1
**llover a cántaros** to rain cats and dogs 11.2
**lluvia** rain 9.1
**lo siento** I'm sorry 3.2
**loco(a)** crazy 3.2
**lodo** mud
**lógicamente** logically 5.3
**lógico(a)** logical 13.3
**lograr** to get; to achieve, to attain 6.2
**logro** achievement
**lotería** lottery
**lubina** sea bass 8.2
**¡Luces, cámara, acción!** Lights, camera,
  action!
**lucha libre** wrestling 14.1
**luchar** to fight
**luego** then 8.3
**lugar** *(m.)* place 4.3
**lujoso(a)** luxurious 5.1
**lunes** *(m.)* Monday 2.3

## M

**madera** wood
**madrastra** stepmother 5.3
**madre** mother 5.3
**madrugada** dawn, day break
**madurar** to mature
**maduro(a)** ripe
**maestría** Master's degree
**maestro(a)** teacher 1.3

mágico(a) magical
maíz (m.) corn
maldición (f.) curse
maleta suitcase 12.2
malo(a) bad 1.2
mamá mom, mother PE
mamey (m.) tropical fruit 14.3
mamífero mammal
mañana / tarde / noche morning /
    afternoon / evening 2.3
    de la mañana 2.3
    en la mañana 2.3
    por la mañana 2.3
mandar to send 6.3
mandatario(a) leader
manejar to drive 5.2; to manage 14.2
maní (m.) peanut 8.1
manifestación (f.) demonstration 5.3
manifestarse to reveal onself, to protest 12.2
mano (f.) hand 13.2
mantener to maintain 13.2
mantener la calma to stay calm 10.1
mantequilla butter 8.1
manzana apple 8.1
mapa (m.) map
máquina machine 9.2
mar sea 8.3
maratón (m.) marathon 11.3
maravilloso(a) marvelous 6.1
marcado(a) marked
marcar goles to score goals 5.3
marcharse to leave 9.2
maremoto tsunami 10.1
marimba marimba (musical instrument)
    6.1
marinero sailor 8.3
marisco seafood 3.3
marítimo(a) maritime, sea
mármol (m.) marble 7.3
martes (m.) Tuesday 2.3
martillo hammer
marzo (m.) March 2.3
más more; most PE
más o menos more or less 2.2
más que more than 5.3
más vale que it's better that
masaje (m.) massage
masaje cardíaco (m.) cardiac massage 10.1
mascota pet
matar to kill 6.3
matemáticas mathematics 1.2
matemático(a) mathematician 6.1
matrícula registration 4.2
matrimonio marriage 13.1
mayo (m.) May 2.3
mayor older 4.2
mayoría majority
me to/for me 3.3
Me llamo... My name is . . . PE
mecánico(a) mechanic 6.3
medalla medal 14.2
media jornada part-time 5.3
media najaranja other half (slang)
mediano(a) medium 10.1

medianoche (f.) midnight 2.3
medicina medicine 10.1
medición (f.) measurement
médico(a) doctor 2.1
medio(a) half 5.2
medio ambiente (m.) environment 11.1
mediodía (m.) noon 2.3
mejor better 4.2
mejorar to better 12.2
mejorarse to get better
melocotón (m.) peach 8.1
melón (m.) melon 8.1
memorias memories
mencionar to mention 9.3
menor younger 4.2
menos less 1.2; minus 2.3
    menos que less than 5.3
mensaje message 5.2
mensajes de texto (m. pl.) text messages
mensualmente monthly 5.3
mentalidad abierta (f.) open mind 13.1
mentir (ie, i) to lie 6.3
mentón (m.) chin 13.2
menú (m.) menu 2.1
mercado market 4.1
mercancía merchandise 8.1
merluza hake 8.2
mes (m.) month 2.3
mesa table 5.1
mesero(a) waiter 2.1
meseta plateau
mesita coffee table, bedside table 5.1
mesoamericano(a) Middle American
mestizo(a) of mixed parentage, of white
    and Indian parentage
metáfora metaphor 10.3
metálico(a) metallic 4.2
meteorólogo(a) meteorologist 9.1
mezclar to mix, to blend
mezclilla denim 4.2
mí me (obj. de prep.) 3.3
mi my PE
mi / mis my 2.2
micro minibus 5.2
miedo fear 10.3
miembros members 9.3
miércoles (m.) Wednesday 2.3
militar military
millas cuadradas square miles 8.3
mina mine 8.1
ministro (m. f.) minister
mirador (m.) lookout point
mirar to look at, to watch (infin.)1.2
mismo(a) same 6.1; himself, herself
misterio mystery 5.2
misterioso(a) misterious 8.3
mitad (f.) half 12.2
mitología mythology
mixto(a) mixed 8.2
mochila backpack 1.1
moda style, fashion 9.1
modales (m. pl.) manners 7.1
modernidad (f.) modernness
moderno(a) modern 4.1

modestia modesty
modo manner, way, means
molestar to bother
momento moment 4.3
monasterio monastery
moneda money, coin 12.3; currency
mono(a) monkey 11.2
monótono(a) monotonous 1.3
montaña mountain 7.3
montar a caballo to ride horseback
montar en bicicleta to ride a bicycle 9.1
monte (m.) mount, mountain
montón (m.) bunch, pile, heap
moreno(a) brunet(te) 5.3
morirse (ue, u) to die 10.1
mortalidad (f.) mortality 12.2
mosquito mosquito 12.3
mostrar to show
motivado(a) motivated 4.2
motivar to motivate
mover to move 2.1
movimiento movement 13.2
mozo(a) waiter/waitress 8.2
muchacho(a) boy/girl 4.1
Mucho gusto. Pleased to meet you. PE
mucho(a) much, a lot 1.2
muda de ropa change of clothing
mudarse to move, relocate 5.1
mueble (m.) (piece of) furniture 5.1
muela wisdom tooth
muerte (f.) death
muerto dead
mujer woman 4.1
multa fine 11.2
mundo world 6.2
municipio municipality
museo museum 4.1
música music 3.2
músico (m. f.) musician 9.1
muy very 3.3
    Muy bien, gracias. ¿Y Ud.? Very well,
    thank you. And you? PE

## N

nacer to be born 6.2
nacional national 6.2
nacionalizar to nationalize
nada nothing 6.3
nadador(a) swimmer 5.3
nadar to swim (infin.) 1.2
nadie no one, nobody 6.2
naranja orange 8.1
narcotráfico drug traffic,
    narcotraffic 7.3
nariz (f.) nose 13.2
narrar to narrate
natación (f.) swimming 14.1
natural natural 8.1
naturaleza nature 7.3
Navidad Christmas 9.1
neblina fog 9.1
necesitar to need (infin.) 1.2;

**negativo(a)** negative 7.2
**negocios** business 6.2
**negro(a)** black 4.1
**nervios** nerves
**nervioso(a)** nervous 3.1
**nevar (ie)** to snow 9.1
**nevera** refrigerator 5.1
**ni siquiera** not even
**ni... ni** neither . . . nor 10.2
**nicaragüense** *(m. f.)* Nicaraguan
**nieto(a)** grandchild 5.3
**nieve** *(f.)* snow 9.1
**niñez** *(f.)* childhood
**ninguno(a)** none, not any 10.2
**niño(a)** child 3.3
**nivel** *(m.)* level
**no** no PE
**¿no?** isn't it? 1.1
**no cabe duda** no doubt
**No muy bien.** Not very well. PE
**nocturno(a)** nocturnal
**nombrar** to name 7.1
**nombre** *(m.)* name 1.1
**noreste** *(m.)* northeast 3.1
**normal** normal 5.3
**noroeste** *(m.)* northwest 3.1
**norte** *(m.)* north 3.1
**nos** to us 3.3
**nosotros(as)** we 1.2
**nota** grade 6.2
**notar** to notice 10.2
**noticias** *(pl.)* news 6.2
**novela** novel 6.2
**novelista** *(m. f.)* novelist 9.1
**noveno** ninth 10.1
**noviembre** *(m.)* November 2.3
**novio(a)** boy friend / girl friend 3.3
**nube** *(f.)* cloud 9.1
**nublado(a)** cloudy 9.1
**¡Nuestra comunidad!** Our community!
**nuestro(a) / nuestros(as)** our 2.2
**número** number 2.2
**numeroso(a)** numerous 4.2
**nunca** never 5.2

# O

**o... o** either . . . or 10.2
**objetivo** objective
**objeto** object 10.2
**obligar** to obligate 7.2
**obligatorio(a)** obligatory
**obra** work 7.1
**observar** to observe 10.1
**obsesivamente** obsessively 5.3
**obtener** to obtain, to get 11.1
**obvio(a)** obvious 13.3
**ocasión** *(f.)* occasion 11.1
**océano** ocean 11.1
**octavo** eighth 10.1
**octubre** *(m.)* October 2.3
**ocupado(a)** busy, occupied 3.1
**ocupar** to occupy

**ocurrir** to occur 6.2
**odiar** to hate 7.1
**oeste** *(m.)* west 3.1
**oferta** offer
**oficina** office 2.1
**ofrecer** to offer 13.3
**ofrenda** offering
**oído** inner ear 13.2
**oír** to hear 7.1
**ojo** eye 13.2
**¡Ojo!** Watch out!
**ola** wave
**óleo** oil (painting) 7.3
**Olimpiadas** Olympics 14.1
**olímpico(a)** olympic 14.2
**olvidar** to forget 11.3
**ómnibus** *(m.)* bus
**opción** *(f.)* option 12.1
**operarse** to undergo surgery 13.3
**oportunidad** *(f.)* opportunity 10.2
**opositor(a)** opponent; candidate
**oprimir** to press 11.2
**optimista** *(m. f.)* optimist
**opuesto(a)** opposite
**oración** *(f.)* sentence 10.3
**orden** *(m.)* order 14.3
**orden cronológico** *(m.)* chronological order
**ordinario(a)** ordinary
**oreja** outer ear 13.2
**organizado(a)** organized 1.2
**organizador(a)** organizer 14.1
**organizar** to organize 3.2
**orgulloso(a)** proud 11.1
**original** original 4.1
**oro** gold 7.3
**orquídea** orchid
**ortografía** spelling
**oscuro(a)** dark 4.1
**osito de peluche** teddy bear 5.3
**otoño** fall 2.3
**otra vez** again 12.1
**otro(a)** other, another 6.1
**oxígeno** oxygen 10.2

# P

**paciencia** patience 5.3
**paciente** patient 1.1
**padrastro** stepfather 5.3
**padre** father 5.3
**pagar** to pay *(infin.)* 1.2
**pagos de hipoteca** mortgage payments 13.3
**país** *(m.)* country 1.1
    **país de origen** country of origin 1.1
**paisa** person from Medellín, Colombia 7.3
**pájaro** bird 11.1
**palabra** word
**palacio** palace 4.1
**palma** palm
**palpitante** palpitating, throbbing 4.1
**palta** avocado 8.1
**pan** *(m.)* bread 8.1

**panadería** bakery 9.3
**panameño(a)** Panamanian
**pantalla** screen 11.2
**pantalones** *(m.)* pants, trousers 4.2
**papá** dad, father PE
**papa** potato 8.1
**papel** *(m.)* paper 1.1
**paquete** *(m.)* package 5.2
**papelera** wastepaper basket 9.2
**papelería** stationery store, bookstore 9.3
**paquete** *(m.)* package 10.1
**par** *(m.)* pair 13.1
**para** for, (in order) to 5.1; compared with, in relation to others, intended for, to be given to, in the direction of, toward, by a specified time, in one's opinion 5.2
**para que** so that 14.3
**parada del colectivo** bus stop 5.1
**paraguas** *(m.)* umbrella 11.2
**paraguayo(a)** Paraguayan
**paraíso** paradise
**parecer** to seem like, to appear like 4.3
**parecido(a)** similar 13.2
**pareja** partner, couple 5.3
**pariente** *(m.)* relative 5.3
**parque** park 4.1
**parte** *(f.)* part 7.1
**participante** *(m. f.)* participant 7.1
**participar** to participate 5.3
**partido** game (competitive) 6.2
**pasaporte** *(m.)* passport
**pasar el rato** to pass the time 5.2
**pasar frío/calor** to experience cold/hot temperatures 5.3
**pasar** to pass, to spend (time) 5.2; to occur, happen 6.3
**pasatiempo** pastime, amusement 1.2
**Pascua Florida** Easter 9.1
**pasear** to go for a walk or ride 1.2
**paseo** walk 8.3
**pasillo** hall, hallway 10.1
**pasión** *(f.)* passion 10.3
**paso** step 8.3
**pasodoble** *(m.)* Spanish dance; march step 3.2
**pastel** *(m.)* cake, pie 8.1
**pastelería** pastry shop 5.2
**pastilla** pill
**patata** potato 3.2
**patear** to kick 14.1
**patinador(a)** skater 5.3
**patio** patio 1.3
**patrón** *(m.)* pattern
**patrón (patrona)** boss; patron
**patrones de entonación** patterns of intonation
**pavo** turkey 8.1
**paz** *(f.)* peace 6.1
**pecho** chest 13.2
**pedir (i, i)** to ask for 3.2
**pedir la mano** to ask for one's hand in marriage
**pegar** to hit 10.2

**pegar un tiro** to shoot, to fire a shot
**peinarse** to comb one's hair 9.2
**pelea** fight 14.1
**peleando** fighting 5.3
**película** movie 1.3
    **película de aventura** action and adventure 3.3
    **película de ciencia ficción** science fiction 3.3
    **película de terror** horror 3.3
**peligro** danger 10.1
**peligroso(a)** dangerous 13.3
**pelota** ball 14.1
**pena de muerte** death penalty
**pendiente** *(m.)* pendant, pin 4.2
**pensamiento** thought
**pensar** (ie) to think 4.1
**peor** worse 4.2
**pequeño(a)** small, short, little 1.2
**percibir** to perceive
**perder** (ie) to lose 4.1
**pérdida** loss
**perdido(a)** lost 4.3
**perdón** pardon, sorry 1.1
**perdurar** to last
**perezoso(a)** lazy 1.1
**perfil** *(m.)* profile 7.1
**perfume** *(m.)* perfume 8.3
**perfumería** perfume store 9.3
**periódico** newspaper 2.1
**perla** pearl 14.1
**permanecer** to stay, to remain 9.1
**permanencia** permanence, stay, residence
**permitir** to allow 7.2
**pero** but 1.1
**perro(a)** dog 5.1
**perseguir** (i,i) to pursue 10.3
**persona** person 2.1
**personaje** *(m.)* character (in a novel) 7.3
**personal** personal 7.3
**personalidad** *(f.)* personality 1.1
**personalmente** personally 7.1
**pertenecer** to belong 9.3
**pesado(a)** heavy 12.3
**pesca** fishing, catch, haul
**pescado** fish 7.2
**pésimo(a)** dreadful, terrible 14.3
**peso** currency of Argentina, Chile, Colombia, Cuba, Mexico
**petróleo** oil 6.2
**pez** *(m.)* (live) fish 9.3
**piedra** stone, rock
**piel** *(f.)* leather 4.2
**pierna** leg 13.2
**pies** *(m. pl.)* feet 7.1
**pijamas** *(m.)* pajamas 4.2
**pileta** swimming pool 5.1
**pimienta** pepper 8.2
**piña** pineapple 8.1
**pinchar(se)** to puncture, to get a flat tire 11.2
**pintor(a)** painter 7.3
**pintura** painting 9.1
**pintura flamenca** Flemish painting 7.3
**pionero(a)** pioneer

**pipa** pipe 8.3
**pirámide** *(f.)* pyramid
**pisar** to step on
**piscina** swimming pool 5.1
**pisco** alcoholic drink made from muscatel grapes 8.1
**piso** apartment 3.2; floor (of a building) 9.3
**pistas del contexto** context clues
**pistola** gun 10.3
**pizza** pizza 3.2
**placer** pleasure 10.2
**plaga** plague
**planeta** *(m.)* planet 4.3
**planicie** *(f.)* plain, level ground
**planta** plant 9.3
**planta baja** lower level; lower floor 1.3
**plantar** to plant 11.3
**plástico** plastic 5.1
**plata** silver 4.2
**plátano** banana 8.1
**platito** small plate or dish 3.2
**plato** plate 1.3
**plato principal** main dish 8.2
**playa** beach 3.3
**plaza** plaza, town square 4.1
**plenamente** completely, fully
**población** *(f.)* population 8.3
**poblado(a)** populated 8.3
**pobreza** poverty 12.2
**poco** little 9.1
**poder** *(m.)* power 14.3
**poder** (ue) to be able, to can *(infin.)* 1.2
**poderoso(a)** powerful 14.3
**poesía** poetry
**poeta** *(m. f.)* poet 9.1
**policía** *(f.)* police force; policewoman; *(m.)* policeman 2.1
**política** politics 3.3
**político(a)** political 9.1
**pólizas de seguro** insurance policies
**pollo** chicken 8.1
**poncho** cloak, square piece of fabric with opening for the head 8.1
**poner** to put 7.1
**ponerse** to put on, to wear 9.2
**popular** popular 1.2
**por** for, by, through 5.1; along, because of, by means of, during, in, for a period of time, in exchange for, in place of, 5.2
**por ciento** percent
**por desgracia** unfortunately
**por ejemplo** for example
**por favor** please 8.2
**por fin** finally 6.2
**por lo menos** at least
**¿Por qué?** Why? 2.2
**¿Por qué no conversamos?** Why not converse?
**por suerte** luckily 10.2
**porcentaje** *(m.)* percentage
**porotos** *(m. pl.)* beans 8.1
**porotos verdes** *(m. pl.)* string beans 8.1
**porque** because 5.2
**portada** front page

**portero(a)** janitor 2.1
**portugués (portuguesa)** Portuguese
**postal** *(f.)* postcard 11.3
**poste** *(m.)* post
**posteriormente** subsequently, later
**postre** *(m.)* dessert 7.2
**potable** drinkable
**potenciar** to increase the power of 12.2
**poza** large puddle, pool
**práctica** practice 5.3
**prácticamente** practically 5.3
**practicar** to practice 1.3
**precio** price 4.2
**precioso(a)** precious 4.3
**precisamente** precisely 5.3
**precisar** to be precise
**precolombino(a)** pre-Columbian 12.1
**predecir** to predict, to anticipate
**preferencia** preference
**preferible** preferable 5.2
**preferido(a)** preferred 1.1
**preferir** (ie) to prefer 4.1
**pregunta** question 2.2
**preguntar** to ask (a question) 1.3
**prejuicio** prejudice 6.2
**premio** prize 6.1
**prenda** garment, article (of clothing) 4.2
**prensa** press
**preocupación** *(f.)* worry, concern
**preocupado(a)** preoccupied, worried 3.1
**preocupar** to worry 5.3
**preocuparse** to worry 9.3
**preparar** to prepare *(infin.)* 1.2;
**presentación** *(f.)* presentation 6.2; introduction
**presentar** to introduce someone or something PE
**presidencia** presidency 6.2
**presidente(a)** president 6.1
**presión** *(f.)* pressure
**presión alta** *(f.)* high blood pressure 13.3
**préstamo** loan 4.2
**prestar** to lend 10.3
**presupuesto** budget 12.2
**prevenir** to anticipate, to prepare, to get ready
**previo(a)** previous
**primaria** elementary school 11.1
**primavera** spring 2.3
**primer** first 8.3
**primer piso** first floor 1.3
**primer(o)** first 10.1
**primera plana** front page 6.2
**primero(a)** first 6.2
**primeros auxilios** *(m. pl.)* first aid 10.1
**primitivista** primitive or naïve art, characterized by vivid colors and simple figures 10.2
**primitivo(a)** primitive
**primo(a)** cousin 5.3
**principal** main 6.2

**principio** beginning 3.1
**prioridad** priority
**privado(a)** private 1.3
**probablemente** probably 4.3
**probar** to try, to taste 8.2
**problema** (*m.*) problem 7.2
**producir** to produce 10.2
**productivo(a)** productive 4.3
**producto** product 7.3
**Producto Interior Bruto** GDP, Gross Domestic Product
**profesión** (*f.*) profession 2.1
**profesional** professional 14.2
**profesor(a)** professor PE
**profundamente** profoundly 5.3
**programa** (*m.*) program 1.3
**prohibido(a)** banned, prohibited 3.3
**prohibir** to prohibit, to forbid
**promesa** promise
**prometer** to promise 7.1
**pronóstico** forecast 9.1
**¡Pronto!** Right away!, Hurry! 4.3
**propaganda** propaganda 14.2
**propiedad** (*f.*) property 12.1
**propina** tip 8.3
**propio(a)** own, one's own
**proponer** to propose
**proporcionado(a)** proportionate
**proporcionar** to provide 10.1
**propósito** purpose, intent 7.2
**propuesta** proposal
**protagonista** (*m. f.*) protagonist 6.3
**protegerse** to protect oneself
**protestar** to protest 5.3
**proveniente** proceeding, coming from
**proverbio** proverb
**próximo(a)** next 12.1
**proyectar** to project 7.2
**proyecto** project
**prudente** prudent 12.3
**público(a)** public 1.3
**pueblo** village, town
**puente** (*m.*) bridge
**puerta** door 2.1
**puerto** port, harbor
**puesto** position, job 2.1
**pulga** flea
**pulir** to polish
**pulmones** (*m. pl.*) lungs 13.2
**pulpo** octopus 8.1
**pulsera** bracelet 4.2
**punto** point 7.2
**punto de vista** point of view
**puntuación** (*f.*) punctuation
**puntual** punctual 7.1
**purificar** to purify 12.3
**puro(a)** pure

## Q

**¿Qué?** What? 2.2
**quedarse** to stay, to remain 10.1

**quehaceres** (*m. pl.*) chores, tasks 11.1
**¿Qué hora es?** What time is it? 2.3
**quejarse** to complain 12.1
**quemar** to burn 6.2
**quemar calorías** to burn up calories 5.3
**queque** (*m.*) cake 8.1
**¡Qué pena!** What a shame! 5.2
**querer** (ie) to want 4.1
**querido(a)** dear (salutation in a letter)
**¿Qué se dice...?** What does one say to . . . ?
**queso** cheese 3.2
**queso manchego** cheese (from La Mancha region) 3.2
**¡Qué suerte!** What luck! 5.2
**¿Qué tal?** How are you? PE
**¿Qué tiempo hace?** What's the weather like? 9.1
**quetzal** (*m.*) Guatemalan currency, bird
**¿Quién(es)?** Who? 2.2
**química** chemistry 1.2
**quinto** fifth 10.1
**quitarse** to take off 9.2

## R

**rábano** radish 8.1
**racial** racial 6.2
**radio** (*f.*) radio 1.2
**ramo** bouquet (of flowers) 8.1
**rápido(a)** rapid, fast 4.2
**rápidos** rapids (of a river)
**raramente** rarely 5.3
**raro(a)** strange, rare
**rascacielo** skyscraper
**rasgo** charateristic, feature
**rayas** lines, marks
**rayón** (*m.*) rayon 4.2
**raza** race
**reacción** (*f.*) reaction
**reaccionar** to react 5.3
**realidad** (*f.*) reality
**realizar** to carry out
**reanimar** to revive 10.1
**reaparecer** to reappear 9.1
**rebaja** sale, discount 6.2
**rebozo** Mexican shawl 4.1
**receta** recipe 3.2; prescription
**recetar** to prescribe 2.1
**recibir** to receive 2.1
**recién** (*adv.*) just, recently, newly 6.2
**reciente** recent 10.1
**recital** (*m.*) recital 4.3
**reclamar** to claim, to demand
**reclutar** to recruit 14.2
**recoger** to pick up, gather 7.1
**recomendar** (ie) to recommend 8.2
**reconocer** to recognize
**reconocido(a)** recognized, known 7.3
**reconocimiento** recognition 10.3
**recordar** to remember
**recorrer distancias** to cover a lot of ground 5.3
**recorrer** to travel; to look around 2.1
**recorrido** journey, route

**recrear** to recreate
**rector** (*m.*) university president 14.2
**recuerdos** souvenirs 4.3; memories
**recursos humanos** human resources
**red** (*f.*) system, network 5.2; net 14.1
**redactar** to write, to draft
**redistribuir** to redistribute
**redondear** to round off
**reducir** to reduce 12.2
**reemplazar** to replace
**referirse** to refer to, to mention
**refinería** refinery 6.2
**reforma** reform 6.2
**refrán** (*m.*) saying 14.3
**refrescante** refreshing
**refresco** soft drink 1.3
**refugio** refuge
**regalar** to give a gift 8.1
**regalo** gift 4.2
**regar** to water (a lawn)
**regatear** to bargain
**región** (*f.*) region 12.1
**regla** rule
**regresar** to return 2.3
**reina** queen 7.2
**reino** kingdom
**reinterpretar** to reinterpret 12.2
**reír** laugh 7.2
**relación** (*f.*) relationship 7.3
**relacionado(a)** related 5.3
**relacionar** to relate, to report
**relaciones internacionales** (*f. pl.*) international relations
**relajado(a)** relaxed
**relajarse** to relax 13.2
**relatar** to relate, to tell
**religioso(a)** religious 12.2
**rellenar** to refill, to fill out
**reloj** (*m.*) watch; clock
**remoto(a)** remote
**remuneración** (*f.*) pay (for a service) 14.3
**reñir** to argue, to quarrel; to scold
**rentable** profitable 12.3
**renunciar** to renounce, to give up
**reparar** to repair 6.3
**repartido(a)** divided, distributed
**repelente** (*m.*) repellent 12.3
**repetir** (i, i) to repeat 7.2
**repleto(a)** replete, full 8.3
**reporte** (*m.*) report 2.1
**reportero(a)** reporter 2.3
**representante** representative 6.1
**representar** to represent 2.1
**reptil** (*m.*) reptile 11.1
**requisito** requirement
**rescatar** to rescue
**reservación** (*f.*) reservation 10.2
**reservar** to reserve 12.1
**residencia** residence 5.1
**resolver** to resolve 7.3
**respetar** to respect 7.1
**respeto** respect 10.3
**respetuoso(a)** respectful 12.3
**respiración artificial** (*f.*) artificial

respiration 10.1
**respirar** to breathe 10.1
**respiratorio** respiratory 13.3
**responder** to respond, to answer 6.3
**responsabilidad** *(f.)* responsibility 2.1
**responsable** responsible 2.1
**respuesta** *(f.)* answer PE
**restaurado(a)** restored
**restaurante** *(m.)* restaurant 1.2
**restaurar** to restore
**resto** rest, remaining 6.2
**restos** *(m. pl.)* remains 12.1
**resultado** result 6.3
**resumen** *(m.)* summary
**retirar** to withdrawal
**retraso** delay 11.2
**retrato** portrait 4.1
**reunión** *(f.)* meeting, reunion
**reunirse** to get together, to reunite 10.1
**revelar** to reveal, develop 7.2
**reventarse** to blow up 11.2
**revista** magazine 6.2
**revolucionario(a)** revolutionary
**revuelto(a)** scrambled 8.2
**rey** *(m.)* king 7.2
**reyneta** angel fish 8.2
**rico(a)** rich; delicious 3.3
**riesgo** hazard, risk 10.1
**rígido(a)** rigid 13.3
**río** river
**riqueza** richness, wealth 8.1
**ritmo** rhythm 10.3
**rizado(a)** curly 3.3
**robar** to rob, steal 6.2
**roca** rock 12.3
**rodaje** *(m.)* filming
**rodear** to go around; to surround
**rodilla** knee 13.2
**rogar** to beg, plead 6.2; to pray
**rojo(a)** red 4.1
**romántico(a)** romantic 1.1
**romperse** to break, shatter 10.1
**ropa** clothes 1.3
**ropero** closet 5.1
**rosado** pink 4.1
**rubio(a)** blond(e) 3.3
**ruido** noise 6.2
**ruina** ruin 4.3
**rumbo** direction, course
**ruta** route 5.2
**rutina** routine 9.2

# S

**sábado** *(m.)* Saturday 2.3
**saber** to know (facts) *infin.* 1.2
**¿Sabías que...?** Did you know that . . . ?
**sabiduría** knowledge
**sabor** *(m.)* taste
**sabroso(a)** savory, delicious 4.2
**sacar buenas notas** to obtain good grades 13.1

**sacar fotos** to take pictures 8.1
**sacar** to take out (your dog), to earn (a grade) 11.2
**sacerdote** *(m.)* priest
**sagrado(a)** sacred
**sal** *(f.)* salt 7.3
**sala** living room 3.2
**sala de espera** waiting room
**sala de los profesores** teachers' lounge 2.1
**salario** salary 2.2
**salchicha** sausage 8.1
**salida** exit 5.2; departure
**salir** to leave 2.1
**salirse** to leave unexpectedly 9.2
**salmón** *(m.)* salmon 8.1
**salón** *(m.)* lounge, living room 3.2
**saltar** to jump 13.2
**salto de altura** high jump 14.1
**salud** *(f.)* health 12.2
**salud materna** *(f.)* maternal health 12.2
**saludable** healthy 14.1
**saludar** to greet 3.2
**saludo** greeting PE
**salvavidas** *(m. pl.)* life preserver 10.1; *(m. f.)* lifeguard, lifesaver 14.1
**salvo** except 10.1
**sanción** *(f.)* sanction 14.1
**sandinistas** Nicaraguan revolutionary group 10.3
**sangría** a fruity Spanish wine drink 3.2
**sano(a)** healthy 3.3
**santuario** temple, sanctuary
**satisfacer** to satisfy 13.3
**sección** *(f.)* section 6.2
**secretario(a)** secretary 2.1
**sed** *(f.)* thirst 4.3
**seda** silk 4.2
**sede** *(f.)* seat (of an organization), headquarters
**seguir** (i, i) to continue 7.2
**según** according to 7.2
**segundo** second 10.1
**segundo piso** second floor 1.3
**asegurar** to assure
**seguridad** *(f.)* security 2.1
**seguro de salud** health insurance 13.3
**seguro escolar** school insurance 13.3
**seguro** insurance 14.3
**seguro(a)** sure, secure, safe 7.2
**seleccionar** to select 3.2
**selva** jungle 7.2
**semilla** seed
**señor (Sr.)** Mr. 1.1
**señora (Sra** Mrs. 1.1
**señorita (Srta.)** miss 1.1
**sensible** sensitive
**sentado(a)** seated
**sentarse (ie)** to sit down 9.2
**sentencia** sentence 2.1
**sentido común** common sense
**sentido del humor** sense of humor
**sentimiento** sentiment 7.3
**sentirse (ie, i)** to feel 9.2
**septiembre** *(m.)* September 2.3

**séptimo** seventh 10.1
**ser** to be 1.1
**ser una pena** to be a shame 13.3
**serie** *(f.)* series
**serio(a)** serious 1.1
**serpiente** serpent
**servicio** service 12.2
**servicios de emergencia/urgencia** *(m. pl.)* emergency services 10.1
**servilleta** napkin 8.2
**servir (i, i)** to serve 7.2; to be good for 13.2
**sevillana** flamenco dance 3.1
**sexto** sixth 10.1
**si así es** if so 10.2
**sí** yes PE
**si...** if . . . 1.3
**SIDA** *(m.)* AIDS 12.2
**siempre** always 5.2
**sierra** mountain range 12.3
**siesta** afternoon nap 3.3
**siglo** century 12.2
**significado** meaning
**significar** to signify, mean 7.2
**siguiente** next, following 7.1
**silenciosamante** silently 5.3
**silla** *(f.)* chair 5.1
**silvestre** wild
**símbolo** symbol
**simpático(a)** nice, pleasant, likable 1.1
**simplemente** simply 5.1
**simultáneo(a)** simultaneous
**sin duda** without a doubt 12.2
**sin embargo** nevertheless
**sin que** without, unless 14.3
**sin razón** wrong 11.2
**sin** without 5.1
**sincero(a)** sincere 1.1
**sirena** siren 11.2
**sistema** *(m.)* system
**sitio** site 12.1
**situación** *(f.)* situation 7.3
**situado(a)** located 12.3
**sobornar** to bribe, corrupt 6.3
**sobre** over, on top of, about 5.1
**sobrepasar** to surpass
**sobrevivir** survive 4.3
**sobrino(a)** nephew (niece) 5.3
**sociable** outgoing, friendly 1.1
**social** social 6.2
**socialista** *(m. f.)* socialist
**socializado(a)** socialized 14.3
**sociedad** *(f.)* society 5.3
**socio** *(m. f.)* member 13.1
**sociología** sociology
**soda** carbonated beverage 9.3
**sofocar** to smother, to put out 10.1
**sol** *(m.)* sun
**soldado** soldier
**soledad** *(f.)* solitude, loneliness
**soler** to be in the habit of
**solicitar** to solicit, to ask for 14.2
**solidaridad** *(f.)* solidarity
**sólido(a)** solid 12.3

**solo** only 5.2
**solo(a)** alone 12.1
**solsticio** solstice 12.3
**solución** (*f.*) solution 7.2
**solucionar** to solve 9.3
**sombrero** hat 4.2
**sonar** (ue) to ring 11.2
**sonido** sound 11.2
**sonreír** smile 7.2
**sopa** (*f.*) soup 5.1
**soportar** to support, to hold up; to endure
**sorprender** to surprise 6.2
**sorpresa** surprise 8.1
**sospechoso(a)** suspicious 10.2
**sostener** to support, to hold up
**sostenibilidad** (*f.*) sustainability 12.2
**sostenible** sustainable 8.3
**soy** I am PE
**su / sus** your (*fml./pl.*); their 2.2
**su / sus** your (*fml./s.*); his/her 2.2
**suave** soft, gentle, mild 8.3
**subir** to go up, climb 4.3; to raise 13.2
**subte** (*m.*) underground, metro 5.2
**subterráneo** (*m.*) underground, metro 5.2
**sucio(a)** dirty 3.3
**sudar** to sweat, perspire 9.1
**sueldo** salary 14.3
**suelo** floor 10.1
**sueño** dream 13.1
**suerte** (*f.*) luck 6.2
**suéter** (*m.*) sweater 4.2
**suficiente** sufficient, enough 7.2
**sufrir** to suffer 4.3
**sugerir** to suggest 10.1
**suicidarse** to commit suicide
**sujetar** to fasten 12.3
**sumamente** extremely, highly
**sumar** to sum up, add 7.2
**sumergirse** to submerge oneself
**superar** to surpass, to exceed
**superficie** (*f.*) surface 14.2
**supermercado** supermarket 1.3
**superresponsable** superresponsible 5.2
**sur** (*m.*) south 3.1
**sureste** (*m.*) southeast 3.1
**suroeste** (*m.*) southwest 3.1
**sustraer (substraer)** to remove, take away 6.2

# T

**tabaquería** tobacco store 9.3
**tajo** ravine, gorge
**talentoso(a)** talented 1.1
**tallar** to carve
**talón** (*m.*) heel
**tamaño** size 11.1
**también** also 1.1
**tambo** barrel 6.2
**tampoco** neither 6.2
**tan pronto como** as soon as 14.3
**tan...como** as . . . as 4.2
**tanque** (*m.*) tank

**tanto como** as much as 4.2
**tanto(a)** so much 2.1; as much 5.3
**tantos(as)** as many 5.3
**tantos...como** as many as 4.2
**tapas** (*f.*) appetizers, hors d'oeuvre 3.2
**taquillera** box office hit 3.3
**tarde** late 5.2
**tarea** homework; job; task 1.3
**tarjeta de crédito** credit card 2.2
**tasa de mortalidad** mortality rate
**taxi** taxi 5.2
**taza** cup 4.3
**té** (*m.*) tea 4.3
**Te presento a...** I'd like you to meet . . . (familiar) PE
**te** to/for you (*s. fam.*) 3.3
**¡Excelente!** Excellent! PE
**teatro** theater 1.3
**techo** roof; ceiling
**teclas** (*f. pl.*) keys 11.2
**tela** cloth
**tele** (*m.*) television (slang) 1.3
**teléfono** telephone 1.2
    **teléfono celular** cellular phone 2.2
**telenovela** soap opera 6.3
**televidente** (*m. f.*) T.V. viewer
**televisión** (*f.*) television 1.2
    **televisión por cable** cable TV 4.2
**televisor** (*m.*) TV set 5.1
**tema** (*m.*) topic 8.3
**temblar** to shiver 9.1
**temer** to fear 13.3
**temperatura** temperature 4.3
**templado(a)** moderate 8.3
**templo** temple
**temporada** season; period, time
**temprano** early 5.2
**tenedor** (*m.*) fork 8.2
**tener calor** to be hot 4.3
**tener en cuenta** to keep in mind
**tener éxito** to succeed 4.3
**tener frío** to be cold 4.3
**tener ganas de** to feel like 4.3
**tener hambre** to be hungry 4.3
**tener la culpa** to be at fault, to be to blame 10.2
**tener lugar** to take place 2.3
**tener miedo de** to be afraid of 4.3
**tener prisa** to be in a hurry 4.3
**tener que** to have to 4.3
**tener razón** to be right 4.3
**tener sed** to be thirsty 4.3
**tener sueño** to be sleepy 4.3
**tener suerte** to be lucky 4.3
**tener** to have 2.1
**tener... años** to be . . . years old 4.3
**tenis** (*m.*) tennis 1.1
**tenista** (*m. f.*) tennis player 5.3
**teología** theology
**tercer(o)** third 10.1
**termal** thermal
**terminal** terminal 5.2
**terminar** to finish 4.3
**terraza** flat roof, terrace 3.2

**terremoto** earthquake 6.1
**terrible** terrible 4.1
**¡Terrible!** Terrible! PE
**tesis** (*f.*) thesis 6.2
**tesorero(a)** treasurer 14.2
**testigo** (*m. f.*) witness 6.3
**testimonio** testimony 6.3
**ticos** Costa Ricans
**tiempo** weather 9.1
**tienda de ropa** clothing store 2.2
**tierra** soil 12.1; earth, land
**tímido(a)** shy 1.1
**tinto** red wine 3.3: strong Colombian coffee with sugar 7.1
**tío(a)** uncle (aunt) 5.3
**típico(a)** typical 4.2
**tipo** type 2.2
**tira cómica** comic strip 5.3
**tirar la pelota** to pitch a ball 14.2
**tirarse** to throw oneself
**titularse** to get a degree 13.2
**título** title 3.3
**toalla** towel 10.1
**tobillo** ankle 13.2
**tocar** to play (an instrument); to touch 1.3; to knock (at a door), to ring (a door bell) 9.3
**todavía** still 7.3
**todo el mundo** everyone 1.2
**todo(a)** all, everything 4.1
**todos los días** every day 5.2
**todos(as)** everyone, everybody 3.1
**tomar la orden** to take an order (at a restaurant) 2.1
**tomar** to drink; to take (*infin.*) 1.2
**tomar turnos** to take turns
**tomar un descanso** to take a break 13.2
**tomate** (*m.*) tomato 8.1
**tonificar** to tone, to strengthen 13.2
**torero(a)** bullfighter 3.1
**tormentoso(a)** stormy, turbulent 4.2
**tornado** tornado 10.1
**toro** bull 3.1
**torpe** clumsy 1.2
**torre** (*f.*) tower
**torta** sandwich 4.3; cake 5.2
**tortilla española** Spanish potato omelette 3.2
**tortuga** turtle 11.1
**tortura** torture
**totalmente** totally 5.3
**toxicología** toxicology 10.1
**trabajador(a)** hardworking 1.1
**trabajar** to work 1.2
**trabajo** work 2.2
**traducir** to translate 10.2
**traer** to bring 7.1
**tráfico** traffic 3.3
**tragedia** tragedy
**traje** (*m.*) suit, outfit
**tranquilizarse** to calm down, relax 11.2
**tranquilo(a)** quiet, calm 3.1
**transbordador espacial** (*m.*) space ship 11.3
**transeúnte** (*m. f.*) passerby, transient
**transformación** transformation 11.3

**transformarse** to transform oneself 11.3
**transladado(a)** transferred, moved
   residence
**transparente** transparent 8.3
**transporte** (*m.*) transport 11.3
**tras** after; behind
**trasbordador** (*m.*) ferry 8.3
**trasero(a)** back, rear 6.2
**tratar de** to try 10.2
**traumático(a)** traumatic
**trayecto** trajectory 8.3
**tren** (*m.*) train 4.3
**tribunal** (*m.*) court, tribunal 2.1
**triste** sad 3.1
**trompeta** trumpet 11.1
**trozo** piece 7.2
**tu / tus** your (*fam./s.*) 2.2
**tú** you (*fam.*) 1.1
**tumba** grave, tomb
**turismo** tourism 8.3
**turístico(a)** tourist 10.2
**turnarse** to take turns 9.2

# U

**último(a)** last, final 2.3
**un poco** a little, a small amount 3.2
**UNAM** National Autonomous University
   of Mexico
**unido(a)** united 11.1
**uniforme** uniform 14.3
**unir** to unite, to combine
**universal** universal 12.2
**universidad** university 1.2
**urbano(a)** urban 1.3
**urbe** (*f.*) large city, metropolis
**urgente** urgent 13.1
**uruguayo(a)** Uruguayan
**usar** to use 1.2
**usted** you (formal) 1.1
**ustedes** you (pl.) 1.2
**útil** useful 12.2
**útiles de limpieza** (*m. pl.*) cleaning
   materials 11.2
**utilizar** to utilize, to use
**utópico(a)** utopian
**uva** grape

# V

**vacaciones** vacation 5.2
**valer la pena** to be worth while 8.2
**valer** to be worth 12.2
**válido(a)** valid
**valioso(a)** valuable
**valor** (*m.*) value 6.2
**valorar** to value 8.3
**variado(a)** varied; assorted 1.3
**variar** to vary
**variedad** (*f.*) variety 11.1
**varios(as)** various, several 1.3
**varón** (*m.*) male 5.3
**vaso** glass 9.2
**vecino(a)** neighbor 10.1
**vegetariano(a)** vegetarian 7.2
**vela** candle 7.1
**velocidad** (*f.*) velocity, speed
**vender** to sell 2.1
**venerar** to venerate, to revere
**venezolano(a)** Venezuelan
**venir** to come 2.1
**venta** sale 6.2
**ventaja** advantage
**ventana** window 3.2
**ver** to see 3.3
**verano** summer 2.3
**verdad** (*f.*) truth 5.3
**verde** green 4.1
**verdura** vegetable 8.1
**veredicto** verdict 6.3
**verificar** to verify 10.1
**verso** a line of a poem 10.3
**vesícula** gall bladder 13.2
**vestido** dress 4.1
**vestidor** walk-in closet 5.1
**vestir** to dress 7.2
**vestirse (i, i)** to dress oneself, to get
   dressed 9.2
**veterinario(a)** veterinarian 2.1
**vez** (*f.*) time, instance 4.1
**viajar** to travel 2.3
**viaje** trip (*m.*) 6.1
**viajero(a)** traveler
**víctima** (*m. f.*) victim 6.3
**victoria** victory
**vida** life 6.2

**videojuego** video game 11.1
**viejo(a)** old 5.1
**viernes** (*m.*) Friday 2.3
**vigilar** to watch over, to guard
**viñedo** vineyard 8.3
**vino** wine 3.2
**vino blanco** white wine 8.1
**vino espumoso** sparkling wine 8.2
**vino rosado** rosé wine 8.2
**vino tinto** red wine 8.1
**violencia** violence 6.3
**violento(a)** violent 14.1
**visibilidad** (*f.*) visibility
**visitar** to visit 2.1
**vista** view 4.3
**vivienda** housing, dwelling 12.1
**vivir** to live 2.1
**volar** (ue) to fly 4.1
**volcán** (*m.*) volcan 6.1
**voleibol** (*m.*) volleyball
**voluntario(a)** volunteer 2.1
**volver** (ue) to return 4.1
**vos** you 5.1
**voseo** use of vos and its verb forms in
   addressing someone
**votar** to vote
**voz** (*f.*) voice 6.2
**vuelo** flight 6.1

# Y

**y** and 1.1: plus 2.3
**yo** I 1.1
**Yo soy...** I am . . . PE

# Z

**zambullirse** to dive 10.3
**zanahoria** carrot 8.1
**zapateo** heel-tapping 8.3
**zapatería** shoe store 9.3
**zapatilla** slipper 8.2
**zapato** shoe 4.2
**zona sísmica** earthquake zone 10.1
**zoológico** zoo 11.3

# English-Spanish Vocabulary

This vocabulary includes all the words listed as active and passive vocabulary in *¡Dímelo tú!*

Stem-changing verbs appear with the change in parentheses after the infinitive: **(ie), (ue), (i), (e, i), (ie, i), (ue, u),** or **(i, i).** Most cognates, conjugated verb forms, and proper nouns used as passive vocabulary in the text are not included in this glossary.

The following abbreviations are used:

*adj.* adjective *n.* noun
*adv.* adverb *pl.* plural
*conj.* conjunction *pp.* past participle
*dem.* demonstrative *poss.* possessive

*dir. obj.* direct object *prep.* preposition
*f.* feminine *pron.* pronoun
*fam.* familiar *refl.* reflexive
*form.* formal *rel.* relative

*indir. obj.* indirect object *s.* singular
*interj.* interjection *subj.* subject
*m.* masculine *v.* verb

## A

**a** 5.1
**a fruity Spanish wine drink** sangría 3.2
**a line of a poem** verso 10.3
**a little, a small amount** un poco 3.2
**abandon** abandonar
**about** acerca de
**above** arriba 12.1
**absence** ausencia
**abstract** abstracto(a) 7.3
**abundant** abundante 4.2
**abuse, take advantage** abusar 7.2
**access** acceso 13.3
**accident** accidente 5.3
**accompany** acompañar 7.1
**according to** según 7.2
**accounting** contabilidad 1.2
**acculturation** aculturación *(f.)* 9.1
**accuse** acusar 6.3
**accused** acusado(a) 6.3
**accustomed** acostumbrado(a)
**achieve** lograr 6.2
**achievement** logro
**acquire, to buy** adquirir 10.3
**acre** acre *(m.)*
**acrylic** acrílico 7.3
**act** actuar
**action and adventure (movie)** película de aventuras 3.3
**active** activo(a) 1.1
**activist** activista
**activity** actividad *(f.)* 1.1
**actor** actor *(m.)* 2.1
**actress** actriz *(f.)* 2.1
**actually** en efecto
**add** añadir
**address** dirección *(f.)*
**adept** adepto(a)
**administer** administrar 13.1
**administration** administración *(f.)* 4.1
**admire** admirar 7.1
**admit** admitir 5.3
**adolescent** adolescente *(m. f.)* 2.1

**adore** adorar 7.1
**advantage** ventaja
**advertisement** anuncio 6.3
**advice** consejo 7.2
**advisable** aconsejable 10.1
**advise** aconsejar 10.1
**advisor** consejero(a) 13.3
**aerobics** aeróbicos
**affect** afectar 9.1
**affirm** afirmar
**affirmation** afirmación *(f.)*
**afflicted** aquejado(a)
**African** africano(a)
**after** después de 5.1, después (de) que 14.3
**after; behind** tras
**afternoon** tarde 2.3
**afternoon nap** siesta 3.3
**again** otra vez 12.1
**against** contra 11.1
**aggresive** agresivo(a) 4.2
**aggressiveness** agresividad *(f.)*
**agree** estar de acuerdo 9.3
**agreement (contractual)** convenio
**AIDS** SIDA *(m.)* 12.2
**airline** línea aerea 6.1
**airplane** avión 5.2
**airport** aeropuerto 6.1
**alarm clock** despertador 10.3
**alcoholic drink made from muscatel grape** pisco 8.1
**alert** alerto(a) 10.1
**all** todo(a) 4.1
**allow** permitir 7.2
**almost** casi 7.2
**alone** solo(a) 12.1
**along** por 5.2
**also** también 1.1
**alternate** alternar
**alternative** alternativa 13.3
**although** aunque 14.3
**always** siempre 5.2
**ambassador** embajador(a)
**ambitious** ambicioso(a) 6.2
**ambulance** ambulancia 10.1

**amendment** enmienda
**American (from the U.S.)** estadounidense 1.1
**amply, fully** ampliamente
**anatomy** anatomía 13.2
**ancestors** antepasados *(m. pl.)*
**ancestry, origin** ascendencia
**ancient** antiguo(a) 12.1
**and** y 1.1
**Andean folk dance** cueca 8.3
**angel fish** reyneta 8.2
**animal** animal *(m.)* 2.1
**ankle** tobillo 13.2
**annexed** anexionado(a)
**announce** anunciar 10.2
**another's, someone else's** ajeno(a)
**answer** respuesta *(f.)* PE; contestar 2.1
**anthropologist** antropólogo(a)
**anticipate** anticipar 10.2; prevenir
**any, anybody** cualquiera 9.3
**apartment** piso 3.2, departamento 5.1
**apogee, height** apogeo
**apparently** aparentemente 5.3
**appear** aparecer
**appetizer** entremés *(m.)* 8.2
**appetizers, hors d'oeuvre** tapas *(f.)* 3.2
**apple** manzana 8.1
**appreciate** agradecer 5.3
**appreciated** apreciado(a)
**appropriate** apropiado(a)
**April** abril *(m.)* 2.3
**aquatic sports** deportes acuáticos *(m. pl.)* 10.3
**architect** arquitecto(a) 2.1
**architecture** arquitectura 9.1
**Are you a good observer?** ¿Eres buen observador?
**area** área (el área / las áreas) 8.3
**Argentine** argentino(a)
**argue, to quarrel; to scold** reñir
**arid, dry** árido(a)
**arm** brazo 8.3
**armament, weapons** armamento
**army** ejército 11.1
**around, about** en torno a

**arrange, to prepare** disponer 12.1
**arranged, fixed** arreglado(a) 14.1
**arrest** arrestar 6.1
**arrival** llegada 10.2
**arrive** llegar 2.3
**art** arte *(m.)* 1.2
**article** artículo 2.1
**artificial respiration** respiración artificial *(f.)* 10.1
**artisan** artesano(a)
**artist** artista *(m. f.)* 2.1
**as soon as possible** cuanto antes 13.3
**as . . . as** tan. . . como 4.2
**as, since** como 5.2
**as many** tantos(as) 5.3
**as many as** tantos... como 4.2
**as much** tanto(a) 5.3
**as much as** tanto como 4.2
**as soon as** en cuanto, tan pronto como 14.3
**ascend, to go up** ascender
**ash** ceniza 11.2
**ask (a question)** preguntar 1.3
**ask for** pedir (i, i) 3.2; solicitar 14.2
**ask for one's hand in marriage** pedir la mano
**aspirin** aspirina 4.3
**assassinate** asesinar 8.3
**assassination** asesinato 6.3
**assault, to attack** asaltar
**assaulted** asaltado(a)
**assist** atender
**assistant** asistente *(m. f.)*
**assure** asegurar
**astronaut** astronauta *(m.)* 11.3
**astronomer** astrónomo(a) 6.1
**at** a la(s) 2.3, **(with time)** a 5.1
**at least** por lo menos
**at the beginning of** a principios de
**at the end of** a fines de
**At what time?** ¿A qué hora? 2.3
**at your service** a sus órdenes
**athlete** deportista *(m. f.)* 9.1, atleta *(m. f.)* 14.1
**athletic** atlético(a) 1.1
**attack** atacar
**attacked** asaltado(a)
**attain** lograr 6.2
**attempt, to try** intentar 12.3
**attend, be present** asistir 3.2
**attentive** atento(a)
**attract** atraer 12.3
**attraction** atracción *(f.)*
**attractive** atractivo(a) 1.1
**August** agosto *(m.)* 2.3
**authentic** auténtico(a) 4.3
**authority** autoridad *(f.)* 2.1
**availability** disponibilidad 5.1
**available** disponible 5.1
**avocado** aguacate *(m.)*, palta 8.1
**avoid** evitar 10.2
**Aztec Calendar** Calendario Azteca 4.1

## B

**B.C. before Christ** A.C. antes de Cristo
**baby** bebé *(m. f.)* 3.1
**bachelor's degree** bachillerato
**back** espalda, trasero(a) 6.2
**back page** contraportada
**backpack** mochila 1.1
**bad** malo(a) 1.2
**baggage, luggage** equipaje *(m.)*
**bakery** panadería 9.3
**balcony** balcón 5.1
**ball** pelota 14.1
**banana** plátano 8.1
**bank** banco *(m.)* 1.3
**banned** prohibido(a) 3.3
**bar** bar *(m.)* 3.3
**barely** apenas 10.3
**bargain** regatear
**bark (of a tree)** corteza
**baroque** barroco(a) 7.3
**barrel** tambo 6.2, barril *(m.)* 11.1
**barrier** barrera
**base oneself on** basarse en
**baseball** béisbol *(m.)* 1.1
**baseball player** jugador(a) de béisbol 2.1, beisbolista *(m. f.)* 5.3
**basically** básicamente 7.3
**basket** cesto 14.1
**basketball** baloncesto 1.1
**bat** bate *(m.)* 14.1; batear 14.2
**bathe** bañarse 9.2
**bathroom** cuarto de baño 5.1
**batter (baseball)** bateador(a) 14.2
**battle** batalla
**bay** bahía
**be** ser 1.1, estar 3.2
**be a shame** ser una pena 13.3
**be able, poder (ue)** 1.2
**be absent, to be missing** faltar 11.1
**be afraid of** tener miedo de 4.3
**be at fault, to be to blame** tener la culpa 10.2
**be born** nacer 6.2
**be brought up** criarse
**be cold** tener frío 4.3, hacer frío 9.1
**be dead tired** estar muerto(a) 13.2
**be exhausted** estar molido(a) 13.2
**be falling apart** estar hecho(a) pedazos 13.2
**be given to** para 5.2
**be glad** alegrarse 13.3
**be good for** servir (i, i) 13.2
**be having fun** estar de fiesta
**be hot** tener calor 4.3
**be hot (ouside)** hace calor *(m.)* 2.3
**be hungry** tener hambre 4.3
**be in a hurry** tener prisa 4.3
**be in shape** estar en forma 14.1
**be in the habit of** soler
**be inclined to** estar dispuesto(a) 14.2
**be lucky** tener suerte 4.3
**be named, to be called** llamarse 9.2
**be obliged, must, should** deber 6.3

**be precise** precisar
**be right** tener razón 4.3
**be sleepy** tener sueño 4.3
**be sunny** hacer sol 9.1
**be sure** estar seguro 10.2
**be thirsty** tener sed 4.3
**be windy** hacer viento 9.1
**be worth** valer 12.2
**be worthwhile** valer la pena 8.2
**be . . . years old** tener... años 4.3
**beach** playa 3.3
**beans** porotos *(m. pl.)* 8.1
**beat** derrotar 14.1
**because** porque 5.2
**because of** por 5.2
**beautiful, lovely** hermoso(a) 3.3
**become, convertirse**
**become animated or lively, to become encouraged** animarse
**become interested** interesarse 9.3
**bed** cama 9.2
**bedroom** dormitorio 3.2, habitación *(f.)* 3.2
**bedside table** mesita 5.1
**beef** carne de res *(f.)* 8.1
**beer** cerveza 1.3
**before** antes de 5.1
**beg, plead** 6.2; **to pray** rogar
**begin** empezar (ie) 4.1, comenzar (ie) 6.2
**beginning** principio 3.1, inicio 12.3
**behind** detrás de 5.1
**beige** beige 4.1
**believe** creer 14.1
**belong** pertenecer 9.3
**below** abajo
**bend** flexionar
**benefit of the doubt** beneficio de la duda 8.3
**beside** al lado de 5.1
**better** mejor 4.2
**between** entre 5.1
**bicycle** bicicleta 4.1
**big, large** grande 1.2
**bike racing** ciclismo 1.1
**bilingual** bilingüe 11.3
**bill** cuenta 1.3
**billfold** billetera 10.3
**bind** aglutinar
**biography** biografía 6.1
**biology** biología 1.2
**bird** ave *(f.),* pájaro 11.1
**birthday** cumpleaños 5.2
**birthplace** ciudad natal 1.1
**black** negro(a) 4.1
**blackmail** chantajear 9.3
**block** bloque *(m.),* cuadra 9.3
**blockade** bloqueo 14.1
**blond(e)** rubio(a) 3.3
**blouse** blusa 4.1
**blow up** reventarse 11.2
**blue** azul 4.1
**board of directors** directiva 14.2
**boast, to brag** jactarse 5.3
**body** cuerpo 8.3

**Bolivian** boliviano(a)
**Bolivian currency** boliviano
**bonfire** hoguera 12.3
**book** libro 1.1
**bookstore** librería 1.1
**boots** botas 4.2
**border** frontera 12.3
**bore** aburrir 5.3
**boring** aburrido(a) 1.2
**boss, leader** patrón (patrona), jefe(a) 2.2
**bother** molestar
**bottle of water** botella de agua 2.2
**boundary, limits** confines (m. f.)
**bouquet (of flowers)** ramo 8.1
**box office hit** taquillera 3.3
**boxer** boxeador (m.) 14.1
**boxing** boxeo 14.1
**boy / girl** chico(a) 3.1, muchacho(a) 4.1
**boyfriend / girlfriend** novio(a) 3.3
**bracelet** pulsera 4.2
**brain** cerebro 14.1
**brave** bravo(a) 4.2
**Brazilian** brasileño(a)
**bread** pan (m.) 8.1
**break** romperse 10.1
**breakfast** desayuno 8.1
**breathe** respirar 10.1
**breathe in** inspirar 13.2
**breathe out** expirar 13.2
**bribe, corrupt** sobornar 6.3
**bridge** puente (m.)
**brief, short** breve 8.3
**brilliant** genial
**bring** traer 7.1
**broadcasting station** emisora
**brother (sister)** hermano(a) 5.3
**brunet(te)** moreno(a) 5.3
**budget** presupuesto 12.2
**build** edificar 6.1
**building** edificio 2.1
**bull** toro 3.1
**bullfight** corrida de toros 3.3
**bullfighter** torero(a) 3.1
**bunch, pile, heap** montón (m.)
**burn** quemar 6.2
**burn up calories** quemar calorías 5.3
**bus** autobús, ómnibus (m.) 4.1, colectivo 5.2
**bus stop** parada del colectivo 5.1
**business management** ciencias empresariales 1.2
**business** negocios 6.2
**busy, occupied** ocupado(a) 3.1
**but** pero 1.1
**butcher shop** carnicería 9.3
**butter** mantequilla 8.1
**button(s)** botón (botones) 4.2
**buy** (infin.) comprar 1.2
**by a specified time** para 5.2
**by means of** por 5.2
**By the way . . .** A propósito...

## C

**cabbage** col (f.) 8.1
**cable TV** televisión por cable 4.2
**cafeteria** cafetería 1.3
**cage** jaula
**cake** torta 5.2, **pie** pastel (m.), queque (familiar) (m) 8.1
**calendar** calendario 2.3
**call** (infin.) llamar 1.2; (-**ar** verbs) 1.3
**calm** calmar
**calm down** tranquilizarse 11.2
**calmly** calmadamente 5.3
**camera** cámara 12.1
**Canadian** canadiense (m. f.)
**canary** canario 9.3
**cancer** cáncer (m.) 13.3
**candle** vela 7.1
**canoe** canoa 11.3
**canvas** lienzo
**cap** gorro
**capacity** capacidad (f.)
**capital** capital (f.) 12.3
**capitol building** capitolio 9.2
**car** auto 4.1, coche (m.) 5.3, carro 10.2
**carbonated beverage** soda 9.3
**carbonated water** gaseosa 3.3, agua con gas 8.2
**cardboard** cartón (m.)
**cardiac massage** masaje cardíaco (m.) 10.1
**careful, be careful** cuidado
**carefully** cuidadosamente 5.3, **with care** con cuidado 6.2
**Caribbean** Caribe, caribeño(a)
**carpenter** carpintero
**carrot** zanahoria 8.1
**carry** llevar 1.3
**carry out** realizar, llevar a cabo
**cartoonist** dibujante (m. f.)
**carve** tallar
**cash register** caja
**casserole** cazuela 8.2
**castle** castillo
**cat** gato(a) 5.1
**cathedral** catedral (f.) 4.1
**cattle rancher** ganadero(a)
**cause problems** dar problemas 8.3
**cede, to hand over** ceder
**celebrate** celebrar 5.2
**celery** apio 8.1
**celeste, light blue** celeste 9.3
**cellular phone** celular, móvil (Spain) 1.3
**cement** cemento
**cemetery** cementerio
**Central American** centroamericano(a)
**century** siglo 12.2
**ceramics** cerámica 8.1
**certainty** certeza
**chair** silla (f.) 5.1
**challenge** desafío
**challenging** desafiante 1.3
**champagne** champán (m.), cava
**champion** campeón (campeona) 5.3

**championship** campeonato 14.2
**change** cambiar 5.2
**change of clothing** muda de ropa
**channel (TV, radio)** canal (m.)
**character (in a novel)** personaje (m.) 7.3
**characteristic** característica 13.3
**charateristic, feature** rasgo
**charm, to please highly** encantar 3.3
**chat, to converse** conversar 3.2
**chat on the Internet** chatear 1.2
**chauffeur** chofer (m. f.) 10.2
**cheap, inexpensive** barato(a) 4.2
**check** cheque (m.) 11.2
**cheese** queso 3.2, **(from La Mancha region)** queso manchego 3.2
**chemistry** química 1.2
**chest** pecho 13.2
**chicken** pollo 8.1
**chicken stew** ajiaco 7.1
**chieftain** cacique (m.)
**child** niño(a) 3.3
**childhood** niñez (f.)
**childish** infantil
**children** hijos 5.3
**chili pepper** ají (m.) 8.1
**chin** mentón (m.) 13.2
**chocolate** chocolate (m.) 4.3
**choose, to select** escoger 8.3
**chores, tasks** quehaceres (m. pl.) 11.1
**Christmas** Navidad 9.1
**chronological order** orden cronológico (m.)
**church** iglesia 7.3
**cigarette** cigarrillo 3.3
**cigarette pack** cajetilla de cigarrillos 13.2
**circle** círculo
**cistern, tank, reservoir** cisterna
**citizen** ciudadano(a)
**citizen of Barbados** barbadense (m. f.)
**city** ciudad (f.) 1.1
**city hall** ayuntamiento
**civilization** civilización (f.) 6.1
**claim, to demand** reclamar
**clarify** aclarar
**class** clase (f.) PE
**classmate** compañero(a) PE
**classified ad** anuncio 6.3
**classified ads** clasificados (pl.) 6.2
**clean** limpiar 1.3; limpio(a) 3.3
**cleaning materials** útiles de limpieza (m. pl.) 11.2
**clear** claro(a) 4.1
**clever** listo(a) 1.2
**client** cliente (m. f.) 2.1
**climate** clima (m.) 8.3
**climb** subir 4.3
**climb the rock/boulder** ascender la peña 10.3
**clinic** clínica 2.1
**cloak, square piece of fabric with opening for the head** poncho 8.1
**close** cerrar (ie) 4.1
**closet** ropero 5.1
**closet, wardrobe** armario 5.1
**cloth** tela

clothes ropa 1.3
clothes washer lavadora
clothing store tienda de ropa 2.2
cloud nube (f.) 9.1
cloudy nublado(a) 9.1
clumsy torpe 1.2
cluster agrupación de ideas (f.)
co-worker compañero(a) de empleo 2.2
coach, trainer entrenador(a) 14.1,
    entrenar 14.2
coarse, crude grosero(a) 6.3
coast costa 8.3; litoral (m.)
cocaine cocaína
coffee café 2.2
coffee house café (m.) 1.3
coffee table mesita 5.1
cognate cognado
coincide coincidir
cold frío 2.3, helado(a) 8.1
cold cuts fiambres (m. pl.) 8.1
Colombian colombiano(a)
colonial colonial 6.1
colony colonia 14.1
comb one's hair peinarse 9.2
combat combatir 12.2
combine combinar
come venir 2.1
comfortable cómodo(a) 4.1
comic strip tira cómica 5.3
commerce comercio
commit, to perpertrate cometer
commit suicide suicidarse
committee comité (m.) 12.2
common común, corriente 5.3
common sense sentido común
communal, public comunitario(a) 5.1
communicate comunicar 5.2
communication comunicación 1.2
Communism comunismo
communist comunista 14.2
community comunidad (f.) 10.2
compact disk, CD disco compacto 2.2
companion, classmate, partner
    compañero(a) PE
company, firm empresa
compare comparar 13.1
compared with comparado(a) con,
    para 5.2
compatibility compatibilidad (f.)
compatible compatible
compete competir 7.2
competent competente 6.3
competition competencia 14.1,
    competición (f.)
complain quejarse 12.1
complete completar
completely, fully plenamente
complicate complicar
comprehend, understand comprender 7.3
compromise, to endanger comprometer
computer computadora
computer science informática 1.2
conceive of, to imagine concebir
concern preocupación (f.)

concerning, about acerca de
concert concierto 1.3
confess confesar
confide, to trust confiar 13.3
confirm confirmar 14.3
confront afrentar 6.2
confused confundido(a) 5.2
congested congestionado(a)
connection conexión (f.)
conscience conciencia
consent, agreement consentimiento
consequence consecuencia 13.3
conservation conservación (f.) 12.3
conservative conservador(a) 1.1
consider considerar 14.3
consist consistir 10.3
consist of constar de
constantly constantemente 4.1
construct construir 6.2
consult consultar 13.3
contagious contagioso(a)
contemporary contemporáneo(a) 7.3
context clues pistas del contexto
continue continuar 5.2, seguir (i, i) 7.2
contradict contradecir (i) 6.3
contrast contrastar 4.1
contribute aportar 9.3, contribuir
control controlar 7.1
convince convencer 14.3
cook cocinero(a) 2.1; cocinar 2.3
cool enfriar
copper cobre (m.)
corn maíz (m.), choclo 8.1
corner esquina 9.3
cosmopolitan cosmopolita 8.3
cost costar 2.2
Costa Rican costarricense (m. f.), tico(a)
cotton algodón (m.) 4.2
count contar (ue) 4.1
country país (m.) 1.1
country of origin país de origen 1.1
countryside campo 1.3
couple pareja 5.3
court corte (f.) 2.1, cancha 11.1, cortejar
court, tribunal tribunal (m.) 2.1
courteously cortésmente 5.3
cousin primo(a) 5.3
cover cubrir 10.1
cover a lot of ground recorrer distancias
    5.3
covered with salt a la sal 8.2
covering; protection, shelter cobijo,
    refugio
crab cangrejo 8.3
crash chocar 10.2
crazy loco(a) 3.2
create crear 12.2
credit card tarjeta de crédito 2.2
critic crítico
critical crítico(a) 5.3
criticize criticar
cruel cruel 3.3
cruise crucero 4.3
cry llorar

Cuban of African descent afrocubano(a)
    14.1
culinary culinario(a)
cultivate cultivar 12.1
cultivation, crop cultivo
cultural shock choque cultural (m.) 13.1
culturally culturalmente 5.3
cup taza 4.3
curly rizado(a) 3.3
currency moneda
currency of Argentina, Chile,
    Colombia, Cuba, Mexico peso
curse maldición (f.)
customs aduana 12.3
cut corte, cortado(a) 8.2
cut oneself cortarse 9.3; to cut off 11.2

# D

A.D. after Christ D.C. después de Cristo
dad papá PE
daily diariamente 5.3, diario(a) 9.2
damage, to hurt dañar 14.1, hacer daño
dance (infin.) bailar 1.2; baile (m.) 7.1
dancer bailarín(a) 13.2
danger peligro 10.1
dangerous peligroso(a) 13.3
dare atreverse 11.3
dark oscuro(a) 4.1
date fecha 2.3; cita 7.1
dawn, day break madrugada, amanecer
day of the week día de la semana (m.) 2.3
day's work, workday jornada
dead muerto
dear (salutation in a letter) querido(a)
death muerte (f.), penalty pena
    de muerte
debate debatir
debt deuda 12.2
decade década
deceive engañar
December diciembre (m.) 2.3
decent descenso 11.3
decide decidir 2.1
decipher, to decode descifrar
decision decisión (f.) 14.3
declare declarar 6.1
decorate decorar 3.2
decrease disminuir 6.2
decrease, reduction disminución (f.) 12.2
dedicate oneself dedicarse 13.3
deduct deducir
defeat, to beat derrotar 14.1
defend defender
defense lawyer abogado(a) defensor 6.3
define definir 10.3
degree; career carrera 1.3
degrees (temperature) grados (m. pl.) 9.1
delay retraso 11.2
delicious delicioso(a) 3.3
Delighted. Encantado(a). PE
delineated, outlined delineado(a)
demanding exigente 8.2

**demonstration (protest)** manifestación (f.) 5.3
**denim** mezclilla 4.2
**density** densidad (f.)
**department (college)** facultad (f.) 1.2
**departure** salida
**depressed** deprimido(a) 13.1
**deprive, to dispossess** despojar
**derived** derivado(a)
**descend** descender
**descendent** descendiente (m. f.)
**describe** describir 1.2
**description** descripción (f.)
**desert** desierto 4.3
**design** diseñar 2.1
**desire** desear 8.1
**desk** escritorio 5.1
**desperate** desesperado(a)
**despot, tyrant** déspota (m. f.)
**dessert** postre (m.) 7.2
**destination** destinación (f.) 10.2
**destiny** destino
**destroy** destruir 6.3
**destructive** destructivo(a) 10.1
**detail** detalle (m.)
**determine** determinar 7.2
**detest** detestar 7.3
**develop** desarollar, revelar 7.2
**device, mechanism** dispositivo
**diamond** diamante (m.) 6.1
**diary, newspaper** diario 4.3
**dictionary** diccionario 2.2
**dictator** dictador(a) 6.2
**dictatorship** dictadura 8.3
**Did you know that . . . ?** ¿Sabías que... ?
**die** morir, morirse (ue, u) 10.1
**diet** dieta 7.2
**difference** diferencia
**different** diferente 3.3
**difficult** difícil 1.2
**dignity** dignidad (f.)
**diminish** disminuir 6.2
**dining room** comedor (m.) 3.2
**dinner** cena 1.2
**direct** dirigir 11.1
**direction, course** rumbo
**dirty** sucio(a) 3.3
**disagreements** desacuerdos
**disappear** desaparecer 4.1
**disappeared** desaparecido(a)
**disaster** desastre 5.1
**disc, record** disco 7.3
**disconnect** desconectar 11.2
**discotheque** discoteca 1.3
**discover** descubrir 4.3
**discovered** descubierto(a)
**discovery** descubrimiento
**disguise** disfrazar 14.3
**dish of steak, pork, beans, rice, sausage and friend egg** bandeja paisa 7.1
**dishwasher** lavaplatos (m. f.), lavavajillas
**disorganized** desorganizado(a) 1.2
**display window** escaparate (m.) 4.2

**disposition, temperament** disposición (f.)
**dispute, to challenge** disputar
**dissolve** disolver
**distance** distancia 5.2
**distant, far away** alejado(a) 14.1
**distinct, different** distinto(a) 5.2
**distinguish** distinguir 7.3
**distribute** distribuir
**diurnal, day** diurno
**dive** zambullirse 10.3
**divergence** divergencia 10.3
**diverse** diverso(a) 13.3
**diversity** diversidad (f.)
**divided, distributed** repartido(a)
**divorce** divorciarse 13.1
**do, to make** hacer 2.2
**do exercise** hacer ejercicio 5.3
**Do you understand what is said?** ¿Comprendes lo que se dice?
**doctor** doctor(a) 1.1, médico(a) 2.1
**dog** perro(a) 5.1
**dollar** dólar (m.)
**domestic** doméstico(a) 11.1
**domicile, residence** domicilio 6.2
**Dominican** dominicano(a)
**door** puerta 2.1
**dosage** dosis (f.) 10.1
**double bed** cama de matrimonio 5.1
**doubt** dudar 14.1
**downpour** chubasco
**downtown** centro 5.1
**draft** borrador (m.)
**dramatize, role-play** dramatizar
**draw** dibujar 5.3
**drawing** dibujo
**dreadful, terrible** pésimo(a) 14.3
**dream** sueño 13.1
**dress** vestido 4.1, vestir 7.2
**dress oneself, to get dressed** vestirse (i, i) 9.2
**drink** beber 2.1, bebida 4.3
**drink; to take** (infin.) tomar 1.2
**drinkable** potable
**drinkable water** agua dulce 4.3
**drive** manejar 5.2, conducir 10.2
**driver's license** licencia de manejar
**drop** gota
**drown** ahogarse 10.1
**drug** droga 11.1
**drug traffic** narcotráfico
**drug trafficking** narcotráfico 7.3
**during** durante 4.3, durante, por 5.2
**dusk, nightfall** anochecer 10.3
**dwelling** vivienda 12.1

## E

**each** cada 4.3
**early** temprano 5.2
**earn (a grade)** sacar 11.2; **(money)** ganar 11.1
**earrings** aretes (m.) 4.2

**earth, land** tierra
**earthquake** terremoto 6.1
**earthquake zone** zona sísmica 10.1
**east** este (m.) 3.1
**Easter** Pascua Florida 9.1
**easy** fácil 1.2
**eat** (infin.) comer 1.2
    **eat breakfast** desayunar 8.1
    **eat lunch** almorzar (ue) 4.1
    **eat dinner** cenar 3.2
    **eat out** comer fuera 2.3
**ecology** ecología
**economical** económico(a) 6.2
**economics** 1.2; **economy** economía 13.3
**ecotourism** ecoturismo 10.3
**edition** edición (f.) 14.2
**education** educación 1.2
**efficient** eficiente 9.2
**efficiently** eficazmente 5.3
**effort** esfuerzo
**egg** huevo 8.2
**egotistical** egoísta 1.2
**eighth** octavo 10.1
**either . . . o** o... o 10.2
**elaborate** elaborar
**elbow** codo 13.2
**elect** elegir (i) 7.2
**election** elección (f.)
**electric shock** choque eléctrico (m.) 10.1
**electricity** electricidad (m.) 11.2
**elegance** elegancia 8.3
**elegant** elegante 1.1
**elegantly** elegantemente 7.2
**elementary school** escuela primaria 6.2
**elevated** elevado(a) 10.1
**elevator** ascensor 5.1
**elite** élite 7.3
**email** correo electrónico 1.3
**embark, to go aboard** embarcarse
**embarrassed, ashamed** avergonzado(a) 3.1
**embrace** abrazarse
**embroider** bordar
**embroidered** bordado(a) 4.2
**emerald** esmeralda
**emergency** emergencia 10.1
**emergency services** servicios de emergencia/urgencia (m. pl.) 10.1
**emigrate** emigrar
**emphasize, to highlight** destacar
**empire** imperio
**employ, to hire** emplear
**employee** empleado(a) 2.1
**enclose** encerrar
**encourage, to cheer** animar 14.2
**end, conclusion** fines 3.1
**endless** interminable
**energetic** enérgico(a) 14.2
**energy** energía 13.2
**engaged** comprometido(a) 7.1
**engineering** ingeniería 1.2
**English** inglés (ingleses)
**enjoy** disfrutar 5.3, gozar 12.2
**enormous, huge** enorme 10.3
**enough** basta, bastante 13.3

**enrolled** inscrito(a) 6.2
**enter** entrar 6.3
**enterprising** emprendedor(a) 12.2
**entertainment** diversión (f.) 4.2, entretenimiento 6.2
**enthused** entusiasmado(a) 3.1
**enthusiastic, intense** apasionado(a)
**entrance** entrada 5.2
**environment** medio ambiente (m.) 11.1
**environs, outskirts** inmediaciones (f. pl.)
**envy** envidia 13.2
**epidemic** epidemia
**epoch, period** época 12.3
**equal opportunity employment** igualdad de oportunidad en el empleo (f.)
**equality** igualdad (f.) 12.2
**Equator** línea ecuatorial
**equipment** equipo
**eroded** erosionado(a)
**erradicate** erradicar 12.2
**eradication** erradicación (f.) 13.1
**errand, task** encargo
**error** error (m.) 2.1
**erupt** entrar en erupción 11.2, entrar en erupción, hacer erupción
**escape** escapar 6.3
**especially** especialmente (m.) 3.1
**establish** establecer 6.3
**establishment** establecimiento
**eternal** eterno(a)
**ethnic** étnico(a)
**euro, European currency** euro
**European** europeo(a)
**event** evento 6.2; **occurence** acontecimiento
**every, each** cada 4.3
**everyday** todos los días 5.2
**everyone** todo el mundo 1.2
**everyone, everybody** todos(as) 3.1
**everything** todo(a) 4.1
**evident** evidente 13.3
**exactly** exactamente 5.3
**exaggerate** exagerar
**exam** examen (m.) 3.1
**examine** examinar 2.1
**Excellent!** ¡Excelente! PE, excelente 7.2
**except** salvo 10.1
**exception** excepción (f.)
**excessive** excesivo(a) 10.1
**excessively** excesivamente 5.3
**excursion** excursión (f.) 11.1
**excuse** excusa 3.2
**execute** ejecutar
**exercise** ejercicio 5.3
**exhausting, tiring** agotador(a)
**exiled** exiliado(a)
**existence** existencia 11.3
**exit** salida 5.2
**expensive** caro(a) 4.1
**experience cold/hot temperatures** pasar frío/calor 5.3
**experience** experiencia 4.3
**expert** experto(a) 11.3
**explain** explicar 2.1

**express** expresar 7.3
**expresso with a tad of milk** café cortado 8.2
**exquisite** exquisito(a) 3.3
**extend** extender
**extended** extendido(a)
**extensively** extensamente
**external** externo(a) 12.2
**extinction** extinción 8.2
**extract** extraer
**extraordinary, uncommon** extraordinario(a) 4.3
**extravagant** extravagante 10.3
**extreme** extremo(a) 4.3
**extremely, highly** sumamente
**extroverted, outgoing** extrovertido(a) 1.1
**eye** ojo 13.2

## F

**facilitate** facilitar 12.2
**facing, opposite** enfrente de 5.1
**factory** fábrica 2.1
**facts** datos 7.3; **deeds** hechos
**fair** feria 3.1
**fall** otoño 2.3
**fall asleep** dormirse (ue) 9.2
**fall down** caerse 10.1
**false** falso(a)
**fame** fama 14.2
**famous** famoso(a) 1.1
**fan, supporter** aficionado(a) 14.1
**Fantastic!** ¡Bárbaro!, ¡Fantástico! 13.2
**far from** lejos de 5.1
**fascinate** fascinar 3.3
**fascinating** fascinante 8.3
**fasten** sujetar 12.3
**fat** gordo(a) 5.3
**father** papá PE, padre 5.3
**faucet** grifo 9.2
**fault** culpa 10.2
**fauna, animal life** fauna 8.3
**fear** miedo 10.3, temer 13.3
**February** febrero (m.) 2.3
**feel** sentirse (ie, i) 9.2
**feel like** dar la gana, tener ganas de 4.3
**feet** pies (m. pl.) 7.1
**female** hembra 5.3
**ferry** trasbordador (m.) 8.3
**festival** festival (m.) 7.1
**fever** fiebre (f.)
**ficticious** ficticio(a) 9.1
**fidelity** fidelidad (f.)
**field** campo 1.3
**fifth** quinto 10.1
**fight** luchar, pelea 14.1
**fighting** peleando 5.3
**film** filmar 11.1
**film festival** festival de cine (m.) 2.3
**filming** rodaje (m.)
**finally** por fin 6.2
**find** encontrar (ue) 4.1
**fine** multa 11.2
**fine, well,** bien 4.3

**Fine, thank you. And you?** Bien, gracias. ¿Y tú? PE
**finger** dedo 13.2
**finish** terminar 4.3, acabar 6.2
**fire** fuego, incendio 6.2
**fire, dismiss** despedir (i, i) 7.2
**fire (a gun), shoot** disparar 6.2, **extinguisher** extintor de fuegos (m.) 10.1
**fireman** bombero 3.1
**fireplace** chimenea 9.1
**fireworks** cohetes (m. pl.), fuegos artificiales
**fireworks** fuegos artificiales
**first** primer(o)(a) 6.2
**first aid** primeros auxilios (m. pl.) 10.1
**first aid kit** botiquín de primeros auxilios (m.) 10.1
**first floor** primer piso 1.3
**fish (dead)** pescado 7.2, **(live)** pez (m.) 9.3
**fishing, catch, haul** pesca
**fixed, nonchangeable** fijo(a) 5.2
**flag** bandera
**flamenco dance** sevillana 3.1
**flames** llamas (pl.) 6.2
**flashlight** linterna
**flat, even** llano(a)
**flat plain** llanura
**flat roof, terrace** terraza 3.2
**flea** pulga
**Flemish painting** pintura flamenca 7.3
**flight** vuelo 6.1
**flirt** coquetear 8.3
**floor** suelo 10.1, **(of a building)** piso 9.3
**flora, plant life** flora 8.3
**flower** flor (f.) 7.1; florecer
**fly** volar (ue) 4.1
**fog** neblina 9.1
**fold** doblar
**follow the trail** hacer la ruta 11.3
**foment** fomentar 12.2
**food, meal** comida 1.3, alimento
**footprints, tracks** huellas
**footwear** calzado
**for, (in order) to** para 5.1;
**for, by, through** por 5.1
**for a period of time** por 5.2
**for example** por ejemplo
**force** fuerza
**forced** forzado(a)
**forecast** pronóstico 9.1
**foreigner** extranjero(a) 7.3
**foreman, overseer** capataz (m.)
**forest** bosque (m.) 11.1
**forest fires** incendios forestales (m. pl.) 10.1
**forget** olvidar 11.3
**fork** tenedor (m.) 8.2
**form** formar 12.2; formulario
**formal** formal 1.2
**formally** formalmente 7.2
**fortress** fortaleza 12.1
**fortunate** afortunado(a) 4.3

forward, ahead adelante
forward, to the front al frente 13.2
found, to establish fundar
founded fundado(a)
fountain fuente (f.) 4.3
fourth cuarto 10.1
fracture fractura
fraternity fraternidad (f.) 1.3
free gratis 11.3, gratuito(a), libre 2.3
freeway autopista
freeze congelar
frequency frecuencia 5.2
frequently con frecuencia 2.3,
    frecuentemente 5.3, a menudo 8.3
fresh fresco(a) 13.2
Friday viernes (m.) 2.3
fried frito(a) 8.1
friend amigo(a) PE
friendly sociable 1.1
from desde 5.2
from dawn to dusk de sol a
    sol 10.1
from the del 1.3
front page portada, primera plana 6.2
frozen congelado(a) 9.1
fruit fruta 7.2
fruit cocktail cóctel de fruta 8.1
fruit store frutería 9.3
frustrated frustrado(a) 3.1
fry freír 7.2
fulfill, to carryout desempeñar(se)
function función (f.) 7.1
function, to work funcionar 5.2
funds fondos
funny, amusing divertido(a) 1.1,
    chistoso(a) 1.1
furious furioso(a) 3.1
furnished amueblado(a) 5.1
furniture (piece of) mueble (m.) 5.1
fusion fusión (f.) 9.3
future futuro

## G

gall bladder vesícula 13.2, gall bladder
    stone cálculo en la vesícula 13.3
game juego 14.1
game (competitive) partido 6.2
garage garaje (m.) 3.2, cochera 5.1
garden jardín (m.) 3.2
garment, article (of clothing) prenda 4.2
gas stove estufa de gas 10.1
gasoline gasolina 14.3
GDP, Gross Domestic Product Producto
    Interior Bruto
generally generalmente 1.3
generous generoso(a) 8.3
genius genio
gentleman caballero 14.3
German alemán(alemana) 6.2
get conseguir, lograr 6.2
get a degree titularse 13.2
get angry enojarse 5.3

get better mejorarse
get married casarse 13.1
get off bajarse 9.2
get sick enfermarse 13.3
get together juntarse, reunirse 10.1
get up levantarse 9.2
get up on the wrong foot levantarse con el
    pie izquierdo
geyser géiser (m.)
giant gigante
gift regalo 4.2
give dar 8.3
give a gift regalar 8.1
glass vaso 9.2
glasses anteojos
global warming calentamiento global 9.1
gloves guantes (m. pl.) 8.1
gluteus glúteo
go (infin.) ir 1.2; (verb) 1.3
go around; to surround rodear
go away irse 9.2
go down, to get off bajar 5.2
go for a walk or ride pasear 1.2
go shopping ir de compras 4.1, hacer las
    compras 11.3
go to bed acostarse (ue) 9.2
go up subir 4.3
goal arco, gol (m.) 14.1
goalie, goalkeeper arquero 14.1
gold oro 7.3
golf golf (m.) 1.1
golf course campo de golf 11.3
golf player golflista (m. f.) 5.3
good bueno(a) 1.2
    Good afternoon. Buenas tardes. PE
    Good evening. Good night. Buenas
        noches. PE
    Good morning. Buenos días. PE
good-bye. adiós PE
good-bye, farewell despedida
Good-bye. See you. Hasta la vista. PE
good-looking, cute guapo(a) 3.3
governed gobernado(a)
governor gobernador
grade nota 6.2
grades calificaciones (f. pl.)
graduate (adj.) graduado(a); graduarse
    14.3
grand, magnificent grandioso(a) 8.3
grandchild nieto(a) 5.3
grandfather (grandmother) abuelo(a) 5.3
grandparents abuelos 5.3
granite granito 7.3
grant, to concede impartir
grape uva
grave, serious grave 13.2
grave, tomb tumba
gray gris 4.1
great estupendo(a) 1.2
green verde 4.1
greet saludar 3.2
greeting saludo PE
griddle fried a la plancha 8.2
grilled a la parrilla 8.2

group, collection conjunto 8.3
group, to gather agrupar
growth crecimiento
guarantee garantizar 12.2
Guatemalan colorful woven blouse
    huipil (m.)
Guatemalan currency, bird quetzal (m.)
guess adivinar 4.3
guest huésped (m. f.), invitado(a) 3.1
guide guía (m. f.) 4.1
guilty, culpable culpable
guitar guitarra 1.3
gun pistola 10.3
gun shot disparo 6.2
gymnasium gimnasio 1.2
gymnastics gimnasia 14.1
gynecology ginecología 11.1
gypsy gitano(a)
gyrate girar 13.2

## H

habit hábito
Haitian haitiano(a)
hake merluza 8.2
half medio(a) 5.2, mitad (f.) 12.2
hall, hallway pasillo 10.1
ham jamón 3.2
hamburger hamburguesa 4.3
hammer martillo
hand mano (f.) 13.2
hand-sewn art scenes made of fabric
    arpilleras 8.3
handicapped discapacitado(a) 14.2
handicrafts, crafts artesanía 6.3
happy birthday feliz cumpleaños 8.1
happy, joyful feliz 3.1
happy, lively alegre 3.1
happy, pleased contento(a) 3.1
hard, difficult duro(a) 14.3
hardworking trabajador(a) 1.1
harvest cosecha
hat sombrero 4.2
hate odiar 7.1
have tener 2.1
have a good time, enjoy oneself divertirse
    (ie, i) 9.2
have a great time estar pasándolo en
    grande
have clear skies estar despejado 9.1
have nice weather hacer buen tiempo 9.1
have at one's disposal disponer
have to tener que 4.3
having . . . as key en clave de 12.2
hazard, risk riesgo 10.1
he, it (m.) él 1.1
head cabeza 13.2
headed toward con destino a 5.2
health salud (f.) 12.2
health insurance seguro de salud 13.3
healthy sano(a) 3.3, saludable 14.1
hear oír 7.1
heart corazón 4.1

**heart attack** ataque cardíaco (m.) 10.1
**heat** calor (m.) 9.1
**heated** calentado(a)
**heavy** pesado(a) 12.3
**heel** talón (m.)
**heel-tapping** zapateo 8.3
**height** altura
**Hello!** ¡Hola! PE, ¡Aló! 2.2
**helmet** casco
**help** ayuda 3.2; ayudar 7.2
**helper** ayudante (m. f.)
**hemorrhage** hemorragia 10.1
**here** aquí 5.1
**hero** héroe (m. f.) 2.1
**hidden** escondido(a)
**high** alto(a) 10.1
**high blood pressure** presión alta (f.) 13.3
**high jumping** salto de altura 14.1
**high plateau** altiplano
**highway, road** carretera
**hike** caminata
**hill** colina
**himself, herself** él (ella) mismo(a) 6.1
**hire** contratar 14.2
**his/her** su / sus 2.2
**Hispanic** hispano(a)
**history** historia 1.2
**hit** pegar 10.2
**holidays** días feriados
**hollow** hueco
**home run** jonrón (m.) 14.2
**homework** tarea 1.3
**Honduran** hondureño(a)
**Honduran currency** lempira
**honest** honesto(a) 3.3
**hope** esperanza
**horrifying, awful** horroroso(a) 3.3
**horror (movie)** película de terror 3.3
**horse** caballo 10.3
**horseback riding** montar a caballo
**hospitable** hospitalario(a)
**hospital** hospital (m.) 2.1
**hot** caliente 4.3
**hour, time** hora 2.3
**house** casa 1.3
**house keeper** ama de casa (f.)
**house, to give shelter to** albergar
**housing** alojamiento 12.1
**housing, dwelling** vivienda 12.1
**How?** ¿Cómo? 2.2
**How are you?** ¿Qué tal? PE
**How are you? (familiar)** ¿Cómo estás? (tú) PE
**How are you? (formal)** ¿Cómo está? (usted) PE
**How do you spell your name?** ¿Cómo escribes tu nombre? PE
**How many?** ¿Cuántos(as)? 2.2
**How much?** ¿Cuánto(a)? 2.2
**howl, to wail** aullar 11.2
**human** humano(a) 8.3
**human development** desarrollo humano 12.2

**human resources** recursos humanos
**human rights** derechos humanos (m. pl.) 12.2
**humble** humilde
**hunger** hambre (m.) 4.3
**hurricane** huracán (m.) 10.1
**hurry** apresurarse, ¡**Hurry!** ¡De prisa!
**hurt** dañar 14.1
**husband** esposo 4.1

**I** _____

**I am . . .** Yo soy... PE, soy PE
**I** yo 1.1
**I'd like you to meet . . . (familiar)** Te presento a... PE
**I'd like you to meet . . . (formal)** Le presento a... PE
**I'm sorry** lo siento 3.2
**ice cream** helado 8.1
**ideal** ideal 7.3
**identification documents** documentos de identidad (m. pl.) 10.3
**identify** identificar; identidad (f.)
**idol** ídolo
**if so** si así es 10.2
**if . . .** si... 1.3
**ignore** ignorar 7.3
**illegitimate** ilegítimo(a) 6.3
**illness** enfermedad (f.) 7.3
**image** imagen (f.) 7.2
**immediately** inmediatamente 5.3
**impartial** imparcial 14.2
**impatient** impaciente 1.1
**implement** implementar 6.2
**imposed** impuesto(a) 14.1
**impossible** imposible 5.1
**impress** impresionar 7.1
**impression** impresión (f.) 8.3
**impressionist** impresionista 7.3
**impressive** impresionante 6.1
**in** por 5.2
**in case of** en caso de 10.1, en caso (de) que 14.3
**in cash** en efectivo
**in exchange for** por 5.2
**in front of** delante de 5.1
**in general, generally speaking** en general 1.2
**in love** enamorado(a) 5.3
**in one's opinion** para 5.2
**in place of** por 5.2; en lugar de 10.3
**in relation to others** para 5.2
**in return** de vuelta 7.2
**in the direction of** con dirección a, para 5.2
**in the open air** al aire libre 9.1
**Inca, Incan** incaica
**incident** incidente (m.) 10.2
**include** incluir 13.3
**included** incluido(a) 5.1
**incomparable** incomparable
**incompatibility** incompatibilidad
**increase** aumentar 12.2

**increase the power of** potenciar 12.2
**independence** independencia 6.2
**independent, self-reliant** independiente 1.2
**indication, sign** indicio 10.2
**indigenous, native** indígena 4.2
**infancy** infancia 2.2
**infidelity** infidelidad (f.) 7.1
**influence** influencia 14.1
**informal** informal 1.2
**informally** informalmente 7.2
**informative** informativo(a)
**ingredients** ingredientes (m. pl.) 9.3
**inhabitants** habitantes (m. pl.) 8.3
**inheritance** herencia
**inhuman** inhumano(a) 14.1
**initiate, to begin** iniciar 8.3
**initiative** iniciativa 7.1
**injured person** lastimado(a) 10.1
**injury** lesión (f.) 10.1
**inner ear** oído 13.2
**innovator, creative** innovador(a)
**inside, within** dentro 12.1
**insist** insistir (en) 10.1
**inspiration** inspiración (f.) 8.3
**inspire** inspirar
**instructor** instructor(a) 14.2
**instrument** instrumento 1.3
**insult** insultar 6.3
**insurance** seguro 14.3
**insurance agent** agente de seguros
**insurance policies** pólizas de seguro
**intellectual** intelectual 10.3
**intelligent** inteligente 1.1
**intended for** para 5.2
**intense** intenso(a)
**interest** interés (m.) 12.2
**interested** interesado(a) 3.1
**interesting** interesante 1.1
**interior** interior (m.) 10.2
**international** internacional 6.2
**international relations** relaciones internacionales (f. pl.)
**Internet access** acceso a internet 4.2
**interpret** interpretar
**intervene** intervenir
**interview** entrevistar 2.1; entrevista 2.2
**introduce someone or something** presentar PE
**introduction** introducción, presentación
**introverted, shy** introvertido(a) 1.1
**invade** invadir 11.1
**invader** invasor (m.)
**inventory** inventario
**invest** invertir 12.2
**investigate** investigar 5.2
**investments** inversiones (f. pl.)
**invite** invitar 3.2
**irreversibly** irreversiblemente 14.1
**island** isla 8.3
**isn't it?** ¿no? 1.1
**isolated** aislado(a)
**It's absurd** Es... absurdo(a) 14.1
**it's better that** más vale que

**it's foggy** hay neblina 9.1
**It's ironic** Es... irónico 14.1
**It's true** Es... cierto 14.1
**It's unjust** Es... injusto 14.1
**Italian** italiano(a)
**itinerary** itinerario

## J

**jacket** chamarra 4.2, chaqueta 9.2
**jail** cárcel (f.) 6.3; encarcelar
**Jamaican** jamaicano(a)
**janitor** portero(a) 2.1
**January** enero (m.) 2.3
**javelin** jabalina
**jeans** jeans (m.) 4.2
**job** trabajo, tarea, empleo 2.1
**joke** broma
**journey, route** recorrido, jornada
**judge** juez (m.) 2.1
**judge** juzgar 2.1
**judged** juzgado(a) 6.3
**juice** jugo 8.2
**July** julio (m.) 2.3
**jump** saltar 13.2
**June** junio (m.) 2.3
**jungle** selva 7.2
**junior leagues** ligas juveniles 14.2
**junk food** comida basura 8.2
**just** solo, solamente, recién (adv.) 6.2, **fair, right** justo(a)
**justify** justificar 9.1

## K

**keep** guardar 13.1
**keep in mind** tener en cuenta
**key (answer)** clave (f.)
**key** llave (f.) 6.2
**keys** teclas (f. pl.) 11.2
**kick** patear 14.1
**kill** matar 6.3
**kilometer** kilómetro 8.3
**kind, nice** amable 1.2
**kindness, genteelness** gentileza 7.2
**king** rey (m.) 7.2
**kingdom** reino
**kiss** beso 7.1
**kitchen** cocina 3.2
**knee** rodilla 13.2
**knife** cuchillo 8.2
**knock (at a door)** tocar
**know (facts)** infin. saber 1.2; verb 7.3
**know** conocer 7.3
**knowledge** conocimiento, sabiduría
**known** conocido(a)

## L

**laboratory** laboratorio 1.3
**ladder; stairs, staircase** escalera 10.1

**lake** lago 8.1
**lamp** lámpara 5.1
**landed; landowner, rancher** hacendado(a)
**language** idioma (m.) 3.3
**languages** lenguas
**large city, metropolis** urbe (f.)
**last** durar 2.3, perdurar
**last name** apellido
**last night** anoche 5.2
**last, final** último(a) 2.3
**late** tarde 5.2
**lather oneself up** enjabonarse
**Latin America** Latinoamérica 7.1
**laugh** reír 7.2
**laundry** lavadero 5.1
**law (profession)** abogacía
**lawyer** abogado(a) 2.1
**lay eggs** desovar 11.1
**lazy** flojo(a), perezoso(a) 1.1
**leader** líder (m. f.)
**leadership** liderazgo
**leaf** hoja
**league** liga 6.2
**leak** gotear
**learn** aprender 2.3
**leather** piel (f.) 4.2, cuero 9.2
**leave** salir 2.1, dejar 6.1, marcharse 9.2
**leave unexpectedly** salirse 9.2
**lecture** discurso 5.3
**left** izquierda 13.2
**leg** pierna 13.2
**legacy** legado
**legal** legal 2.1
**legalize** legalizar 14.3
**legend** leyenda 8.3
**legendary** legendario(a) 8.3
**lend** prestar 10.3
**less** menos 1.2
**less than** menos que 5.3
**letter** carta 2.3
**lettuce** lechuga 8.1
**level** nivel (m.)
**liberal** liberal 1.1
**librarian** bibliotecario(a) 2.1
**library** biblioteca 1.3
**license** licencia
**lie** mentir (ie, i) 6.3
**life** vida 6.2
**life preserver** 10.1 salvavidas (m. pl.)
**lifeguard, lifesaver** salvavidas (m. f.) 14.1
**lift weights** levantar pesas 5.2
**light** encender
**light brown** color crema 4.1
**light** ligero(a) 13.1
**Lights, camera, action!** ¡Luces, cámara, acción!
**like that** así 6.3
**Likewise.** Igualmente. PE
**limit** limitación (f.) 5.3; limitar 13.1
**line** línea 5.2
**lines, marks** rayas
**linking** enlace (m.)
**lion** leon (m.)

**list** lista
**listen to** (infin.) escuchar 1.2
**Listening strategies** Estrategias para escuchar
**lit up** encendido(a) 10.1
**literacy rate** alfabetismo
**literature** literatura 9.1
**little** poco 9.1, pequeño(a) 1.2
**live** vivir 2.1
**living room** sala 3.2, sala de estar, living (m.) 5.1
**loan** préstamo 4.2
**lobster** langosta 8.1
**located** situado(a) 12.3
**lodge, to give shelter** hospedar 12.2
**lodge, to house, to accommodate** alojar
**logical** lógico(a) 13.3
**logically** lógicamente 5.3
**long** largo(a) 8.3
**long distance** larga distancia 2.3
**longevity index** índice de longevidad (m.)
**look at, to watch** (infin.) mirar 1.2
**look for** (infin.) buscar 1.2
**lookout point** mirador (m.)
**lose** perder (ie) 4.1
**lose weight** bajar de peso 13.1
**loss** pérdida
**lost** perdido(a) 4.3
**lottery** lotería
**lounge, living room** salón (m.) 3.2
**love** amar 6.3; amor (m.) 7.1
**lovely** bello(a)
**lover** amante (m. f.)
**low** bajo(a) 10.1
**lower** bajar 13.2
**lower level; lower floor** planta baja 1.3
**luck** suerte (f.) 6.2
**luckily** por suerte 10.2
**lunch** almuerzo
**lungs** pulmones (m. pl.) 13.2
**luxurious** lujoso(a) 5.1

## M

**machine** máquina 9.2
**magazine** revista 6.2
**magical** mágico(a)
**mail** correspondencia 9.3
**main** principal 6.2
**main dish** plato principal 8.2
**maintain** mantener 13.2
**majority** mayoría
**make known** dar a conocer 12.2
**make mistakes** cometer errores 14.3
**make sure** asegurarse
**make the bed** hacer la cama 11.3
**male** varón (m.) 5.3
**mammal** mamífero
**man** hombre 4.1
**manage** manejar 14.2
**manager** gerente (m. f.)

**mandatory** mandatario(a), obligatorio(a)
**manner** modo
**manners** modales *(m. pl.)* 7.1
**map** mapa *(m.)*
**marathon** maratón *(m.)* 11.3
**marble** mármol *(m.)* 7.3
**March** marzo *(m.)* 2.3
**marimba (musical insturment)** marimba 6.1
**marine biologist** biólogo(a) marino(a)
**maritime, sea** marítimo(a)
**marked** marcado(a)
**market** mercado 4.1
**marriage** matrimonio 13.1
**married** casado(a) 5.3
**martial arts** artes marciales *(m. pl.)* 14.2
**marvelous** maravilloso(a) 6.1
**massage** masaje *(m.)*
**master key** llave maestra *(f.)*
**Master's degree** maestría
**matches** fósforos *(m. pl.)* 10.1
**maternal health** salud materna *(f.)* 12.2
**mathematician** matemático(a) 6.1
**mathematics** matemáticas 1.2
**mature** madurar
**May** mayo *(m.)* 2.3
**me (obj. of prep.)** mí 3.3
**meaning** significado
**means** modo
**measurement** medición *(f.)*
**meat** carne *(f.)* 7.2
**mechanic** mecánico(a) 6.3
**medal** medalla 14.2
**medicine** medicina 10.1
**meditate** hacer meditación 13.3
**medium** mediano(a) 10.1
**meeting, reunion** reunión *(f.)*
**melon** melón *(m.)* 8.1
**member** socio *(m. f.)* 13.1
**members** miembros 9.3
**memories** memorias, recuerdos
**mention** mencionar 9.3
**menu** menú *(m.)* 2.1
**merchandise** mercancía 8.1
**message** mensaje 5.2
**metallic** metálico(a) 4.2
**metaphor** metáfora 10.3
**meteorologist** meteorólogo(a) 9.1
**Mexican shawl** rebozo 4.1
**Middle American** mesoamericano(a)
**midnight** medianoche *(f.)* 2.3
**military coup** golpe militar *(m.)*
**military** militar
**milk** leche *(f.)* 1.2
**milk shake** batido (de leche) 14.3
**milky** lácteo(a) 8.1
**mine** mina 8.1
**mineral water** agua mineral 4.3
**minibus** micro 5.2
**minister** ministro *(m. f.)*
**minus** menos 2.3
**mirror** espejo
**miss** señorita (Srta.) 1.1
**misterious** misterioso(a) 8.3

**mix, to blend** mezclar
**mixed** mixto(a) 8.2
**mixed, blended (drink)** licuado 9.2
**moderate** templado(a) 8.3
**modern** moderno(a) 4.1
**modernness** modernidad *(f.)*
**modesty** modestia
**mom, mother** mamá PE
**moment** momento 4.3
**monastery** monasterio
**Monday** lunes *(m.)* 2.3
**money** dinero 2.1, **coin** moneda 12.3
**monkey** mono(a) 11.2
**monotonous** monótono(a) 1.3
**month** mes *(m.)* 2.3
**monthly** mensualmente 5.3
**more or less** más o menos 2.2
**more than** más que 5.3
**more; most** más PE
**morning / afternoon / evening** mañana / tarde / noche 2.3
**mortality rate** tasa de mortalidad
**mortgage payments** pagos de hipoteca 13.3
**mosquito** mosquito 12.3
**motality** mortalidad *(f.)* 12.2
**mother** madre 5.3
**Mother's Day** Día de las Madres 8.3
**motivate** motivar
**motivated** motivado(a) 4.2
**mount, mountain** monte *(m.)*
**mountain** montaña 7.3
**mountain biking** ciclismo de montaña 1.1
**mountain climbing** alpinismo 14.2
**mountain range** cordillera, sierra 12.3
**mouth** boca 13.2
**move** mover 2.1
**move away, to withdraw** alejarse
**move, relocate** mudarse 5.1
**movement** movimiento 13.2
**movie** película 1.3
**movie theater** cine 1.2
**Mr.** señor (Sr.) 1.1
**Mrs.** señora (Sra) 1.1
**much, a lot** mucho(a) 1.2
**mud** lodo
**municipality** municipio
**museum** museo 4.1
**music** música 3.2
**music band** banda *(f.)* 1.3
**musician** músico *(m. f.)* 9.1
**my** mi PE, mi / mis 2.2
**My name is . . .** Me llamo... PE
**mystery** misterio 5.2
**mythology** mitología

# N

**name** nombre *(m.)* 1.1; nombrar 7.1
**napkin** servilleta 8.2
**narrate** narrar
**narrow** estrecho(a) 8.3

**National Autonomous University of Mexico** UNAM
**national** nacional 6.2
**nationalize** nacionalizar
**natural** natural 8.1
**natural disaster** desastre natural *(m.)* 10.1
**nature** naturaleza 7.3
**near** cerca de 5.1
**neck** cuello 13.2
**necklace** collar *(m.)* 4.2
**necktie** corbata 4.2
**need** *(infin.)* necesitar 1.2
**negative** negativo(a) 7.2
**neighbor** vecino(a) 10.1
**neighborhood** barrio 4.3
**neither** tampoco 6.2
**neither . . . nor** ni... ni 10.2
**nephew (niece)** sobrino(a) 5.3
**nerves** nervios
**nervous** nervioso(a) 3.1
**nesting** anidamiento
**net** red *(f.)* 14.1
**never** nunca 5.2, jamás 10.2
**nevertheless** sin embargo
**New Year** Año Nuevo 9.1
**newly** recién *(adv.)* 6.2
**news** noticias *(pl.)* 6.2
**newspaper** periódico 2.1
**next** próximo(a) 12.1
**next to, by** junto a 5.1
**next, following** siguiente 7.1; a continuación 10.3
**Nicaraguan** nicaragüense *(m. f.)*
**Nicaraguan revolutionary group** sandinistas 10.3
**nice, pleasant, likable** simpático(a) 1.1
**ninth** noveno 10.1
**no** no PE
**no doubt** no cabe duda
**no one, nobody** nadie 6.2
**nocturnal** nocturno(a)
**noise** ruido 6.2
**none, not any** ninguno(a) 10.2
**noon** mediodía *(m.)* 2.3
**normal** normal 5.3
**north** norte *(m.)* 3.1
**northeast** noreste *(m.)* 3.1
**northwest** noroeste *(m.)* 3.1
**nose** nariz *(f.)* 13.2
**not even** ni siquiera
**Not very well.** No muy bien. PE
**notebook** cuaderno 1.3
**nothing** nada 6.3
**notice** notar 10.2
**novel** novela 6.2
**novelist** novelista *(m. f.)* 9.1
**November** noviembre *(m.)* 2.3
**now** ahora 5.2
**Now let's write!** Ahora ¡a escribir!
**number** número 2.2
**numerous** numeroso(a) 4.2
**nursing** enfermería 1.2

## O

object objeto 10.2
objective objetivo
obligate obligar 7.2
obligatory obligatorio(a)
observe observar 10.1
obsessively obsesivamente 5.3
obtain, get conseguir (i, i) 6.2, **to get** obtener 11.1
obtain good grades sacar buenas notas 13.1
obvious obvio(a) 13.3
occasion ocasión (f.) 11.1
occupy ocupar
occur ocurrir 6.2, **happen** pasar 6.3
ocean océano 11.1
October octubre (m.) 2.3
octopus pulpo 8.1
oenologist, wine specialist enólogo
of, from de 5.1
Of course! ¡Claro!
of mixed parentage, of white and Indian parentage mestizo(a)
offer oferta
offer ofrecer 13.3
offering ofrenda
office oficina 2.1
Oh dear! ¡Ay! 13.2
oil petróleo 6.2
oil (painting) óleo 7.3
old viejo(a) 5.1
old, ancient antiguo(a) 12.1
older mayor 4.2
olive aceituna 3.2
olive oil aceite de oliva (m.) 3.3
olympic olímpico(a) 14.2
Olympics Olimpiadas 14.1
on en 5.1
on the contrary al contrario
on the shores of a orillas de
on the wrong foot con el pie izquierdo 10.3
on time a tiempo 10.2
on top of encima de 5.1
onion cebolla 8.2
only solo 5.2
open abrir 3.2
open mind mentalidad abierta (f.) 13.1
opponent; candidate opositor(a)
opportunity oportunidad (f.) 10.2
opposite opuesto(a)
optimist optimista (m. f.)
option opción (f.) 12.1
orange anaranjado(a) 4.1, naranja 8.1
orchid orquídea
order orden (m.) 14.3
ordinary ordinario(a)
organize organizar 3.2
organized organizado(a) 1.2
organizer organizador(a) 14.1
original original 4.1
other otro(a), demás 8.3
other half (slang) media najaranja

other, another otro(a) 6.1
our nuestro(a) / nuestros(as) 2.2
Our community! ¡Nuestra comunidad!
out, outside afuera, fuera 5.3
outer ear oreja 13.2
outgoing sociable 1.1
outline esquema (m.), **script** guión (m.)
oven horno 5.1
over, on top of, about sobre 5.1
own, one's own propio(a)
owner dueño(a) 12.1
oxygen oxígeno 10.2

## P

pack empacar
pack a suitcase hacer la maleta 12.2
package paquete (m.) 5.2
painter pintor(a) 7.3
painting cuadro 4.1, pintura 9.1
pair par (m.) 13.1
pajamas pijamas (m.) 4.2
palace palacio 4.1
palm palma
palpitating, throbbing palpitante 4.1
Panamanian panameño(a)
pants, trousers pantalones (m.) 4.2
paper papel (m.) 1.1
parade desfile (m.) 13.2
paradise paraíso
Paraguayan paraguayo(a)
pardon, sorry perdón 1.1
park parque 4.1
parked estacionado(a) 6.3
parking estacionamiento 4.1
part parte (f.) 7.1
part time media jornada 5.3
part time job empleo de tiempo parcial
participant participante (m. f.) 7.1
participate participar 5.3
partner, couple pareja
party fiesta 1.3
party animal juerguista
party pooper aguafiestas (m. f.)
pass the time pasar el rato 5.2
pass, to spend (time) pasar 5.2
passaport pasaporte (m.)
passerby, transient transeúnte (m. f.)
passion pasión (f.) 10.3
password clave (f.)
pastime, amusement pasatiempo 1.2
pastry shop pastelería 5.2
patience paciencia 5.3
patient paciente 1.1
patio patio 1.3
pattern patrón (m.)
patterns of intonation patrones de entonación
pay (infin.) pagar 1.2
pay (for a service) remuneración (f.) 14.3
pay scale escala de pagos 14.3
peace paz (f.) 6.1
peace accords acuerdos de paz

peach durazno 8.1, melocotón (m.) 8.1
peanut maní (m.) 8.1
pearl perla 14.1
peas arvejas (f. pl.) 8.1
pen bolígrafo 1.1
pencil lápiz (m.) 1.1
pendant, pin pendiente (m.) 4.2
people gente (f.) 2.1
pepper pimienta 8.2
perceive percibir
percent por ciento
percentage porcentaje (m.)
performance actuación (f.) 10.2
perfume perfume (m.) 8.3
perfume store perfumería 9.3
permanence permanencia
person persona 2.1
person from Medellín, Colombia paisa 7.3
personal personal 7.3
personality personalidad (f.) 1.1
personally personalmente 7.1
pertaining to sports deportivo(a) 14.2
pertaining to the Amazon amazónico(a)
pet mascota, animal doméstico (m.) 5.1
pharmacist farmacéutico(a) 2.1
phenomenal fenomenal 3.1
photo illustrated soap opera magazine fotonovela 7.2
photograph fotografía 4.3; fotografiar 6.1
Photos speak! ¡Las fotos hablan!
phrase frase (f.)
physical education educación física 1.2
physics física 1.2
pick up, gather recoger 7.1
piece trozo 7.2
pill pastilla
pineapple piña, ananá 8.1
pink rosado 4.1
pioneer pionero(a)
pipe pipa 8.3
pitch a ball tirar la pelota 14.2
pitcher lanzador(a) 14.1
pizza pizza 3.2
place colocar; lugar (m.) 4.3
placed colocado(a)
plague plaga
plain, level ground planicie (f.)
planet planeta (m.) 4.3
plant planta 9.3
plant plantar 11.3
plastic plástico 5.1
plate plato 1.3
plateau meseta
play (an instrument) tocar
play the role hacer el papel
play, drama (theater) comedia
player jugador(a) 5.3
playwrite dramaturgo (m. f.) 9.1
plaza, town square plaza 4.1
pleasant, likeable agradable
please gustar 3.3; por favor 8.2
Pleased to meet you. Mucho gusto. PE
pleasure placer 10.2
plus y 2.3

**pocket** bolsillo
**poet** poeta *(m. f.)* 9.1
**poetry** poesía
**point** punto 7.2
**point of view** punto de vista
**poisoning** envenenamiento 10.1
**police force** policía *(f.)*
**police station** comisaría 6.3
**policeman** policía *(m.)* 2.1
**policewoman** policía *(f.)* 2.1
**polish** pulir
**polite** cortés 7.1
**political** político(a) 9.1
**political science** ciencias políticas 1.2
**politics** política 3.3
**pollution** contaminación *(f.)* 9.1
**pool** poza
**popular** popular 1.2
**populated** poblado(a) 8.3
**population** población *(f.)* 8.3
**pork** carne de puerco 8.1
**port, harbor** puerto
**portable computer** computadora portátil 2.2
**portrait** retrato 4.1
**Portuguese** portugués (portuguesa)
**position, job** puesto 2.1
**post** poste *(m.)*
**postcard** postal *(f.)* 11.3
**potato** patata 3.2, papa 8.1
**poverty** pobreza 12.2
**power** poder *(m.)* 14.3
**powerful** poderoso(a) 14.3
**practically** prácticamente 5.3
**practice** ensayar, práctica 5.3
**practice** practicar 1.3
**prawns** gambas 3.2
**precious** precioso(a) 4.3
**precisely** precisamente 5.3
**pre-Columbian** precolombino(a) 12.1
**predict, to anticipate** predecir
**prefer** preferir (ie) 4.1
**preferable** preferible 5.2
**preferred** preferido(a) 1.1
**preference** preferencia
**prejudice** prejuicio 6.2
**preoccupied, worried** preocupado(a) 3.1
**prepare** *(infin.)* preparar 1.2; (-ar verbs) 1.3
**prescribe** recetar 2.1
**prescription** receta
**presentation** presentación *(f.)* 6.2
**presidency** presidencia 6.2
**president** presidente(a) 6.1
**press** prensa; oprimir 11.2
**pressure** presión *(f.)*
**pretty** bonito(a) 4.2
**pretty, lovely** lindo(a) 12.1
**prevent** impedir 13.2
**previous** previo(a), **before** anterior 6.3
**price** precio 4.2
**price tag** etiqueta
**priest** sacerdote *(m.)*
**primitive or naïve art, characterized by**

**vivid colors and simple figures** primitivista 10.2
**primitive** primitivo(a)
**priority** prioridad
**private** privado(a) 1.3
**prize** premio 6.1
**probably** probablemente 4.3
**problem** problema *(m.)* 7.2
**proceeding, coming from** proveniente
**procession, delegation** comitiva
**produce** producir 10.2
**product** producto 7.3
**productive** productivo(a) 4.3
**profession** profesión *(f.)* 2.1
**professional** profesional 14.2
**professor** profesor(a) PE
**profile** perfil *(m.)* 7.1
**profitable** rentable 12.3
**profits, gains** ganancias
**profoundly** profundamente 5.3
**program** programa *(m.)* 1.3
**prohibit, to forbid** prohibir
**prohibited** prohibido(a) 3.3
**project** proyectar 7.2
**project** proyecto
**promise** promesa
**promise** prometer 7.1
**propaganda** propaganda 14.2
**property** propiedad *(f.)* 12.1
**proportionate** proporcionado(a)
**proposal** propuesta
**propose** proponer
**prosecutor** fiscal *(m. f.)* 6.3
**protagonist** protagonista *(m. f.)* 6.3
**protect oneself** protegerse
**protest** protestar 5.3
**proud** orgulloso(a) 11.1
**proverb** proverbio
**provide** proporcionar 10.1
**provided (that)** con tal (de) que 14.3
**prudent** prudente 12.3
**pub, brewery** cervecería 9.3
**public** público(a) 1.3
**publisher** editorial 12.1
**Puerto Rico, name before the Spaniards arrived** Borinquén
**punctual** puntual 7.1
**punctuation** puntuación *(f.)*
**puncture, to get a flat tire** pinchar(se) 11.2
**purchase** compra 12.2
**pure** puro(a)
**purify** purificar 12.3
**purpose, intent** propósito 7.2
**purse** cartera 6.2
**pursue** perseguir (i,i) 10.3
**put** poner 7.1
**put on, wear** ponerse 9.2
**pyramid** pirámide *(f.)*

## Q

**quality** calidad *(f.)* 14.3
**quantity** cantidad *(f.)*

**quarter, 15-minute fraction of the hour** cuarto 2.3
**queen** reina 7.2
**question** pregunta 2.2
**quiet** callado(a) 1.2
**quiet, calm** tranquilo(a) 3.1
**Quite well.** Bastante bien. PE

## R

**race (ethnic)** raza
**racial** racial 6.2
**racial discrimination** discriminación racial *(f.)* 11.1
**radio** radio *(f.)* 1.2
**radish** rábano 8.1
**rain** llover (ue), lluvia 9.1
**rain cats and dogs** llover a cántaros 11.2
**rain forest** bosque lluvioso 11.1
**raincoat** impermeable *(m.)* 4.2
**raise** levantar 13.2; subir 13.2
**rapid, fast** rápido(a) 4.2
**rapids (of a river)** rápidos
**rarely** raramente 5.3
**ravine, gorge** tajo
**raw fish marinated in lemon juice** ceviche *(m.)* 8.2
**rayon** rayón *(m.)* 4.2
**raze, destroy** arrasar 6.1
**reach, to attain** alcanzar 6.2
**react** reaccionar 5.3
**reaction** reacción *(f.)*
**read** *(infin.)* leer 1.2
**real estate** bienes raíces *(m. pl.)*
**reality** realidad *(f.)*
**realize** darse cuenta
**reappear** reaparecer 9.1
**rear** trasero(a) 6.2
**receive** recibir 2.1
**recent** reciente 10.1
**recently** recién *(adv.)* 6.2
**recipe** receta 3.2
**reception, welcome** acogida
**recital** recital *(m.)* 4.3
**recognition** reconocimiento 10.3
**recognize** reconocer
**recognized, known** reconocido(a) 7.3
**recommend** recomendar (ie) 8.2
**recording** grabación *(f.)*
**recreate** recrear
**recruit** reclutar 14.2
**red** rojo(a) 4.1
**Red Cross** Cruz Roja 10.1
**redistribute** redistribuir
**reduce** reducir 12.2
**refer to, to mention** referirse
**referee** árbitro(a) 14.1
**refill, to fill out** rellenar
**refinery** refinería 6.2
**reform** reforma 6.2
**refreshing** refrescante
**refrigerator** nevera, heladera 5.1
**refuge** refugio

**region** región (*f.*) 12.1
**register, to enroll** inscribirse
**registration** matrícula 4.2
**regret, to be sorry** lamentar
**reinterpret** reinterpretar 12.2
**relate, to report** relacionar, **to tell** relatar
**related** relacionado(a) 5.3
**relationship** relación (*f.*) 7.3
**relative** pariente (*m.*) 5.3
**relatives** familiares (*m. pl.*) 7.1
**relax** tranquilizarse 11.2; relajarse 13.2
**relaxed** relajado(a)
**religious** religioso(a) 12.2
**remains** restos (*m. pl.*) 12.1
**remember** acordarse 9.2, recordar
**remote** remoto(a)
**remove, take away** sustraer (substraer) 6.2
**renounce, to give up** renunciar
**rent** alquiler (*m.*) 4.2; alquilar 6.3
**repair** reparar 6.3
**repeat** repetir (i, i) 7.2
**repellent** repelente (*m.*) 12.3
**replace** reemplazar
**replete, full** repleto(a) 8.3
**report** reporte (*m.*) 2.1
**reporter** reportero(a) 2.3
**represent** representar 2.1
**representative** representante 6.1
**reptile** reptil (*m.*) 11.1
**requirement** requisito
**rescue** rescatar
**reservation** reservación (*f.*) 10.2
**reserve** reservar 12.1
**residence** residencia 5.1
**resolve** resolver 7.3
**respect** respetar 7.1
**respect** respeto 10.3
**respectful** respetuoso(a) 12.3
**respiratory** respiratorio 13.3
**respond, to answer** responder 6.3
**responsibility** responsabilidad (*f.*) 2.1
**responsible** responsable 2.1
**rest** descansar 6.3
**rest, break** descanso 2.2
**rest, remaining** resto 6.2
**restaurant** restaurante (*m.*) 1.2
**restore** restaurar
**restored** restaurado(a)
**result** resultado 6.3
**retire** jubilarse 14.3
**return** regresar 2.3, volver (ue) 4.1
**reunite** reunir
**reveal onself** manifestarse 12.2
**reveal, denounce** delatar 7.2
**reveal, develop** revelar 7.2
**revive** reanimar 10.1
**revolutionary** revolucionario(a)
**rhythm** ritmo 10.3
**rice** arroz (*m.*) 8.2
**rich; delicious** rico(a) 3.3
**richness, wealth** riqueza 8.1
**ride a bicycle** montar en bicicleta 9.1
**right** derecha 13.2
**right away** enseguida

**Right away!, ¡Hurry!** ¡Pronto! 4.3
**rigid** rígido(a) 13.3
**ring** sonar (ue) 11.2
**ring (a door bell)** tocar 9.3
**ripe** maduro(a)
**river** río
**road, street** camino
**roasted** asado(a) 8.2
**rob, steal** robar 6.2
**rock** roca 12.3
**romantic** romántico(a) 1.1
**roof; ceiling** techo
**room** cuarto 1.3; **bedroom** habitación (*f.*) 3.2
**roommate** compañero(a) de cuarto 1.1
**rope** cuerda 10.1
**rosé wine** vino rosado 8.2
**round off** redondear
**round trip** ida y regreso 11.3
**route** ruta 5.2
**routine** rutina 9.2
**rowing, rafting** canotaje (*m.*) 12.3
**ruin** ruina 4.3
**ruined** arruinado(a)
**rule** regla
**run** correr 2.1
**run away** huir 6.2
**runner** corredor(a) 5.3

# S

**sacred** sagrado(a)
**sad** triste 3.1
**safety belt** cinturón de seguridad (*m.*) 13.1
**sailor** marinero 8.3
**salad** ensalada 8.1
**salary** salario 2.2, sueldo 14.3
**sale** venta 6.2, **discount** rebaja 6.2
**salesperson** dependiente(a) 2.1
**salmon** salmón (*m.*) 8.1
**salt** sal (*f.*) 7.3
**same** mismo(a) 6.1, igual 14.3
**sanction** sanción (*f.*) 14.1
**sandwich** torta 4.3
**satisfy** satisfacer 13.3
**Saturday** sábado (*m.*) 2.3
**sausage** chorizo 3.2, salchicha 8.1
**sautéed in garlic** al ajillo 8.1
**save** ahorrar 9.2
**savory, delicious** sabroso(a) 4.2
**say; to tell** decir (i) 6.3
**saying** refrán (*m.*) 14.3
**sayings** dichos
**scarcity** escasez (*f.*)
**schedule** horario 3.3
**scholarship** beca 14.2
**school insurance** seguro escolar 13.3
**school principal** director(a) de escuela 2.1
**school, scholastic** escolar 11.1
**science fiction (movie)** película de ciencia ficción 3.3
**score goals** marcar goles 5.3
**scrambled** revuelto(a) 8.2

**scream** gritar 6.3
**screen** pantalla 11.2
**scuba dive** bucear 10.3
**scuba diving** buceo 14.2
**sculptor** escultor(a)
**sculpture** escultura 7.3
**sea** mar 8.3
**sea bass** corvina 8.2, lubina 8.2
**seafood** marisco 3.3
**season, period** temporada
**seasons** estaciones del año (*f. pl.*)
**seat** asiento
**seat (of an organization), headquarters** sede (*f.*)
**seated** sentado(a)
**second** segundo 10.1
**second floor** segundo piso 1.3
**secretary** secretario(a) 2.1
**section** sección (*f.*) 6.2
**security** seguridad (*f.*) 2.1
**security check** control de seguridad (*m.*)
**see** ver 3.3
**See you later.** Hasta luego. PE
**See you soon.** Hasta pronto. PE
**See you tomorrow.** Hasta mañana. PE
**seed** semilla
**seem** aparentar 14.3
**seem like, to appear like** parecer 4.3
**select** escoger, seleccionar 3.2
**self-portrait** autorretrato 4.1
**sell** vender 2.1
**send** enviar 1.2, mandar 6.3
**sense of humor** sentido del humor
**sensitive** sensible
**sentence** sentencia 2.1, oración (*f.*) 10.3
**sentiment** sentimiento 7.3
**September** septiembre (*m.*) 2.3
**series** serie (*f.*)
**serious** serio(a) 1.1
**serpent** serpiente
**serve** servir (i, i) 7.2
**service** servicio 12.2
**seventh** séptimo 10.1
**shake hands** darse la mano
**share** compartir 5.2
**shave** afeitarse 9.2
**she, it** (*f.*) ella 1.1
**sheet of paper** hoja de papel 2.2
**shirt** camisa 4.1
**shiver** temblar 9.1
**shoe** zapato 4.2
**shoe store** zapatería 9.3
**shoot, to fire a shot** pegar un tiro
**shopping center** centro comercial (*m.*) 2.1
**short (length)** corto(a) 3.3
**short story** cuento 6.2
**short story writer; story teller** cuentista (*m. f.*)
**shoulder** hombro 13.2
**show** mostrar
**show, exhibition** espectáculo 12.1
**shower** bañera, ducha 5.1
**shower, take a shower** ducharse 9.2
**showy, flashy** llamativo(a)

**shy** tímido(a) 1.1
**siblings** hermanos 5.3
**sick** enfermo(a) 3.1
**side** lado, costado
**sign** firmar 14.3
**signify, mean** significar 7.2
**silently** silenciosamante 5.3
**silk** seda 4.2
**silver** plata 4.2
**similar** parecido(a) 13.2
**simply** simplemente 5.1
**simultaneous** simultáneo(a)
**sincere** sincero(a) 1.1
**sing** cantar 3.2
**singer** cantante *(m. f.)* 1.1
**siren** sirena 11.2
**sit down** sentarse (ie) 9.2
**site** sitio 12.1
**situation** situación *(f.)* 7.3
**sixth** sexto 10.1
**size** tamaño 11.1
**skater** patinador(a) 5.3
**ski** esquiar 1.2
**skier** esquiador(a) 5.3
**skiing** esquí *(m.)* 14.1
**skinny** flaco(a) 4.2
**skirt** falda 4.1
**sky** cielo 9.1
**skyscraper** rascacielos
**slave** esclavo(a)
**sleep** dormir (ue, u) 4.1
**sleeping bag** bolsa de dormir *(f.)* 12.3
**sleeve, jacket (of a record)** carátula
**slide** deslizarse
**slim, thin** delgado(a) 3.3
**slipper** zapatilla 8.2
**slow** lento(a) 10.1
**slowly** lentamente 5.3
**small island** isleta
**small plate or dish** platito 3.2
**small, short, little** pequeño(a) 1.2
**smart, clever** listo(a) 1.2
**smile** sonreír 7.2
**smoke** fumar 1.2; humo 3.3
**smother, to put out** sofocar 10.1
**snack, tidbit** bocadillo 9.3
**snow** nevar (ie) 9.1, nieve *(f.)* 9.1
**so much** tanto(a) 2.1
**so that** para que 14.3
**soaking wet** empapado(a) 9.1
**soap opera** telenovela 6.3
**soccer** futbol (also fútbol) *(m.)* 1.1
**soccer player** futbolista *(m. f.)* 5.3
**social** social 6.2
**socialist** socialista *(m. f.)*
**socialized** socializado(a) 14.3
**society** sociedad *(f.)* 5.3
**sociology** sociología
**soft drink** refresco 1.3
**soft, gentle, mild** suave 8.3
**soil** tierra 12.1
**soldier** soldado
**solicit, to ask for** solicitar 14.2
**solid** sólido(a) 12.3

**solidarity** solidaridad *(f.)*
**solitude, loneliness** soledad *(f.)*
**solstice** solsticio 12.3
**solution** solución *(f.)* 7.2
**solve** solucionar 9.3
**some, any** alguno 10.2
**someone, anyone** alguien 10.2
**something** algo 6.3
**sometime, ever** alguna vez 10.2
**sometimes** a veces 5.2
**somewhat** algo 1.1
**son (daughter)** hijo(a) 5.3
**song** canción *(f.)* 2.2, canto
**sound** sonido 11.2
**soup** sopa *(f.)* 5.1
**south** sur *(m.)* 3.1
**southeast** sureste *(m.)* 3.1
**southwest** suroeste *(m.)* 3.1
**souvenirs** recuerdos 4.3
**space** espacio
**space ship** transbordador espacial *(m.)* 11.3
**Spaniard** español(a)
**Spanish dance; march** pasodoble *(m.)* **step** 3.2
**Spanish gypsy dance, music and songs** flamenco 3.1
**Spanish potato omelette** tortilla española 3.2
**Spanish smoked ham** jamón serrano 3.2
**Spanish speaker** hispanohablante *(m. f.)*
**spare tire** llanta de repuesto 13.1
**sparkling wine** vino espumoso 8.2
**special** especial 1.1
**specialist** especialista 2.1
**species** especie *(f.)* 11.1
**speed** velocidad
**speed limit** límite de velocidad *(m.)* 11.2
**speeding** exceso de velocidad *(m.)* 11.2
**spelling** ortografía
**spend** gastar 4.2
**spirit** espíritu *(m.)*
**spoon** cuchara 8.2
**sport** deporte *(m.)* 1.1
**spring** primavera 2.3
**sprinkling** aspersión *(f.)*
**squad, squadron** escuadra
**square** cuadrado
**square miles** millas cuadradas 8.3
**squid** calamar *(m.)* 8.1
**stadium** estadio 9.2
**stand out** destacarse
**standard** estándar *(m.)*
**starting from** a partir de
**state** estado
**statehood** estadidad *(f.)*
**station** estación *(f.)* 5.2
**stationery store, bookstore** papelería 9.3
**statue** estatua 10.3
**stay** estadía, estancia 13.1
**stay calm** mantener la calma 10.1
**stay, to remain** permanecer 9.1, quedarse 10.1
**steak** bistec *(m.)* 8.2
**steal** robar 6.2
**step** paso 8.3

**step on** pisar
**stepbrother (stepsister)** hermanastro(a) 5.3
**stepfather** padrastro 5.3
**stepmother** madrastra 5.3
**stew** estofado 8.1
**still** todavía 7.3
**stomach** estómago 13.2
**stomachache** dolor de estómago
**stone, rock** piedra
**stop (doing something), to quit** dejar 11.2
**stop talking, become quiet** callarse 9.2
**store** guardar 13.1
**store, shop** almacén *(m.)* 4.2
**stormy, turbulent** tormentoso(a) 4.2
**stove** cocina/estufa 5.1
**straight (hair)** lacio(a) 3.3
**strange** extraño(a) 10.2, **rare** raro(a)
**strangers** gente desconocida *(f.)* 11.2
**strawberry** fresa 8.1
**stretch** estirar 13.2
**street** calle *(f.)* 2.1
**strength** fuerza 8.3;
**stress** estrés *(m.)* 11.1
**strike, hit** golpe *(m.)* 14.1
**string beans** porotos verdes *(m. pl.)* 8.1
**strive, to exert much effort** esforzarse
**strolling** de paseo
**strong** fuerte 1.1
**strong Colombian coffee with sugar** tinto 7.1
**student** estudiante *(m. f.)* PE
**student exchange** intercambio
**studious** estudioso(a) 1.1
**study** estudiar 1.2
**stupendous** estupendo(a) 1.2
**stupid, ignorant, brutish** bruto(a) 5.3
**style, fashion** moda 9.1
**submerge oneself** sumergirse
**subsequently, later** posteriormente
**suburbs, outskirts** afueras 10.2
**succeed** tener éxito 4.3
**success** éxito 11.3
**suddenly** de repente 6.2
**suffer** sufrir 4.3
**sufficient, enough** suficiente 7.2
**sugar** azúcar *(m.)* 8.2
**sugar cane** caña de azúcar
**suggest** sugerir 10.1
**suit, outfit** traje *(m.)*
**suitcase** maleta 12.2
**sum up, add** sumar 7.2
**summary** resumen *(m.)*
**summer** verano 2.3
**summit, peak** cima, cumbre *(f.)* 11.3
**sun** sol *(m.)*
**sun glasses** anteojos de sol *(m. pl.)* 12.3
**Sunday** domingo *(m.)* 2.3
**Super!** ¡Bárbaro!
**supermarket** supermercado 1.3
**superresponsible** superresponsable 5.2
**support** apoyar 12.3
**support, to hold up; to endure** soportar
**sure, secure, safe** seguro(a) 7.2

surface superficie (*f.*) 14.2
surgery cirugía 11.1
surpass, to exceed superar, sobrepasar
surprise sorprender 6.2; sorpresa 8.1
surrounding, ambience ambiente (*m.*)
surrounding area alrededores (*m. pl.*)
survey encuesta
survive sobrevivir 4.3
suspicious sospechoso(a) 10.2
sustainability sostenibilidad (*f.*) 12.2
sustainable sostenible 8.3
swear jurar
sweat, perspire sudar 9.1
sweater suéter (*m.*) 4.2
swim (*infin.*) nadar 1.2
swiming pool piscina 1.3
swimmer nadador(a) 5.3
swimming natación (*f.*) 14.1
swimming pool pileta 5.1
swindled, cheated estafado(a)
swollen hinchado(a) 13.2
symbol símbolo
system sistema (*m.*)
system, network red (*f.*) 5.2

# T

T-shirt camiseta 4.1
T.V. network cadena de televisión
T.V. viewer televidente (*m. f.*)
table mesa 5.1
take llevar 1.3
take a break tomar un descanso 13.2
take advantage aprovecharse 13.3
take an order (at a restaurnat) tomar la
   orden 2.1
take away llevarse 9.2
take care of cuidar
take leave, to say good-bye despedirse 10.3
take off quitarse 9.2
take out (your dog) sacar 11.2
take pictures sacar fotos 8.1
take place tener lugar 2.3
take turns tomar turnos, turnarse 9.2
talented talentoso(a) 1.1
talk, to speak (*infin.*) hablar 1.2
talkative hablador(a) 1.2
tall alto(a) 1.1
tank tanque (*m.*)
tape cinta 7.1
task 1.3
taste sabor (*m.*), flavor gusto 8.2, to
   sample degustar
taxes impuestos
taxi taxi 5.2
tea té (*m.*) 4.3
teach; to show enseñar 2.1
teacher maestro(a) 1.3
teachers' lounge sala de los profesores 2.1
team equipo 6.1
teddy bear osito de peluche 5.3
teeth dientes (*m. pl.*) 9.2
telephone teléfono 1.2

telephone call llamada 11.2
television (slang) tele (*m.*) 1.3
tell (a story) contar (ue) 8.3
temperature temperatura 4.3
temple templo
temple, sanctuary santuario
tennis tenis (*m.*) 1.1
tennis player tenista (*m. f.*) 5.3
tent carpa, tienda de campaña
tenth décimo 10.1
terminal terminal 5.2
Terrible! ¡Terrible! PE
terrific estupendo(a) 1.2
terrified aterrorizado(a) 3.1
testimonio testimony 6.3
text messages mensajes de texto (*m. pl.*)
Thanksgiving Día de Acción de Gracias 9.1
that ese(a) 4.1
that eso (*neuter*) 4.1
that over there aquel(la) 4.1
that way de esa manera 12.2
That's right! ¡Así es! 13.2
the el 1.3
the day before yesterday anteayer (*m.*) 11.2
the least el/la/los/las menos 7.1
the left a la izquierda 5.1
the most el/la/los/las más 7.1
The pleasure is mine. El gusto es mío. PE
the right a la derecha 5.1
theater teatro 1.3
their su / sus your (fml. pl.); 2.2
then luego 8.3
theology teología
there . . . to be haber 10.2
there is, there are hay
thermal termal
these estos(as) 4.1
thesis tesis (*f.*) 6.2
they ellos(as) 1.2
they love it! ¡les encanta! 2.1
thief ladrón (ladrona) 5.3
thing cosa 7.1
think pensar (ie) 4.1
third tercer(o) 10.1
thirst sed (*f.*) 4.3
this este(a) 4.1, esto (*neuter*) 4.1
This is . . . (*f.*) Esta es... PE, (*m.*) Este es...
   PE
those esos(as) 4.1
those over there aquellos(as) 4.1
thought pensamiento
threat amenaza 10.1
threaten amenazar
throat garganta 13.2
throughout a lo largo 13.1
throw oneself tirarse
throw, to hurl, fling arrojar 9.2,
   lanzar 10.1
Thursday jueves (*m.*) 2.3
ticket boleto 7.2
tie empate (*m.*) 14.1
time, instance vez (*f.*) 4.1
tip propina 8.3
tire llanta 11.2

tired cansado(a) 3.1
tiredness, fatigue cansancio
title título 3.3
to/for him, her, it le 3.3
to/for me me 3.3
to/for you (*pl. formal*) les; to/for them 3.3
to/for you (*s. fam.*) te 3.3
to/for you (*s. formal*) le
toast (with a drink) brindis (*m.*)
tobacco store tabaquería 9.3
together juntos 7.1
toilet, lavatory inodoro 9.2
toilet, restroom baño 3.2
tomato tomate (*m.*) 8.1
tone, to strengthen tonificar 13.2
too much demasiado(a) 13.1
topic tema (*m.*) 8.3
tornado tornado 10.1
torture tortura
totally totalmente 5.3
touch tocar 1.3
tourism turismo 8.3
tourist turístico(a) 10.2
toward hacia, para 5.2
towards hacia
towel toalla 10.1
tower torre (*f.*)
toxicology toxicología 10.1
track and field atletismo 14.2
traffic tráfico 3.3
traffic jam atasco 3.3
tragedy tragedia
train tren (*m.*) 4.3
training capacitación
trajectory trayecto 8.3
transferred, moved residence
   transladado(a)
transform oneself transformarse 11.3
transformation transformación 11.3
translate traducir 10.2
transparent transparente 8.3
transport transporte (*m.*) 11.3
trash basura 9.2
traumatic traumático(a)
travel viajar 2.3
travel agency agencia de viaje 12.2
traveler viajero(a)
traverse, to cut across atravesar 12.3
treasurer tesorero(a) 14.2
tree árbol (*m.*) 9.1
tree tops copa de los árboles 11.3
trial juicio 6.3
trip viaje (*m.*) 6.1
truck, (Mex.) bus camión (*m.*) 6.2
true, certain cierto(a)
trumpet trompeta 11.1
truth verdad (*f.*) 5.3
try tratar de 10.2, to taste probar 8.2
tsunami maremoto 10.1
Tuesday martes (*m.*) 2.3
turkey pavo 8.1
turn doblar 9.3, girar 9.3
turn down, to refuse denegar 14.3
turn in entregar 13.1

**turnover, pasty, pie** empanada 8.1
**turtle** tortuga 11.1
**TV set** televisor *(m.)* 5.1
**twin** gemelo(a)
**type** tipo 2.2
**typical** típico(a) 4.2

# U

**ugly** feo(a) 1.1
**umbrella** paraguas *(m.)* 11.2
**umpire** árbitro(a) 14.1
**unbearable** insoportable 3.3
**unbelievable, incredible** increíble 6.1
**uncertainty, doubt** incertidumbre
**uncle (aunt)** tío(a) 5.3
**uncomfortable** incómodo(a)
**unconscious** inconsciente 10.1
**under** debajo de 5.1
**under development, developing** en desarrollo 12.2
**undergo surgery** operarse 13.3
**underground, metro** subte *(m.)* 5.2, subterráneo *(m.)* 5.2
**understand** entender (ie) 4.1
**uneven, unequal** dispares
**unforgettable** inolvidable 11.3
**unfortunately** desgraciadamente, por desgracia, desafortunadamente 6.2
**unhappy** descontento(a)
**uniform** uniforme 14.3
**unite, to combine** unir
**united** unido(a) 11.1
**universal** universal 12.2
**university** universidad 1.2
**university president** rector *(m.)* 14.2
**unjustly** injustamente 6.3
**unknown** desconocido(a)
**unless** a menos que 14.3
**unoccupied** desocupado(a)
**unpleasant** antipático(a) 1.2
**unrepeatable** irrepetible 4.3
**unstable** inestable
**unsure** incierto(a)
**until** hasta 5.2, hasta que 14.3
**uphill** ladera arriba
**urban** urbano(a) 1.3
**urgent** urgente 13.1
**Uruguayan** uruguayo(a)
**us** nos, nosotros 3.3
**use for the first time** estrenar
**use of vos and its verb forms in addressing someone** voseo
**use** usar 1.2
**useful** útil 12.2
**utilize, to use** utilizar
**utopian** utópico(a)

# V

**vacation** vacaciones 5.2
**Valentine's Day** Día de San Valentín 9.1

**valid** válido(a)
**valuable** valioso(a)
**value** valor *(m.)* 6.2; valorar 8.3
**varied, assorted** variado(a) 1.3
**variety** variedad *(f.)* 11.1
**various, several** varios(as) 1.3
**vary** variar
**vegetable** verdura 8.1
**vegetarian** vegetariano(a) 7.2
**velocity, speed** velocidad *(f.)*
**venerate, to revere** venerar
**Venezuelan** venezolano(a)
**verdict** veredicto 6.3
**verify** verificar 10.1
**verse** estrofa 10.3
**very** muy 3.3
**Very well, thank you. And you?** Muy bien, gracias. ¿Y Ud.? PE
**vest** chaleco 4.2
**veterinarian** veterinario(a) 2.1
**victim** víctima *(m. f.)* 6.3
**victory** victoria
**video camera** cámara de video 12.1
**video game** videojuego 11.1
**view** vista 4.3
**village, town** pueblo
**vineyard** viñedo 8.3
**violence** violencia 6.3
**violent** violento(a) 14.1
**visibility** visibilidad *(f.)*
**visit** visitar 2.1
**voice** voz *(f.)* 6.2
**volcano** volcán *(m.)* 6.1
**volcanic eruption** erupción de volcán *(f.)* 10.1
**volleyball** voleibol 1.1
**volume at full blast** a todo volumen 13.2
**volunteer** voluntario(a) 2.1
**vote** votar

# W

**waist** cintura 8.3
**wait** esperar 4.3
**waiter/waitress** mesero(a) 2.1, camarero(a) 6.3, mozo(a) 8.2
**waiting room** sala de espera
**wake up** despertarse (ie) 9.2
**walk** andar 10.2, caminar 13.1
**walk** caminata, paseo 8.3
**walk-in closet** vestidor 5.1
**walking, on foot** a pie 5.2
**walkway** explanada
**want** querer (ie) 4.1
**war** guerra 10.2
**warm** calentito(a) 8.2, cálido(a) 8.3
**warm up** calentar 12.3
**warrior** guerrero
**wash** lavar 1.3
**wash basin, sink** lavabo 9.2
**wash oneself** lavarse 9.2
**waste, to squander** desperdiciar
**wastepaper basket** papelera 9.2

**Watch out!** ¡Ojo!
**watch over, to guard** vigilar
**watch; clock** reloj *(m.)*
**water (a lawn)** regar; agua 4.3
**watercolor** acuarela 7.3
**water valves** llaves de paso 10.2
**waterfall** catarata
**wave** ola
**way** modo
**we** nosotros(as) 1.2
**wealth, property, goods** bienes *(m. pl.)* 12.1
**wear** llevar 1.3
**weather** tiempo 9.1
**Wednesday** miércoles *(m.)* 2.3
**weekend** fin de semana *(m.)* 4.3
**weight lifter** levantador(a) de pesas 5.3
**weight lifting** levantamiento de pesas 14.1
**welcome** bienvenido(a), **Welcome!** ¡Bienvenido(a)! PE
**wellbeing** bienestar *(m.)*
**west** oeste *(m.)* 3.1
**wet, humid** húmedo(a) 10.1
**What a shame!** ¡Qué pena! 5.2
**What does one say to . . . ?** ¿Qué se dice... ?
**What luck!** ¡Qué suerte! 5.2
**What time is it?** ¿Qué hora es? 2.3
**What?** ¿Qué? 2.2
**What's the weather like?** ¿Qué tiempo hace? 9.1
**What's your name? (familiar)** ¿Cómo te llamas (tú)? PE
**What's your name? (formal)** ¿Cómo se llama usted? PE
**when** cuando 14.3
**When?** ¿Cuándo? 2.2
**where (to)** adónde
**Where?** ¿Dónde? 2.2
**Where to?** ¿Adónde? 2.2
**Which one? Which?** ¿Cuál(es)? 2.2
**white** blanco(a) 4.1
**white wine** vino blanco 8.1
**Who?** ¿Quién(es)? 2.2
**whole, entire** entero(a) 10.2
**Why?** 2.2 ¿Por qué?
**Why not converse?** ¿Por qué no conversamos?
**wife** esposa 4.1
**wild** silvestre
**willing** dispuesto(a) 14.2
**win** ganar 4.3
**window** ventana 3.2
**wine** vino 3.2
**wing** ala 14.3
**winter** invierno 2.3
**winter, wintery** invernal
**wisdom tooth** muela
**with alcohol, alcoholic** alcohólico(a) 3.3
**with** con 5.1
**with me** conmigo 6.2
**with you** contigo 3.2
**withdrawal** retirar
**without** sin 5.1
**without a doubt** sin duda 12.2

without, unless sin que 14.3
witness testigo *(m. f.)* 6.3
woman mujer 4.1
women's rights derechos de la mujer
woo cortejar
wood madera
wool lana 4.2
word palabra
work trabajar 1.2; trabajo 2.2, obra 7.1
world alliance alianza mundial *(f.)* 12.2
world champion campeón mundial 14.2
world mundo 6.2
worry preocupación *(f.)*; preocupar 5.3;
    preocuparse 9.3
worse peor 4.2
wounded or injured person herido(a) 10.1
wreaker, tow truck grúa 10.2
wrestling lucha libre 14.1
write downm, to jot down anotar

write escribir 1.2
Write it! ¡Escríbelo!
write, to draft redactar
writer, author escritor(a) 2.1
wrong sin razón 11.2

## Y

year año 2.3
yell gritar 6.3
yellow amarillo(a) 4.1
yes sí PE
yesterday ayer 4.3
you *(fam.)* tú 1.1, *(formal)* usted 1.1, *(pl.)*
    ustedes 1.2
You probably already know that . . .
    A que ya sabes...
you vos 5.1

young jóven 5.3
younger menor 4.2
your *(fam. s.)* tu / tus 2.2, *(fml. s.)* su /
    sus 2.2

## Z

zero cero 6.1
zoo zoológico 11.3

# Index of Grammar

## A

**a**
  + **el** (contraction), 59
  + *noun or pronoun* to clarify **le** and
    **les**, 127
  personal, 256
  telling time with, 92
absolute superlative, 279
accentuation, A-7–A-8
  with dipthongs, 18
  with interrogative words, 87
  with preterite, 226
actions
  beginning/end *vs.* habitual/
    customary, 384
  completed *vs.* continuous past,
    383
  future/hypothetical, subjunctive
    with, 480
  habitual/factual, 480
  imperfect with, 481
  subjunctive with, 480
adjective clauses, subjunctive in,
  477–478
adjectives
  absolute superlative of, 279
  adverbs derived from, 199
  agreement with noun, 50, 56
  in comparisons, 159
  definition, 50
  demonstrative, 28, 154
  gender and number of, 54
  **mucho** and **poco** as, 323
  of nationality, 50, 55
  ordinal numbers as, 334
  past participles used as, 386, A-18
  plural forms, 55
  position of, 50
  possessive, 90–91
  stressed, A-21
  **ser** and **estar** with, 125, 192
  singular, 50
  modifying collective nouns, 56
  to indicate country of origin,
    26, 50, 55

**¿adónde?,** 87
adverb clauses, subjunctive in,
  479–480
adverbs
  derived from adjectives, 199
  **mucho** and **poco** as, 323
  placement, 199
  of time and frequency, 196
**al**
  contraction (**a + el**), 59
**almorzar,** present subjunctive form,
  A-19
alphabet, 16
antecedents
  indefinite and definite, 477–478
  negative, 478
articles. *See also* definite articles;
  indefinite articles
  with days of the week, 94
  gender and number of, 51–52
**-ar** verbs. *See also* verbs
  forming conditional from, 414
  forming formal commands
    from, 445
  forming future from, 412
  forming imperfect from, 480
  forming informal commands from,
    326, 416
  forming negative **tú** commands
    from, 416
  forming past perfect from, A-15
  forming past subjunctive from,
    A-19–A-20
  forming present participles from, 124
  forming present perfect from, 385
  forming present subjunctive
    from, 352
  frequently used, 57
  present tense of, 57
  regular preterite forms, 226

## B

background action, imperfect with, 381
body, parts of, 430
borrowed words, 306, 321

## C

certainty, expressions of
  impersonal, 449
  indicative with, 449
clauses
  adjective, subjunctive in, 477–478
  adverbial, subjunctive in, 479–480
  **si,** conditional sentences with,
    A-20
  subjunctive and, A-27
cognates, 14, 43, 44, 135, 172, 186
  false, 32
commands
  formal, 445
  informal (**tú**)
    affirmative, 287, 326, 416,
      A-23
    negative, 416, A-23
  irregular verbs, A-12–A-14
  position of pronouns with, 326, 416,
    445
**¿cómo?,** 87
  *vs.* **¿qué?,** 87
comparisons
  of equality, 159, 197
  of inequality, 160, 198
conditional perfect tense, A-15
conditional tense, A-9–A-14
  irregular verbs, 415, A-12–A-14
  regular verbs, 414, A-9
**conducir,** preterite of, 354
conjunctions
  forming adverbial with **que,** 479
  requiring subjunctive, 479–480
  with habitual or factual actions,
    480
**conmigo/contigo,** A-18
**conocer**
  present indicative tense, 261
  present subjunctive form, 352
  *and* **saber,** 261
contractions, 59
**¿cuál(es),** 87
  *vs.* **¿qué?,** 87
**¿cuándo?,** 87

# Index of Culture

# Index of Functions and Contexts

# Text/Realia Credits

**Ch. 2:** RAZA DE MIL COLORES, Copyright 2003 Calima Music Productions, EMI Music and Universal Music. All rights on behalf of Calima Music Productions administered by Sony/ATV Music Publishing LLC, 8 Music Square West, Nashville, TN 37203. All rights reserved. Used by permission.

**Ch. 3:** *A Margarita Xirgu, con unas rosas* by Federico García Lorca, © Herederos de Federico García Lorca. From *Obras Completas* (Galaxia Gutenberg, 1996 edition). All rights reserved. For information regarding rights and permissions, please contact lorca@artslaw.co.uk or William Peter Kosmas, Esq., 8 Franklin Square, London W14 9UU.

**Ch. 4:** *Como agua para chocolate* by Laura Esquivel. Used by permission of Doubleday, a division of Random, Inc.

**Ch. 5:** © Joaquín Salvador Lavado (QUINO). *Toda Mafalda*— Ediciones de La Flor, 1993. "Hombre pequeñito", de Alfonsina Storni, public domain / del dominio público.

**Ch. 6:** Article courtesy of Prensa Libre, Ciudad de Guatemala, Guatemala Siglo XXI Editores, S.A. de C.V., México, D.F., for the selection from *Me llamo Rigoberta Menchú y así me nació la conciencia*.

**Ch. 7:** Editorial Televisa, Miami, FL, for "¿Te conviene el @mor por internet?" by Pilar Obón. Courtesy of Televisa, Chile.

"Un día de estos" from *Los funerales de la mamá grande*. Included in *Todos los cuentos por Gabriel García Márquez (1947–1972)*, Plaza y Janés, S.A. Barcelona, Spain.

**Ch. 8:** Pablo Neruda. "Oda al tomate", ODAS ELEMENTALES © Fundación Pablo Neruda, 2008.

**Ch. 9:** *"Una pequeña gran victoria"* from *Body in Flames/Cuerpo en llamas* by Francisco Alarcón. Chronicle Books, 1990.

**Ch. 10:** *¿Qué sos Nicaragua?* included in *From Eve's Rib* by Gioconda Belli. Curbstone Press.

**Ch. 11:** "La leyenda de Iztarú" in *Leyendas Costarricenses* publicada por la Editorial de la Universidad Nacional, Globus

Comunicación (1997). In *Hispanic Business* magazine.

**Ch. 12:** Screenshot found at http://www.andinapero.com, © Andina de Turismo. "Los multimillonarios y famosos visitan Machu Pichu", as found at www.noticias-dot.com, permiso de reproducción concedido por Ángel Cortés, Director General de Noticias Digitales S.L.

**Ch. 13:** Salud y estado físico Excerpt from *Juvenal Nina* by Gaby Vallejo.

**Ch. 14:** *Cubadeportes*, Ciudad de Habana, Cuba.

# Photo Credits

*All photographs not credited are the property of Cengage Learning and Heinle Image Resource Bank.*

**p. 2–3:** ©John Warden/Photolibrary
**p. 3 top right:** ©Mark Antman/The Image Works
**p. 3 bottom right:** ©Michele Burgess/Photolibrary
**p. 4 top right:** ©Peter Menzel/Stock Boston
**p. 4 bottom:** ©Image Source/ Photolibrary
**p. 5 top left:** ©Creatas/Photolibrary
**p. 5 top right:** ©Eric Audras/PhotoAlto Agency/Jupiter Images
**p. 5 bottom:** ©Don Klumpp/Stone/Getty Images
**p. 6 top left:** ©Somos/Veer/Jupiter Images
**p. 6 top right:** ©Spike Mafford/ UpperCut Images/Getty Images
**p. 6 bottom left:** ©Yellow Dog Productions/Photodisc/Getty Images
**p. 6 bottom right:** ©Image Source Pink/Jupiter Images
**p. 8:** ©PhotoSky4t.com/Shutterstock
**p. 10 top left:** ©Royalty-Free/CORBIS
**p. 10 top center:** ©Alvaro Pantoja/Shutterstock
**p. 10 top right:** ©John Brown/Oxford Scientific (OSF)/Photolibrary
**p. 10 bottom left:** ©Royalty-Free/CORBIS
**p. 10 bottom right:** ©Walter Bibikow/Jon Arnold Images Ltd/Alamy
**p. 11 top left:** ©Robert Frerck/ Odyssey/Chicago
**p. 11 top right:** ©Richard Bickel/CORBIS
**p. 11 bottom left:** ©Jack Hollingsworth/Blend Images/Jupiter Images
**p. 11 bottom right:** ©Chip and Rosa Maria de la Cueva Peterson
**p. 12 top:** ©PhotoCreate/Shutterstock
**p. 12 bottom:** ©Alex Neauville/Shutterstock
**p. 13:** ©Thinkstock Images/Jupiter Images
**p. 22–23:** ©David R. Frazier Photolibrary, Inc./Alamy
**p. 23 top:** ©José Vicente Resino Ramos
**p. 23 bottom:** ©Daniel Garcia/AFP/Getty Images
**p. 24 top:** ©Robert Frerck/Odyssey/Chicago
**p. 24 bottom left:** ©Robert Frerck/Odyssey/Chicago
**p. 24 bottom right:** ©David Young-Wolff/PhotoEdit
**p. 25 top:** ©Michael Bush/UPI/Landov
**p. 25 center:** ©AP Photo/Dan Steinberg
**p. 25 bottom:** ©P. Tilly/Shutterstock
**p. 30 top:** ©Daniel Loncarevic/Shutterstock
**p. 30 center:** ©Sandra A. Dunlap/Shutterstock
**p. 30 bottom:** ©Andre Nantel/Shutterstock
**p. 31 top:** ©Rolf Richardson/Robert Harding Travel Library/Photolibrary
**p. 31 center:** ©Michael Zysman/Shutterstock

**p. 31 bottom:** ©Jim Lipschutz/ Shutterstock
**p. 33 top left:** ©T-Design/Shutterstock
**p. 33 top center left:** ©Ant Clausen/Shutterstock
**p. 33 top center right:** ©martinlubpl/Shutterstock
**p. 33 top right:** ©Ronen/Shutterstock
**p. 33 center left:** ©Monkey Business Images/Shutterstock
**p. 33 center:** ©Franziska Richter/Shutterstock
**p. 33 center right:** ©Phil Date/ Shutterstock
**p. 33 bottom:** ©Lisa F. Young/ Shutterstock
**p. 37:** ©Andresr/Shutterstock
**p. 38:** ©Brent Winebrenner/Lonely Planet Images
**p. 39 top:** ©Phil Date/Shutterstock
**p. 39 center:** ©Bob Daemmrich/The Image Works
**p. 39 bottom:** ©Sandro Donda/ Shutterstock
**p. 44 top:** ©Galyna Andrushko/ Shutterstock
**p. 44 center:** ©Dr. Morley Read/ Shutterstock
**p. 44 bottom:** ©rm/Shutterstock
**p. 45 top left:** ©Joel Blit/Shutterstock
**p. 45 top right:** ©Daniela Weinstein/Shutterstock
**p. 45 bottom:** ©Colman Lerner Gerardo/Shutterstock
**p. 60–61:** ©AP Photo/Bill Kostroun
**p. 61 top right:** ©Tonis Valing/Shutterstock
**p. 61 bottom right:** ©Snowleopard1/Shutterstock
**p. 63 top:** ©Frank Cantor/ CANTOMEDIA
**p. 63 center:** ©Katy Winn/Corbis
**p. 63 bottom:** ©Gregory H. Johnson
**p. 65 left:** ©AP Photo/Bill Kostroun
**p. 65 left center:** ©Tonis Valing/Shutterstock
**p. 65 center:** ©Snowleopard1/Shutterstock
**p. 65 center:** ©Frank Cantor/ CANTOMEDIA
**p. 65 right center:** ©Katy Winn/Corbis
**p. 65 right:** ©Gregory H. Johnson
**p. 68:** ©AP Photo/Andres Leighton
**p. 69 top left:** ©Robert Voets/CBS/Landov
**p. 69 top right:** ©AP Photo/Mark J. Terrill
**p. 69 center:** ©AP Photo/Jason DeCrow
**p. 69 bottom left:** ©AP Photo/Ricardo Figueroa
**p. 69 bottom right:** ©AP Photo/George Widman
**p. 70:** Courtesy of Discos Fuentes Edimúsica S. A.
**p. 71:** ©Ann Eriksson/Nordic Photos/Photolibrary
**p. 74:** ©Adalberto Rios Lanz/Sexto Sol/Photodisc/Photolibrary

**p. 77 top:** ©Gregory H. Johnson
**p. 77 center:** ©TriStar Pictures/courtesy Everett Collection
**p. 77 bottom:** Vintage Front Jacket Cover from CUANDO ERA PUERTORRIQUENA by Esmeralda Santiago. Used by Permission of Vinage Español, a division of Random House.
**p. 81 top:** ©David Bergman/CORBIS
**p. 81 bottom:** ©Wendell Metzen/Photolibrary
**p. 96–97:** ©Beryl Goldberg
**p. 97 top right:** ©AP Photo/Fernando Bustamante
**p. 97 bottom right:** ©Pedro Armestre/AFP/Getty Images
**p. 99 left:** ©David Tomlinson/Lonely Planet Images
**p. 99 center:** ©Xinhua/Landov
**p. 99 right:** ©AP Photo/Ramon de la Rocha
**p. 103:** ©Peter Adams/Digital Vision/Photolibrary
**p. 104 top:** ©Vinicius Tupinamba/Shutterstock
**p. 104 bottom:** ©José Vicente Resino Ramos
**p. 105 top:** ©Adrees Latif/Reuters/Landov
**p. 105 bottom:** ©Gerster/laif/Aurora Photos
**p. 111:** ©Carlos Alvarez/Getty Images
**p. 112:** ©Les Delano/Shutterstock
**p. 113:** ©Matt Trommer/Shutterstock
**p. 115 bottom:** ©Rob Fiocca/FoodPix/Jupiter Images
**p. 118:** ©Art Resource, NY
**p. 128–129:** ©Cosmo Condina/Stone/Getty Images
**p. 129 top right:** ©Ulrike Welsch
**p. 129 bottom right:** ©Royalty-Free/CORBIS
**p. 130:** ©Gianni Dagli Orti/CORBIS
**p. 131 top:** *Frieda and Diego Rivera*, 1931 by Frida Kahlo. Oil on canvas 39 3/8" × 31". San Francisco Museum of Modern Art. Albert M. Bender Collection, Gift of Albert M. Bender. ©2004 Banco de México Diego Rivera & Frida Kahlo Museums Trust
**p. 131 center:** *The Two Fridas*, 1939 by Frida Kahlo. Oil on canvas 68" × 68". Museo Nacional de Arte Moderno, Mexico City, D.F., Mexico. ©2004 Banco de México Diego Rivera & Frida Kahlo Museums Trust. Photo: ©Schalkwijk/Art Resource, NY
**p. 131 bottom:** *Two Women and a Child*, 1926 by Diego Rivera. Oil on canvas. Fine Arts Museums of San Francisco. Albert M. Bender Collection, Gift of Albert M. Bender. ©2004 Banco de México Diego Rivera & Frida Kahlo Museums Trust
**p. 133 top left:** ©Nathan Holland/Shutterstock

**p. 133 top center:** ©Robert Frerck/Odyssey/Chicago
**p. 133 top right:** ©Japan Travel Bureau/Photolibrary
**p. 133 bottom center:** ©Steve Vidler/ImageState/Jupiter Images
**p. 136 top:** ©Walter Bibikow/Jon Arnold Images Ltd/Alamy
**p. 136 center:** ©Robert Frerck/Odyssey/Chicago
**p. 136 bottom:** ©S. Nicolas/Iconotec/Photolibrary
**p. 139 left:** ©Jorge R. Gonzalez/Shutterstock
**p. 139 center:** ©Vstock LLC/Index Open
**p. 139 right:** ©Jeff Greenberg/Alamy
**p. 142:** ©Massimo Rossi/Photononstop/Photolibrary
**p. 144 top:** ©Ian D Walker/ Shutterstock
**p. 144 bottom:** ©Humberto Ortega/Shutterstock
**p. 145:** ©Colman Lerner Gerardo/Shutterstock
**p. 148:** ©Ian D Walker/Shutterstock
**p. 150:** Como agua para chocolate by Laura Esquivel. Used by permission of Doubleday, a division of Random House, Inc.
**p. 164–165:** ©Robert Frerck/Odyssey/Chicago
**p. 165 top right:** ©Beryl Goldberg
**p. 165 bottom right:** ©Chad Ehlers/Nordic Photos/Photolibrary
**p. 167 top:** ©Lisa McKelvie/Photolibrary
**p. 167 bottom:** ©Vstock LLC/Index Open
**p. 168 left:** ©Maria Teijeiro/Photodisc/Getty Images
**p. 168 center:** ©Christopher Jones/Shutterstock
**p. 168 right:** ©Dale A Stork/ Shutterstock
**p. 173:** ©Beryl Goldberg
**p. 174 top:** ©Jeremy Woodhouse/Photodisc/Getty Images
**p. 174 bottom:** Courtesy of Leandro http://commons. wikimedia.org/wiki/Image: Inmigracion-argentina.JPG
**p. 175:** ©AP Photo/Natacha Pisarenko
**p. 177 top left:** ©JTB Photo/Japan Travel Bureau/Photolibrary
**p. 177 top right:** ©JTB Photo/Japan Travel Bureau/Photolibrary
**p. 177 bottom left:** ©Cali/Iconotec/Photolibrary
**p. 177 bottom right:** ©Scott Christopher/Photolibrary
**p. 182 bottom:** ©Image Source Black/Jupiter Images
**p. 187:** ©VisionsofAmerica/Joe Sohm/Digital Vision/Getty Images
**p. 188:** ©Andrés Salinero/Aurora Photos
**p. 189:** ©blue jean images/Getty Images
**p. 200–201:** ©Jamie Marshall/Alamy
**p. 201 top right:** ©Charles & Josette Lenars/CORBIS